IN DE SCHADUW

Vertaald door Christien Jonkheer

Doris Lessing

In de schaduw

Autobiografie
1949-1962

1997 Uitgeverij Bert Bakker Amsterdam

De vertaalster ontving voor deze vertaling een werkbeurs van de stichting Fonds voor de Letteren

Oorspronkelijke titel *Walking in the Shade. Volume Two of my Autobiography 1949-1962*

Omslagontwerp Erik Prinsen, Zaandam
Omslagillustratie Oswald Jones, Londen
Foto achterplat Steye Raviez
ISBN 90 351 1900 2

Uitgeverij Bert Bakker is een onderdeel van Uitgeverij Prometheus

Individuen en groepen mensen moeten inzien dat ze de maatschappij pas werkelijk kunnen hervormen, en pas als redelijke mensen met anderen kunnen omgaan, als het individu heeft geleerd om de uiteenlopende patronen van autoriteiten en regelgevers (zowel in de persoonlijke als de publieke sfeer) die hem in een keurslijf dwingen op te sporen en er rekening mee te houden. Want wat zijn verstand ook zegt, zolang het patroon van die dwingende macht nog in hem voortleeft, zal hij altijd tot gehoorzaamheid eraan terugvallen.

Idries Shah, *Caravan of Dreams*

INHOUD

WOORD VAN DANK

Met bijzondere dank aan Jonathan Clowes voor zijn goede raad en steun, en, bij dit boek, zijn herinneringen waarmee hij de mijne aanvulde, want ook al kenden we elkaar toen nog niet, bepaalde gebeurtenissen hebben we samen meegemaakt.

Ook aan Stuart Proffitt, mijn redacteur bij HarperCollins, voor zijn uitstekende en fijngevoelige redactie.

Verder aan Dorothy Thompson, die me spontaan schreef of ik kopieën van mijn brieven aan Edward Thompson wilde hebben. Ik was vergeten dat ik ze geschreven had.

En aan Joan Rodker, Tom Maschler en Mervyn Jones, voor hun nuttige op- en aanmerkingen.

DENBIGH ROAD
WII

HOOG OP DE FLANK VAN HET GROTE SCHIP TILDE IK HET KLEINE JONGETJE op: 'kijk, daar heb je Londen.' De havenbuurt, *Dockland*: drabbige waterwegen en kanalen, grijzige, rottende houten kademuren en balken, kranen, sleepboten, grote en kleine schepen. Het ventje dacht waarschijnlijk: schepen, kranen en water, dat was toch Kaapstad? En nu is het ineens Londen. En voor mij lag het echte Londen nog verderop, net als mijn echte leven, dat al jaren terug begonnen zou zijn als de oorlog er niet tussen was gekomen en ik eerder naar Londen had kunnen gaan. Een schone lei, een nieuwe bladzij – alles moest nog komen.

Ik barstte van zelfvertrouwen en optimisme, al waren mijn bezittingen er niet naar: nog geen honderdvijftig pond; het manuscript van mijn eerste roman, *The Grass is Singing* [vertaald als *Het zingende gras*], dat al gekocht was door een uitgever in Johannesburg die er geen doekjes om wond dat hij met het uitgeven geen haast maakte omdat het zo subversief was; een paar korte verhalen. Verder een stel koffers vol boeken waar ik geen afstand van kon doen, wat kleren en wat sieraden die niet veel voorstelden. Het armzalige beetje geld dat mijn moeder me had aangeboden, had ik geweigerd: ze had zelf al zo weinig en bovendien was deze reis er nu juist om begonnen om te ontsnappen aan haar, de familie en dat vreselijk bekrompen land Zuid-Rhodesië, waar elk serieus gesprek dat er nog gevoerd werd, steevast op de rassenscheiding en de tekortkomingen van de zwarten uitdraaide. Ik was vrij. Eindelijk kon ik volledig mezelf zijn. Ik had het gevoel dat ik nu mezelf neerzette, op eigen benen stond. Beschrijf ik hier soms een adolescent? Mis. Ik liep al tegen de dertig. Ik had twee huwelijken achter de rug, maar vond niet dat ik écht getrouwd was geweest.

Verder was ik aan het eind van mijn Latijn, want het kind, tweeënhalf nu, was de hele maand dat de zeereis duurde om vijf uur 's ochtends met kreten van verrukking ter begroeting van de nieuwe dag wakker geworden om dan pas 's avonds tegen tienen met tegenzin te gaan slapen. In de tussentijd had hij dan geen ogenblik stilgezeten, tenzij ik verhaaltjes vertelde of versjes zong, elke dag zo'n vier tot vijf uur lang. Hij had een heerlijke tijd gehad.

En verder had ik steeds die verontrustende gedachten, of misschien moet ik zeggen gevoelens, die iedereen heeft die voor het eerst uit zuidelijk Afrika komt en nog nooit blanken een schip heeft zien lossen of zwaar lichamelijk werk heeft zien doen – dat was immers altijd werk voor zwarten geweest. Veel blanken die mede-blanken zagen werken als zwarten voelden zich onbehaaglijk, bedreigd. En voor mij lag het ook niet zo simpel. Daar had je ze nu, de arbeiders, de arbeidersklasse – toentertijd was ik ervan overtuigd dat zij als logische uitkomst der geschiedenis de aarde zouden beërven. Zij, die taaie, gespierde werklui daar beneden en, uiteráárd, de mensen zoals ik, vormden de voorhoede der arbeidersklasse. Dit schrijf ik niet om het belachelijk te maken. Miljoenen, zo geen miljarden, mensen dachten zo en gebruikten dit soort taal.

Ik heb veel te veel materiaal voor dit tweede deel van mijn autobiografie. Niets is saaier dan ellenlange memoires. Het boekje *In Pursuit of the English*, dat ik heb geschreven toen die tijd nog vers achter me lag, levert detail en diepte voor die eerste maanden in Londen. Meteen al problemen – literaire problemen. Wat ik in dat boek schrijf, is niet onwaar. Ik had een paar figuren veranderd om aanklachten wegens laster te voorkomen; dat zou nu trouwens nog steeds nodig zijn. Maar ook al is het boek niet onwaar, het is minder waar dan wat ik nu over die tijd zou schrijven. Het is een kwestie van toon, en dat ligt niet eenvoudig. Het boekje is eigenlijk meer een roman: qua vorm en tempo in ieder geval. Het is te welgevormd voor het leven. Op één punt is het in ieder geval accuraat, want toen ik pas in Londen was, begon ik weer te zien en te voelen als een kind: ieder mens en gebouw, elke bus en straat trof mijn zintuigen met de overweldigende directheid van een kinderleven; alles veel te groot, heel licht of juist heel donker, veel stank en veel lawaai. Zo ervaar ik Londen niet langer. Die stad van toen was een stad van Dickensiaanse proporties. Ik bedoel niet dat ik Londen door een Dickenssluier zag, maar dat ik dezelfde manier van waarnemen had als Dickens, vol groteske overdrijving, op het surrealistische af.

Het Londen van eind jaren veertig, begin jaren vijftig, is nu verdwenen en het valt moeilijk voor te stellen dat het ooit bestaan heeft. Het was verveloos, de gebouwen waren smerig, vol scheuren, saai en grauw; het was beschadigd door de oorlog, hele stukken waren platgebombardeerd, puinhopen met gaten vol smerig water eronder waar ooit de kelders waren geweest, en je had er die plotseling opkomende, donkere mist (het was vóór de wet op de luchtverontreiniging). Wie alleen het Londen van nu kent met zijn zichzelf respecterende, schone gebouwen, volle lunchrooms en restaurants, lekker eten en lekkere koffie, straten tot ver na middernacht vol grotendeels jonge mensen die zich uitstekend vermaken, kan zich niet voorstellen hoe de stad er toen uitzag. Geen lunchrooms of eethuisjes. Geen goede restaurants. De kleding was nog steeds in zuinige oorlogsstijl, lelijk en troosteloos. Om tien uur was iedereen binnen en waren de straten uitgestorven. In hele wijken had je als enige eetgelegenheden vaak niets anders dan de in de oorlog gesubsidieerde *Dining Rooms.* Je kreeg er prima vlees, vreselijke groente en kindertoetjes. De Lyons-restaurants waren voor de gewone man het toppunt van lekker eten; *fish and chips*, herinner ik me, en toast met gepocheerde eieren. Voor de welgestelden had je wel goede restaurants, maar die verstopten zich meestal, uit schaamte, omdat daar in de oorlog zo de hand was gelicht met de rantsoenering. In heel Groot-Brittannië was geen fatsoenlijke kop koffie te krijgen. De enige gelegenheden waar je nog aangenaam kon vertoeven waren de pubs, maar die gingen om elf uur dicht en bovendien moet je er het soort mens voor wezen. Vroeger tenminste, want nu zijn ze heel anders en wekken ze voor een buitenstaander niet langer de indruk van een besloten club met zijn eigen leden, de stamgasten, waar je als vreemde hoogstens wordt getolereerd. Er was nog veel op de bon. De oorlog was nog steeds aanwezig, niet alleen in de puinhopen, maar ook in de mentaliteit en het gedrag van de mensen. Elk gesprek draaide onherroepelijk op de oorlog uit. Net een beest dat een zere plek blijft likken. Er heerste vermoeidheid en achterdocht.

Op oudejaarsavond 1950 kreeg ik een telefoontje van een Amerikaan uit de uitgeverswereld die met me aan de zwier wilde. We troffen elkaar om zes uur op Leicester Square, ik in mijn mooiste jurk. We hadden vrolijke mensenmassa's verwacht, maar de straten waren uitgestorven. We hebben een uurtje in een pub gezeten, maar voelden ons er niet op onze plaats. Daarna gingen we op zoek naar een restaurant. Je had de dure gelegenheden, die we ons niet veroorloven konden, maar niets in de trant die we nu zo vanzelfsprekend vinden, de Chinese, Indiase en Italiaanse restaurants, en al die andere nationaliteiten. In de grote hotels was elke tafel al gereserveerd. We zijn heel Soho en de hele buurt rond Piccadilly doorgesjouwd. Alles was donker en leeg. Ten slotte zei hij: Ach, wat kan het ons ook schelen, we nemen het ervan. We zijn door een taxichauffeur naar een club in Mayfair gebracht waar we de opvolgers van de beau monde uit de jaren twintig elkaar in steeds dronkener staat met brood zagen bekogelen.

Maar eind jaren vijftig kreeg je koffiebars en lekker ijs, dankzij de Italianen, en goede, goedkope Indiase restaurants. De kleding werd vrolijk, betaalbaar en nonchalant. Londen werd weer in de verf gezet en fleurde op. Het grootste deel van de puinhopen was opgeruimd. En vooral had je toen een nieuwe generatie, die niet door de oorlog was aangeslagen. Ze praatten en dachten er niet over.

Mijn eerste woning was in Bayswater, toentertijd een tamelijk vervallen buurt waar de glorie van weleer niet meer aan af te zien viel. Iedere avond liepen er hoeren te tippelen. Ik zou het appartement delen met een Zuid-Afrikaanse vrouw en haar kind; een minder gelukkige ervaring die ik in *In Pursuit of the English* heb beschreven. Het was een ruim, goed gemeubileerd appartement. Twee van de kamers werden aan hoeren verhuurd. Toen ik daarachter kwam – want ik had niet meteen door wie die fraai geklede dames waren die met mannen de trap op en af trippelden – en de Zuid-Afrikaanse vrouw erop aansprak omdat ik vond dat het niet goed was voor de twee kleintjes, barstte ze in tranen uit en zei ze dat dat niet aardig van me was.

Ik heb zes weken lang naar een huis gezocht waar ze geen klein kind weigerden. Er heerste een hittegolf en ik snapte niet waarom iedereen altijd over het Engelse weer klaagde. Mijn voeten sleepten zich steeds moeizamer over het gloeiende plaveisel en net toen ik bijna de moed verloor, vond ik een Italiaanse familie waar een kind welkom was en was mijn grootste probleem opgelost. Dat was op Denbigh Road. Peter had een plaats gekregen op een gemeentecrèche. Hij had van jongs af in omstandigheden verkeerd waarin hij met anderen om moest gaan en hij vond het er heerlijk. Als hij uit de crèche kwam, verdween hij meteen naar het souterrain waar een meisje van zijn leeftijd woonde. Ik vond het huis deprimerend omdat het zo troosteloos en smerig en door de bombardementen beschadigd was, maar hij was er gelukkig.

Eerst woonden we op een zoldertje, zo krap dat ik mijn schrijfmachine er niet eens kwijt kon. Ik stuurde een paar korte verhalen op naar Curtis Brown, een agent die ik op goed geluk uit het *Writers' & Artists' Yearbook* had geplukt, en Juliet O'Hea schreef (in een standaardbrief, naar ik later begreep) terug: alles goed en wel, maar had ik geen roman, of was ik niet van plan er een te schrijven? Jawel, zei ik, maar die is al gekocht door een uitgever in Johannesburg. Ze vroeg of ze het contract mocht zien; toen ze het gelezen had was ze geschokt en verontwaardigd: ze wilden als beloning dat ze zich aan zo'n gevaarlijk boek waagden, vijftig procent van alles wat ik zou verdienen. Ze stuurde hun een telegram met de boodschap dat ze het contract meteen moesten ontbinden omdat ze ze anders als oplichters aan de kaak zou stellen. Vervolgens verkocht ze het boek nog datzelfde weekend aan Michael Joseph.

Daar werd het gelezen door Pamela Hansford Johnson. Die schreef een enthousiast leesverslag, maar stelde allerhande wijzigingen voor. Omdat ik al jarenlang met het herschrijven van dat boek in de weer was geweest, had ik daar geen trek in, temeer niet omdat ik met een gebroken schouder zat. Hoe dat kwam? Ik kan er niet omheen dat er een psychologische kant aan de zaak zat. Het was gebeurd op Leicester Square, waar ik *Les Enfants du Paradis* had gezien met de jongeman op wie ik zo romantisch verliefd was geweest toen hij in Rhodesië bij de RAF zat. Onze levens hadden al een drastisch uiteenlopende koers genomen: hij stond op het punt om lid te worden van de Federation of British Industry en ik was nog steeds, zij het niet helemaal van harte, communist – al was ik geen officieel partijlid. Toen ik de bioscoop uitkwam, liep ik regelrecht de gladde teer in die daar net was aangebracht door werklui die zeiden dat ik beter had moeten uitkijken waar ik heen ging. Gottfried was in Londen aangekomen met het plan er te blijven; hij logeerde bij Dorothy Schwartz uit Salisbury, in een groot appartement bij het metrostation Belsize Park. Hij heeft zes weken voor Peter gezorgd terwijl mijn schouder genas.

Terugblikkend heb ik mijn herinneringen aan die tijd een monter toontje gegeven, want 'het mocht dan moeilijk geweest zijn, het was me toch maar allemaal gelukt'. Het nu volgende tafereeltje schetst echter een ander beeld: ik sta op het perron van het metrostation Queensway. Mijn linkerarm hangt in een mitella, waar mijn geelwollen colbertje overheen zit. Er springt een knoop af, het colbertje wordt door een windvlaag van mijn linkerschouder getild en daar sta ik dan in mijn beha. In Londen kon je naakt door Oxford Street lopen zonder dat iemand je een blik waardig keurde, en mijn gêne is dan ook overbodig. Ik probeer mezelf tevergeefs weer te bedekken. Uit de drom mensen komt een vrouw op me af; ze draait me naar zich toe, haalt een grote veiligheidsspeld uit haar zak en speldt mijn colbertje aan de mitella vast. Ze staat me onderzoekend aan te kijken. 'Zeker gebroken hè? Nou, een breuk kost tweeënveertig dagen of zes weken, kies maar wat het kortste is.' Ik sta met mijn mond vol tanden. 'Kop op meid, het kan altijd nog erger.'

'Erger kan niet,' weet ik eruit te brengen. Ze lacht, zo'n anarchistisch, korzelig ik-reken-nergens-meer-op-lachje van iemand die de bombardementen van Londen heeft overleefd.

'O nee? Nou, als je niks ergers kan bedenken...' Ze klopte me een paar keer bemoedigend op mijn rug, duwde me toen zoetjes in de richting van de metro en hielp me naar binnen. 'Ga jij nou maar lekker een kopje thee drinken, dan ben je zo weer boven jan,' hoor ik nog terwijl de deuren dichtknarsen.

Ik heb *Het zingende gras* naar Michael Joseph teruggestuurd in dezelfde verpakking als waarin ik het kreeg. Ze stuurden me een brief vol lof voor de uitstekende veranderingen die ik had aangebracht. Ik heb ze nooit uit de droom geholpen.

Kort daarop liet Alfred Knopf uit New York weten dat ze het boek wilden en of ik het maar zo wilde veranderen dat er sprake was van een expliciete verkrachting, 'in overeenstemming met de mores van het land'. Dat schreef Blanche Knopf, de vrouw van Alfred. De Knopfs waren de sterren aan het uitgeversfirmament van die tijd. Laaiend was ik. Wat wist zij nu van de 'mores' van zuidelijk Afrika? Bovendien was het bijzonder bot. In *Het zingende gras* ging het nu juist om die impliciete, slinkse gedragscodes van de blanken, niets werd ooit uitgesproken, alles werd stilzwijgend aangenomen, en de relatie tussen Mary Turner, de blanke vrouw, en Moses, de zwarte man, was zo beschreven dat er niets expliciet werd gemaakt. Dat was slechts gedeeltelijk uit literair instinct. Eigenlijk heb ik nooit kunnen beslissen of Mary nu met Moses naar bed geweest is of niet. Soms denk ik van wel, dan weer van niet. Terwijl het algemeen bekend was dat blanke mannen seksuele betrekkingen onderhielden met zwarte vrouwen en er een voortdurend uitdijende kleurlingengemeenschap bestond om dat te bewijzen, had ik nog maar één keer gehoord van een blanke vrouw die met haar zwarte bediende naar bed was geweest. De straf (voor de man) was de strop. En bovendien was het taboe ongelooflijk sterk. Als Mary Turner, dat arme mens dat zich zo angstvallig vastklampte aan haar zelfbeeld als blanke mevrouw, echt met Moses naar bed was geweest, was ze volledig ingestort. Toegegeven, ingestort is ze toch, en gek was ze ook al, maar ze zou gek zijn geworden op een andere manier: zodra ik het zeg, verschijnen er zinnetjes en woorden die die ándere waanzin zouden beschrijven. Nee, al met al denk ik dat ze het niet gedaan heeft. Toen ik het boek schreef, wist ik zeker dat ze het niet gedaan had. Het voorval waaruit het verhaal is voortgekomen ging als volgt: ik had ze op de veranda's met afkeer en verontrusting horen praten over een plantersvrouw in de buurt die 'haar kok haar jurk van achteren dicht liet knopen en hem haar haar liet borstelen'. Mijn vader vond dit, naar mijn mening terecht, een voorbeeld van ultieme minachting van de vrouw voor die kok, zoals ze zich in de hogere standen allerlei intiem en smerig gedrag permitteerden waar hun bedienden bij waren, omdat dat toch geen echt menselijke wezens waren.

Ik vond de eis van Knopf hypocriet: een expliciete verkrachting zou nieuw en dus sensationeel zijn geweest, zo was dat toen. Ik zei dat ik het boek niet wilde veranderen. Daarin ben ik voortdurend gesteund door Juliet O'Hea, die zei dat ik natuurlijk nooit één woord moest veranderen als ik dat niet wilde, maar dat het altijd de moeite waard was om over hun voorstellen na te denken. 'Want, *my dear*, een enkele keer hebben ze gelijk.' Ze vond dat ze dit keer ongelijk hadden. 'Maak je geen zorgen. Als ze het niet nemen, vind ik wel een andere uitgever voor je.' Maar ze namen het toch.*

Mijn geld was bijna op. De honderdvijftig pond aan voorschot van Michael Joseph waren meteen opgegaan aan huur en geld voor de crèche. Ik nam ergens een paar weken een baantje als secretaresse waar ik bijna niets te doen had, want het was een nieuw bouwbedrijf met jonge, onervaren partners. Ik had mijn zoontje bij de gemeentecrèche weggehaald en hem op een vrij dure privé-crèche gedaan. Waar moest ik het geld vandaan halen? Maar ik redeneerde altijd zo: eerst beslissen wat je gaat doen en dan zien hoe je dat moet betalen. Algauw kwam ik erachter dat ik dom bezig was. Ik werd geacht schrijfster te zijn: de uitgevers informeerden voorzichtig waaraan ik werkte. Maar ik had geen energie om te schrijven. Om vijf uur 's ochtends werd ik wakker, van mijn zoontje; hij zou nog jaren om die tijd wakker worden, en ik vanzelfsprekend ook. Ik las hem voor, vertelde hem verhaaltjes, maakte zijn ontbijt klaar, bracht hem met de bus naar de crèche en dan ging ik naar mijn werk. Daar zat ik dan voornamelijk te niksen en soms stiekem een kort verhaal te schrijven. Tussen de middag ging ik boodschappen doen. Om vijf uur ging ik mijn zoontje uit de crèche halen, met de bus naar huis, en dan de gebruikelijke uitgelaten, lawaaierige avond voor hem, bij de benedenburen, terwijl ik bij ons de boel deed. Pas om een uur of tien ging hij slapen. Dan was ik te moe om nog aan de slag te gaan.

Ik zei het baantje op. Ondertussen had de uitgever tot tweemaal toe gebeld met de mededeling dat ze gingen herdrukken, en dat terwijl het boek nog niet uit was. 'O, goed,' zei ik. Ik dacht dat het bij iedere schrijver zo ging. Wist ik veel. En zij dachten dat ik mijn succes als vanzelfsprekend beschouwde.

Michael Joseph nodigde me uit op de lunch in het Caprice, toentertijd het chicste showbusinessrestaurant. Ik was van mijn zoldertje naar beneden verhuisd, naar een ruime kamer die ooit mooi geweest was en dat later weer zou worden, maar die toen smerig en tochtig was, met een open haard waarmee het

* Niet veel later zou ik een onbarmhartig lesje in de harde realiteit van de uitgeverswereld krijgen. Op het omslag van de eerste paperbackuitgave van *Het zingende gras* hadden ze een afgrijselijk plaatje gezet van een blonde vrouw die in doodsangst wegkroop voor een groot beest van een neger (anders kan ik het niet uitdrukken) die dreigend boven haar uittorende met een machete in de aanslag. Mijn protesten in de geest van: 'Maar Moses wás geen primitieve, moordzuchtige maniak,' werden van tafel geveegd met: 'Jij snapt niet hoe je boeken moet verkopen.'

niet goed warm te stoken viel. Het hele huis lekte en kierde door de bombardementen. Er was een piepklein slaapkamertje voor Peter. Het Caprice was één stralende pracht van roze tafellinnen, zilver, kristal en goedgeklede mensen. Michael Joseph was een knappe vent, wereldwijs, op z'n gemak; hij had het over 'Larry' en 'Viv' en dat het zo jammer was dat ze er die dag niet waren. Hij was om de een of andere reden afgekeurd voor het leger en had in de oorlog zijn uitgeverij opgericht, tegen het advies van iedereen in, want veel kapitaal had hij niet. Hij had meteen succes, vooral omdat hij agent was geweest bij Curtis Brown en omdat Juliet O'Hea, een goede vriendin van hem, ervoor zorgde dat hij nieuwe boeken kreeg toegestuurd. Hij genoot van zijn succes, had een paar renpaarden lopen, was te vinden in de meest modieuze gelegenheden van Londen. Om de haverklap groette hij mensen aan andere tafeltjes. 'Mag ik je onze nieuwe schrijfster voorstellen, ze komt uit Afrika.'

Hij had me niet alleen voor die lunch uitgenodigd omdat schrijvers zich daarmee vereerd behoren te voelen, maar ook omdat hij wilde dat deze schrijfster niet verwachtte dat hij reclame ging maken. Hij gaf me een aantal verpletterende voorbeelden, zoals dat boekje *The Snow Goose* van Paul Gallico dat in de oorlog was uitgegeven en voor verschijning puur op mond-tot-mond-reclame al een aantal malen was gedrukt. 'Adverteren heeft geen enkele invloed op het lot van een boek.' Zo praten alle uitgevers.

Op bepaalde militaire academies werken ze met de volgende test. De geëxamineerde moet zich voorstellen dat hij generaal aan het front is. In de ene zone houden zijn mannen stand, in de tweede worden ze in de pan gehakt en in de derde weten ze de vijand terug te drijven. De vraag is: je hebt beperkte middelen. Naar welke zone stuur je hulp? Het juiste antwoord: naar de succesvolle; de rest moet aan zijn lot worden overgelaten. Ik heb me laten vertellen dat maar weinigen het goede antwoord geven; ze houden zichzelf voor de gek met meegevoel voor de soldaten die het er minder goed van afbrengen. Uitgevers denken wél zo: een al geslaagde of bekende auteur krijgt reclame, en minder geslaagde of onbekende moeten maar pompen of verzuipen. Als het publiek in de metro reclame voor een roman ziet, ziet het reservetroepen die naar een al succesvolle zone van het front worden gestuurd. Ze zien hoe er van een roman die al goed loopt, een bestseller wordt gemaakt.

Meegesleept door de sfeer in het Caprice bekende ik Michael Joseph dat moorkoppen mijn absolute favoriet waren; ik was nog maar net in onze bouwval terug, of er stopte al een discreet snorrende, lange, zwarte auto waar een chauffeur uitstapte die een mooie, roze doos afleverde. Er zaten twaalf moorkoppen in. Ze werden toegevoegd aan het toch al niet karige avondeten van de familie beneden.

Wat ik in dat huishouden meemaakte, was in strijd met al mijn verwachtingen van voedsel op de bon, mondjesmaat eten, halve hongersnood zelfs. Ik had voedselpakketten naar Engeland gestuurd! De Italiaanse vrouw des huizes kon koken als de beste. Ik geloof niet dat ze ooit een kookboek onder ogen had gehad. Ze ging met zes bonboekjes naar een winkel in Westbourne Grove, toen een achterbuurt. Maar ze kreeg altijd drie of vier keer het rantsoen aan boter, eieren, spek, bakvet en kaas mee. Hoe ze dat klaarspeelde? Toen ik dat vroeg, zei ze smalend dat het tijd werd dat ik me eens leerde redden. Er kwamen altijd een paar omgekochte politieagenten langs die in ruil voor hun dichtgeknepen oogje een deel van haar buit kregen: boter en eieren. Of ik aan die illegale activiteiten meedeed? Jazeker: ze kreeg onze twee bonboekjes in beheer. In die sfeer moreel protest aantekenen was belachelijk geweest en bovendien zouden die beminnelijke boeven dat niet eens gesnapt hebben. Trouwens, in de krant werd al volop op een eind aan de rantsoenering aangedrongen. Het was niet meer nodig, werd er gezegd. Nooit heb ik ergens zo lekker gegeten. De huur was alleen voor het wonen, niet voor de kost, maar zoals de meeste goeie koks kon onze hospita het niet hebben dat iemand in haar huis niet meeat. Ik at twee of drie keer in de week beneden mee en Peter bijna iedere avond. Ze vroeg om geld voor boodschappen als ze zonder zat. Ze voerde een huishoudelijk beleid dat behalve mij ook andere huisgenoten omvatte, met een ingewikkeld systeem van lenen, uitlenen, sigaretten en een jurk of schoenen die haar aanstonden.

Toen ik keurige kennissen van me over die omgekochte politieagenten en de boter, kaas en eieren vertelde, reageerden ze kil en nijdig. 'Onze politiemensen zijn niet corrupt,' zeiden ze. Ze zagen mijn verblijf in die exotische oorden (de arbeidersklasse) als een grillig uitstapje ten behoeve van mijn kunst, voor De Ervaring. Ze verwachtten er vermakelijke anekdotes over, in de trant van de snobistische *Punch*-cartoons over bedienend personeel.

Van toen af aan tot tientallen jaren later, toen de Autoriteiten toegaven dat onze politie niet honderd procent in de haak was, werd ik door bijna iedereen behandeld met de vijandige korzeligheid die me ook al ten deel viel als ik zei dat Zuid-Afrika voor de zwarten en kleurlingen een hel was (want dat werd nog steeds niet erkend, ondanks Alan Patons *Cry, the Beloved Country* dat net was uitgekomen, vlak voor *Het zingende gras*) en nog sterker als ik met grote stelligheid beweerde dat het in Zuid-Rhodesië niet veel beter was en dat sommige zwarten het er zelfs erger vonden dan in Zuid-Afrika. Dat was praat voor communisten en oproerkraaiers.

In het huis aan Denbigh Road hadden ze geen boodschap aan zuidelijk Afrika. Nergens aan, trouwens, buiten hun eigen buurtje. Als ze naar het West End gingen, anderhalve kilometer verderop, was dat voor hen een geweldige onderneming.

De uitbundigheid en het lichamelijk genieten van de mensen in dat huis was toen zeker niet algemeen. Het was een vermoeid volkje, die Engelsen. Stoïcijns. De geringe vitaliteit van het land, die naweeën van de oorlog, alsof de verschrikkingen en de oorlogsellende ze stilletjes opvraten en hun energie wegzoog als een zwart gat, werd gecompenseerd door iets heel anders. Dat vind ik nu het opvallendst aan die tijd, dat contrast. Enerzijds die somberheid, een patiënt die lijdzaam zijn lot ondergaat. Maar anderzijds een optimistische kijk op de toekomst die zo ver van onze huidige mentaliteit ligt verwijderd dat het bijna een uiting van collectieve waanzin lijkt. Het was de vooravond van een Nieuwe Tijd, jawel. De oplossing lag in het socialisme. De soldaten die uit de hele wereld terugkwamen was van alles beloofd; het Atlantisch Handvest (indertijd met spot bezien) was slechts de samenvatting van deze heilsverwachtingen en ze hadden nu weer een Labourregering in het zadel geholpen zodat het ze niet meer kon ontgaan. Hun paradepaardje was de nationale gezondheidszorg. In de jaren dertig, voor de oorlog, kon een ziekte of ongeval een hele familie in het verderf storten. De armoede was verschrikkelijk geweest en nog niet vergeten. Maar dat behoorde nu allemaal tot het verleden. Men behoefde ziekte, steun en ouderdom niet meer te vrezen. En dat was nog maar het begin: alles zou voortdurend beter worden. Iedereen leek er zo over te denken. Het wemelde van de artsen die een praktijk begonnen om die nieuwe, socialistische geneeskunst te beoefenen; ze zagen zichzelf als de grondleggers van een nieuw tijdperk. Of het nu om communisten, Labouraanhangers of Liberalen ging, idealisten waren het allemaal.

De tijdgeest, of hoe we toen dachten

Allereerst: het was de dageraad van een nieuwe wereld.

Britain *was nog steeds* best*: dat zat zo diep verankerd in het denken van de bevolking dat het als vanzelfsprekend werd beschouwd. Onderwijs, eten, gezondheid, wat dan ook – alles was het beste. Het Britse Rijk, al stond het toen op zijn laatste benen – het beste.*

De krant stond vol waarschuwingen over de wederopbouw van de platgebombardeerde wijk rond St Paul's Cathedral. Als die herbouw niet goed gepland en gecoördineerd werd, zou er een lelijke chaos ontstaan. Van planning was geen sprake en er is dan ook een lelijke chaos ontstaan.

Onze gevangenissen waren weerzinwekkend, een schande. Bijna veertig jaar later is het nog steeds hetzelfde liedje. Er is iets mee, het lukt ons maar niet om fatsoenlijke gevangenissen te maken. Komt dat omdat de Britten diep in hun hart mét het Oude Testament geloven in het adagium oog om oog, tand om tand? Lik op stuk, daar geloven de meeste burgers in. Terwijl ik dit schrijf, speelt het nieuws dat er moeders van kleine kinderen in de gevangenis zitten omdat ze hun kijkgeld niet hebben betaald. De kinderen zitten in een opvanghuis. Het gros van de mensen die dit voor het eerst horen reageert met: niet te geloven, dat kán toch niet! Maar Dickens had er niet van opgekeken.

De liefdadigheid was dankzij de verzorgingsstaat voorgoed de wereld uit. Nooit zouden er meer armen de vernedering van andermans giften hoeven te slikken. We zouden nu het hele liefdadigheidsapparaat ontmantelen, de fondsen, de verenigingen, de comités. Weg met de aalmoezen.

In het metrostation Oxford Street zag ik een kleine bullebak van een beambte een kersvers uit West-Indië gearriveerde man die het kaartjessysteem niet snapte uitkafferen. Het was precies zo'n blanke als ik in mijn hele leven in Zuid-Rhodesië tegen zwarten had horen schreeuwen. Hij probeerde zijn eigen minderwaardigheidsgevoelens te compenseren.

Alle buitenlanders, vooral Amerikanen, vonden Engeland zo'n vriendelijk, beleefd – beschaafd – land.

En nu – wat moest ik nu gaan schrijven? De uitgevers wilden een roman. Maar ik schreef korte verhalen. Ze speelden zich allemaal af in het district Banket in Lomagundi, en gingen over de blanke gemeenschap, hoe die zichzelf zag, zich in stand hield en tegen de zwarten om zich heen aankeek. Ik wilde de bundel *This Was the Old Chief's Country* noemen. Als je dat graag wilt, ga je gang, uiteraard, zei Juliet O'Hea, maar geen uitgever zat te springen om korte verhalen, want die verkochten niet. Ik bewees hun ongelijk, want ze verkochten wel, en goed ook – voor korte verhalen – en ze verkopen nog steeds. Maar ik moest over een roman nadenken. En dat deed ik, lang en diep, over het boek dat zou uitgroeien tot *Martha Quest.*

Het zingende gras was tot stand gekomen omdat de mensen mij als schrijfster beschouwden en omdat ik wist dat ik schrijfster zou worden... iets waarvan ik nu weet dat dat al van jongs af aan zo was. Dat was ik weer vergeten, want ik dacht dat ik die beslissing pas later had genomen, maar toen het eerste deel van mijn autobiografie, *Under my Skin* [vertaald als *Onder mijn huid*], uitkwam, vertelde een vrouw die me in het klooster had gekend – Daphne Anderson, die over haar jeugd het voortreffelijke *ToeRags* heeft geschreven – dat ze nog wist hoe we op de slaapzaal op mijn bed over onze toekomst hadden zitten praten en dat ik gezegd had dat ik schrijfster zou worden. Ik zal toen een jaar of elf zijn geweest. Maar die schrijfster is een Sirene-figuur, die verlokkende troost en steun biedt aan talrijke jonge mensen die beseffen dat ze stuurloos rondzwalken en hun toekomst geen passende richting kunnen geven. Ik had mijn baan bij het advocatenkantoor in Salisbury eraan gegeven met de mededeling dat ik een roman ging schrijven, want op een gegeven moment moest ik er toch aan geloven in plaats van er almaar over te praten. Bovendien had ik bedacht dat de ideale omstandigheden – alleen zijn met genoeg tijd en geen zorgen – zich toch nooit zouden voordoen. Wat moest ik schrijven? Ik had ideeën genoeg voor een boek. Nu interesseert het me hoe ik toen rondhing, eindeloos door de kamer ijsbeerde, dagdroomde (een essentieel proces), er alle tijd voor nam, en dat alles geheel instinctief. Uit de vele ideeën kwam er een naar voren... het werd sterker... ik herinnerde me de gesprekken op de veranda's, matrix voor duizend-en-een verhalen, en het krantenknipseltje dat ik al die jaren had bewaard. En zo schreef ik *Het zingende gras.* Debuutromans zijn doorgaans autobiografisch. *Het zingende gras* was dat niet. Dick Turner, de boer die failliet gaat, was een figuur die ik mijn hele leven had meegemaakt. Slechts een klein deel van de blanke planters redde het; de meesten gingen failliet. Sommigen bleven toch nog jarenlang doorploeteren. Sommigen haatten het land. Anderen, zoals Dick Turner, hielden ervan. Sommigen waren idealistisch – mijn vader bijvoorbeeld. Als die nu boer was, zou hij niets willen weten van kunstmest, pesticiden en gewassen die de bodem uitputten, en zou hij de dieren en vogels beschermen. Mary Turner had ik gebaseerd op een vrouw die ik al jaren kende, een van de meiden van de Sports Club. Als we in de *bush* gingen picknicken, of er gewoon gingen zitten en alles in ons opnamen (wat veel blanken uit de stad deden, alsof de stad een noodzakelijk kwaad was en ze eigenlijk thuishoorden in de bush), dan zat die vrouw (die eigenlijk tot ver in de veertig een meisje bleef, zo'n geschikt type, het hartelijke zusje van iedere man) altijd ergens op een steen, met haar voeten opgetrokken zodat ze de grond niet raakten en haar armen stijf om haar knieën geslagen angstvallig te kijken of er geen mier, kameleon of kever op haar broek kroop. Waarom ging ze eigenlijk mee picknicken als de bush haar zo'n angst aanjoeg? Omdat ze zo'n geschikt type was en altijd deed wat de anderen deden en van haar wilden. Het was een stadsmens dat thuishoorde in straten en keurige, tamme tuinen... Als ik haar zo zag, vroeg ik me af wat zij in hemelsnaam zou doen als het lot haar ergens op een boerderij zou planten, niet zo'n nieuwe, grote, rijke, maar een van die arme gedoetjes die ik gezien had; ik liet in mijn hoofd de namen van de arme boeren de revue passeren, zag de ondiepe bakstenen veranda's, de daken van golfplaat, die uitzetten en krompen en kraakten in de hitte en de kou, het stof, het schrille geluid van de cicaden... en toen had ik het, had ik haar, had ik Mary Turner, de vrouw die een afkeer had van de bush en de zwarten en alle natuurlijke processen, die een afkeer had van seks, die altijd netjes en schoon wilde zijn, altijd een pasgestreken jurk aan en haar kleinemeisjeshaar op feestjes in een strik.

En nu, opnieuw, in Londen: wat moest ik schrijven?

Op een gegeven moment kwam het bij me op dat mijn jeugd eigenlijk wel bijzonder was geweest en dat daar best een roman in zat. Hoe bijzonder, begreep ik pas toen ik uit zuidelijk Afrika weg was en in Engeland woonde. *Martha Quest*, mijn derde boek, was min of meer autobiografisch, al begon het pas op Martha's veertiende, na haar kindertijd. Debuutromans, vooral die van vrouwen, zijn ongeacht hun literaire kwaliteiten vaak pogingen om de eigen identiteit te bepalen. Terwijl ik mijn jeugd steeds duidelijker begon te zien door iedere nieuwe persoon die ik tegenkwam – want een terloopse opmerking kon iets wat ik al jaren als vanzelfsprekend aannam op losse schroeven zetten – was ik toch in de war. Ik wist wel degelijk 'wie ik was', om het op z'n Amerikaans te zeggen, maar had geen idee hoe ik mezelf als maatschappelijk wezen moest zien. En nu even een terzijde dat nodig is omdat we bij een terrein aanbelanden waarover ik veel vragen heb: dat hele gedoe van 'uitzoeken wie je bent', dat toentertijd echt uitsluitend Amerikaans was, heb ik altijd zó vreemd gevonden. Wat bedoelen ze ermee? Hoe kun je rondlopen zónder een ik-gevoel? Zonder een gevoel van: dit ben ik, dit hier vanbinnen? Hoe moet ik me dat dan voorstellen, om te leven zonder dat gevoel van mij, hier vanbinnen, van wat ik ben?

Wat ik níet wist was hoe ik mezelf in een maatschappelijke context moest bepalen en zien. Ja, je kunt wel zeggen dat ik een kind was van 'het eind van de *Raj*', van het Britse bestuur in India, maar die uitdrukking was toen nog niet in zwang. Van het eind van het Britse Rijk dan. Ja, ik behoorde tot een generatie die was grootgebracht op de Eerste Wereldoorlog en daarna evenzeer gevormd door de Tweede. Maar er was een leemte, een gemis, een smet – en dat had met mijn ouders te maken, vooral met mijn moeder. Ik had voortdurend genadeloos tegen haar gevochten, en dat moest ook – maar waar ging het eigenlijk om? Wáár om? Dat heb ik eigenlijk pas kunnen beantwoorden toen ik in de zeventig was, en toen misschien nóg niet definitief.

Ik begon *Martha Quest* te schrijven toen ik nog op Denbigh Road woonde, en het ging in een aardig tempo, maar ik moest mezelf steeds onderbreken, ik moest dat huis uit, die straat uit, die nu al zo lang weer een chique buurt is. Soms loop of rijd ik er nog weleens doorheen, en als ik dan die discreet begerenswaardige woonhuizen zie, denk ik: ik vraag me af wat jullie die daar nu wonen zouden vinden als jullie konden zien hoe die huizen er vroeger uitzagen en hoe lukraak ze door War Damage zijn 'opgeknapt'.

Het probleem was dat de kleine Peter het er zo naar zijn zin had, en dat ik wist dat ik niet gauw weer zoiets fijns zou vinden. Voor hem dan.

Bij toeval ging ik naar een feestje in het appartement van de broer van een planter uit Zuid-Rhodesië. Die planter was de vleesgeworden conservatieve blanke. Maar deze broer was links, en pro-Sovjetunie, zoals toen veel voorkwam. Hij had een oudere vriendin, die vroeger mooi was geweest, zoals de foto's die overal stonden bewezen, en die hij Baby noemde. Baby, met haar grote, donkere ogen in haar opgemaakte, aantrekkelijke oude gezicht, en haar kraagjes en strikjes, trok veel aandacht naar zich toe, maar er was nog een ander middelpunt, een intense, stevige jonge vrouw met donker haar en donkere ogen, die ik voor Frans versleet. Ze droeg een strakke zwarte rok, een witte blouse, en een brutale zwarte baret. We raakten aan de praat, ze hoorde hoe ik woonde en reageerde meteen met praktisch medeleven. Ze had zelf als jonge moeder met een klein kind op één kamer in New York gehuisd. Ze was toen gered door een vriendin die haar een appartement in haar huis had aangeboden. 'Zo kun je toch niet wonen,' had ze gezegd. En nu zei Joan Rodker tegen mij dat ze bezig was een huurder die haar niet beviel eruit te zetten, en dat ze er al een tijdje over liep te denken of ze niet een alleenstaande jonge moeder kon helpen. Op de bovenste verdieping van haar huis was een klein appartement waar ik in kon trekken, als Peter haar tenminste aanstond. En zo ging ik de zondag daarop met Peter naar haar toe. Het klikte meteen tussen die twee. Je zou dus kunnen zeggen dat Peter mijn huisvestingsprobleem voor me heeft opgelost.

En zo verhuisde ik naar Church Street in Kensington, naar het aantrekkelijke, kleine appartement op de bovenste verdieping, waar ik vier jaar heb gewoond.

Dat was in de zomer van 1950. Maar voor ik van Denbigh Road vertrok, heb ik nog het eind van een tijdperk meegemaakt, de dood van een cultuur: de televisie deed haar intrede. Voor de komst van de televisie was de tafel al gedekt als de mannen uit hun werk kwamen, het vuur in de haard brandde lustig, de radio liet in de hoek gepraat of zachte muziek horen, ze wasten zich en kwamen zitten, ieder op hun eigen plaats, met de vrouw, het kind en wie er in het huis verder nog naar beneden kon worden gelokt. Er werd eten uit de oven gehaald, schaal op schaal, er werd thee gezet, er kwam bier op tafel, de truien en jasjes gingen uit, en de mannen zaten in hun hemdsmouwen te glimmen van welbevinden. Ze praatten en ze zongen allemaal, ze vertelden wat er die dag gebeurd was, ze hielden obscene praatjes – een ritueel – ze ruzieden, ze schreeuwden, ze kusten elkaar en maakten het weer goed, en gingen rond twaalf of één uur naar bed, na zo'n uur of zes van uitbundige gezelligheid. Het zal er wel niet in alle Engelse huishoudens zo intens emotioneel aan zijn toegegaan, ik neem aan dat ik een uitzonderlijk geval heb meegemaakt. Maar toen, van de ene op de andere dag, letterlijk van de ene op de andere avond, was de gezelligheid voorbij, want de televisie had haar intrede gedaan en troonde als een akelige pad in de hoek van de keuken. Algauw was de grote keukentafel tegen de muur geschoven, waren de stoelen in een halve kring gezet en stonden er ronddraaiende dienbladen op de armleuningen. Het was het eind van een uitbundige, verbale cultuur.

CHURCH STREET
KENSINGTON W8

HET HUIS IN DE BUURT VAN DE PORTOBELLO ROAD WAS DOOR DE OORLOG beschadigd en stond midden tussen de gebombardeerde gebouwen. Het huis in Church Street was ook door de oorlog beschadigd en omgeven door puinhopen. Tussen de puinhopen werden vaak vuurtjes gestookt om de skeletten van de huizen op te ruimen. Daarmee hield de overeenkomst tussen de beide huizen op. In het vorige huis had 'politiek' eten en rantsoenering betekend, en de stommiteiten van de regering in het algemeen, maar in Church Street werd ik pardoes weer ondergedompeld in de internationale politiek, communisten, de kameraden, hartstochtelijke polemiek en de wederopbouw van Groot-Brittannië aan de hand van een soort onzichtbare blauwdruk die ze allemaal deelden. Joan Rodker werkte voor het Polish Institute, was communist, kende iedereen in 'de partij', zoals die genoemd werd, en kende ook de meeste mensen uit de kunstwereld. Haar verhaal is heel bijzonder en is wel een paar boeken waard. Ze was de dochter van twee opmerkelijke mensen, uit het arme, maar zinderende East End, toen dat de kunstwereld en het intellectuele leven in het algemeen nog van talent voorzag. Haar vader was de schrijver John Rodker, die bevriend was met de bekende schrijvers en intellectuelen uit die tijd; om mysterieuze redenen was hij tegen de verwachtingen die iedereen van hem had in uitgever geworden. Haar moeder was een schoonheid die voor kunstenaars model stond, met name voor Isaac Rosenberg. Ze dumpten Joan al op heel jonge leeftijd ergens in een instelling voor kinderen van ouders die in hun leven geen plaats voor ze hadden. Het was een wreed oord, al was het aan de buitenkant keurig in orde. Haar ouders kwamen er af en toe op bezoek, maar hebben nooit geweten wat het arme kind er heeft moeten doormaken. Nadat ze dit alles en nog veel meer had overleefd, kreeg ze als actrice bij een toneelgezelschap in de Oekraïne (ze had een talenknobbel en had Duits en Russisch geleerd) een kind van een Duitse collega-acteur. Omdat het als bourgeois bestempelde huwelijk voor altijd uit de geschiedenis was verbannen, trouwden ze niet. Zij heeft ervoor gezorgd dat hij voor de oorlog van Tsjechoslowakije naar Engeland emigreerde. Ik heb zijn verschijning gebruikt voor de 'Children of Violence'-reeks, ['Kinderen van het geweld'] in de plaats van Gottfried Lessing, omdat ik vond dat ik die als vader van Peter buiten schot moest laten. De een kwam uit de middenklasse, en de ander was rijk, heel rijk, uit het tijdperk van de Duitse decadentie. Maar die vervanging had niet het gewenste effect. Gottfried zei dat ik hem in het boek had gebruikt, terwijl de enige overeenkomst tussen beide personages was dat ze Duits en communist waren. Dat kon alleen maar betekenen dat Gottfried zijn politieke overtuiging als zijn meest wezenlijke kenmerk zag. Hinze was een bekend acteur en hielp toen Ernest (het kind van hem en Joan) opgroeide vaak met tijd en geld. Ook hij was opmerkelijk en ook zijn levensverhaal is het opschrijven waard. Moeilijke tijden brengen bijzondere mensen voort. Hoe je die vaststelling in de praktijk zou kunnen benutten, is weer een andere vraag.

Toen ze na de oorlog naar Londen terugkwam – ze had met haar zoontje in Amerika gezeten – had ze geen plek om te wonen. Ze zag het huis in Church Street, dat daar dakloos stond en dacht: dat is mijn huis. Ze sjouwde emmers water naar binnen en begon iedere avond na haar werk de kamers schoon te schrobben. War Damage stuurde werklui om het huis te herstellen en die troffen Joan met haar borstel aan op haar knieën.

'Wat doet u hier?'

'Ik maak mijn huis schoon,' zei ze.

'Maar het is niet van u.'

'O jawel.'

'Dan zult u toch papieren moeten laten zien om dat te bewijzen.'

Geld had ze niet. Ze ging naar haar vader en vroeg hem borg te staan voor een lening bij de bank. Dat bracht hem van zijn stuk; bij mensen die zich uit grote armoede hebben moeten opwerken duurt het vaak lang voor ze zichzelf als bevoorrecht kunnen zien. Door de lening – met borg – en haar vastberadenheid kreeg ze haar huis, waar ze nu nog steeds woont.

Al die toestanden hadden haar een fabelachtig instinct voor andermans ellende gegeven: zo snel en trefzeker heb ik dat niet vaak gezien. Ze wist hoe ze anderen moest helpen. Haar vriendelijkheid en ruimhartigheid waren niet sentimenteel maar praktisch en inventief. Ik had genoeg mensen met wie ik haar kon vergelijken, want ik leerde mensen kennen die de oorlog, de kampen en allerhande rampen hadden overleefd; mijn leven zat vol overlevenden, maar die waren er door wat ze hadden meegemaakt niet allemaal beter op geworden.

Peter had het in het andere huis naar zijn zin gehad en hier vond hij het net zo fijn. Joans zoon Ernest, toen een tiener, was even ongelooflijk vriendelijk als Joan zelf. Hij was net een oudere broer. Mensen die kleine kinderen hebben grootgebracht zonder de andere ouder om de last mee te delen begrijpen dat ik daarmee het belangrijkste over mijn toenmalige leven heb gezegd.

Het leven in het vorige huis was me net zo vreemd voorgekomen als wanneer ik in een Victoriaanse roman had gezeten, maar het leven in Kensington, in Church Street, was gewoon een voortzetting van dat in het appartement in Salisbury, waar dag en nacht mensen kwamen binnenvallen, voor een kop thee, eten, gekibbel en vaak luidruchtige discussies. Als ik naar boven of beneden liep, kwam ik langs de open deur naar het keukentje dat vaak stampvol kameraden zat, die er zaten te eten, te praten, te schreeuwen of van die geheimzinnig nieuwtjes uitwisselden, want er gebeurde in communistenkringen heel wat dat op gedempte toon werd besproken en nooit naar buiten werd gebracht. Ik zat weer in een sfeer die iedere ontmoeting en ieder gesprek gewicht verleende, want als je communist was, hing de toekomst van de wereld af van jou – van jou en je vrienden en mensen zoals jij over de hele wereld. Kortom, de voorhoede der arbeidersklasse. Het gaf me tegenstrijdige gevoelens. Na mijn leven met Gottfried Lessing, 'een honderdvijftigprocenter' zoals ze dat toen in communistenkringen noemden, was ik het dogmatisme en de gewichtigdoenerij zat. Als ik Gottfried zag, die nu op het dieptepunt van zijn leven zat en vanuit zijn somberheid nog grover en hardvochtiger dan anders over niet-communistische mensen en opvattingen oordeelde, zag ik een spiegel van mezelf – een karikatuur weliswaar, maar toch levensecht. Er bleef maar een versregel van Gerald Manley Hopkins door mijn hoofd spoken.

This, by Despair, bred Hangdog dull; by Rage,
Manwolf, worse; and their packs infest the age.

(Dit bracht uit wanhoop botte valsaards voort; uit woede,/ menswolf, nog erger; hun horden teisteren ons tijdperk.)

Soms werd ik wakker uit een droom terwijl ik 'and their packs infest the age' mompelde. Dat was ík. Hopkins had het over mij.

Ik leefde in een 'pack', was een van de horde. Maar als de kameraden de trap naar de bovenste verdieping opkwamen (en dat deden ze vaak, omdat daar zo'n kwieke jonge vrouw woonde, met zo'n leuk knulletje, en nog exotisch ook, want ze kwam uit Afrika, dat toen wel altijd in het nieuws leek), merkte ik dat ze zich interesseerden voor wat ik over Zuid-Afrika en Zuid-Rhodesië te melden had. Buiten communistische kringen werd mijn mededeling dat Zuid-Rhodesië echt geen paradijs vol blije zwartjes was met ongeduld aangehoord. Wat ben je toch een dwarskop, zeiden hun blikken. En wat ben ik toch neerbuigend behandeld door mensen die er gewoon níet aan wilden. Maar de kameraden wilden er wel aan. Het leuke van die kringen was dat als je bijvoorbeeld zei: 'Ik ben in Peru geweest, en daar...' dat ze dan oprecht geïnteresseerd waren. Ze voelden zich verantwoordelijk voor de wereld. Dat kwam me weliswaar steeds absurder voor, maar zo simpel lag het niet. Ik keek terug op Salisbury, waar we jarenlang in de waan hadden verkeerd dat wat wij deden en dachten van wereldschokkend (ja, heus) belang was; vanuit Londens perspectief leek ons groepje nu beschamend belachelijk; maar tegelijk wist ik dat die belachelijke mensen in heel blank Zuid-Rhodesië wel als enigen de waarheid over het blanke regime beseften: dat het tot de ondergang gedoemd was en niet lang meer overeind kon blijven. Ik had vooral mijn twijfels over onze effectiviteit, niet over onze opvattingen. En zo maakte ik opnieuw deel uit van een minderheid, en nog wel een piepkleine ook, die volkomen overtuigd was van het eigen gelijk. Het was op het hoogtepunt van de Koude Oorlog. De oorlog in Korea was uitgebroken. De communisten raakten met de dag in een groter isolement. De sfeer was totaal vergiftigd. Als je het bijvoorbeeld waagde te betwijfelen dat Amerika met bacteriën besmet materiaal uit zijn vliegtuigen wierp (biologische oorlogsvoering) was je een verrader. Ik werd bestookt door twijfels. Ik haatte dat religieuze taalgebruik, en ik was niet de enige. 'Kameraad die-en-die begint twijfels te krijgen,' zei een communist dan op het sardonische toontje dat in toenemende mate de gesprekken kleurde. Maar nogmaals, eenvoudig lag dit niet, want het waren bepaald niet alleen de kameraden die zich met een geïdealiseerde Sovjetunie identificeerden.

Ik was weliswaar geen officieel partijlid maar werd door de kameraden wel als gelijke geaccepteerd omdat ik het jargon beheerste. Als ik daartegenin bracht dat ik lid was geweest van een zelfgebreid Zuid-Rhodesisch partijtje dat door elke échte communistische partij minachtend van de hand zou zijn gewezen, kon ze dat niet schelen – of misschien hoorden ze het niet eens. Dat loopt als een rode draad door mijn leven: steeds weer bevind ik me in het gezelschap van mensen die ervan uitgaan dat ik hetzelfde denk als zij, omdat een hartstochtelijke overtuiging of een verzameling denkbeelden voor mensen zo dwingend kan worden, dat het er niet bij ze in wil dat iemand weleens zo dwars kan zijn om er níet in te geloven. Over de twijfels die ik koesterde, kon ik niet met Joan of de bezoekers van dat huis praten – nog niet tenminste – maar ook al vond ik die partijlijn moeilijk te verteren, er was nog iets anders, iets wat veel sterker was. Kolonialen, de kinderen of kleinkinderen van het zo wijdvertakte Britse Rijk, kwamen in Engeland aan met door de literatuur gewekte verwachtingen. 'We gaan naar het Engeland van Shelley en Keats en Hopkins, van Dickens en Hardy en de Brontës en Jane Austen; we gaan de weldadige dampen van de literatuur opsnuiven. In onze ballingschap zijn we overeind gehouden door de glans van het Woord, en nu gaan we ons beloofde land binnen.' Alle communisten die ik kende waren gevoed en gesteund door de literatuur, en dat was maar bij een paar niet-communisten die ik tegenkwam het geval. Het kwam erop neer dat mijn ervaringen in Zuid-Rhodesië werden voortgezet, zij het in iets gewijzigde vorm, en niet in de laatste plaats omdat ik mijn recht om te schrijven moest verdedigen, het recht om mijn tijd aan schrijven te besteden en niet aan het uitdelen van pamfletten of het colporteren met *The Daily Worker*. Maar een vrouw die overeind was gebleven tegen Gottfried Lessing ('Waarom verknoei je je tijd met schrijven? Dat is maar kleinburgerlijke egostrelerij.') kon de Engelse kameraden makkelijk aan. De druk op schrijvers – en kunstenaars – om iets anders te doen dan schrijven, schilderen, muziek te maken omdat dat allemaal maar kleinburgerlijke genotzucht is, is nog steeds sterk, is altijd sterk gebleven, al zijn de ideologieën veranderd. Die druk zal ook altijd sterk blijven, omdat hij voortkomt uit jaloezie, en wie jaloers is, weet niet dat hij aan een ziekte lijdt, maar alleen dat hij gelijk heeft.

Wat ook hielp, was dat ik nu een gevestigde reputatie als een van de schrijvers van de nieuwe generatie had. *Het zingende gras* had lovende kritieken gekregen, verkocht goed en was ook in andere landen aangekocht. De korte verhalen, *This Was the Old Chief's Country*, deden het ook goed. Uiteraard vielen de kameraden me aan op allerlei mogelijke ideologische tekortkomingen. *Het zingende gras* zou bijvoorbeeld vergiftigd zijn door Freud. In die tijd had ik nog maar weinig van Freud gelezen. De korte verhalen zouden het standpunt van de georganiseerde zwarte arbeidersklasse niet weergeven. Dat was waar. Allereerst omdat die niet bestond. De stupiditeit van de communistische literaire kritiek valt met geen pen te beschrijven, ieder citaat komt meteen over als spot of karikatuur – net als het overgrote deel van de 'politiek correcte' uitspraken van tegenwoordig.

Maar ik had niet alleen tegenwerking uit eigen kamp te verduren.

De hoofdredacteur van de inmiddels allang opgeheven populaire krant *The Daily Graphic*, die wel wat weg had van *The Sun* van nu, nodigde me uit in zijn kantoor en bood me veel geld om artikelen te schrijven ten gunste van de doodstraf door de strop, lijfstraffen voor jeugdige criminelen, hardere behandeling van misdadigers en: de vrouw hoort in huis, weg met het socialisme, alle communisten moeten achter slot en grendel. Toen ik zei dat ik het met geen van die uitspraken eens was, zei de hoofdredacteur, een akelig mannetje, dat het niet uitmaakte hoe ik er persoonlijk over dacht. Als ik wilde, kon ik journalist worden, hij zou me wel opleiden en journalisten moeten nu eenmaal over alles overtuigend kunnen schrijven. Ik bleef maar grote sommen geld weigeren, die steeds groter werden naarmate hij meer ten einde raad raakte. Ik vluchtte naar een telefooncel, waar ik Juliet O'Hea opbelde. Ik had dringend geld nodig. Ze zei dat ik onder geen beding ook maar één woord moest schrijven waar ik niet achter stond, nooit één woord moest schrijven dat niet naar mijn beste kunnen was, want als ik voor geld ging schrijven zou ik binnen de kortste keren geloven dat dat goed was, en dat wilden we toch geen van beiden, of wel soms? Ze was principieel tegen het vragen van voorschotten waar nog niets tegenover stond, maar als ik zo aan de grond zat, zou ze dat nu doen, en bovendien zou ze de hoofdredacteur van *The Daily Graphic* vertellen dat hij me met rust moest laten.

Er volgden nog meer van dat soort aanbiedingen, duivelse verlokkingen. Niet dat ik echt in de verleiding kwam. Wel bleef ik dan soms uit nieuwsgierigheid op zo'n redactiekantoor hangen – ik vond het onvoorstelbaar dat dit echt gebeurde, dat mensen zo diep konden zinken, zo gewetenloos konden zijn. Ze konden toch niet écht geloven dat schrijvers tegen hun eigen opvattingen, hun eigen geweten in, zouden moeten schrijven? Dat ze hun beste kunnen moesten verloochenen, voor géld?

Het meest bizarre gevolg van *Het zingende gras*, waar in Zuid-Afrika en Zuid-Rhodesië de vloer mee werd aangeveegd, was een uitnodiging om als 'een van de meiden' een avondje op te luisteren met leden van de nog prille Nationalistische regering die in Engeland te gast waren. Het intrigeerde me te veel om te weigeren, zo gefascineerd was ik dat die gewoontes uit zuidelijk Afrika ook hier opgeld konden doen. In de trant van: 'Het Engelse cricketteam komt op bezoek – trommel 'ns een paar van de meiden voor ze op.' Het waren een stuk of tien

Afrikaners, ministers en mindere goden, die eens lekker uit de band sprongen op een reisje naar Londen. Ik kende ze stuk voor stuk van naam, en als type waren ze me maar al te vertrouwd. De dikke, overvoede en joviale kerels maakten tijdens het hele diner in het restaurant grappen over de trucs en handigheidjes waarmee ze de kaffers eronder hielden, want het was toen in die regeringskringen bon ton om daar trots op te zijn. Na het diner togen we naar een hotelkamer waar ik de avances van een paar van hen te verduren kreeg. Een van de andere 'meiden' vertelde hun dat ik een vijand was en dat ze op hun woorden moesten letten. Ze wilden prompt weten waarom ik dan wel een vijand was, met de impliciete suggestie dat je het onmogelijk niet met hun zo overduidelijk correcte opvattingen eens kon zijn. 'Ze heeft een boek geschreven,' zei die vrouw, of dat meisje eigenlijk, een Zuid-Afrikaanse die tijdelijk in Londen woonde. 'Dan zullen we dat maar verbieden,' zeiden ze voor de grap. De man wiens knie ik probeerde af te weren, en die bereid was me te nemen met afvallige opvattingen en al, zei: 'Ach, man, wat kan het ons schelen wat die linkse figuren, die *liberals*, lezen? De kaffers gaan dat boekje van jou heus niet lezen. Ze kunnen niet eens lezen, en dat willen we graag zo houden.' Het woord *liberal* is in Zuid-Afrika altijd uitwisselbaar geweest met 'communist'.

In alle huizen in Salisbury waar ik met Gottfried had gewoond, waren er mensen in- en uitgelopen en werd er over politiek, over het verbeteren van de wereld en over oorlog gesproken; in Church Street was het niet anders, alleen betekende 'oorlog' hier geen geruchten en propaganda, maar mannen die terug kwamen van het front, zodat we de werkelijke gebeurtenissen konden afzetten tegen wat ons verteld was. Met Gottfried was het ook weer oude koek, want iedere keer dat we elkaar zagen, had hij meer kritiek op me. Het ging erg slecht met hem. Hij had gedacht dat hij in Londen makkelijk werk zou kunnen vinden. Hij wist van zichzelf dat hij slim en capabel was: hij had in Salisbury immers vrijwel uit het niets een groot, succesvol advocatenkantoor opgebouwd? Hij had familie in Londen, bij wie hij om werk vroeg. Overal kreeg hij nul op het rekest. Hij was communist en zij werden als buitenlanders in Engeland maar net aan getolereerd, dat dachten ze in ieder geval. Of misschien mochten ze hem wel niet. Hij solliciteerde op het niveau dat hem volgens eigen inzicht toekwam. Nooit werd hij uitgenodigd voor een gesprek. De ironie wilde dat het tien jaar later heel chic was om Duits en communist te zijn. In de tussentijd werkte hij voor het genootschap voor culturele betrekkingen met de Sovjetunie. Die organisatie had een huis aan Kensington Square, waar lezingen werden gegeven over de geweldige situatie van de kunst in de USSR. Op iedere bijeenkomst zaten de twee achterste rijen vol mensen die het communisme hadden meegemaakt en die ons probeerden te vertellen hoe vreselijk het was. We behandelden ze op paternalistische wijze: ze waren van middelbare leeftijd of ouder, ze wisten niet waar het werkelijk om ging, ze waren *reactionair.* Een goedgekozen etiket, vleiend voor wie het gebruikt, is de meest trefzekere manier om iedere vorm van serieus nadenken om zeep te helpen. Gottfried verdiende een schijntje. Hij kreeg onderdak in het grote appartement van Dorothy Schwartz. Het hoogtepunt – of dieptepunt – van de Koude Oorlog maakte zijn minachting voor iedere mening die maar enigszins van 'de partijlijn' afweek, nog bitterder, kwader en killer. Ik kon zijn aanwezigheid nauwelijks meer verdragen. Toch vroeg ik me niet af hoe ik het zo lang met hem had kunnen uithouden – we hadden immers geen alternatief. Over ons zoontje hadden we geen conflicten. De meeste weekends bracht Peter bij Gottfried en Dorothy door. Ik bracht hem erheen, ging even zitten, iets drinken, hoorde die gruwelijk kille beschuldigingen een tijdje aan, en vertrok dan – twee dagen vrijheid tegemoet. Ik ging vaak naar toneelvoorstellingen. In die tijd ging je 's ochtends in de rij staan voor een kruk in de rij 's avonds, en dan kon je vanuit de orkestbak of het schellinkje het stuk zien voor (omgerekend naar de huidige geldwaarde) nog geen tientje. Op die manier heb ik toen de meeste toneelstukken in Londen gezien, soms van een staanplaats. Ik bleef smoorverliefd op het toneel.

Ook ging ik af en toe naar Parijs. Je kunt de enorme kracht van de droom 'Frankrijk' nu haast niet meer duidelijk maken. De Britten, dat wil zeggen, wie van hen niet in het leger had gezeten, hadden de hele oorlog en ook nog wat jaren daarna op hun eiland opgesloten gezeten. De mensen vertelden dat ze aan claustrofobie hadden geleden en van het buitenland hadden gedroomd – met name van Parijs. Frankrijk had een geweldige aantrekkingskracht, vanwege De Gaulle, de Vrije Fransen en de *résistance*, verreweg het meest roemruchte partizanenleger. Nu we zelf een goede keuken, lekkere koffie en mooie kleren hebben, kunnen we ons bijna niet meer voorstellen hoe de mensen naar Frankrijk hunkerden als ware het de beschaving zelf. En bij vrouwen speelde er nog een andere emotie mee. De Franse mannen waren dol op vrouwen en lieten dat merken ook, terwijl de meeste vrouwen in Engeland op weinig meer konden rekenen dan gefluit van bouwvakkers, en dat was dan nog lang niet altijd vriendelijk bedoeld. Joan was gek op Frankrijk. Ze had er een heerlijke tijd gehad en sprak de taal goed. De toenmalige vriendin van haar vader was een Française. Zij vond haar ongelooflijk mooi en zichzelf het lelijke eendje. Dat laatste was niet waar, maar viel niet uit haar hoofd te praten. (Dit is zeker niet de enige keer in mijn leven geweest dat ik een vrouw tegenkwam die alle vrouwen behalve zichzelf door een roze bril bezag.) Is ze niet schitterend, sprak ze dan verrukt over een vrouw die veel minder aantrekkelijk was dan zijzelf. Ze had een heel chic zwart mantelpakje laten maken, met een strakke rok en een mannenvestje; ze droeg er witte overhemden met kanten kraagjes en manchetten bij. Ze ging expres naar Parijs om het uit te testen. Daar kreeg je van de mannen complimentjes over je kledij. Ze kwam opgekikkerd terug. Ik heb meerdere vrouwen horen zeggen dat je omwille van je zelfrespect van tijd tot tijd naar Parijs moest. Die situatie had ook zijn ironische kanten. Je had toen in de krant een strip over een Fransman, gekleed in een semi-militair uniform, oud jasje, alpinopet, Gauloise aan de lip, in het gezelschap van een Française die gekleed was als een fotomodel – een gedrongen, haveloos mannetje naast een lange, slanke, elegante vrouw.

Als ik naar Parijs ging, was mijn kloffie niet bepaald van het niveau dat Franse complimentjes uitlokte, maar wel kreeg je van elke man een snelle, deskundige taxatie: haar, gezicht, wat je aanhad. Het was een objectieve, nuchtere beoordeling, die niet per se tot invitaties leidde.

Een tafereel: ik ging naar de opera, en in de foyer zag ik in de pauze een heel jonge vrouw binnenkomen, een jaar of achttien was ze, en ze had misschien voor het eerst een lange jurk aan, een zuil van wit satijn. Ze was prachtig, en haar jurk ook. Ze bleef in de ingang staan, terwijl de mensenmenigte haar in het oog kreeg, keek... taxeerde... oordeelde. Geen woord, maar ze hadden net zo goed kunnen applaudisseren. Eerst stond ze op het punt om weg te kruipen van verlegenheid, maar geleidelijk aan stroomde ze vol met zelfvertrouwen, en stond ze te glimlachen met tranen in haar ogen, opgetild op onzichtbare golven van deskundige beoordeling, waardering, genegenheid. Heerlijk Frankrijk, dat van zijn vrouwen houdt en hun vertrouwen in hun vrouwelijkheid geeft – en dat vanaf het moment dat ze kleine meisjes zijn.

Op die eerste reis logeerde ik in een goedkoop hotel aan de Linkeroever, zo goedkoop dat ik het bijna niet kon geloven. Gottfried had gezegd dat ik maar bij de moeder van zijn zwager langs moest gaan. Ik trof een bejaarde dame in ouderwetse kledij die op een piepklein zolderkamertje in een van die oude, hoge, koude huizen woonde. Via haar werd ik een netwerk van middelbare en oude dames ingesluisd, stuk voor stuk zonder man, stuk voor stuk arm, en van de hand in de tand levend op dienstbodenkamertjes of in kleine hoekjes waar ze terecht konden. Allemaal waren het slachtoffers van de oorlog, sommigen hadden de oorlog in hun schuilhoekjes doorgebracht en vaak wisten ze duidelijk niet hoe ze dat eigenlijk hadden klaargespeeld. Ze waren geestig, wijs, en bijzonder aangenaam gezelschap. Net als bij de vluchtelingen in Londen vroeg je je af waar ze eigenlijk van leefden. Ik kreeg kostelijke koffie uit prachtige kopjes, bij de kachel die gestookt moest met hout en kolen – en wat ze verder op straat konden vinden en moeizaam die eindeloze, koude trappen opsleepten. Madame Gise had sinds de oorlog uitbrak niets meer van haar zoon gehoord en zei dat hij verkoos haar te minachten omdat ze geen communist was. Zij koesterde op haar beurt minachting voor communisten en het communisme. Toen ik vertelde dat ik ook een soort communist was, zei ze: onzin, jij weet er niks van. Wat waren ze dapper, die vrouwen wier mannen of geliefden of zoons waren gesneuveld of hen vergeten waren; ze steunden elkaar in ziekte en armoede. En net als in Londen hoorde ik ook hier weer verhalen over miraculeuze gevallen van overleving en ontbering. Onze gesprekken in Londen over politiek, denkbeelden, principes, over wat er in andere landen omging, liepen hier uit op: 'Mijn nichtje... Ravensbrück', 'Mijn zoon is doodgeschoten door de Duitsers omdat hij een lid van de résistance in huis had', 'Ik ben gevlucht uit Duitsland... Polen... Rusland... Spanje...'

Ik kocht in Parijs een hoed. Dat vraagt enige uitleg. Ik moest gewoon: in die tijd had je daar behoefte aan. Een Parijse hoed bewees dat je het toppunt van elegantie had verworven. Madame Gise ging mee en zei nee, die niet, ja, die, en zij vertegenwoordigde Parijs, die sjofele vrouw met haar zorgvuldig uitgetelde voorraadje francs in haar handtas. Ik heb die hoed nooit gedragen. Maar ik was de trotse bezitster van een hoed uit Parijs. Wat moet je er dan mee? vroeg Joan.

Op een andere keer, in een ander haveloos hotel, dacht ik ineens: maar hier is Oscar Wilde toch gestorven? Ik ging naar de receptie, en de eigenaresse zei: jazeker, dat klopt, hij is hier gestorven, in de kamer die u nu heeft. Er kwamen soms weleens mensen navraag bij haar doen, maar ze kon er niet veel over zeggen, ze was er immers niet bij geweest. Toen ik wilde afrekenen, was er niemand aan de balie. Ik klopte ergens aan en kreeg *entrez* te horen. Het was een donkere, propvolle kamer, met spiegels die glansden in een hoek, sjaals over stoelen, een kat. Daar zat Madame in een leunstoel, roze corset waar haar vlees bovenuit puilde, dikke voeten in een teiltje water. Haar dienstbode, een jong meisje, was haar verschoten oude haar aan het borstelen, terwijl Madame het achterover wierp als een kostbare schat, de jonge lokken uit haar verbeelding. Dit was een tafereel uit Balzac, Zola? – in ieder geval geen twintigste eeuwse roman. Of Degas: 'De concierge' misschien? Ik bleef gefascineerd in de deuropening staan. 'Leg het geld maar op de balie,' zei ze. 'Daar ligt de rekening. En hopelijk zien we u terug, Madame.' Maar ik ben niet teruggegaan: volmaaktheid moet je niet bederven. En Madame Gise heb ik ook nooit teruggezien, maar dat vind ik erg.

Op een van die reisjes had ik een van de gekste ontmoetingen van mijn leven. Het vliegtuig terug naar Londen had uren vertraging. We zaten op Orly te wachten, verveeld, moe, knorrig. Eindelijk was het zover. Naast me zat een man uit Zuid-Afrika, die aan mijn stem hoorde dat ik uit Rhodesië kwam en tegen me begon te praten. Ik dacht eerst dat hij dronken was, maar toen dacht ik: nee, dat is geen drank. Ik luisterde nauwelijks: we zouden pas na middernacht landen; het zou nog jaren duren voor ik me een taxi kon veroorloven; Peter werd nog steeds om vijf uur 's ochtends wakker. Stukje bij beetje begon het tot me door te dringen wat de man eigenlijk vertelde. Hij vertelde dat hij naar Palestina was geweest om de Irgoen te helpen in de strijd tegen de Britse bezettingstroepen; hij had net het King David-hotel helpen opblazen. En nu, zijn plicht als jood gedaan, ging hij met een rein geweten naar Zuid-Afrika terug. Vrouwen zijn eraan gewend om bekentenissen te horen, vooral als ze jong (nu ja, toen niet meer zo piep) en redelijk aantrekkelijk zijn. Vrouwen tellen niet echt mee als mensen voor een man die dronken of om een andere reden niet helemaal zichzelf is – en voor veel mannen trouwens ook niet als ze niet dronken zijn. Plots kwam het bij me op dat die man een vijand van mijn land was, en dat ik moest bedenken hoe ik de autoriteiten moest waarschuwen. Toen we landden was het vliegveld vrijwel uitgestorven. Ik stelde me voor hoe het zou gaan als ik tegen de stewardess zei dat ik de politie wilde spreken. 'Waarom?' Ik hoorde het al, en die stem klonk bits, want ze zou naar haar bed verlangen, net als ik. Dan zou het een tijdje duren voor de politie kwam, een man, twee mannen, terwijl ik zag hoe de anderen op zoek gingen naar een bus. 'Ik heb in het vliegtuig uit Parijs naast een man gezeten die zegt dat hij het King David-hotel heeft opgeblazen. Onder andere.' De politieagent aarzelt. Hij werpt zijn collega een blik toe. Ze kijken me keurend aan. Mijn uiterlijk, moe, kribbig, is niet indrukwekkend.

'Dus die man heeft u verteld dat hij dat hotel heeft opgeblazen?'

'Ja.'

'En u kent hem?'

'Nee.'

'Dus die man vertelt een volslagen vreemde dat hij in Jeruzalem moord en landverraad en god mag weten wat nog meer heeft gepleegd?'

'Ach, laat maar zitten.'

Maar natuurlijk zou de kous daarmee niet af zijn, en zou ik moeten blijven wachten terwijl de sceptische ambtenaren verder vroegen. Als ze tenminste niet meteen tot de conclusie kwamen dat ik gek was.

'Goed, goed, ga nu maar lekker naar huis mevrouwtje en zet het maar van u af.'

Maar waar het om ging was dat ik er zeker van was – en ben – dat die man niet loog. Of, en dat was zo mogelijk nog interessanter, dat hij het zich allemaal zo levendig had voorgesteld, het opblazen van het hotel, het vermoorden van de politieagenten, dat het voor hem echt was en hij het aan iemand kwijt moest, al was dat dan maar een vreemde die in het vliegtuig naast hem zat.

Ook ben ik in Dublin geweest, op uitnodiging van schrijvers denk ik, want er staat me nog een vrolijke avond voor de geest. Maar dat is niet wat me het meest is bijgebleven, dat is niet wat ik niet vergeten kan. Ik was ruim een jaar daarvoor vertrokken uit al die zonneschijn, die droge warmte, en dacht dat ik nu wel het summum van triestheid en grauwheid had meegemaakt, in Londen, maar plots bevond ik me in die stad van oude, slecht onderhouden gebouwen (wel waardig trouwens, een stad met trots) en overal had je die haveloze kinderen, op blote voeten, benen rood van de kou, hongergezichtjes. Nooit is er zo'n arm oord geweest als het Dublin van toen, een scherpe, bijtende armoede, die ook de schrijvers teisterde, want een van hen drukte een boek in mijn handen dat *Leaves for the Burning* heette, van Mervin Wall, een ten onrechte vergeten verhaal over een dronken weekend, maar dan van drinken uit wanhoop. Die stad van vodden en honger was verdwenen toen ik er nog geen tien jaar later terugkwam.

Ik heb van *Leaves for the Burning* nog een recensie geschreven, voor *John O'London's Weekly* waarschijnlijk. Dat was een heel interessant tijdschrift, het product van een nu verdwenen cultuur of subcultuur. Je had toen in steden en dorpen in heel Groot-Brittannië groepjes grotendeels jonge mensen die uit liefde voor de literatuur bijeenkwamen. Ze lazen boeken, praatten erover en troffen elkaar in de kroeg of bij elkaar thuis. Sommigen hadden schrijversambities, maar het was lang voor de tijd dat iedereen die ooit een roman had gelezen er meteen zelf een wilde schrijven. *John O' London* was geen blad voor intellectuelen, het benaderde bij lange na niet het niveau van bijvoorbeeld de huidige *Lon-*

don Review of Books. Maar het had eigen maatstaven die het nauwlettend handhaafde, het publiceerde gedichten, organiseerde schrijfwedstrijden – jammer dat er nu niet meer zoiets bestaat. Er was ook een tijdschrift dat zich aan korte verhalen wijdde – *The Argosy.* Het was best een serieus blad, tot op zekere hoogte tenminste. Het zou bijvoorbeeld geen verhaal van Camus of een stuk van Virginia Woolf gepubliceerd hebben, maar ik herinner me heel aardige verhalen. Ook dit blad had een lezerskring tot ver buiten Londen; zijn werkelijke kracht lag in de provinciale literaire cultuur. Nog zo'n ter ziele gegaan tijdschrift was *Lilliput*, een levendig geheel van verhalen, fragmenten, plaatjes. Patrick Campbell is er een tijdlang hoofdredacteur van geweest, de Campbell die nu waarschijnlijk het meest bekend staat als de man die ondanks zijn (onoverkomelijke, zou je toch denken) stotterhandicap in allerhande panelspelletjes op de televisie optrad. Een van mijn verhalen kwam in *Lilliput* te staan. Daardoor hebben we een aantal malen geluncht in L'Escargot, langdurige, goedbesproeide lunches, toen een welkom extraatje voor zowel schrijver als redacteur. L'Escargot heeft verscheidene gedaanteverwisselingen ondergaan, zelfs een minder fortuinlijke als representant van de nouvelle cuisine, maar het was ons toen een raadsel dat we er vaak als enigen zaten te lunchen. 's Avonds was het er afgeladen.

Een Amerikaan die op bezoek was vroeg of ik sciencefiction las. Ik kwam met Olaf Stapledon, H. G. Wells en Jules Verne op de proppen en dat vond hij geen slecht begin. Vervolgens kreeg ik een lading sciencefiction-boeken van hem. Wat ik toen vond, vind ik nog steeds. Ik was opgetogen over hun reikwijdte, hun brede horizon, de inventiviteit en de mogelijkheden tot maatschappijkritiek (zeker in dat McCarthy-tijdperk, toen de sfeer in de Verenigde Staten zo broeierig was, zo vijandig ten opzichte van nieuwe denkbeelden), maar teleurgesteld over het niveau van karakteruitbeelding en het gemis aan subtiliteit. De repliek van mijn mentor was: maar natuurlijk kan er van psychologische subtiliteit geen sprake zijn bij held en hoofdpersoon Dick Tantrix No. 65092, pionier en technicus op de kunstmatige planeet Andromeda, Zone 25.000, want daar heb je immers een culturele voedingsbodem voor nodig? Dat kan dan wel zijn, maar ik ben nog steeds van mening dat er sciencefiction zou moeten komen die zich van een gelaagde karakteruitbeelding in de trant van Henry James bedient. Niet in de laatste plaats omdat dat heerlijke humor zou opleveren. Maar waarom getreurd als het huidige aanbod al zo schitterend inventief, verrassend, verbijsterend is? Het sf-genre levert ons een paar van de beste verhalen uit onze tijd op. Als je na een verblijf in de conventionele literaire wereld zo'n boek opslaat, of met sf-schrijvers praat, krijg je het gevoel dat er in een benauwd, ouderwets kamertje plots de ramen worden opengegooid.

Mijn nieuwe gids zei dat hij me mee zou nemen naar een pub waar sf-schrijvers kwamen. Het zal de White Horse in Fetter Lane, een zijstraat van Fleet Street, wel geweest zijn. De pub zat vol magere, bebrilde figuren die zich als één man omdraaiden om me argwanend te bekijken – een *mannelijke* ambiance.

Nee, dat woord suggereert seksuele arrogantie. Een sfeer van 'jongens onder elkaar' dan? Nee, te truttig, te gewoontjes. Dit was een clan, een groep, een grote familie, maar dan zonder vrouwen. Ik had het gevoel dat ik er niet thuishoorde, al kwam ik er dan onder de hoede van mijn Amerikaan, die ze kenden en die welkom was. Ze waren defensief, dát was het, en dat kwam omdat de literaire wereld niets van ze moest hebben. Ze hadden dat luchtige, dat schertsende, waar defensiviteit vaak mee gepaard gaat. Ik begon onzin uit te kramen over Nietzsches *Übermensch* en Openbaringen, en ze vonden het duidelijk gênant. Graag zou ik kunnen zeggen dat de grote Arthur Clarke er ook bij was, maar die zat toen waarschijnlijk al in de Verenigde Staten.

De teleurstelling die ik voelde over dat in mijn ogen saaie, kleinburgerlijke en bekrompen clubje was geheel aan mijzelf te wijten. In die prozaïsche ruimte, die doodgewone pub, was sprake van het meest geavanceerde denken van het land. (De directeur van de koninklijke sterrenwacht had gezegd dat het een absurde gedachte was dat er ooit mensen naar de maan zouden kunnen.) Die mannen praatten en dachten over satellietverbindingen, raketten, ruimteschepen en ruimtevaart, de maatschappelijke toepassingen van de televisie. Ze onderhielden contacten met soortgenoten over de gehele wereld: 'De aarde is de wieg der mensheid, maar je kunt niet altijd in je wieg blijven wonen' – Konstantin Tsjoekovski. 'Wij leven op een uniek tijdstip in de geschiedenis,' heeft Arthur Clarke gezegd, 'de laatste dagen van het bestaan van de mens als bewoner van één enkele planeet.' Mijn handicap was dat ik niets van wis- en natuurkunde wist en hun taal niet sprak. Ik besef dat ik door dat gemis aan kennis van de ontwikkelingen op natuurwetenschappelijk terrein ben afgesneden – en juist daar vinden in de tegenwoordige tijd dé ontwikkelingen plaats. Tegenwoordig zoekt men het nieuws over de mensheid niet in de meest recente grote roman, zoals in de negentiende eeuw.

Op lijstjes van de beste Britse schrijvers van na de oorlog ontbreken steevast de namen van Arthur Clarke, of Brian Aldiss en andere goede sciencefiction-schrijvers. Juist de conventionele literatuur is bekrompen gebleken.

En zo had ik voor mezelf en voor Peter een bestaan opgebouwd, een eigen leven. Dat was een hele prestatie en ik was trots op mezelf. Het belangrijkste was Peter, en die genoot van dit leven in Kensington, vooral van de crèche, en daarna van de gezinssfeer met Joan en Ernest. Als er ooit een kind bereid geweest is om vrienden te maken was hij het wel. Onze dag begon nog steeds om vijf uur. Weer las ik hem voor en vertelde ik hem verhaaltjes, een paar uur lang, want de slaapkamer van Joan lag pal onder de onze, en de vloeren waren dun en ze stond pas later op. Of hij luisterde naar de radio. We zijn vergeten hoe groot de rol van de radio was voor de televisie haar intrede deed. Peter was gek op de radio. Hij luisterde overal naar. Hij luisterde naar twee hoorspelen naar de boeken van Ivy Compton-Burnett, elk van een uur lang, en stond als aan de grond genageld naast het toestel. Wat hoorde hij? Wat begreep hij? Ik heb geen idee. Ik ben ervan overtuigd dat kinderen heel veel begrijpen en net zoveel, zo niet meer, weten als volwassenen tot ze een jaar of zeven zijn, en dan worden ze plotseling dom, als volwassenen. Toen hij zo'n jaar of drie, vier was snapte Peter alles, en rond zijn achtste, negende las hij alleen nog maar strips. Dat heb ik bij kleine kinderen keer op keer zien gebeuren. Een kind van drie zit gefascineerd de hele film *2001: A Space Odyssey* uit, maar vier jaar later wil het alleen nog maar Rupert Bear.

Ik werkte aan *Martha Quest*, een conventionele roman, al was er meer vraag naar experimentele. Ik heb in gedachten talloze manieren om *Martha Quest* te schrijven de revue laten passeren, spelend met de vorm, met de tijd, maar uiteindelijk is het toch een rechttoe rechtaan roman geworden. Het was een afrekening met die pijnlijke volwassenwording, met mijn moeder, met al die ellende, de strijd om te overleven.

Toen kwam er een brief van mijn moeder. Ze schreef dat ze naar Londen kwam, bij me kwam wonen, me zou helpen met Peter en – dat was het onvermijdelijke, krankzinnige, hartverscheurende detail – dat ze had leren typen en mijn secretaresse wilde worden.

Ik stortte in. Ik ging op bed liggen en trok de dekens over mijn hoofd. Als ik Peter naar de crèche had gebracht, kroop ik weg in het donkere hol van mijn bed en daar bleef ik tot het tijd was om hem af te halen.

En opnieuw hebben we hier de kwestie van tijd, de verraderlijke tijd; totdat ik dit begon te schrijven en werd gedwongen om met kalenders en keiharde data te werken, had ik vaag gedacht dat ik een jaar of drie in Denbigh Road had gewoond. Maar dat was omdat ik weer zag als een kind, alles was nieuw, alles was direct, en ik was weer terug – gedeeltelijk tenminste – in kindertijd. Hoe ik ook tegenstribbelde en protesteerde (nee, dat kán toch niet maar een jaar geweest zijn?), het was en het bleef een jaar voor ik naar het huis van Joan vertrok, en daar had ik nog maar ongeveer een half jaar gewoond toen die brief van mijn moeder kwam. En toch lijken die maanden me nu jaren toe. De tijd is zo verschillend in verschillende levensfasen. Een jaar als je in de dertig bent is veel korter dan een jaar als kind – dat is bijna eindeloos – maar weer lang als je het met een jaar vergelijkt als je in de veertig bent, en een jaar in de zeventig is in een vloek en een zucht voorbij.

Het was natuurlijk logisch dat ze me achterna kwam. Hoe had ik zo naïef kunnen zijn om te denken dat ze dat níet bij de eerste de beste gelegenheid zou doen? Ze had zich in Zuid-Rhodesië verbannen gevoeld, dromend van Londen en nu... Het klikte niet tussen haar en haar dochter – nee, zeg maar gewoon dat ze altijd ruzie hadden – ach, wat geeft het, dat kind was nu eenmaal koppig, ze zou wel naar haar moeder leren luisteren. Was ze communist? Ging ze altijd met de verkeerde vrienden om? Geeft niet, haar moeder zou haar wel met nette mensen laten kennismaken. Had ze *Het zingende gras* geschreven, dat haar moeder zo veel pijn en schaamte had berokkend omdat de blanken het zo vreselijk vonden? En die buitengewoon onrechtvaardige korte verhalen over Het District – ach nou ja, zij zou iedereen wel uitleggen dat je er geweest moest zijn om de problemen van de blanken te begrijpen en... Maar de schrijfster was in het land opgegroeid? Haar opvattingen deugden niet, en uiteindelijk zou ze dat heus wel inzien... Was ze dan echt van plan om bij een dochter te gaan wonen die uit haar eerste huwelijk was weggelopen en twee kinderen in de steek had gelaten, op het hoogtepunt van de oorlog met een Duitse vluchteling was getrouwd, een kaffervriendin was en niets van godsdienst moest hebben?

Tja, hoe zag ze die dingen eigenlijk? Inmiddels geloof ik dat ze er niet zo bij stilstond. Dat kon ze zich niet veroorloven. Ze wilde dolgraag terug naar Londen, maar dan wel het Londen dat ze in 1919 had achtergelaten. Ze had er geen vrienden meer, met uitzondering van Daisy Lane, met wie ze was blijven schrijven, maar Daisy Lane was toen al een oude dame die in Richmond woonde met haar zus, die voor de zending in Japan had gewerkt. Verder was er de familie van haar broer; ze kwam net op tijd voor de bruiloft van diens dochter. De schoonzus van haar broer had al gezegd: 'Ik hoop dat Jane niet denkt dat ze bij de bruiloft eerste viool kan gaan spelen.' (Jane: 'Plain Jane', lelijke Jane, het 'koos'naampje waarmee de familie ervoor zorgde dat Maud zich niet verbeeldde ook maar enige charmes te bezitten.) En ze had mijn moeder geschreven dat ze zich op de achtergrond moest houden.

Vijfentwintig jaar: van 1924 tot 1950. Dat was de periode van mijn moeders ballingschap in Afrika. Nu ik de leeftijd heb bereikt waarop ik inzie dat een periode van vijfentwintig – of dertig – jaar niets hoeft voor te stellen, weet ik dat de tijd voor haar gekrompen was en ze die onfortuinlijke ervaring, Afrika, als een vergissing opzij kon schuiven. Maar voor mij, toen net dertig, was het mijn hele bewuste leven, en voor mij woonde mijn moeder in Afrika, hoorde ze in Afrika thuis. Haar verlangen naar Londense mist en vrolijke tennisfeestjes vond ik maar een onzinnige bevlieging.

Hoe kon ze me in vredesnaam zomaar achterna komen? Maar dat had er natuurlijk altijd al in gezeten. Hoe kon ze ook maar dénken dat... Maar het was gewoon zo. Binnenkort zou ze dapper glimlachend die onmogelijk smalle trappen op komen sjouwen, mijn kamer binnenstappen, met de meubels gaan slepen, mijn garderobe inspecteren en me laten weten dat daar niets van deugde, een blik werpen op mijn proviandkastje aan de muur – geen koelkast – en zeggen dat het kind niet genoeg te eten kreeg.

En op dat moment kwam Moidi Jokl in mijn leven, een interventie die zo wonderlijk gelegen kwam dat het me nog steeds verbaast.

Zij was een van de eerste vluchtelingen voor het communisme in Londen, dat toen nog vol oorlogsvluchtelingen zat, die allemaal op de een of andere manier moesten zien te overleven. Ze kwam oorspronkelijk uit Wenen, was communist, bevriend met de mannen die na de oorlog terugkwamen uit de Sovjetunie of waar ze verder ook gewoond hadden, om de regeringsleiders van Oost-Duitsland te worden. Ze ging mee naar Oost-Duitsland omdat het goede vrienden van haar waren. Vervolgens was ze het land uitgegooid omdat ze joods was, slachtoffer van Stalins hetze tegen de joden, die toen aangeduid werd als de 'zwarte jaren'. Ik heb nooit begrepen waarom die slachtoffers door de joden nooit geëerd en herdacht zijn. Alles is opgeslokt door de holocaust, maar in de hele Sovjetunie en alle communistische landen van Oost-Europa zijn er joden vermoord, gemarteld, vervolgd en in de gevangenis gegooid; het is een welbewuste volkerenmoord geweest. Maar om de een of andere reden zijn de geplande massamoorden van Stalin nooit zo veroordeeld als die van Hitler, terwijl Stalin veel meer misdaden heeft begaan, zowel in aantal als soort. Jammer dan voor die arme joden uit de jaren 1948, 1949, 1950, 1951, 1952. Niemand denkt aan ze, aan al die duizenden, miljoenen misschien.

Moidi werd naar de Oost-Duitse grens gebracht door een jonge politieagent, in tranen: hij vond het vreselijk wat hij deed.

In de tussentijd was Gottfried op bezoek geweest in Oost-Berlijn, had hij zijn zus en haar man (de eeuwige student) teruggevonden, die voor de Kulturbund werkten, en had hij besloten om naar Duitsland terug te gaan. Hij had de partij formeel om toestemming gevraagd om naar huis terug te keren, maar kreeg geen antwoord op zijn brieven. Moidi Jokl zei tegen hem dat hij geen benul had hoe het communisme werkte. Het draaide uitsluitend om wie je kende. Wat hij moest doen was erheen gaan en kruiwagens inschakelen, dan had hij een kans om te mogen blijven. Maar ook niet meer dan dat. Iedere westerling werd voor vijand en crimineel versleten en liep gerede kans voor altijd te verdwijnen. Waarop een vreselijke scheldpartij volgde: Gottfried kon Moidi niet luchten of zien. Maar hij heeft wel haar advies opgevolgd, is teruggegaan, heeft kruiwagens ingeschakeld en heeft het gered.

En dan was Peter er nog. Moidi keek eens goed naar onze situatie, Peter die veel te vaak en te lang in dat kleine flatje met me opgesloten zat. Ze had vrienden, de Eichners, ook Oostenrijkers, ook vluchtelingen, die bij East Grinstead woonden. Die hadden een stel kinderen en waren erg arm. Ze woonden in een oud huis op een flinke lap woeste, stenige grond, en namen in de vakanties kinderen in huis, soms wel twintig in totaal, en die amuseerden zich daar opperbest. En van toen af aan bracht Peter een dag, of een weekend, of – later – een paar weken aan een stuk bij de Eichners door. Ik zette hem bij het Victoria-station op de bus en als hij dan weer uitstapte was hij een van de groep buitenkindertjes. Het was een perfecte regeling, zowel voor hem als voor mij.

Vervolgens zag ze ook wat de ophanden zijnde komst van mijn moeder bij me teweegbracht; ze zei dat ik naar een vriendin van haar moest, mevrouw Sussman (moeder Suiker uit *The Golden Notebook – Het gouden boek*) omdat ik het niet zou redden als ik geen hulp kreeg. Ze had gelijk. Tegenwoordig gaat iedereen in therapie, of is zelf therapeut, maar toen deed niemand dat. In Engeland niet tenminste; wel in Amerika, maar ook daar stond het fenomeen nog in de kinderschoenen. En met name communisten gingen niet 'in analyse', want dat was per definitie 'reactionair', hoewel, die definitie was niet eens nodig. Ik was zo ten einde raad dat Moidi's raad opvolgde. Zo'n drie jaar lang ben ik twee tot drie keer in de week naar therapie gegaan. Ik ben ervan overtuigd dat dat me gered heeft. De hele toestand werd gekenmerkt door krankzinnige tegenstrijdigheden, paradoxen – het communistische 'contradicties' is hier een te zachte uitdrukking. Allereerst was mevrouw Sussman rooms-katholiek en Jungiaan; van Jung was ik wel gecharmeerd, zoals alle kunstenaars, maar ik had weinig redenen om het rooms-katholicisme een goed hart toe te dragen. Zij was joods, en haar echtgenoot, een lieve, oude man, net een portret van Rembrandt, was een joodse geleerde. Maar zij had zich tot het katholicisme bekeerd. Dat fascineerde me, omdat het zo onvoorstelbaar was; zij vond het feit dat ik daarover wilde praten een teken dat ik de werkelijke zaken, die van mezelf, uit de weg ging. Ik moest het maar doen met de mededeling dat het rooms-katholicisme diepere en hogere betekenisniveaus bezat, die oneindig ver verwijderd lagen van die primitieve kloosterschool. (En het jodendom had die hogere regionen niet? 'Ik geloof dat we het over je vader hadden, my dear. Zullen we maar verder gaan?') Mevrouw Sussman was erin gespecialiseerd om creatieve geesten die vastzaten en niet meer konden schrijven, schilderen of componeren, weer op gang te krijgen. Dat zag ze als haar levenstaak. Maar ik zat niet vast in die zin. Zij wilde het over mijn werk hebben. Ik niet. Dat vond ik niet nodig. En zo kreeg ze voortdurend nul op het rekest; telkens bracht ze het onderwerp te berde en even zo vaak bracht ik haar er weer vanaf. Mevrouw Sussman was een ontwikkelde, beschaafde, wijze oude vrouw, die me gaf wat ik nodig had, namelijk steun. Grotendeels steun om tegen mijn moeder overeind te blijven. Toen de druk te groot werd, onverdraaglijk, omdat mijn moeder zo zielig was, zo eenzaam, zo barstensvol emotionele chantage (geheel onbewust, want het was haar situatie waar ik niet tegen kon), zei mevrouw Sussman gewoon: 'Als je nu niet voet bij stuk houdt, ga je eraan onderdoor. En Peter ook.'

Mijn moeder was... maar ik weet niet eens meer welk archetype mijn moeder was. Ik weet nog wel dát ze er een was. Mevrouw Sussman sloot vaak een gesprek af met: zij of hij is dit of dat archetype... tenminste, op dit moment. Ikzelf ben bijvoorbeeld Electra geweest, maar ook Antigone en Medea. Het probleem was dat ik me weliswaar instinctief aangetrokken voelde tot het idee van archetypen, die majestueuze, tijdloze figuren, die als door de natuur gevormde stenen beelden van rots en berg oprijzen uit de mythologie en literatuur, maar dat ik zo'n hekel had aan etiketten. Ik voelde me niet prettig bij het communisme, en met name niet bij het taalgebruik, omdat er overal etiketten op moesten, van die rancuneuze, automatische stereotiepen – en hier gebeurde dat weer, of je het nu romantisch met 'archetypen' omschreef of niet. Ik begreep niet waarom ze zich mijn kritiek aantrok, want ze vond de dromen die ik 'voor haar meebracht' prachtig. Psychotherapeuten zijn net artsen en verpleegsters die patiënten als kinderen behandelen: 'Eén lepeltje *voor mij*', 'Steek je tong eens *voor me* uit'. Als we dromen, is dat 'voor' de therapeut. En dat is ook vaak zo: ik durf er een eed op te doen dat ik na een tijdje begon te dromen om haar een plezier te doen.

Maar bij onze allereerste bijeenkomst had ze om dromen gevraagd, het liefst repeteerdromen, en ze was in haar nopjes met mijn droom over de oeroude hagedis en de dromen over mijn vader, die te ondiep begraven was in een bos en uit zijn graf te voorschijn kwam of wolven aantrok die uit de heuvels naar beneden kwamen om hem op te graven. 'Dat zijn nou typisch jungiaanse dromen,' zei ze dan met blosjes van plezier. 'Soms duurt het jaren voordat je mensen zover krijgt dat ze op dat niveau dromen.' Terwijl mijn nachtelijk landschap voor zolang ik me kon herinneren altijd al bepaald was door 'jungiaanse' dromen, had ik geen 'freudiaanse' dromen gehad. Ze zei dat ze Freud gebruikte als dat van toepassing was, en naar ik begreep was dat het geval als de patiënt zich nog op een heel laag peil van individuatie bevond. Ze wond er geen doekjes om dat bij mij het geval was.*

'Jungiaanse dromen' – prima, die lagen van oeroude collectieve ervaring, maar wat had ik eraan als ik met mijn kop onder de dekens in bed moest kruipen bij het nieuws dat mijn moeder eraan kwam? Hier ben ik, mevrouw Sussman. Doe met me wat u wilt, maar maak me in godsnaam beter.

Ook om andere redenen had ik steun nodig.

Een daarvan was mijn minnaar. Moidi Jokl vroeg op een avond of ik meeging naar een feestje, en daar leerde ik een man kennen van wie ik het gevoel had dat ik voorbestemd was zijn leven te delen, nog lang en gelukkig.

Jazeker had hij een naam. Maar zoals altijd speelt ook hier het probleem van kinderen en kleinkinderen. Sinds de publicatie van *Onder mijn huid* heb ik heel wat kleinkinderen en kinderen van mijn oude vrienden uit dat verre verleden ontmoet, en ben ik erachter gekomen dat wat tijdgenoten van elkaar denken niet zoveel gemeen hoeft te hebben met het beeld dat hun kinderen van ze hebben. Grote stukken van het leven van ouders, dus zeker van grootouders, zijn soms onbekend terrein voor ze. En waarom ook niet? Kinderen kunnen geen bezittersaanspraken maken op het leven van hun ouders, al mogen ze zich er dan – net als ik – zo angstvallig op blind staren alsof het de sleutel tot hun eigen leven bevat.

Tegen een charmante jongeman die komt lunchen om over zijn vader te praten, zeg ik: 'Toen James in de mijnen in Witwatersrand werkte...'

'Maar daar heeft hij nooit gewerkt,' komt dan de zelfverzekerde reactie.

En tegen iemand anders: 'Wist je niet dat je vader zo'n rokkenjager was?' Een licht spottend lachje: wat, die ouwe droogkloot? En dan houd je natuurlijk je mond; het gaat hem per slot van rekening niets aan.

Ik zal mijn minnaar Jack noemen. Het was een Tsjech. Hij had de hele oorlog als arts voor het Britse leger gewerkt. Hij was (hoe kan het ook anders) communist.

Hij werd verliefd op mij, jaloers, gretig, kwaad zelfs – met een mate van woede die aangeeft dat iemand niet met zichzelf in het reine is. Ik werd niet meteen

* Freudiaanse dromen zijn persoonlijker en over het algemeen onbeduidender.

verliefd op hem. In het begin was ik verliefd op het feit dat hij zo verliefd was op mij: een hele verademing na Gottfried. Wat ik vond, wat ik voelde, was dat ik nu klaar was voor de ware Jozef; mijn 'vergissingen' lagen achter me en bovendien voelde ik me nu aardig thuis in Londen, waar ik wilde blijven wonen. Al mijn voorgaande ervaringen hadden me geprogrammeerd voor het gezinsleven. Ik kon mezelf wel voorhouden – en volkomen terecht – dat ik nooit 'echt' met Frank Wisdom getrouwd was geweest, maar we hadden wel vier jaar lang een conventioneel huwelijk gehad. Gottfried en ik hadden niet bepaald bij elkaar gepast, maar we hadden toch vrij conventioneel met elkaar geleefd. Voor de wet en voor de samenleving was ik een vrouw met twee huwelijken en twee scheidingen achter de rug. Maar voor mijn gevoel telden die huwelijken niet mee. Ik was te jong geweest, te onvolwassen. Dat die springerige, amicale, bijna nonchalante relatie die ik met Frank had gehad niet ongebruikelijk was geweest – vooral niet in de oorlogsjaren, toen de mensen veel te makkelijk trouwden, betekende niet dat ik niet naar iets beters streefde. Het huwelijk met Gottfried was een politiek huwelijk geweest. Ik was nooit met Gottfried getrouwd als de dreiging van het interneringskamp hem niet boven het hoofd had gehangen. In die tijd trouwden er zo veel mensen om iemand een naam te bezorgen, een paspoort, of een plek om te wonen; in Londen had je daar toen speciale organisaties voor, organisaties die bedreigde mensen uit het vasteland van Europa redden. Maar nu, in deze fortuinlijker tijd, weten de mensen niet meer dat zulke huwelijken niet zo bijzonder waren. Nee, mijn échte gevoelsleven lag nog voor me. En ik beschikte over alle noodzakelijke eigenschappen voor een intieme relatie. Ik was ervoor geschapen om kameraadschappelijk – en hartstochtelijk – samen te leven met de juiste man, en ik had hem gevonden.

Jack was de jongste van dertien kinderen uit een heel arm gezin in Tsjechoslowakije. Hij moest altijd kilometers lopen van huis naar school en terug – net als Afrikanen nu in veel delen van Afrika. Ze hadden nauwelijks genoeg eten en kleren. Dat was toen in de rest van Europa niet bijzonder, in sommige delen van dit land trouwens ook niet, al wil men de gruwelijke armoede in het Groot-Brittannië van de jaren twintig en dertig liever vergeten. Jack was als jonge tiener communist geworden, net als al zijn schoolkameraadjes. Hij was een echte communist, voor wie de partij tegelijkertijd thuis, familie en toekomst was, het meest essentiële, verstandigste deel van zijn wezen. Wat dat betreft viel hij niet met mij te vergelijken – ik had kunnen kiezen. Toen ik hem leerde kennen, waren zijn beste vrienden in Tsjechoslowakije, de vrienden uit zijn jeugd, die in de top van de Tsjechische communistische partij zaten, net voor het oog van de wereld als verraders van het communisme aan de kaak gesteld; elf van hen waren er opgehangen. Stalin was hierbij de onzichtbare man achter de schermen. Voor Jack stortte daarmee de wereld in elkaar. Die oude vrienden konden onmogelijk verraders zijn, dat kon er bij hem niet in. Maar het was evenmin mogelijk dat de partij fouten maakte. Hij kreeg nachtmerries en huilde in zijn slaap. Net als Gottfried Lessing. Opnieuw deelde ik het bed met een man die wakker werd uit nachtmerries.

Het was de tweede vreselijke gebeurtenis in zijn leven, want zijn hele familie was omgekomen in de gaskamers: vader, moeder, en al zijn broers en zusters, op één zusje na dat naar Amerika was ontsnapt.

Het is een vreselijk verhaal. Dat was het toen ook, maar in de context van die tijd was het niet vreselijker dan vele andere. In het Londen van 1950 had iedereen die ik tegenkwam gevochten op de slachtvelden van Birma, West-Europa, Italië, Joegoslavië, of ze waren erbij geweest toen de concentratiekampen open gingen, of ze hadden in de Spaanse Burgeroorlog gevochten, of ze waren gevlucht en hadden gruwelijke dingen meegemaakt. Met mijn achtergrond van de loopgraven en de ellende van de Eerste Wereldoorlog die er in mijn kindertijd dag en nacht bij me waren ingestampt, was het verhaal van Jack voor mij een soort voortzetting van: *Ach, wat kun je ook anders verwachten?*

We begrepen elkaar goed. We hadden van alles gemeen. Tegenwoordig beoordeel ik een relatie op een wijze die ik toen 'kil' had gevonden. Ik kijk naar een stel en vraag me af: passen ze emotioneel, fysiek en mentaal bij elkaar? Jack en ik pasten in alle drie die opzichten bij elkaar, het meest misschien nog wat onze emotionele geaardheid betrof, omdat we dezelfde aangeboren neiging hadden om het leven en zijn voorvallen te beschouwen met een genadeloze visie die in mildere vorm 'ironie' wordt genoemd. Het was een kwestie van onverenigbare situaties, niet van karakterverschillen. Ik had de rest van mijn leven zó met die man willen doorbrengen. Hij kwam net terug uit de oorlog om zijn vrouw te zoeken, met wie hij vele jaren daarvoor was getrouwd en die nu een vreemde voor hem was, en kinderen die hij nauwelijks kende.

Voor psychiaters is het gesneden koek dat een jonge vrouw die de dood onder ogen heeft gezien, te vaak in haar polsen heeft gekerfd, of bedreigd is door haar ouders, een drang heeft om kleren te kopen; ze is geobsedeerd door kleren, door het in de hand houden van haar uiterlijk, en wel zo dat ze de mensen om haar heen met die schijnbaar zinloze verkwisting verbijstert. Ze probeert zo het leven zelf in de hand te houden.

En een man die jarenlang de dood net één stapje voor heeft weten te blijven (als hij in Tsjechoslowakije was gebleven was hij waarschijnlijk samen met zijn beste vrienden als verrader opgehangen, als hij tenminste al niet in de gaskamer was omgekomen), zo'n man wordt er door talloze sterke behoeften toe gedreven om met vrouwen te slapen, vrouwen te hebben, het leven te omarmen, nieuw leven te maken, verder te gaan.

Op geen enkele wijze kan of kon ik Jack ervan beschuldigen dat hij me in de steek heeft gelaten, want hij heeft nooit iets beloofd. Integendeel, hij was volkomen duidelijk en zei nog net niet letterlijk: 'Ik ga met andere vrouwen naar bed en ben volstrekt niet van plan met jou te trouwen.' Vaak verpakte hij het als grap. Maar ik luisterde niet. Ik had het gevoel dat we op allerlei mogelijke manieren zo fantastisch met elkaar omgingen dat hij gewoon niet bij me weg kon gaan. Denken kon ik helemaal niet, daar waren de gevoelens die ik had te sterk voor. Ik geloof dat het bij vrouwen vaak zo gaat. 'Echt, die man praat onzin, hij weet niet wat goed voor hem is. En trouwens, hij zegt zelf dat zijn huwelijk niks voorstelt. Dat kan toch ook niet, want bijna elke nacht is hij hier.' Wat is het makkelijk om daar nu intelligent over te doen – en hoe onmogelijk was dat toen.

Ik had al steun nodig om me tegen mijn moeder te kunnen weren, en algauw had ik die even hard nodig vanwege Jack. Hij was psychiater in het Maudsley-ziekenhuis. Hij had neuroloog willen worden, maar toen hij arts werd in Engeland, was neurologie net in de mode en 'iemand uit een ver land waar we niets vanaf weten' kon de concurrentie met zo veel Engelse artsen die stonden te trappelen om de opleiding te volgen niet aan. En zo koos hij voor de psychiatrie, die toen niet in de mode was. Maar psychiatrie werd algauw even chic als neurologie, chiquer nog. Hij was bepaald geen klakkeloze navolger. Van Freud was hij geen fan, en dat kwam niet alleen omdat hij als communist – of ex-communist – natuurlijk weinig van hem moest hebben. Hij vond Freud ook onwetenschappelijk, en dat in een tijd waarin een aanval op de grote man ongeveer gelijkstond met een aanval op Stalin – of God. Een van mijn duidelijkste herinneringen is dat hij me meenam naar Oxford, naar een lezing van Hans Eysenck over het onwetenschappelijke karakter van de psychoanalyse, voor een publiek dat bijna geheel uit artsen van het Maudsley bestond, stuk voor stuk freudianen. Daar stond die flink uit de kluiten gewassen, springerige jongeman met zijn zware Duitse accent dan een zaal vol bijzonder nijdige toehoorders te vertellen dat hun idool niet onfeilbaar was. (Dat vermogen om irritatie te wekken bezit hij nog steeds: toen ik dit verhaal in 1994 aan een aantal jonge psychiaters vertelde, omdat ik dacht dat ze dat leuk zouden vinden, was hun kille reactie: 'Die heeft nooit gedeugd.') Jack bewonderde hem. Hij wist dat de psychoanalyse lemen voeten had. Maar zijn sceptische houding strekte zich ook tot mevrouw Sussman uit. En als Freud al onwetenschappelijk was, kon je Jung wel helemaal vergeten. Maar ik ging niet naar mevrouw Sussman om de ideologie, zei ik. Ze werkte trouwens met een pragmatische mengelmoes van Freud, Jung, Klein en wat er verder te gebruiken viel. Dat overtuigde hem niet; hij zei dat alle kunstenaars met Jung wegliepen, maar dat dat niets met wetenschap te maken had, want dan kon je net zo goed colleges in de Griekse mythologie gaan volgen. Hij was weinig onder de indruk van de 'jungiaanse' dromen die ik had. En nog minder toen ik 'freudiaanse' dromen begon te krijgen. Zelf voelde ik me daar ook niet zo prettig onder. Ik begon te dromen op bevel. Niemand hoeft me nog te vertellen hoeveel invloed een therapeut op een verwarde, bange zoeker naar verlichting kan hebben. Je komt er niet onderuit om die mentor, half moeder, half vader, die daar met alle wijsheid in pacht zo machtig in die stoel troont, te willen plezieren. 'En, my dear, wat heb je me vandaag te vertellen?'

Met sommige dingen durfde ik gewoon niet bij hem aan te komen. Bijvoorbeeld over die keer toen ze zei, nadat het een paar minuten stil was geweest: 'Ik denk dat je wel weet dat we ook communiceren als we niets zeggen.' Die opmerking was toen nogal vreemd. Voor haar was ik immers een communist, en dat betekende dat ik dat soort gedachten als 'mystieke onzin' van de hand moest wijzen. Ze had het niet over lichaamstaal (die uitdrukking, en de vaardigheid om iemands houding en gebaren en dergelijke te interpreteren, kwam pas veel later). Zij had het over een uitwisseling tussen haar geest en de mijne. Zodra ze het zei, dacht ik: hé, ja... en ik aanvaardde dit ketterse denkbeeld alsof het me van nature toekwam. Maar het aan Jack te vertellen... hij stond nu weliswaar kritisch tegenover het communisme (wat voor hem al pijnlijk genoeg was), maar marxist bleef hij, en 'mystieke' denkbeelden waren ronduit ontoelaatbaar.

Jack viel me er trouwens al op aan dat ik naar mevrouw Sussman toeging. Hij zei dat ik nu een grote meid was en gewoon tegen mijn moeder moest zeggen dat ze moest ophoepelen en haar eigen leven moest gaan leiden. Ze was toch gezond, of niet soms? En sterk. En geld om van te leven had ze ook.

Ik maakte me zorgen over de trieste situatie waarin mijn moeder verkeerde. Ze woonde in een naargeestig buitenwijkje, bij een verre neef van mijn vader, George Laws. Hij was oud en ziek, en ze hadden niets gemeen. Ze bleef me onder druk zetten en wilde per se bij me komen wonen. Ze kon nergens anders heen. De familie van haar broer – hijzelf was overleden – vond ze nog even onsympathiek als vroeger. Jacks opmerking ten spijt, zat ze in werkelijkheid bijna zonder geld. Ze bleef er maar op hameren dat het voor de hand lag dat we een woning en de kosten zouden delen, en dat ik bovendien hulp nodig had met Peter. Het enige doel in haar leven was om mij met Peter te helpen, zei ze. Ze nam hem weleens een weekend mee, en soms ging ze met hem weg. Van één zo'n reisje, naar het eiland Wight, kwam hij gedoopt en wel terug. Dat was haar plicht geweest, liet ze me weten. Ik ging er niet eens tegenin. Dat had nooit zin. En natuurlijk kwam het mij uitstekend uit dat ik op die manier soms wel drie dagen achtereen met Jack weg kon. Dan kwam zij zolang in Church Street logeren, waar de trappen haar bijna te veel werden. Joan had geen bezwaar tegen mijn moeder en zei: ze is gewoon het prototype van een burgerlijke dame, meer niet. Net zoals ik niets tegen haar moeder had, met wie zij op haar beurt slecht kon opschieten. Het deed me niets om naar haar klaagliederen vol zelfmedelijden over haar moeilijke leven te luisteren – ik zag het als sociale geschiedenis, armoede die tot leven kwam in het verhaal over een mooi joods meisje uit het arme East End van Londen dat zich staande houdt tussen kunstenaars en schrijvers.

Jack zei dat ik gewoon mijn poot stijf moest houden tegenover mijn moeder en daarmee uit.

Ook Joan deed aan psychoanalyse. Een aantal minder geslaagde pogingen liepen uiteindelijk uit op die ene keer toen ze terugkwam van de psychiater en zei dat iemand met zo'n walgelijke smaak in kunst en met een huis waar het naar doodgekookte kool stonk onmogelijk iets van de menselijke ziel kon snappen. Daar hebben we nog flink om kunnen lachen, zoals bij veel pijnlijke dingen het geval is.

Joan zag het als haar hoofdprobleem dat ze haar talenten zo versnipperde. Ze had er veel. Ze kon goed tekenen – in de trant van Käthe Kollwitz, zoals haar verteld werd. Kollwitz was toen nog niet door de gevestigde kunstwereld omarmd. Ze kon goed dansen. Ze had bij het beroepstoneel gewerkt. Ze kon goed schrijven. Misschien had ze wel te veel talenten. Maar hoe het ook zij, ze kon zich niet beperken tot één gebied om daar iets te presteren. En nu woonde ik in haar huis, iemand die goede recensies kreeg en drie boeken had gepubliceerd. Ze had kritiek op Jack, en op mij om de manier waarop ik Peter opvoedde. Ik was te slap, trad niet streng genoeg op en behandelde hem als een volwassene. Voorlezen en verhaaltjes vertellen was niet genoeg, hij had nog meer nodig... jawel, wat dan? Ik had het gevoel dat ze me bekritiseerde uit ontevredenheid over haar eigen zoon, want geen vrouw kan een zoon grootbrengen zonder een vader die er altijd is en dat niet als nadeel ervaren. En verder was ik zo'n koloniaal, zo weinig elegant. Dat vond ze waarschijnlijk nog het ergste. De kleine dingen irriteren het meest. Een voorval: op een zondag heb ik mensen op de lunch genodigd en daarvoor onder andere hardgekookte eieren met worst klaargemaakt, iets wat in zuidelijk Afrika een vast onderdeel van een koud buffet vormde. Ze staat er verbijsterd naar te kijken. 'Waarom in godsnaam?' wil ze weten. 'Er is hier verderop toch een prima delicatessenwinkel?' Ze had kritiek op me – tenminste zo voelde dat – bij alles wat ik deed, maar die kritiek op anderen was de keerzijde van haar onvolprezen vriendelijkheid en vrijgevigheid – die beide dingen aan elkaar gekoppeld. Maar die kritiek was nog niets vergeleken bij haar zelfkritiek, want ze bleef zichzelf in alles naar beneden halen.

Om de druk van die constante afkeuring te weerstaan werd ik defensiever en koeler. Jawel, de situatie met mijn moeder herhaalde zich, en dat kwam uiteraard aan de orde in de gesprekken met mevrouw Sussman, die verhalen over dezelfde voorvallen van ons allebei moest aanhoren en ons allebei moest steunen. Niet bepaald eenvoudig. Op een middag kwam Joan de trap opstormen met de beschuldiging dat ik haar over de rand van de klif had geduwd.

'*Wát?*'

'Ik heb gedroomd dat je me over de rand van de klif duwde.'

Toen ik dat aan mevrouw Sussman vertelde, zei ze: 'Dan heb je haar over de rand van de klif geduwd.'

Joan zag niet dat ze me imponeerde omdat ik haar zo bewonderde. Ze was alles wat ik niet was: chic, zelfverzekerd en wereldwijs. Toen ik haar jaren later vertelde dat ik haar zo gezien had, kon ze dat niet geloven.

Jack zag haar als rivaal – tenminste, zo kwam het op mij over – want als ze kritiek had op hem, had hij meteen kritiek op haar. 'Waarom ga je niet zelfstandig wonen? Waarom heb je een moederfiguur nodig?' Hij zag niet in dat het wonen in het huis van Joan me tegen mijn moeder beschermde, en ook niet dat het voor Peter een ideale situatie was.

Jack vond dat ik Peter te veel beschermde. Hij kon met zijn eigen zoon niet opschieten, en zei onomwonden dat hij geen vader ging spelen voor Peter.

Dat was misschien het ergste van die tijd. Ik wist hoe Peter naar een vader hunkerde, en moest dan toezien hoe dat ventje, dat tegen iedereen zo open en aanhankelijk was, op Jack afrende, zijn armpjes omhoog stak – om dan te worden afgewezen: zijn armpjes werden zachtjes omlaag getrokken en Jack begon hem grotemensenvragen te stellen, zodat hij ernstige, zorgvuldige antwoorden moest geven; maar ondertussen zocht hij met wijdopen, gespannen, angstige ogen Jacks gezicht af. Nog nooit had hij zoiets meegemaakt, bij niemand.

De problemen tussen Joan en mij waren niet erger dan onvermijdelijk was tussen twee vrouwen in één huis die allebei aan hun onafhankelijkheid gewend waren. We konden best goed met elkaar opschieten. Vaak zaten we aan haar keukentafel te kletsen – over mensen, mannen, de wereld, de kameraden – dat laatste steeds kritischer. Eigenlijk is dat kletsen met Joan aan de keukentafel een van mijn prettigste herinneringen. We konden allebei goed koken en er ontstond een goedmoedige concurrentiestrijd over de maaltijden die we klaarmaakten. Het soort gesprekken dat we voerden heb ik later gebruikt in *Het gouden boek.*

Een tafereel: Joan zei dat ze me iets wilde laten zien. 'Ik zeg niks, je moet gewoon even meegaan.' In een klein huis in een straatje twee minuten lopen bij ons vandaan, kwamen we bij een kamertje propvol kostbare meubelen en schilderijen – en mensen. Vier mensen vulden het kamertje; Joan bleef in de deuropening staan, ik vlak achter haar, en ze zwaaide naar een vrouw die in een wufte peignoir loom op een chaiselongue hing. Er stond een man over haar heen gebogen die haar champagne aanreikte. Dat was een ex van haar. Een andere man, haar huidige vriend, streelde haar voeten. Een heel jonge man, met blosjes van opwinding en adoratie, stond zijn kans af te wachten. Geen plaats voor ons, dus groetten we weer en ze riep: 'Kom nog eens terug, lieverds, alsjeblieft, ik raak zo down hier in m'n eentje.' Ze leed aan een mysterieuze vermoeidheid die haar aan bed gekluisterd hield, en bleek onderhouden te worden door twee voormalige echtgenoten en de huidige vriend. 'Nu moet je mij eens vertellen wat wij fout doen,' zei Joan lachend toen we terugliepen. 'En zo knap is ze niet eens.' Tobbend gingen we huiswaarts, ons overbelaste bestaan tegemoet.

Twee à drie keer per week bespraken we het gedrag van onszelf en van elkaar met mevrouw Sussman, maar nu lijkt dat gewroet tussen de wortels van onze motieven, dat toen zo pijnlijk en moeilijk was, minder belangrijk dan: 'Ik heb net een paar croissants gekocht. Kom je mee-eten?' Of: 'Heb je het nieuws al gehoord? Vreselijk! Heb je even tijd om te kletsen?' Het liefst hoorde ik haar vertellen over de kunstenaars en schrijvers die ze kende door haar vader en door haar werk in de partij. Wat was ik geïmponeerd door haar wereldwijsheid. Over David Bomberg bijvoorbeeld, die haar vader had geschilderd en door de gevestigde kunstwereld genegeerd werd, zei ze: 'Ach, maak je maar niet druk, zo zijn ze altijd, als hij dood is zien ze wel in dat ze zich vergist hebben.' Zij bleef altijd doodkalm, terwijl ik dan zat te briesen van verontwaardiging. En wat David Bomberg betreft, heeft ze gelijk gekregen; hij heeft zijn hele leven in armoede doorgebracht, zonder erkenning, en na zijn dood werd hij beroemd. Of ze kwam thuis van een feestje en vertelde dat Augustus John er ook was, en dat ze de jonge meiden had gewaarschuwd: 'Pas op dat hij je niet overhaalt om voor hem te poseren,' want Augustus John was toen een schertsfiguur geworden. Of ze was naar de pub geweest waar ook Louis MacNeice en George Baker kwamen, in de buurt van de BBC, en had bij de BBC Reggie Smith, die jonge schrijvers graag een kans gaf, geprobeerd over te halen een manuscript te bekijken. Joan was een van de organisatoren van de Soho Square Fair van 1954 en dat zal wel een dolle boel zijn geweest. Dan hoorde ik haar luide, vrolijke lach en haar stem van beneden: 'Je gelooft nooit wat er gebeurd is. Ik vertel het je morgen wel.' Joan was degene die me ertoe overhaalde mijn 'revolutionaire plichten' te vervullen. Ik zette een handtekeningenactie op touw voor de Rosenbergs, die wegens spionage tot de elektrische stoel waren veroordeeld. Zoals gewoonlijk bevond ik me in een door en door scheve positie. Iedereen in de communistische partij geloofde, of zei te geloven, dat de Rosenbergs onschuldig waren. Volgens mij waren ze schuldig, al had ik er geen benul van dat ze zulke belangrijke spionnen waren als later is gebleken. Iemand had me het volgende verhaal verteld. Een vrouw uit New York, een communiste, had een baan aangenomen bij het weekblad *Time*, dat toentertijd door communisten alom verguisd werd omdat het 'leugens rondstrooide' over de Sovjetunie. Een partijfunctionaris die ze toevallig tegenkwam, zei dat ze goed haar oren en ogen moest openhouden en alles wat er bij *Time* omging aan de partij moest melden. Dat beloofde ze. Het ging allemaal heel terloops. Plotseling brak er toen die spionagekoorts uit, en toen bedacht ze dat zij eigenlijk misschien ook als spionne kon worden aangemerkt. Ach nee, hield ze zichzelf eerst nog voor, onzin, als je een legale politieke partij in een democratisch land vertelt wat er bij een krant gebeurt, kun je dat toch geen spionage noemen? Maar uit de krant bleek dat dat wel degelijk zo was en in paniek zei ze haar baan op. In die paranoïde sfeer kon geen communist onschuldig zijn. En zo dacht ik dat de Rosenbergs waarschijnlijk ook zoiets gezegd hadden als: o ja hoor, we laten het jullie wel weten als er iets interessants gebeurt.

Ik dacht niet alleen dat ze schuldig waren, ook vond ik de brieven die ze in de gevangenis schreven maar weeïg, duidelijk geschreven als propaganda die in de krant terecht moest komen. Maar de kameraden vonden ze uitermate roerend, en dat voor mensen die in elke andere, niet-politieke context kritisch genoeg geweest zouden zijn om ze als hypocriet en onwaarachtig te herkennen.

Dat illustreert een belangrijk, zo geen fundamenteel punt. We bevonden ons in een situatie waarin we achter moord en oproer stonden, vanuit het principe dat je nu eenmaal vuile handen moet maken als je de maatschappij wilt veranderen. En tegelijkertijd reageerden de meeste communisten bij de geringste suggestie dat er inderdaad vuil spel werd gespeeld met opperste verontwaardiging. Natúúrlijk was die en die geen spion, natúúrlijk nam de partij geen goud uit Moskou aan, natúúrlijk was dit of dat geen dekmantel voor iets anders. De partij vertegenwoordigde de zuiverste hoop van de mensheid voor de toekomst – ónze hoop, en die moest wel zuiver zijn.

Mijn houding jegens de Rosenbergs was simpel. Ze hadden kleine kinderen en mochten niet terechtgesteld worden, ook al waren ze schuldig. In de meeste brieven die ik van schrijvers en intellectuelen terugkreeg, stond dat ze niet inzagen waarom ze een petitie voor de Rosenbergs zouden moeten ondertekenen als de partij weigerde de misdaden van de Sovjetunie te veroordelen.

Daar zag ik de relevantie niet van in; het was immers moreel verwerpelijk om Ethel en Julius Rosenberg ter dood te brengen. Opnieuw bevond ik me in de positie van bekende, omstreden communist. Ik kreeg scheldbrieven en anonieme telefoontjes. In tijden van hevige politieke beroering roepen gevallen als die van de Rosenbergs zo veel woede en haat op, dat het algauw moeilijk is om je nog voor te stellen dat onder al die commotie en propaganda een simpele keus tussen goed en kwaad schuilgaat. En na al die jaren zit er aan dit ene geval nog steeds iets raadselachtigs. Niet lang daarna zouden er in Engeland en Amerika talloze spionnen blijken te zijn, van wie sommigen hun land hadden verraden voor geld en anderen de dood van tientallen medeburgers op hun geweten hadden, en toch is er niet één van hen tot de strop of de elektrische stoel veroordeeld. De Rosenbergs hadden veel minder op hun geweten en hadden jonge kinderen. Sommigen zijn ervan overtuigd dat het kwam omdat ze joods waren. Anderen – waaronder ikzelf – vragen zich af of degenen die ze hebben veroordeeld misschien heimelijk genoegen putten uit het idee van een jonge, mollige vrouw op de elektrische 'barbecue'. Je hebt gevallen die veel meer zijn dan de som van hun delen, en dit is er een van.

Een andere 'plicht' die ik op aandringen van Joan op me nam was de vredesconferentie in Sheffield. Mijn taak was om de deuren langs te gaan en folders uit te delen die dit festijn de hemel in prezen. Overal werd ik nors en kil afgewezen. De kranten schreven dat het vredesfestival door de Sovjetunie was bedacht en betaald – wat natuurlijk zo was, maar wij wezen dat verontwaardigd van de hand en gelóófden wat we zeiden. Het was een akelige ervaring, misschien wel de naarste van mijn revolutionaire plichten. Het was koud, het was grijs, niemand kan beweren dat Sheffield mooi is, en het was de eerste keer dat ik de volle lading van de vijandigheid van de Britse burgers tegen alles wat communistisch is over me heen kreeg.*

Met Jack ben ik twee keer in Parijs geweest. Het korte verhaal *Wine* beschrijft een van die keren. We zaten in een café aan de boulevard St-Germain en zagen meutes schreeuwende studenten langstrekken die auto's omvergooiden. Wat waren hun grieven? Auto's omgooien is een typisch Franse vorm van zelfexpressie: Jack had het voor de oorlog ook al gezien en op een veel later bezoek maakte ik het weer mee.

Een ander voorval, dezelfde reis, een ander café. We zitten op het terras koffie

* De conferentie in Sheffield van november 1950 is niet doorgegaan, omdat de buitenlandse delegaties geen visa kregen, waarna de vredesconferentie naar Warschau is verplaatst.

te drinken. Er komt een fantastisch geklede vrouw met een hondje in onze richting lopen, of liever, schrijden. Het is een *poule*, weelderig, perfect; nee, tegenwoordig zie je zulke hoeren niet meer in Parijs. Jack zit met spijt en bewondering naar haar te kijken. Hij zegt zachtjes tegen me: 'God, moet je kijken, alleen de Fransen...' Als ze ons bereikt, staat ze lang genoeg stil om Jack met minachting aan te staren: '*Vous êtes très mal élevé, monsieur.*' U bent zeer slechtopgevoed, meneer. Ofte wel, wat ben jij een lomperik. En ze schrijdt voorbij.

'Maar waarom je zo vertonen als je geen aandacht wilt?' vraagt Jack. (Hetgeen uiteraard een vraag van bredere relevantie is.) 'Trouwens, al had je het geld voor zo'n vrouw, zou je haar dan durven aanraken? Ik zou bang zijn dat ik haar kapsel in de war maakte.'

Bij het tweede bezoek aan Parijs zaten we in een donkere, kelderachtige ruimte, waar een eerbiedig publiek, allemaal Fransen, naar een bleke vrouw in een lange zwarte jurk met een hoge kraag keek, zonder make-up, met uitzondering van haar tragische zwartomrande ogen. 'Je ne regrette rien' zong ze, en andere liedjes die nu de essentie van die tijd lijken te belichamen. (Het was een stijl die kort daarop mode zou worden). Het klonk als een rebelse weeklacht om de oorlog, de bezetting. In de straten van Parijs kwam je voortdurend stapeltjes kransen of bosjes bloemen tegen op de stoep, onder kogelgaten en een bordje: die en die mannen zijn hier door de Duitsers doodgeschoten. En dan hield je ook stil, met een schrijnend gevoel van kameraadschap, maar toch weer bedorven door een zeker zwelgen in het dramatische ervan.

We zijn ook naar het theater geweest, om het Berliner Ensemble van Brecht te zien met *Mutter Courage*. Geen enkel Duits toneelgezelschap had het nog gewaagd om in Parijs op te treden. Jack zei dat het vast op een rel zou uitlopen, nu al Duitsers, wat een risico, maar dat we toch maar moesten gaan. Het ging immers om een historische gebeurtenis en het was per slot van rekening Brecht. De première. Het theater was afgeladen, de mensen stonden zelfs, en buiten was er een overmaat aan politie. De voorstelling verliep niet soepel. Ze hadden te weinig tijd gehad om goed te repeteren. Het verhaal over de oorlog, zo toepasselijk wat tijd en plaats betrof, ontvouwde zich in stilte. Niemand verroerde een vin. Toen er even iets fout ging met de rekwisieten, bleef iedereen nog steeds doodstil. Er was geen pauze, omdat het toch al zo lang ging duren. Algauw werd de stilte onverdraaglijk: betekende dat dat ze het vreselijk vonden? Dat het publiek als represaille, als wraak, straks het toneel zou bestormen? Toen het stuk eindigde met de woorden: 'Neem me met jullie mee, neem me mee,' en de haveloze oude vrouw, die niets meer bezat, opnieuw probeerde het leger te volgen, klonk er een soort kreun van de Fransen. Stilte, stilte, niemand verroerde zich, het bleef maar stil – en toen stond het publiek als één man overeind, schreeuwend, roepend, klappend, huilend, elkaar omarmend, en begonnen de spelers op het podium te huilen. Dat ging ruim twintig minuten zo door. Ongeveer halverwege was de uitbarsting niet langer spontaan en werd het Europa dat zich van zichzelf bewust werd; het verslagen en onteerde Duitsland dat

Europa toeriep: 'Neem me met jullie mee, neem me mee.'

Ik had bij toneel nog nooit zoiets meegemaakt, en ik begreep voor eens en voor altijd dat een stuk zijn volmaakte gelegenheid kan hebben, alsof het speciaal voor die ene voorstelling is geschreven. Later heb ik nog wel andere producties van *Mutter Courage* gezien.

Later hoorde ik van Ted Allan, de Canadese schrijver, dat Brecht als vluchteling in Californië weleens bij de Allans kwam babysitten. Hij had Ted gevraagd om *Mutter Courage* te lezen, dat toen net af was. Dat had Ted gedaan en hij zei tegen Brecht dat het veelbelovend was maar dat er nog wat aan gesleuteld moest worden. Helene Weigel was diep verontwaardigd. 'Het is een meesterwerk,' zei ze. Ted vertelde dit verhaal om de draak te steken met zichzelf, en deed er als de rasverteller die hij was nog een schepje bovenop. Zijn kritiek op Brecht werd steeds grover, een parodie van Hollywood-regisseurs. 'Die ouwe tang moet eruit. Je moet het sexier maken. Er moet een lekker stuk in. Ja, ik weet het al, wat dacht je van een non? Nee, een novice, lekker jong. Even denken... Lana Turner... Vivien Leigh...'

Een van de reisjes die ik met Jack maakte, was een maand Spanje. Het langste tot dan toe. Een deel van die maand paste mijn moeder op Peter, een week was hij bij Joan en de rest van die maand was hij bij de Eichners. We hadden heel weinig geld. Jack zat als arts nog in de laagste schaal en moest een gezin onderhouden. Konden we elk vijfentwintig pond opbrengen? De reis, auto- en reiskosten inbegrepen, kostte ons vijftig pond. We leefden op brood en worst, groene paprika, tomaten en druiven. Nog steeds kan ik geen groene paprika's ruiken die de zonnewarmte nog in zich hebben zonder overspoeld te worden door herinneringen aan die reis. Als je de grens met Frankrijk overstak, kwam je in de negentiende eeuw terecht. Het was vóór het toerisme. Als we de stadjes binnenreden, Salamanca, Ávila, Burgos, kwamen er hele hordes om ons heen staan om de buitenlanders te bekijken. Haveloze jongetjes vochten om op de auto te mogen passen: een kwartje voor een dag of een nacht. En als we dan eens in een goedkoop restaurantje gingen eten, stonden er hongerige kinderen met hun neusjes tegen het raam gedrukt. Voor Jack reden we door spookherinneringen aan de Spaanse Burgeroorlog, want in zijn verbeelding had hij iedere stap van die strijd meegemaakt. Hij had het Britse en Franse verraad aan de gekozen Spaanse regering verschrikkelijk gevonden; voor hem en mensen als hij was toen de Tweede Wereldoorlog begonnen. Hij leed onder de aanblik van die hongerige kinderen, dacht terug aan zijn eigen jeugd. Ook was hij kwaad, omdat het op straat wemelde van de dikke priesters met zwarte gewaden en gewapende politie met zwarte uniformen. O, wat was Spanje toen toch arm, hartverscheurend, net als Ierland.

En toch... We sliepen in de open lucht, onder dekens op het land, vanwege de sterren. Op een ochtend, het was al warm hoewel de zon nog maar net op was, gingen we rechtop in onze deken zitten en zagen we twee grote, in een rode poncho gehulde donkere mannen op grote, zwarte paarden langs ons heen rijden, het veld in, met de warme blauwe lucht achter hen. Ze hieven groetend hun hand, zonder te glimlachen.

We aten ons brood met olijven, dronken donkerrode wijn onder olijfbomen of zaten de extreme middaghitte uit ergens in een kerkje, waar ik moest zorgen dat mijn armen en hoofd bedekt waren.

We woonden een stierengevecht bij, waar Jack huilde om de zes geofferde stieren. Maak 'm dood, maak 'm dood, mompelde hij, tegen de stieren.

In Madrid zaten bedelende vrouwen op de stoep met hun voeten in de goot en we gaven hun onze koeken en bestelden er nog meer voor ze.

In het Alhambra kregen we het gevoel dat we er thuishoorden – het Alhambra laat niemand koud, je vindt het vreselijk of prachtig.

We maakten hartstochtelijk en vaak ruzie. Het is mijn overtuiging en ervaring dat vurige, veelvuldige seks tot plotselinge uitbarstingen van vijandigheid leidt. Tolstoj heeft daar ook over geschreven. Evenals D. H. Lawrence. Hoe dat zou komen? We vrijden als we de auto stilzetten in de open, lege velden, in droge sloten, in het bos, in een wijngaard, in olijfbosjes. En we maakten ruzie. Hij was jaloers. Wat absurd was, want ik hield van hem. In een stadje in Murcia waar het zo heet was dat we gewoon de hele dag in een café zijn blijven zitten, in de schaduw, zij het niet in de koelte, was hij ervan overtuigd dat ik naar een knappe Spanjaard zat te lonken. Die ruzie liep zo uit de hand dat we een nacht een hotel hebben genomen, want Jack, de arts, zei dat onze manier van eten en het slaapgebrek zich begon te wreken.

Van Gibraltar reden we naar de *costas*, waar je geen enkel hotel had, alleen een paar vissers in Nerja, die op het strand vis voor ons klaarmaakten. We sliepen op het zand, waar we naar de sterren keken en naar de golven luisterden. Tussen Gibraltar en Barcelona was toen behalve de echte stadjes niets gebouwd, je had er alleen die lege, brede, prachtige stranden, die in de jaren daarop zouden veranderen in speeltuinen stampvol hotels. In de buurt van Valencia stond een bordje met HIER NIET ZWEMMEN – GEVAARLIJK, maar ik ben toch die hoge, lokkende golven ingegaan, waarop een zo'n golf mij optilde en me onder water op het zand smeet; met mijn oren vol zand en gruis kroop ik het water uit. Jack bracht me naar het plaatselijke ziekenhuis waar hij met de andere arts communiceerde in het Latijn, aldus bewijzend dat dat bepaald geen dode taal is.

In het hoge, winderige Ávila had je kilometers droog riet met bruine vazen en potten erop. Daar heb ik voor een paar dubbeltjes de mooiste vaas gekocht die ik ooit gehad heb.

Wat me toen het meest trof, en nog steeds verbaast, is het contrast tussen de woeste, rauwe, lege schoonheid van Spanje en de duffe degelijkheid van de hotels, ook de goedkope die wij ons konden veroorloven; en het contrast tussen de alomtegenwoordige armoede en de met goud en juwelen afgeladen kerken, alsof de rijkdom van het hele schiereiland zich daar geconcentreerd had.

Drie keer zijn we in Duitsland geweest. De eerste keer toen ik Gottfried wilde zoeken. Peter was de zomer daarvoor bij zijn vader gaan logeren. Ik had Gottfried gezegd dat hij dat alleen maar moest doen als hij zeker wist dat hij die logeerpartijen vol kon houden. Zoals gewoonlijk reageerde hij met minachting op mijn politiek inzicht: uiteraard zou hij Peter mogen uitnodigen wanneer hij maar wilde. Ik zei dat ik dat nog niet zo zeker wist; bovendien vond Moidi Jokl ook dat hij het bij het verkeerde eind had. Ik bleek gelijk te hebben. Duitsers die in de oorlog in het buitenland hadden gezeten waren verdacht, en veel van hen verdwenen in de kampen van Stalin. Ik was kwaad, deels om de banale reden dat ik al jarenlang op het terrein van politiek door Gottfried beledigd en betutteld was, terwijl ik in werkelijkheid vaker gelijk had gekregen dan hij. Ook was ik kwaad vanwege Peter, die een buitengewoon aardige vader had gehad die hem schijnbaar zonder meer had laten vallen.

Nu begrijp ik wel wat er gebeurd is. Het was letterlijk een kwestie van leven of dood. Wat ik hem verwijt is dat hij nooit eens een briefje het land heeft uitgesmokkeld met: ik kan me geen contacten met het westen meer veroorloven, ik kan er de kogel voor krijgen. Dat was heus niet zo moeilijk geweest, want er was nog best veel onderling verkeer. Maar in plaats daarvan kwamen er mensen van een officieel bezoek aan Oost-Duitsland terug die zeiden: ik heb die knappe man van jou gezien. Een hoge piet. Hij stuurt je veel liefs. 'Het is mijn man niet,' zei ik dan, 'en het is Peter die die zijn liefde nodig heeft.' Oost-Berlijn vond ik vreselijk. Het was voor mij de essentie van alles wat er aan het communisme niet deugde, maar sommige kameraden vonden het prachtig. Jarenlang, tot aan de val van het communisme, hebben ze gezegd: 'In Oost-Duitsland hebben ze het voor elkaar. De economie staat er het beste voor van alle communistische landen. Jammer dat de revolutie niet in Duitsland begonnen is.'

Een andere keer gingen we naar Hamburg. Jack wilde er een vriend gaan zoeken die in de oorlog was verdwenen. Hij heeft hem niet gevonden. Hamburg was zwaar gebombardeerd en nog een en al puinhoop. Het was februari, donker, verschrikkelijk koud, met een snijdende wind uit de Noordzee. Jack zei dat er een traditioneel vakbondsfeest aan de gang was, en dat we mee moesten doen. In de gaten tussen de gebouwen of bij de puinhopen brandden grote vuren, en daaromheen sprongen en wankelden of waggelden zeer dronken figuren, fles in de hand; ze zongen, of liever: brulden, liederen uit de oorlog en traditionele arbeidersliederen. Het was net Walpurgisnacht. Net Jeroen Bosch. Gruwelijk. Jarenlang zijn die beelden me bijgebleven; toen ik na dertig jaar in Hamburg terugkwam en mijn uitgever vertelde wat ik me herinnerde, zei hij: dat kan niet, zoiets is hier nooit gebeurd. Je zult wel met Berlijn of München in de war zijn.

De puinhopen van Berlijn heb ik inderdaad gezien, kilometers lang; ook heb ik op de plek gestaan van de Brandenburger Tor. Veel later, dertig jaar, kwam ik er weer en van ruïnes geen spoor meer. Alsof er geen oorlog was geweest. Ik heb mensen ontmoet die vlak na de oorlog als kind in Berlijn hebben gewoond, en naast de permanente honger herinnerden ze zich ook het spelen in de gebombardeerde huizen. Voor hen was dat een stad: straten die soms gaaf waren, en soms in puin lagen. Later zagen ze ongeschonden steden. Een van die kinderen, die in zijn jeugd bijna was verhongerd maar het overleefd had doordat zijn moeder voor de Amerikanen werkte, zag een film met Orson Welles en zei: 'Op een dag ga ik net zoveel eten als ik wil, en dan word ik net zo dik als Orson Welles.' En zo geschiedde, waarop hij het aan de stok kreeg met zijn dokter en op dieet moest.

Ik ben met Jack ook in Zuid-Duitsland geweest. Dat staat opgetekend in *The Eye of God in Paradise.* De stemming in Duitsland was tot een dieptepunt gezakt en er was veel woede. Ik raakte er erg somber van, evenals van het schrijven van het verhaal. Er zijn Duitsers geweest die me het verhaal hebben verweten, maar waar het om draaide was niet Duitsland maar Europa, ik dacht aan ons allemaal, hoe we opbouwden en vernietigden, opbouwden en vernietigden, opbouwden...

Mijn akeligste herinnering aan Duitsland is aan een vrouw die op een perron naar me toe kwam om over de verdeling van het land te klagen. Haar vaderland was in tweeën gehakt. Was ik wel van dat onrecht op de hoogte? Was het niet gemeen? Waar had Duitsland zo'n straf aan verdiend? Er kwamen nog meer mensen bij haar staan, die me allemaal aanvielen met in hun stem de valsheid die voortvloeit uit een bewust ingenomen onjuist standpunt.

Jack ging deels uit politieke overtuiging naar Duitsland. Als marxist weigerde hij in nationale karaktertrekken of nationale schuld te geloven, terwijl het wel het land was dat bijna zijn hele familie had uitgemoord.

Ik lag nogal met mezelf overhoop. Ik was met de Eerste Wereldoorlog grootgebracht, en daarbij speelde mijn vaders hartstochtelijke identificatie met de gewone Duitse soldaten een grote rol, soldaten die net als hun Engelse tegenhangers slachtoffers van hun stupide regering waren. Ik was met een vluchteling uit Hitler-Duitsland getrouwd geweest, grootgebracht met het idee dat Hitler en de nazi's een direct gevolg waren van het verdrag van Versailles: als men zo verstandig was geweest Duitsland edelmoedig te behandelen hadden we nooit een Tweede Wereldoorlog gehad. Ik was en ben nog steeds van mening dat wij, Engeland en Frankrijk, de Tweede Wereldoorlog hadden kunnen voorkomen als we het lef hadden gehad om Hitler in een vroeg stadium het hoofd te bieden en de antinazigezinde Duitsers hadden gesteund in plaats van ze almaar af te wijzen. Wat was het toen pijnlijk om in Duitsland te zijn en wat voelde ik me verscheurd; enerzijds had ik medelijden met de Duitsers en anderzijds, als ik Duits hoorde spreken of een Duits bordje zag, overviel me weer de angst die ik in de oorlog voelde, terwijl mijn verstand dat een domme, irrationele reactie vond. Op een zekere dag, of liever, een avond, stond ik in Berlijn op een perron en besefte dat alle mensen daar oorlogsinvaliden waren, mannen zonder benen, zonder armen, zonder ogen, en stuk voor stuk dronken, met die typische dronkenschap die bij oorlog en ellende hoort, een bittere dronkenschap, en ik hield mezelf voor: stop, genoeg, je moet jezelf niet langer kwellen – dit is net zoiets als vrijwillig je neus in eigen braaksel wrijven. Waarom doe ik dit? Wat heb ik eraan, om van de Duitsers nog maar te zwijgen? Tientallen jaren ben ik niet meer in Duitsland teruggeweest. En toen was Duitsland weer één, en was dat landschap van ellende en verwoesting weer verdwenen. Alsjeblieft God, laat het voor altijd zijn.

NU MOET IK VERSLAG DOEN VAN WAARSCHIJNLIJK DE MEEST NEUROTISCHE daad van mijn leven. Ik besloot lid te worden van de communistische partij. En dat in een tijd waarin mijn 'twijfels' tot een nimmer aflatende, stille kwelling waren uitgegroeid. Afzonderlijke gevallen waaruit bleek tot welk een gruwel de Sovjetunie zich had ontwikkeld, werden kort en bijna fluisterend besproken – zoals je achterom kijkt of iemand je afluistert, in die trant. Ik kan me geen enkele serieuze, uitgebreide en diepgaande discussie herinneren over de implicaties van wat ons ter ore kwam. Wél plotselinge huilbuien: 'O, wat is het toch vreselijk.' Plotselinge vlagen van beschuldiging: 'Het is toch alleen maar anti-sovjetpropaganda.' Echtelijke twisten, echtscheidingen zelfs.

De mensen klagen dat de oude communisten 'zich proberen te rechtvaardigen'. Maar die klagers zijn dan voornamelijk jongeren, want ouderen begrijpen precies waarom het zo vanzelfsprekend was om communist te zijn. Uitleggen, getuigenis afleggen, is niet hetzelfde als vergoelijken.

Om de paradox dan maar eens uiteen te zetten: in heel Europa, en in veel mindere mate ook in de Verenigde Staten, waren het de gevoeligste, meelevendste, meest sociaalvoelende mensen die communist werden. (Al zat er ook een heel ander slag tussen, namelijk de mensen die op macht uit waren.) Die fatsoenlijke, aardige mensen stonden achter het wreedste, meest tirannieke regime van onze tijd – op communistisch China na. Het Duitsland van Hitler, dat dertien jaar bestaan heeft, verbleekt naast de terreur van Stalin tot kinderspel – en nee, dan vergeet ik niet de holocaust.

Het belangrijkste feit, de mentaliteit van die periode, was dat men ervan uitging dat het kapitalisme tot de ondergang gedoemd was, op zijn laatste benen stond. Het kapitalisme lag aan de wortel van elk maatschappelijk kwaad, ook van de oorlog. De toekomst voor de gehele mensheid lag in het communisme. Ik heb ijverige zieltjeswinners horen zeggen: 'Geef me een paar uurtjes maar, met wie dan ook, en ik overtuig hem ervan dat het communisme het enige antwoord is. Het ligt immers zo voor de hand.' En dat het communisme vuile handen maakte? Of dat er, zoals de kameraden het uitdrukten 'vergissingen zijn begaan'? Dat kwam natuurlijk doordat het eerste communistische land het achterlijke Rusland was geweest; was het Duitsland geweest, dan was het heel anders gelopen! (Dat de Sovjetunie in werkelijkheid het oudste en succesvolste rijk ter wereld had geërfd, was een feit dat pas tientallen jaren later erkend zou worden.) Straks, als de geïndustrialiseerde landen communistisch waren, zouden we met een heel ander soort communisme kunnen kennismaken.

Ik ben in de verleiding geweest om een hoofdstuk met het kopje 'Politiek' te schrijven, zodat mensen die dat een vervelend onderwerp vinden het konden overslaan, maar alles was in die tijd van politiek doortrokken en de Koude Oorlog vergiftigde de atmosfeer. En toch is het moeilijk om vanuit het huidige perspectief een denkwijze die ik nu als krankzinnig ervaar te begrijpen. Maakt het dan iets uit dat er één gestoord mens aan krankzinnigheid ten prooi was gevallen? Dat niet. Maar ik heb het over een generatie; wij maakten deel uit van een soort maatschappelijke psychose, een massale zelfhypnose. Ik probeer het niet goed te praten als ik zeg dat ik nu van mening ben dat alle massabewegingen, of ze nu religieus of politiek van aard zijn, een vorm van massahysterie zijn waarvan men een generatie of wat later ongetwijfeld zal zeggen: hoe hebben jullie dat ooit kunnen geloven?

Geloof – dat is het kernwoord. Het was een religieus getinte mentaliteit, identiek aan die van hartstochtelijk religieuze Ware Gelovigen. Arthur Koestler heeft samen met anderen het boek *The God That Failed* [vertaald als *De god die faalde*] geschreven, en tegenwoordig is het een cliché als je zegt dat het communisme een religie is. Maar zo'n cliché in de mond nemen betekent niet automatisch dat je het ook begrijpt. Want het communisme had naast het fanatisme ook een heel panorama aan goeien en slechteriken geërfd, degenen die wel en niet verlost waren. Wij hadden de mentaliteit van het christendom overgenomen. De hel: het kapitalisme, door en door verdorven. Een Heiland of Verlosser, door en door goed: Lenin, Stalin, Mao. Het vagevuur: in de politiek moet je vuile handen maken (concentratiekampen enzovoort). En ten slotte het paradijs, de hemel: Utopia.

Toch was ik allerminst een ware gelovige. Allereerst belichaamde Jack, de grootste liefde van mijn hele leven, de conflicten, of, zo je wilt, de 'contradicties' van het communisme. Elf van zijn beste vrienden, zijn kameraden, zijn echte familie, hadden als verrader de strop gekregen. Als ik tegen Jack zei dat ik erover dacht om partijlid te worden, zei hij dat ik een vergissing beging – en het moet hem vreselijk pijn hebben gedaan om dat te zeggen. En tegelijkertijd wist hij, omdat hij zelf al die stadia had meegemaakt, dat het zinloos was ertegenin te gaan. 'Je groeit er nog wel overheen', als hij dat had gezegd, was het misschien nog wel tot me doorgedrongen.

Arthur Koestler heeft gezegd dat elke communist die in weerwil van alle feiten en bewijzen lid van de partij bleef, een geheime verklaring had voor wat er gebeurde die niet met vrienden en kameraden besproken kon worden. Een paar communisten die ik kende waren tot de conclusie gekomen dat de gerapporteerde misdaden inderdaad hadden plaatsgevonden – zij het uiteráárd niet in de mate die de kapitalistische pers ons wilde doen geloven – maar dat onze Grote Kameraad daar met geen mogelijkheid van op de hoogte kon zijn. De waarheid werd voor Vadertje Stalin verborgen gehouden. Míjn rationalisatie, mijn 'geheime verklaring' (die ik inderdaad alleen met Jack kon bespreken) was dat het leiderschap van de Sovjetunie weliswaar gecorrumpeerd was geraakt, maar dat er overal in de communistische wereld goeie communisten waren die zich gedeisd hielden in afwachting van een geschikt moment om de macht te grijpen, waarop het communisme zijn mars naar de rechtvaardige samenleving zou hervatten. Naar de volmaakte samenleving. Er school echter één addertje onder het gras: ik besefte niet dat Vadertje Stalin die goeie communisten allemaal om zeep had geholpen.

En dan had je nog de kwestie van het Engelse klassenonderscheid. Dat shockeerde me – zoals het alle kolonialen shockeert. Jawel, Groot-Brittannië ís een in tweeën verdeelde samenleving, al is het tegenwoordig misschien – een tikkeltje – beter. Toen ik pas in het land was, kon ik met mijn Rhodesische accent met de gewone man praten, met de arbeidersklasse, want die beschouwde me niet als iemand uit het andere kamp. Maar dat was gauw voorbij toen ik Algemeen Beschaafd Engels begon te spreken, de taal van de middenklasse (daar kon ik niets aan doen, ik neem nu eenmaal altijd accenten over, waar ik ook woon). Er viel een scherm tussen ons in – met een klap. Ik heb het nu over niet behandeld worden als gelijke, en niet over het scherm dat valt door de nogal paternalistische 'jofele' toon van de aristocratie. En vervolgens kwam ik erachter dat mensen die de jaren dertig hadden overleefd op thee, brood, margarine en jam, mensen die jarenlang werkloos waren geweest en in smerige sloppenwijken huisden, op de conservatieven stemden.

Een voorval. Een van mijn RAF-vrienden uit Rhodesië nam me mee uit lunchen en zei: 'Met nog wat oefenen kun je er best mee door. Vrouwen zijn daar goed in.' Hij zei het met de beste bedoelingen, en had me er expres om mee uit lunchen genomen. Toen ik zei dat het niet mijn streven was om 'ermee door te kunnen', snapte hij daar niets van. Ik moest hem uitleggen dat zijn soort niet automatisch werd bewonderd. Pas een jaar of zeven later, met de komst van de (zogenaamde) 'angry young men', die generatie, zou het overbodig worden om dat standpunt te verdedigen, maar op dat moment was het nog niet zover. Vervelend, en voor beide partijen gênant.

Nog een voorval: met een ander, ook ex-RAF, ging ik naar een pub in Bayswater. We liepen de *public bar* in. We gingen bij de tap staan om iets te bestellen. Langs de muren zaten mannen naar ons te kijken. Ze communiceerden zonder woorden. Toen stond er een op, kwam langzaam en nadrukkelijk naar ons toe en zei: 'Jullie horen niet hier, maar daar.' En hij wees naar de *lounge*, de *private bar*. Gedwee dropen wij af naar onze soortgenoten van de middenklasse. Dat gaat nu nog steeds zo. Buitenlanders of Engelsen die in het buitenland hebben gewoond klagen over het klassenonderscheid, maar de Engelsen aan beide zijden van de kloof zeggen: 'Jullie begrijpen ons niet' en gaan op dezelfde voet verder. De arbeidersklasse, de lagere stand, heeft haar geringe status 'geïnternaliseerd'.

Wanneer ik in deze stemming verkeerde, vol bittere kritiek op Engeland, zat ik in mijn gedachten op hetzelfde spoor – al zag ik dat pas later in – als de mensen die in de jaren dertig, die jaren van diepe, smerige armoede, communist werden. En als de mensen die naar Spanje vertrokken om mee te vechten in de Burgeroorlog, uit woede over de weigering van de Franse en Britse regering om de wettige regering wapens te leveren, terwijl Hitler en Mussolini Franco volop van wapens voorzagen. Bij veel mensen die ik toen tegenkwam, leefde nog een diepe schaamte. (Bestaat die schaamte over het gedrag van de eigen regering nog? Ik geloof van niet – er is een zekere onschuld verdwenen.) Door dat schaamtegevoel zijn sommigen verraders en spionnen geworden. De Spaanse Burgeroorlog had een pijnlijke erfenis nagelaten. Men is vergeten hoe slecht de vluchtelingen uit Spanje zijn behandeld, hoe ze jarenlang in de grensstreken in kampen hebben gezeten en behandeld zijn als misdadigers die straf verdienden. Tot diep in de jaren zestig had je in Soho een paar pubs waar doodarme Spanjaarden elkaar troffen; ze zeiden dat de wereld hen was vergeten, terwijl ze zich toch als eersten tegen de nazi's, de fascisten, verzet hadden. Er zijn cynici die juist dat als hun misdaad aanmerken.

En zo werd ik lid van 'de partij', zoals ze doorgaans zeiden. Ik vond het vreselijk om een officieel lidmaatschapsbewijs te hebben. Ik vond het vreselijk om me waar dan ook bij aan te sluiten. Ik had en heb een hekel aan vergaderen. Ik registreer slechts... die wirwar aan tegenstrijdige, krankzinnige gevoelens en gestoord gedrag. Later, heel veel later, pas geleden eigenlijk, heb ik er een verklaring voor gevonden waarom zo veel mensen lid van de communistische partij zijn gebleven terwijl ze er al lang uit hadden moeten stappen. Maar voor het moment genoeg hierover.

Er was nog iets. Ik had meer dan genoeg gezien van het soort dat 'ik ben communist' liep te roepen maar er niet over peinsde om lid van de partij te worden. Ik walgde van die lui. En het zou niet zo lang meer duren voor je in Londen een nieuwe generatie jongeren had die zeiden dat ze communist waren *pour épater le bourgeois*, om pappie en mammie te pesten, lekker spannend voor zichzelf en de anderen.

Mijn beoordelingsgesprek was met Sam Aaronivitch, cultureel commissaris. Een piepjonge vent, slank, streng, een tikje militaristisch, met de grimmige, sardonische humor uit die tijd. Hij had een extreem arme jeugd gehad in het Londense East End, was geschoold bij de jonge communisten, maar zijn basisvorming lag elders, omdat hij jood was, van het volk van een Boek. Meer dan eens heb ik gehoord van mensen die in het joodse East End zijn opgegroeid hoe ze aan tafel, waar misschien nauwelijks genoeg te eten op stond, zaten te luisteren hoe hun vaders, ooms, oudere broers en zelfs moeders over politiek, filosofie en godsdienst discussieerden. Waarom had de partij een jongeman die geen letter moderne literatuur had gelezen en zich niet interesseerde voor kunst als cultuurvertegenwoordiger gekozen? Het gesprek vond plaats in het hoofdbureau van de partij in King Street, Covent Garden. ('King Street zegt...' 'Die stomkoppen in King Street...' 'Ik moest komen opdraven in King Street, maar heb ze verteld dat...') Hij haalde me door de mangel als een officier die een groentje ondervraagt, en zei dat het hem intrigeerde een intellectueel te ontmoeten die bij de partij wilde op het moment dat de meesten eruit wilden, en dat hij mijn aantijgingen tegen de partij als ik er weer uitstapte met belangstelling tegemoet zag. Daarna nam hij me mee door het East End, waar hij was opgegroeid. Sam weet daar niets meer van, maar voor mij is het een van mijn duidelijkste herinneringen aan die eerste tijd in Londen. Hij liet me een cultuur zien die eigenlijk al dood was, wat hem speet, omdat er zo veel lef en solidariteit van uitgegaan was. Sam heeft een rijk geschakeerd leven gehad, of misschien moeten we van 'levens' spreken: een daarvan als 'de marxist van Balliol'. We zien elkaar nog weleens, als hij door Hampstead Heath rent en ik er wandel. Dan halen we herinneringen op: ik weet dit nog, hij dat – bijvoorbeeld dat Peter weleens een weekend bij hem kwam logeren om met zijn dochter Sabrina te spelen. Tegenwoordig helpt hij de Bengalese gemeenschap die in de straten woont waar hij is opgegroeid. De Bengali in Oost-Londen hebben ook hun Boek, maar om de een of andere reden doet dat voor hen niet hetzelfde als dat van de joden, dat ze tot hartstochtelijk discussiërende, intellectuele en pientere mensen maakte die hun armoede wisten te ontstijgen om de wereld van wetenschap, handel en kunst nieuw leven in te blazen. De kinderen van de Bengali groeien niet op met vaders, moeders, ooms en oudere broers die hartstochtelijk over religie, politiek en literatuur discussiëren; zij worden niet met poëzie en citaten uit meesterwerken om de oren geslagen. Zij blinken niet uit op school zoals eens de arme joden die voor hen in die wijken woonden.

Een van de redenen waarom sommigen het zo moeilijk vonden om uit de partij te stappen, was omdat er zo veel kleurrijke, bijzondere mensen in zaten. Prima mensen, ruimhartig, aardig, slim.

Van die velen zal ik er twee vermelden. Op een keer, toen ik zo krap bij kas zat dat ik ten einde raad was, en dacht dat ik niet langer meer van het schrijven kon leven en een baantje moest gaan zoeken, kreeg ik volkomen onverwachts een brief van mensen die ik niet kende, communisten, die schreven dat ze hadden gehoord dat ik op zwart zaad zat, dat ze mijn boeken goed vonden en honderd pond stuurden. Dat was toen veel geld. Ze wilden het niet terug, maar stelden het op prijs dat ik het als het weer beter ging zou doorsturen naar iemand anders die het nodig had, met datzelfde verzoek om het later door te sturen naar iemand die het kon gebruiken. Ik zal die mensen, die ik nooit ontmoet heb, mijn hele leven dankbaar blijven.

Een tijdje later, toen ik me door alle implicaties van het klassenonderscheid ingekapseld begon te voelen, vroeg ik de communistische partij om een bezoek aan een mijnwerkersgemeenschap voor me te regelen. Ik vond Armthorpe, in de buurt van Doncaster, een naargeestig, deprimerend dorp; toch was het pas gebouwd en prezen de mensen die er woonden zich gelukkig vergeleken met de gezinnen die nog in de oude dorpen woonden. Een mijnwerker, zijn vrouw en drie opgeschoten kinderen. Hij al vele jaren communist en zij ook. Het huis stond vol boeken; in geen enkel ander huis in dat dorp heb ik verder boeken zien staan. Ze luisterden naar muziek en hoorspelen op de radio. Ze vertelden dat Sybil Thorndyke midden in de oorlog met een toneelgezelschap naar de mijnwerkers was gekomen om Shakespeare te spelen. Dat wist daar nog iedereen. Die twee waren in de Sovjetunie en andere communistische landen geweest. Dat was voor de tijd van het massatoerisme en ze waren de enigen van het dorp die zulke reizen hadden gemaakt. Hij was een vaderfiguur, een soort officieuze volksoudste; er kwamen altijd mensen aankloppen om advies. Alles wat hij vertelde over de mijnwerkersgemeenschap, over Engeland, over zijn leven – het gebruikelijke verhaal van bittere armoe in de jaren twintig en dertig – was zinnig en informatief. Maar wat hij had te melden over de Sovjetunie en de communistische landen was larie. Als je nu tegen die man had gezegd: 'Wat u zozeer bewondert is een hersenschim en Stalin is een monster,' had je iets in hem kapot gemaakt: zijn hoop, en zijn geloof in de mensheid. Dat soort gespletenheid zag je toen heel veel: dat volkomen zinnige, verstandige en eerlijke enerzijds en die luchtspiegeling van leugens anderzijds.

Die twee weken dat ik er gelogeerd heb, lag ik vaak wakker op de bank in de huiskamer vlak onder hun slaapkamer en dan hoorde ik hem boven mijn hoofd eindeloos hoesten. Hij had stoflongen van de mijn en wist dat hij het niet lang meer zou maken. Hij wilde absoluut niet hebben dat zijn kinderen erheen gingen; het was een hondenleven.

Toen ik met hem over straat liep, zag ik een groep jonge mijnwerkers uit de mijn komen, in hun goedkope zondagse pak met rode sjaal. Ze hadden op het terrein gedoucht en gingen een avondje stappen in Doncaster. Ze groetten mijn gastheer en knikten me toe. De oude mijnwerker zat vol fanatieke zorg om ze: aten ze wel goed, ze zagen er niet best uit, ze bleven toch nooit warm zo met die sjaaltjes? Je kon merken dat ze enorm op hem gesteld waren.

Deze belevenis heb ik in het korte verhaal *England Versus England* verwerkt.

Mijn officiële partijlidmaatschap is trouwens eerst nog uitgesteld. Ik had een uitnodiging gekregen om naar de Sovjetunie te gaan voor het indertijd door Naomi Mitchison en Alex Comfort in het leven geroepen Authors World Peace Appeal, het soort bevlogen organisatie dat toen zo'n opgang deed. Ze konden maar weinig mensen vinden die erheen wilden. De sfeer was toen zodanig dat ik briefjes en telefoontjes kreeg met de boodschap dat ik het risico liep in een concentratiekamp te belanden. Als ik dan zei dat het toch niet zo waarschijnlijk was dat de bond van sovjetschrijvers zou toestaan dat er hoge gasten verdwenen – dat was toch geen beste publiciteit? – kreeg ik te horen (net als Gottfried van Moidi Jokl): 'Je begrijpt ook niks van het communisme. Als ze je koudmaken, is dat je verdiende loon.'

We waren met ons zessen. Naomi Mitchison zelf. Dan haar neef Douglas Young, omdat die Russisch kende. Verder Arnold Kettle, een bekende marxistische criticus, van de universiteit van Leeds. A. E. Coppard, die korte verhalen schreef. Richard Mason, schrijver van *The Wind Cannot Read* [vertaald als *De wind kan niet lezen*], een bestseller uit de oorlog over een jonge Engelse soldaat die verliefd is op een halfbloed verpleegster. En dan ik als kersverse schrijfster. We beseften best dat onze literaire faam niet het niveau benaderde dat de Russen bij dat eerste naoorlogse schrijversbezoek uit het westen graag hadden gezien – het was 1952.

Eerst was er een voorbereidende vergadering, waar de gemoederen danig verhit raakten. Alex Comfort vond het vreselijk dat er een communist bij de delegatie zou zitten, namelijk Arnold Kettle, want die zou ons allemaal een rad voor ogen draaien en ons met leugens overstelpen. Naomi ging daartegenin. Ze kende Arnold als een alleraardigste jongen. De politiek naïeve Coppard was naar de vredesconferentie in Wroclaw (Breslau) geweest en verliefd geworden op het communisme – hij leek wel betoverd. De bijeenkomst draaide uit op een plan met gedetailleerde instructies van Alex Comfort hoe we Arnold (die er net als Richard Mason niet bij was) te slim af moesten zijn.

Ondertussen had de partij besloten dat twee communisten op die reis wat te veel van het goede waren, een was meer dan genoeg. Ik kreeg te horen dat ik pas officieel lid moest worden als ik terug was. Ik voelde me daar niet prettig bij, want het bracht me in een scheve positie. Bedrog lag niet zo in mijn aard. Ik zocht het meer in directe, spontane openheid, die trouwens vaak als tactloosheid is bekritiseerd.

Toen ik het later met ingewijden besprak, kreeg ik te horen dat dit een typisch staaltje communistische tactiek was. De partij heeft me van meet af aan in een positie gemanoeuvreerd waarin ik bij oneerlijkheid betrokken was, iets wat me aangewreven kon worden. Dat geloofde ik toen, maar niet lang, want ik begon diepere lagen te ontdekken. Waarom raakten feiten zodra de partij erbij betrokken was onherroepelijk verdraaid, waarom zeiden mensen dingen waarvan jij wist – net als zijzelf overigens – dat ze niet klopten? De duivel wordt wel omschreven als de vader der leugens, een sterke frase waarin andere, oudere uitdrukkingen meeklinken, zoals 'het rijk der leugens'. Ik ben tot de overtuiging gekomen dat iets in de aard van het communisme aanleiding geeft tot leugens, gedraai en bedrog. Maar wat het is? Die kracht? Van wat uit communistische bron komt, kun je geen woord geloven. Het communisme behoort inderdaad tot het rijk der leugens. Grote bedrieger Stalin is daar maar deels verantwoordelijk voor, want het grote voorbeeld Lenin heeft de blauwdrukken verschaft. 'Desinformatie' was (is?) slechts een kristallisatie, formalisatie van het diepste wezen van het communisme. Maar dit zijn diepten die ik niet kan peilen, al weet ik zeker dat hier iets ligt wat veel verder gaat dan de dagelijkse wereld van gezond verstand en eenduidige oorzaken.

We vormden een wonderlijk samenraapseltje. Allereerst Naomi Mitchison. Die was vooral door haar roman *The Corn King and the Spring Queen* een van de schrijfsters die in de jaren dertig een nieuw terrein voor vrouwen hadden aangeboord. Ze was boerin en gemeenteraadslid in Schotland en evenals haar man, het parlementslid Dick Mitchison, actief lid van de Labourpartij. A. E. Coppard heeft een aantal van de beste Engelse korte verhalen geschreven: mild spottend, humoristisch – en scherpzinnig, net als hijzelf. Helaas was zijn verliefdheid op het communisme de helderheid van zijn visie niet ten goede gekomen. Richard Mason beweerde dat hij naar de Sovjetunie ging omdat hij het jaar daarvoor naar Lourdes was geweest en dat hem dat een leuk contrast en een even pikante ervaring leek. Maar zijn schijn bedroog: hij speelde de rol van cultuurbarbaar, van de pijprokende Brit in tweed, zwijgzaam en laconiek, terwijl hij in werkelijkheid een romanticus was. Arnold Kettle zat in de delegatie omdat Naomi hem had uitgenodigd en de partij dat goed gevonden had. Ik had een goed ontvangen roman en korte verhalen geschreven.

Toen we elkaar op het vliegveld troffen, bezagen vijf van ons Arnold Kettle met scepsis of achterdocht, maar diens kalmte en gezonde verstand maakte hem bijna meteen tot mentor van de groep. Dat gebeurde wel vaker: als monsters bekend staande communisten leken plots onvoorstelbaar redelijk als je ze in levenden lijve ontmoette.

Onze meningen over de Sovjetunie liepen sterk uiteen, maar wij begonnen een eenheid tegen wil en dank te vormen, deels door de bijna hysterische aandacht van de pers waardoor we wel één lijn moesten trekken en deels doordat Arnold erop aandrong dat we ons ondanks onze verschillen als een gesloten front aan de buitenwereld presenteerden. We moesten uiteraard de 'partijlijn' vanuit King Street volgen, die – waarschijnlijk – ook die van de Sovjetunie was. Dat overviel onze 'rechtervleugel', Naomi en Douglas, en bracht Coppard van zijn stuk, want die wilde niets meer en niets minder dan namens de hele Britse natie publiekelijk en voor altijd het communisme omarmen. Hij was echter volkomen apolitiek, hij was als het ware nooit tegen politiek ingeënt, zodat hij bij de eerste keer dat hij ermee in aanraking kwam volledig doorsloeg. Richard Mason was apolitiek van nature en als bewuste keus. Dus bevonden Arnold en ik ons in de centrale positie, wat mij qua temperament goed uitkwam en natuurlijk ook het gevoel dat ik belangrijk was versterkte. Nu ben ik van mening dat we een heel wat eerlijker beeld van de Britse opvattingen over het communisme hadden laten zien als we onze discussies hadden voortgezet waar de Russen bij waren; maar hoe langer we samen optrokken, des te sterker voelden we ons vaderlandslievende Britten worden. Dat verenigde front vond zijn tegenhanger in de Russen, want die bleken stuk voor stuk ouderwetse nationalisten. Dat klinkt nu als een simpele uitspraak, die je afdoet met: 'Ja, natuurlijk!' Maar nationalisme van dat soort had niets te maken met de zuiverheid van het utopische communisme, dat immers een wederzijdse liefde tussen alle volkeren voorstaat. Als ik onze gastheren zo chauvinistisch tekeer hoorde gaan, werd ik tot mijn grote ongenoegen herinnerd aan de urenlange pogingen van onze groep in Zuid-Rhodesië om de kronkelwegen van 'de partijlijn' te vatten en te volgen. Dat leverde meesterwerkjes van dialectiek op, vooral van Gottfried met zijn manipulatie van marxistische waarheden. Als de Russen hadden geweten hoe de plaatselijke communisten overal ter wereld met staaltjes van hogere redenaarskunst probeerden te verklaren waarom de Russische kameraden hun onbegrijpelijke stappen hadden genomen, hadden ze zich kapot gelachen. Wat had ik (en Gottfried ook) het bij het rechte eind gehad met de uitspraak dat geen enkele echte communistische partij onze idealistische luchtkastelen als communisme zou herkennen. Maar het primitieve, simplistische nationalisme dat ik hier tegenkwam had ik toch niet verwacht – maar waarom eigenlijk niet? De Russen hadden er nooit een geheim van gemaakt; Stalin niet, tenminste. Ik besprak die mentale tobberijen met Arnold, want de anderen hadden het toch niet gesnapt. We kwamen tot de slotsom dat de oorlog voor de Russen zo vreselijk was geweest dat hun vlucht in het nationalisme de enige uitweg was. Vanwege die oorlog moesten we de Russen alles vergeven. Ze hadden bij het beleg van Leningrad meer mensen verloren dan de Britten en de Amerikanen in de hele oorlog bij elkaar. Daarom zei de Tsjech Jack altijd tegen me: 'Jullie snappen het hier gewoon niet.' ('De Sovjetunie' en 'Rusland' waren in die tijd synoniem, al lijkt dat tegenwoordig onvoorstelbaar.)

Ik moet er wel bij zeggen dat deze herinneringen aan die reis niet gezamenlijk zijn – zoals ik zo'n vijfentwintig jaar later ontdekte toen Naomi en ik ons niet hetzelfde bleken te herinneren; het was niet alleen een kwestie van je dezelfde dingen anders herinneren, het leek wel of we ieder een andere reis hadden gemaakt. Ik vond dat een onthutsende ervaring en het was het startschot voor mijn pogingen die rare glibberigheid van het geheugen te begrijpen; vóór die tijd had ik zonder meer aangenomen dat mensen met dezelfde ervaringen zich dezelfde dingen zouden herinneren. Vooral als ze zo scherp waren als die aan ons verblijf in Rusland. Met Arnold is het me beter vergaan: onze herinneringen bleken min of meer overeen te stemmen.

Zelden ben ik zo verscheurd, zo verbijsterd, zo teleurgesteld, zo alert... zo in léven geweest als tijdens die Ruslandreis, en mijn herinneringen eraan behoren dan ook tot de sterkste die ik heb. Je kunt je over het geheugen de basisvraag stellen: waarom herinneren we ons dit wel en dat niet, vooral als 'dit' helemaal niet zo belangrijk is, integendeel? Ik denk dat we ons iets herinneren omdat we toen om de een of andere reden heel alert waren, onze aandacht erbij hadden, er echt bij waren – want vaak zijn we ergens niet echt bij omdat we denken aan het ontbijt dat we op hebben, of aan iets wat we morgen gaan doen of omdat we denken aan iets wat we tegen iemand gezegd hebben. Waarom we op sommige momenten meer bij de les zijn dan anders is weer een andere vraag, die mij hier te diep gaat. Ik was toen in Rusland in ieder geval intens aanwezig in het heden, iedere seconde, en dat is de reden voor mijn herinneringen. Ik heb al zo vaak het besluit genomen om erover te schrijven, om het dan weer af te blazen. Wat had het voor zin? Alles wat je over de Sovjetunie zei of schreef, maakte altijd emoties los die zo heftig, zo woedend, zo partijdig waren, dat je geen kalm oordeel kon verwachten. Bovendien was hetgeen ik me herinnerde niet altijd vleiend voor mijn delegatiegenoten, wat natuurlijk ook wel andersom zal gelden.

Maar nu is alles wat er rest de muziek van de verre trom…

Onze officiële gastheer was de bond van sovjetschrijvers, met aan het hoofd ene Aleksej Soerkov, wiens naam niet lang daarna het synoniem zou worden van de onderdrukking van fatsoenlijke schrijvers door de communistische ideologie. Hij oogde gewoontjes, en had zich de stijl aangemeten die sovjetbeambten gebruikten om te overtuigen: de kortaf-maar-oprechte, open, je-neemt-me-maar-zoals-ik-ben, goudeerlijke Soerkov, vriend van de vrienden van de Sovjetunie. Met achter zich de KGB, die ieder woord en ieder gebaar controleerde en ingaf. Wisten wij dat toen? Jawel, maar onze kijk op de KGB was op z'n zachtst gezegd naïef. En niet van arrogantie ontbloot. Wij zeiden op onze hotelkamer voor de grap dat de KGB onze telefoon wel zou afluisteren, en dat de conciërge onze spullen wel zou doorzoeken, maar dat dat ons niet kon schelen, wij kwamen uit het Westen en daar hielden we ons met dat soort flauwekul niet bezig. We zagen onszelf niet als nuttige werktuigen in dienst van de KGB. Dat bleken we ook niet te zijn, al waren ze natuurlijk allang in hun nopjes geweest als dat – zoals bij zo veel anderen – wel het geval was geweest. Vanuit het standpunt van de KGB bekeken waren wij de eerste westerse delegatie 'intellectuelen' van na de oorlog, de 'Grote Vaderlandse Oorlog' – een uitdrukking die wij gênant vonden, die onze verschillen accentueerde – en als zodanig moesten wij in de watten gelegd en ontzien worden.

Achter hen lagen de gruwelen van de bewust door Stalin gecreëerde 'grote hongersnood', de zuiveringen, de goelags, de verpletterende verwoestingen van de oorlog, de moord op de joden in de 'zwarte jaren' – toen nog niet voorbij – onbeschrijfelijk onrecht, kwellingen, martelingen, moord. Terwijl ik dit schrijf, lees ik dat de recentelijk ontdekte en erkende massagraven er waren omdat Stalin, die voortdurend honderdduizenden landgenoten in de gevangenis liet gooien, te horen kreeg dat de gevangenissen overvol waren, geen zin had geld uit te geven aan nieuwe, en het probleem oploste door de gevangenen te laten doodschieten en weer van voren af aan te beginnen. Achter de Russen die wij ontmoetten lag dát verleden. En Stalin leefde nog, loerde vanuit het Kremlin als een spin in zijn web. Wat wij toen niet wisten was dat Stalin alles las wat er in zijn land gepubliceerd werd – romans, korte verhalen, gedichten en alle toneel- en filmscenario's. Hij had liederen laten schrijven met voorgeschreven tekst, die voor de verschillende stadia van de oorlog gebruikt moesten worden en zelfs speciaal voor veldslagen bedoelde liederen. Hij was in ieder geval van mening dat de kunstenaar de smid is van de menselijke ziel – een van de gebruikelijke citaten. De opening van de sovjetarchieven heeft de aard van Vadertje Stalin duidelijke contouren gegeven.

Ze zullen hun gasten wel gezien hebben als niet al te snuggere kinderen. Ik heb me vaak afgevraagd of ons bezoek heeft bijgedragen tot opmerkingen (door ex-KGB, GRU en andere veiligheidsagenten) als: 'De westerse communisten en fellow-travellers zijn net naïeve kinderen, en als de sovjettanks over ze heenrollen roepen ze nog: "Welkom, welkom."' Maar nee, de nog onschuldigen zouden roepen: 'Maar kameraden, zet die tanks toch stil, jullie begaan een vreselijke vergissing en bezoedelen de roemrijke naam van het communisme.' Nog in de jaren zestig werd er in Praag een jood, uit Israël, geen communist maar een socialist, gearresteerd, gevangengezet en ervan beschuldigd een fascistisch-zionistische agent van het internationale imperialisme te zijn (ontcijferd is dat een jood); in de gevangenis sprak deze man smekend tot zijn cipiers en beulen: 'Kameraden, hoe kunnen jullie de handen van de arbeidersklasse zo vuil maken, hoe kunnen jullie jezelf en alle fatsoenlijke mensen ter wereld met dergelijk gedrag toch zo schaden?'

Onze eerste officiële verplichting was een bijeenkomst die plaatsvond om een lange tafel, in een formeel ogend vertrek; we waren ongeveer met z'n twintigen. Soerkov opende de bijeenkomst met een bloemrijke officiële toespraak die de toon zette voor al hun volgende toespraken.

De kloof tussen de sovjetschrijvers – of liever, de officiële partijlijn – en de Britse delegatie was onoverbrugbaar. Dat bleek bij die eerste toespraak al zonneklaar en tijdens de rest van het bezoek is de afstand tussen ons alleen nog maar groter geworden.

Naomi beet voor ons de spits af. Ze was een vrouw van middelbare leeftijd, die qua uiterlijk wel iets had van een vriendelijke terriër; ze vertelde dat ze in de jaren twintig in Moskou een heerlijke liefdesverhouding had gehad; waarom stond de Sovjetunie van nu toch zo vijandig tegen de vrije liefde? Ze wist nog hoe ze met haar geliefde naakt in de rivier de Moskva had gezwommen en een fantastische tijd had gehad. Ooit was de Sovjetunie in liefdeszaken een lichtend voorbeeld van progressiviteit geweest, maar 'nu zijn jullie zo reactionair geworden'. Het spreekt vanzelf dat Arnold en ik ons geen raad wisten van schaamte en gêne. Dit was immers een zeer serieuze aangelegenheid! We hadden toch onze verantwoordelijkheid als vertegenwoordigers van ons land! Inmiddels vraag ik me af of haar benadering niet de juiste manier is geweest om korte metten te maken met al die retoriek en bombast, met die hele onmogelijke situatie.

Vervolgens eiste Douglas Young het recht om te spreken namens de uitgebuite koloniën, en wel namens Schotland, de slaaf van Engeland. Die hele reis heeft hij in een kilt rondgelopen. (Het was een extreem lange, magere figuur bij wie de kilt een extra dramatisch effect sorteerde.) Zodra de gelegenheid zich voordeed, stond hij op om namens het arme, onderdrukte Schotland het woord te nemen. Ik twijfel niet aan zijn oprechte Schotse nationalisme, maar toen bedroog hij de boel. De communisten konden er niet onderuit om op te staan en hem toe te juichen zodra hij weer over onderdrukte naties begon, zodat elke bijeenkomst die we bijwoonden voortdurend gelardeerd werd door luidruchtige uitbarstingen van onoprechtheid.

De details van wat beide partijen gezegd hebben staan me niet meer voor de geest, mijn emoties nog wel. Wat ik voelde was een directe voortzetting van de emoties waarmee ik volgepompt was door mijn ouders, vooral door mijn vader: 'Jij begrijpt niet hoe vreselijk het was, die... ' in dit geval, de Tweede Wereldoorlog zoals Rusland, de Sovjetunie, die had meegemaakt: hun gevoelens van isolement, en dat niemand die er niet bij was geweest er iets van kon begrijpen. Zo voelde Arnold dat ook, en wel om zeer persoonlijke redenen. Emotioneel identificeerden we ons dus allebei met de Russen. Bepaalde woordenwisselingen – het waren geen discussies, maar meer het uitspreken en nogmaals formuleren van onze zo verschillende standpunten – keerden steeds terug. Zij gingen in de aanval met hun credo dat ze schreven om de voortgang van het communisme te bevorderen, dat de partij het recht bezat te beslissen wat er geschreven en gepubliceerd mocht worden en dat ze verantwoordelijk waren voor de glorieuze toekomst van de mensheid. Wij verdedigden ons standpunt: de integriteit van het geweten van het individu, de individuele verantwoordelijkheid, de plicht van kunstenaars de waarheid te vertellen zoals zij die zien. (Nee, dat debat is nog niet afgesloten: het communistische standpunt wordt tegenwoordig vertolkt door de verdedigers van wat 'politiek correct' is.) De Russen – het waren inderdaad grotendeels Russen – maakten met hun uitspraak dat officiële censuur eigenlijk overbodig was een serieus debat in feite onmogelijk. 'Bij communistische schrijvers ontwikkelt zich een innerlijke censor die ze vertelt wat ze kunnen schrijven.' Ons leek zo'n innerlijke censor iets verschrikkelijks; dat zij het fenomeen verdedigden – nee, er zelfs prat op gingen – onthutste ons.

Een ander probleem was hun houding tegenover Stalin. Ze konden de naam van Stalin niet in de mond nemen zonder er een reeks eretitels aan vast te plakken: de Grote, de Roemruchte, enzovoorts, en wel omdat ze bij de geringste kritiek op hem in een concentratiekamp zouden belanden. Maar wij begrepen dat niet. Wij zeiden dat we niet wisten wat we zagen als we in de verslagen van hun bijeenkomsten lazen dat kameraad Stalin ze vijf uur had toegesproken en het applaus een half uur had geduurd. We zeiden – vol trots – dat er in onze cultuur geen plaats was voor zo'n verering van een leider. Dat voor ons het woord 'leider' op zich al gênant was. Wat heb ik me jaren later tijdens de regering van Thatcher moeten verbijten als ik las: 'Stormachtig applaus van minstens een kwartier.' Zo straft de tijd onze arrogantie af.

Arnold ondernam pogingen om een paar coördinerende bijeenkomsten te beleggen tussen de leden van de delegatie onderling, tussen de 'rechtervleugel' (Naomi en Douglas) en de 'linkervleugel' (Coppard). Arnold en ik bespraken de zaken – haastig, want we waren uitgeput door de intensiteit van onze belevenissen – 's avonds laat op mijn kamer. Naomi wilde namens ons allemaal een verklaring afleggen waarin de kampen werden veroordeeld en voor democratie werd gepleit. Coppard dreigde dat hij dan zijn recht zou opeisen om – namens ons allemaal – de uitspraak te doen dat de Sovjetunie de hoop voor de hele wereld betekende en dat het Britse volk van zijn regering leugens over de ware aard van het communisme te horen kreeg. Arnold nam het op zich om Naomi te bewerken, en zei dat we allemaal uit de delegatie zouden stappen en naar huis zouden gaan als ze haar zin doordreef. Verder zou hij tegen Douglas Young zeggen, die meestal ook in de kamer van Naomi zat, dat hij niet langer de gek in de kilt moest uithangen. Ik moest Coppard uitleggen dat we er allemaal zouden uitstappen als hij zijn zin doordreef, en dat Naomi dan alsnog haar verklaring zou afleggen. Hij was diep gekwetst. We voerden onze gesprekken op mijn kamer, of liever: in mijn suite, die oogde als een opgeblazen versie van een Victoriaanse salon, vol zware pluchen tafelkleden, zware velours gordijnen, hevig bewerkte spiegels, dik tapijt. Hij zat aan de ene kant van de enorme tafel, ik aan de andere. Alfred Coppard had een arme jeugd gehad, had altijd haat gekoesterd tegen 'de heersende klasse', of 'dat zootje daarboven'. In zijn ogen werd Engeland geheel ten bate van een paar enkelingen geleid en de frases van het communisme leken hem zonder meer van gezond verstand te getuigen. Hij was een utopisch communist geworden, net als ik tien jaar daarvoor. Ik voelde met hem mee. Meer nog, ik was gek op hem. Hij was een onschuldige ziel, niet in staat om het Kwaad (als ik dat woord al mag gebruiken) te begrijpen. Ik heb maar weinig mensen gekend die zo beminnelijk waren als hij. Sinds de vredesconferentie van Wroclaw (Breslau), die de wereld voor hem in twee kampen had verdeeld, goed en slecht, verkeerde hij in een soort extase.

Maar eerst moet er iets gezegd worden over dat Wereldcongres van Intellectuelen in Wroclaw, van 25 tot 29 augustus 1948. Het was het eerste van de grote 'vredes'congressen, die in verschillende vormen zijn voortgezet tot aan het uiteenvallen van de Sovjetunie, de organisator achter de schermen. Ze waren altijd hetzelfde, omdat er totale onenigheid moest heersen tussen de communisten en de rest. Ik neem hier twee knipseltjes uit *The Times* op, waaruit men kan opmaken hoe al die andere congressen, conferenties en bijeenkomsten eruitzagen.

INTELLECTUELEN EN PROPAGANDA

CONGRES MET BITTERE SFEER

Wroclaw, 27 aug – De agressieve openingstoespraak van de sovjetschrijver Aleksandr Fadejev, waarin hij een scherpe, politiek getinte aanval op het Amerikaanse imperialisme en bepaalde facetten van de westerse cultuur deed, bleef vandaag het Wereldcongres van Intellectuelen teisteren.

De toespraak van de heer Fadejev heeft de toon gezet voor het verdere verloop van het congres, dat grotendeels ontaard is in de gebruikelijke futiele, bittere uitwisseling van sovjet- en westerse standpunten. Vandaag bijvoorbeeld was er onder de ruim twintig toespraken slechts één die zich op intellectueel plan bevond en niet bleef hangen op het politieke niveau dat door de heer Fadejev geïnitieerd is. Deze toespraak werd gehouden door de Franse schrijver Julien Benda, die een dringend beroep deed op opiniemakers en historici om niet langer de loftrompet te steken over oorlogsstokers, 'of ze nu gewonnen of verloren hebben'. De literatuur dient zich te richten op de verheerlijking van beschaving, gerechtigheid en hen die zich tegen de vernietiging keren.

Voor het overige werd de dag gevuld door sprekers uit een van beide kampen, waarbij vooral de in felle bewoordingen gestelde repliek aan het adres van de heer Fadejev van een Amerikaans delegatielid de aandacht trok, omdat er dingen over de Russen gezegd werden die normaal in het huidige Polen niet publiekelijk te horen zijn. Het betrof de speech van het delegatielid Bryn Hovde, directeur van de New School for Social Research in New York. De heer Hovde zei dat indien de toespraak van de heer Fadejev door een verantwoordelijk regeringslid was gehouden, deze gezien had kunnen worden als het soort dat 'op propagandistische wijze een geplande militaire aanval rechtvaardigde'. De heer Hovde zei verder dat dat aangezien de geschiedenis ons leert dat met name degenen met rijkdom en macht aan de verleidingen van het imperialisme blootstaan, de Sovjetunie volgens Amerikaanse opvattingen 'niet minder vatbaar was dan wijzelf', en dat de Sovjetunie in Amerikaanse ogen even sterk het recht op een eigenmachtige koers in de wereld opeiste als wie dan ook.
De Britse spreker van vandaag was professor J. B. S. Haldane, die zei het ermee eens te zijn dat de voornaamste oorlogsdreiging van de zijde van Amerika en de gevaren van het Amerikaanse imperialisme afkomstig was. Hij bekritiseerde de Russen omdat zij geen 'volledige informatie over de stand van zaken in de Sovjetunie' gaven, informatie die volgens hem onontbeerlijk was om de Britse intellectuelen te kunnen beïnvloeden.

CONFERENTIE VAN INTELLECTUELEN

UITBARSTING VAN SOVJETSCHRIJVER

Het Wereldcongres van Intellectuelen dat door de Franse en Poolse organisatiecomités is georganiseerd om een weg naar de vrede te zoeken, is vandaag op allesbehalve vreedzame wijze van start gegaan. Nadat de minister van Buitenlandse Zaken, de heer Medzelevski, de delegaties had verwelkomd, opende de sovjetschrijver Aleksandr Fadejev het congres met de gebruikelijke bittere en felle aanval op het 'Amerikaanse imperialisme', hetgeen hij bij deze gelegenheid uitbreidde tot de 'reactionair-agressieve' elementen binnen de Amerikaanse cultuur.
Ook bekritiseerde de heer Fadejev literatuurstromingen die 'agressieve propaganda kweekten', en met name op T. S. Eliot, Eugene O'Neill, John dos Passos, Jean Paul Sartre en André Malraux doelend, zei hij: 'Als hyena's konden typen en jakhalzen een vulpen hanteerden, zouden ze zulke dingen schrijven' als de genoemde heren.
De uitbarsting van de sovjetschrijver lokte een gematigde doch vastberaden reactie van de Britse schrijver Olaf Stapledon uit, die de heer Fadejev aan de opzet van het congres herinnerde en zei dat alle aanwezigen zich extra dienden in te spannen om 'zich in het standpunt van de ander te verplaatsen', wilde men ooit tot een overeenstemming komen.
De heer Stapledon zei dat geen van beide partijen aanspraken op de gehele waar-

heid kon maken en dat beide zijden zich schuldig maakten aan het gebruik van 'instrumenten die de waarheid geweld aandoen'. Hij reageerde in het bijzonder op de woorden van de heer Fadejev over T. S. Eliot, met de uitspraak dat men het misschien niet met zijn politieke standpunten eens kon zijn, maar dat hij ongetwijfeld een belangrijke figuur in de Britse poëzie was.
De heer Stapledon nam het initiatief tot een besloten bijeenkomst van de Britse en Russische delegatieleden hedenavond teneinde elkaar beter te leren kennen.

De Britse delegatieleden waren Sir John Boyd Orr, de deken van Canterbury, professor J. B. S. Haldane, professor J. D. Bernal, professor C. H. Waddington, professor Hyman Levy, Richard Hughes, Olaf Stapledon, Louis Golding, Rutland Brougham, Bernard Stevens, Felix Topolski, dr. Julian Huxley, A. J. P. Taylor, Denis Saurat, Edward Crankshaw. Een lijst vol beroemdheden. (De lijst van *The Times.*)

Om terug te komen op ons eigen Authors World Peace Appeal: diep in de nacht, na die uitputtende, eindeloze feestmaaltijden, al die toespraken, al die bezoeken aan collectieve boerderijen, kindervakantiekampen, musea, zaten Alfred Coppard en ik op mijn kamer gesprekken te voeren waar de oren van onze onzichtbare toehoorders van moeten hebben geklapperd. Nee, zei ik, nee, je moet niet op de radio gaan vertellen dat Stalin de grootste held op aarde is en ook niet gaan verkondigen dat er in Engeland een despotisme heerst dat erger is dan in welk communistisch land dan ook. Je wilt toch niet dat we met ons allen publiekelijk ruzie krijgen en onze pers in de kaart spelen? 'Ik zie niet in waarom we in het openbaar geen ruzie mogen maken, als we dat echt zo voelen,' zei hij. Af en toe probeerde hij me te zoenen of te strelen. Mijn strenge plichtsgevoel stond geen amoureuze beuzelarijen toe. Bovendien was hij óud.

Ook was het mijn plicht om Richard Mason in zijn kamer op te zoeken om hem te vertellen dat het echt geen pas gaf om overal rond te bazuinen dat hij nooit Tolstoj, Dostojevski of Gorki had gelezen. Onze gastheren hadden de hele Britse literatuur gelezen – bij de schrijvers onder hen was dat echt zo – en hij maakte ons allemaal te schande. 'Wie is Toergenjev?' vroeg hij dan met zijn lijzige Engelse accent als die naam viel. Eerst dacht ik dat hij dat speelde, net als Douglas Young met zijn kilt. Maar hij had echt bijna niets gelezen en beweerde dat hij per ongeluk schrijver was geworden. Als piepjonge gewonde soldaat lag hij eenzaam in een ziekenhuis in den vreemde, Birma, geloof ik, was verliefd geworden op zijn mooie, bruine verpleegster, had dat verhaal opgeschreven, eigenlijk meer uit verveling dan wat anders, en het was een bestseller geworden. Hij beweerde dat hij de grote literatuur saai vond. Was dat waar? Maar achter zijn onverstoorbare masker van cultuurbarbaar gingen allerhande gevoeligheden schuil. Net als wij allemaal werd hij van zijn stuk gebracht door wat hij in Moskou zag, de troosteloze straten, de lege winkels, de lelijke kleren, de sfeer – het was niet lang voor de dood van Stalin. We smeekten onze oppasser, ene Oksana, een prachtig Georgisch meisje, voortdurend of we niet vrij mochten rondlopen, maar ze was duidelijk bang. Als ze niet oplette, lukte het ons soms om er schuldbewust even vandoor te gaan, om weer te worden teruggeroepen door haar angstige berispingen: 'Wat doet u nu? Dat is niet toegestaan...'

In die straten met de bijna lege winkels had je twee uitzonderingen. Allereerst de bakkers, fantastische winkels, die de lelijkheid verzachtten en stampvol lagen met allerlei soorten brood, bruin, wit, zwart, grote, dikke, knapperige broden die zo heerlijk roken dat we er ter plekke onze tanden wilden inzetten. De tweede verrassing: corsettenwinkels. Je had er nauwelijks kleren, de schoenen waren prullerig of lomp, er was niets frivools of leuks, of pikants, of modieus, of kleurigs. Wel die corsettenwinkels, met in elke winkel een paar enorme korsetten, felroze, of paars, met baleinen als heipalen en glimmende roze strikken. Maar nergens een beha te bekennen.

Tafereeltjes, kleine, kleurige voorvallen, die ik opschreef als ik 's avonds thuiskwam, en later tussen vergelende vellen papier en oude schriftjes af en toe terugzag. 'Goeie God, dat is allemaal gebeurd, dat is allemaal echt gebeurd...'

We bevinden ons in de Tretjakovgalerij, een museum voor beeldende kunst; we zijn omringd door enorme schilderijen van grazende koeien, blije boeren, fraaie landschappen. Naomi, die moderne kunst verzamelt, houdt stil voor een kudde koeien. 'Dat is een heel fraaie koe,' zegt ze met haar slepende Oxford-accent, dat hier in Rusland op de een of andere manier nog sterker is. Onze gidsen, de museumbeambten, staren naar het beest. 'Een zeer fraaie koe,' vervolgt ze lijzig, 'maar moet ze niet gemolken worden?' De beambte peilt haar onschuldige blik, maar wil – letterlijk – niet zijn leven riskeren door te lachen. 'Sovjetkoeien worden goed behandeld,' zegt hij streng. Naomi: 'Ik heb er in mijn kudde een die sprekend op die bruine lijkt.' Wij lopen glimlachend op hen toe, wagen zelfs een lach, maar de blik van de man houdt ons tegen.

Het schijnt dat de sovjetkunstenaars, die alleen 'gezonde' schilderijen mochten maken, hun situatie met de volgende truc een beetje draaglijker probeerden te maken: als ze met een schilderij klaar waren, schilderden ze er opzettelijk nog een hondje bij of iets anders wat er eigenlijk niet bij paste. Als dat schilderij dan ter goedkeuring aan de beambten werd voorgelegd, die immers wel kritiek moesten leveren om zich tegen kritiek van hogerop in te dekken, zei de kunstenaar: 'Kameraden, ik heb net ontdekt waar het aan ligt – het is dat hondje. Ik had dat hondje er niet bij moeten schilderen.' 'Goed dan, kameraad, als u het hondje weghaalt, gaan we akkoord.' En zo kwam het schilderij dan door de keuring. Het is een strategie die in allerhande situaties voor mij verrassend nuttig is gebleken (telkens aan de gelegenheid aangepast, uiteraard).

Op een tochtje naar een collectieve boerderij, als de officiële auto's al zijn afgeslagen naar de boerderij, vraagt Naomi of we mogen stoppen. Onze auto's, zo'n stuk of vijf, houden stil. We stappen allemaal uit, met z'n twintigen ongeveer, en staan op het karrenspoor over de velden uit te kijken. Het is augustus, bloedheet, de tarwe is al geoogst. Naomi wijst: 'Dat stuk daar is niet best, ernstige erosie.' Ze heeft gelijk. 'Maar onze graanoogst op deze boerderij was vorig jaar uitstekend.' 'Nou, als u dit soort erosie laat ontstaan, is het met die goeie oogsten zo afgelopen,' zegt ze. Op die manier uitte ze haar aan banden gelegde behoefte om veel ergere dingen te bekritiseren.

Op diezelfde collectieve boerderij ben ik getuige geweest van de moedigste daad die ik ooit heb meegemaakt.

Wij met ons zessen, en onze gastheren onder leiding van Aleksej Soerkov, kwamen tegenover een groep collectieve boeren te staan. We werden aan elkaar voorgesteld. Er stapte een oude man naar voren, in net zo'n witte boerenkiel als Tolstoj; hij had iets tegen ons te zeggen. Meteen probeerden de anderen hem met reprimandes in de groep terug te duwen. Hij hield voet bij stuk en zei dat hij iets tegen ons moest zeggen. Stilte. Oksana was duidelijk bang. De oude man begon te spreken. Oksana vertaalde, maar Douglas Young, die Russisch sprak, onderbrak haar: 'Nee, je vertaalt het niet goed,' zei hij doodleuk, als een schoolmeester. De oude man ging verder tegen hem, en Douglas vertaalde, terwijl Oksana haar handen in elkaar klemde alsof ze stond te bidden. 'Jullie moeten niet geloven wat jullie te horen krijgen. Bezoekers uit het buitenland krijgen leugens te horen. Jullie moeten niet geloven wat ze jullie hebben laten zien. Ons leven is vreselijk. Het Russische volk – ik spreek namens het Russische volk. Jullie moeten teruggaan naar Engeland en iedereen vertellen wat ik zeg. Het communisme is vreselijk.' Toen werd hij naar achteren getrokken door de anderen, die om hem heen gingen staan, maar hij bleef tussen ze in staan met zijn vlammende blik op ons gericht, terwijl de anderen hem de mantel uitveegden. Dat was opmerkelijk – ze bemoeiden zich met hem, gaven hem op zijn kop, ze lieten hem niet als een paria links liggen. En tijdens die hele lange maaltijd vol heildronken die volgde, bleef hij zwijgend zitten, met zijn blik op ons gericht, terwijl zij hem berispten – met genegenheid, dat zag je zo. En toch kon je in die tijd voor minder naar de goelags verdwijnen. Tegen buitenlanders zulke dingen zeggen was de ergste misdaad die je begaan kon. Hij zou gearresteerd worden, uit de weg geruimd, en hij wist dat dat ging gebeuren.

Tijdens die maaltijd amuseerde Coppard zich uitstekend door met een onderwijzeres en een verpleegster te flirten. Hij vond het heerlijk om leuke jonge vrouwen te charmeren, en die twee waren knap en warm, en gingen op zijn geflirt in.

Ik probeer me dit voor te stellen als een filmscène, maar het is echt te erg. Je hebt die lange, volgeladen tafel, bloemen, wijn – een feestmaal. Dan heb je de mensen van de boerderij die speciaal zijn uitverkoren om de sovjetboeren te vertegenwoordigen. Dan heb je ons, de delegatieleden, opgetogen, zelfingenomen, zoals je nu eenmaal wordt op dat soort reisjes. Vervolgens de partijfunctionarissen, een en al hartelijkheid. En ten slotte de oude man in zijn boerenkiel, die zijn ogen geen tel van ons afhoudt. En de flirtende Coppard. We houden toespraken. Douglas Young herinnert ons aan het leed van de Schotse boeren. Naomi houdt een praatje over Britse landbouwmethoden en schetst een scherp contrast met wat we hebben gezien toen we door de velden reden.

Op de wc hangt een ingelijste kopie van Kiplings 'If'. Ze zeggen allemaal tegen ons dat het hun lievelingsgedicht is, en dat ze het uit hun hoofd kennen.

De volgende keer dat ik 'If' op een wc-deur zag hangen, was op een grote, welvarende boerderij in Kenia die volhing met foto's van de koningin.

We werden naar een gebouw gebracht vol cadeautjes voor Stalin, van zijn dankbare onderdanen. Heel treurig, want ze waren bijna allemaal foeilelijk, een soort namaak of afgeleide van de authentieke boeren- of volkstraditie; bijvoorbeeld tapijten waarvan het hele middenstuk in beslag werd genomen door een afbeelding van zijn gezicht, of dozen met houtsnijwerk van zijn gezicht, of smeedwerk – allemaal met zijn gezicht. Ik liet de anderen er achter en ging buiten zitten. Daar nam ik het besluit om te proberen een verhaal te schrijven volgens de communistische formule, omdat ik me bewust werd van onze zelfingenomenheid, ons superioriteitsgevoel, wat me vreselijk hinderde. Er moesten heel slechte en heel goeie figuren in, net als bij Dickens. Ik heb het inderdaad geschreven. *Hunger* heette het. Het ging over een jongen uit een Afrikaans dorpje, die zijn geluk ging beproeven – en zijn leven riskeerde – door naar de grote stad te gaan, een basisplot van onze tijd, en niet alleen in Afrika. De achtergrond werd geleverd door Afrikanen die ik kende, en die op navraag van mij precies vertelden hoe dit of dat er in een dorp en in de woonoorden en zwarte kroegen van Salisbury aan toeging. Dat verhaal is in veel talen vertaald en herdrukt, maar toch schaam ik me ervoor. Ik zou heel wat van mijn vroege korte verhalen het liefst in het niets willen zien oplossen. Wat er aan *Hunger* mankeert, is de sentimentaliteit, die vaak een teken van een onzuiver uitgangspunt is; in dit geval van de wens om een verhaal met een moraal te schrijven.

Noami en ik staan met Oksana in de kathedraal van Basilius de Gelukzalige aan het Rode Plein en Naomi houdt een preek tegen Oksana over het Russische gebrek aan smaak. Het esthetische gevoel van Naomi heeft die hele Ruslandreis geleden. Alles was lelijk en tweederangs. Als Arnold en ik daar dan iets over de oorlog tegenin brachten, zei ze altijd: 'Onzin, ze maken nu nieuwe stoffen en meubels, en die zijn foeilelijk.' Ze wees Oksana op de patronen op de muren en de plafonds en vroeg: 'Waarom gebruiken jullie zulke afschuwelijke patronen voor jullie kledingstof als jullie ook dit hebben?' Oksana wist niet wat ze ervan moest denken. Ze besefte niet dat de patronen op de nieuwe katoenen en zijden stoffen lelijk waren. Toen Naomi haar de Liberty-rok liet zien die ze aanhad, begreep ze niet waarom dat nu mooier was dan de balen katoen die ze ons die ochtend had laten zien. Ze vond de patronen op de muren van de kathedraal maar oud en ouderwets. Later vroeg ze aan mij waarom mevrouw Mitchison katoen droeg en geen zijde als ze zo'n rijke dame was. Want als je het je kon veroorloven, droeg je toch altijd zijde! Oksana's beste jurk was van zijde. 'En heel mooi, trouwens,' zei Richard Mason hoffelijk. Arnold en ik zeiden tegen elkaar dat Naomi onze gastheren betuttelde zonder dat kennelijk in de gaten te hebben; hoe konden we daar een eind aan maken? We hebben haar erop aangesproken. 'Naomi, je moet hun gevoelens niet zo kwetsen. We willen dat je ermee ophoudt.'

'Maar ik begrijp het gewoon niet,' zei Naomi, met die stem van haar die klonk als een klok. 'Waarom kunnen ze geen goeie modellen voor hun meubelen nemen in plaats van die troep?'

'Naomi,' sprak Arnold de intellectueel. 'Dat gebeurt er nu eenmaal als een boerentraditie kapot wordt gemaakt, dan nemen ze iets moderns als voorbeeld; in het oude hadden ze smaak, maar voor het nieuwe moeten ze die smaak nog ontwikkelen.'

'Dat kan wel zijn,' sprak Naomi kalmpjes, 'maar ik blijf toch zeggen wat ik ervan vind. Deze delegatie wordt geacht een kloof te overbruggen. En dan ga ik zeker niet mijn mond houden over hun wansmaak.'

'Als we dan weer thuis zijn, vertellen wij de pers dat jij de hele tijd de Russen hebt lopen bevoogden over hun gevoel voor esthetiek.'

'Arnold, beste jongen, dat meen je toch niet.'

'Je trapt ze op hun ziel, Naomi,' zei Arnold met tranen in zijn ogen.

In Leningrad vroegen ze aan Naomi en mij of we er geen bezwaar tegen hadden een kamer te delen. Dat vonden we vreemd; het heeft heel lang geduurd voordat ik snapte dat ze waarschijnlijk onze gesprekken wilden afluisteren. De nachten waren niet helemaal licht, omdat het augustus was, maar wel bijna; het werd maar een paar uurtjes echt donker. Uitgeput plofte ik in bed, een tweepersoons, en toen begon Naomi me te porren, want ze wilde dat ik haar over mijn liefdesleven vertelde zodat ze mij kon vertellen over haar minnaars in de jaren twintig. Ik kreeg het gevoel dat ik weer op school zat, ondeugende gesprekken op de slaapzaal. Ze zei dat de jonge vrouwen van tegenwoordig maar verschrikkelijk conservatief waren geworden. Ik ging slapen.

Leningrad was een trieste stad, grijs en elegant, vol doorkijkjes over het water, de muren vol kogelgaten en scheuren door het beleg, waarbij tien jaar daarvoor zo'n anderhalf miljoen mensen waren omgekomen. We trokken van het ene paleis naar het andere, stuk voor stuk gebouwd in de stijl die sommigen prachtig vinden, vergulde krullen, cupido's en tierlantijnen, roze vleeskleuren, roze en blauwe linten, medaillons, een waar architectonisch carnaval van welving en bolling. Dat kwam omdat de Russische tsaren gek op Frankrijk waren geweest en die stijl hadden geïmporteerd voor de paleizen; toen we naar het kindertehuis gingen, bleek dat ook een voormalig paleis, en de zandbakken en schommels maakten er een nogal misplaatste indruk.

In Leningrad hadden we een formele bijeenkomst met de plaatselijke afdeling van de sovjetschrijvers, en zo zaten we in het zoveelste schitterende vertrek, bij een uitermate sombere aangelegenheid. Naomi had gezegd dat ze erop stond dat de schrijvers van Leningrad met Michail Zosjtsjenko voor ons op de proppen kwamen. Er gingen in het Westen geruchten dat hij dood was, vermoord. Arnold en ik waren ontzet. Allereerst, waarom zou een schrijver waar ook ter wereld als bewijsstuk in een rechtszaak opgevoerd moeten worden? En bovendien, we wisten dat sommige schrijvers wars van publiciteit waren en liever veilig op de achtergrond bleven, dus misschien zat Zosjtsjenko er helemaal niet op te wachten om als proefkonijn voor het Westen te dienen. Maar Naomi hield voet bij stuk.

De namen van onze gastheren weet ik niet meer. De openingstoespraken bestonden geheel uit holle frasen. Daar hadden we inmiddels al zo onze buik van vol, dat we zeiden: 'Goddank gaan we gauw naar huis, nog één zo'n toespraak en...'

'Of nog één zo'n heildronk.'

'Eén zo'n feestmaal.'

Na een tijdje zijn die toespraken letterlijk niet meer om aan te horen. Alsof de retoriek je brein verdooft; de woorden, de klanken werken als een drug. Bij die bijeenkomst gingen de toespraken urenlang door, maar ze werden af en toe onderbroken door een jonge dichter, die als een soort Quaker van tijd tot tijd de onbedwingbare behoefte kreeg om op te springen en een ode aan Stalin voor te dragen. Om niet van majesteitsschennis te worden beschuldigd kon niemand daar natuurlijk bezwaar tegen maken, zodat iedere keer dat het gebeurde alle functionarissen dat geestdriftige kereltje welwillend toelachten en soms zelfs applaudisseerden. In die ambiance werd Zosjtsjenko naar binnen gebracht; hij ging midden in het vertrek zitten, de Russen aan de ene kant en wij aan de andere. Het was een mager mannetje met een gelige huid; hij wekte een zieke indruk, maar hield zich dapper en waardig. Net als bij de rebelse oude man op de collectieve boerderij leek het wel alsof er iets in de sfeer zelf beschermende armen om hem heen sloeg. Die functionarissen mochten dan wel blinde slaven en hielenlikkers zijn, ze verkeerden zelf ook in een bedreigende situatie en hadden al heel wat schrijvers, vrienden of niet, verbannen zien worden of naar de kampen zien verdwijnen. Zosjtsjenko stond toen al geruime tijd officieel onder kritiek – dat betekende dus ook van henzelf als leden van de schrijversbond. Hij had korte, uiterst geestige en populaire verhaaltjes geschreven over de lotgevallen van mensen die onder het communisme leven, en een prachtige novelle met de simpele titel *Mensen*; aanvankelijk had hij nog officiële lof geoogst, maar dat had niet mogen duren.

Toen hij daar zo voor ons zat, bevestigde hij op aandringen van de voorzitter dat hij inderdaad nog bestond, dat hij het goed maakte en goed behandeld werd en dat hij de dwalingen zijns weegs had ingezien; hij had berouw over zijn negatieve en kritische vroege werk, was nu bezig aan een roman in drie delen over de Grote Vaderlandse Oorlog en hoopte hiermee voor zijn vroegere wandaden te kunnen boeten.

Zosjtsjenko is niet lang daarna gestorven, aan een ziekte, en niet in een kamp; hij heeft dus meer geluk gehad dan veel andere sovjetschrijvers. Toen Arnold en ik zijn dood bespraken, probeerden we ons voor te houden dat die inmenging in zijn leven, die we toen zo belachelijk en stom hadden gevonden, hem misschien uiteindelijk toch beschermd had. Maar ik geloof niet dat Stalin, die dergelijke zaken besliste, zich iets gelegen liet liggen aan de mening van 'nuttige stomkoppen'. (De term van Lenin voor westerlingen als wij.)

Inmiddels hadden we alle schijn dat we een eenheid vormden laten varen. Naomi en Douglas brachten de schaarse vrije tijd die er restte, samen door.

Coppard zocht mijn gezelschap, als troost. Het macabere van Moskou bracht hem van slag, terwijl hij tegelijkertijd opgetogen was over de grote aantallen bezoekers – delegaties – uit de gehele communistische wereld.

Maar de meeste tijd bracht ik met Arnold door. We praatten, eindeloos. Nu vind ik het belachelijk dat we onszelf zo serieus namen. Vergeet niet dat de toekomst van de gehele aardbol op de schouders van de communisten rustte! Communisten en 'progressieve krachten'. Inmiddels denk ik dat het iets is wat alle opgroeiende jongeren geloven: alles komt op hen neer, omdat de volwassenen zo'n ramp zijn. Is die basisovertuiging van de communisten misschien niets meer geweest dan een verlate of misplaatste collectieve puberteit?

Door de spanning, de drukte, onze geschillen, het slaapgebrek en het moordende tempo van onze verplichtingen kwam het slechtste of in ieder geval het extreme in ons karakter naar boven. Richard Mason werd eenkenniger, stiller en beet zich steeds dieper vast in zijn pose als cultuurbarbaar: 'Het spijt me, ik ga nooit naar een theater of concert.' Coppard wist in elk gezelschap wel die welwillende mooie vrouw of vrijgevochten ziel te vinden met wie hij over zijn jeugd kon praten, hoe hij in zijn eentje te voet door heel Engeland had gezworven – vaak was dat Samuel Marsjak, die zelf als jongeman door Rusland had gezworven. Coppard liet iedereen weten dat hij van politici walgde en de heersende klasse van zijn land die de armen vertrapten haatte. De enorme lengte en de kilt van Douglas Young oogstten stormachtig applaus wanneer hij de kans schoon zag om voor de zoveelste keer over de onderworpen Schotten te beginnen. Het lijzige aristocratenaccent van Naomi werd met de dag irritanter. 'Die arme lui moeten toch gewoon weten dat het beter kan.' Arnold werd steeds emotioneler en barstte vaak in tranen uit. Voor tranen was er aanleiding genoeg. Zo namen ze ons mee naar een danszaal, om te zien hoe de mensen zich vermaakten. Het was de belangrijkste feestzaal van Moskou. Een lelijk, armzalig oord, waar een band jaren-dertigmuziek speelde. En geen man te zien, geen een, alleen vrouwen en meisjes die samen aan het dansen waren. 'Waarom zijn er geen mannen?' vroegen wij, dom als we waren. Waarop Oksana zei: 'Alle mannen zijn in de oorlog omgekomen.' Ook zij had geen man, en verwachtte ook niet meer te zullen trouwen: net als de generatie vrouwen van mijn moeder, van wie de mannen dood waren.

Arnold huilde en ik werd bazig, met de minuut baziger en bemoeizuchtiger.

In mijn pluchen suite, waar ieder woord werd afgeluisterd, kwamen Arnold en ik tot de slotsom dat het zo niet langer ging, we konden die officiële retoriek niet langer verdragen; het probleem met die Russen was dat ze niet genoeg contact met de buitenwereld hadden, ze konden niet meer simpel en menselijk praten. Na eindeloze discussies kwamen we tot de slotsom dat we een vraag moesten bedenken waarop Soerkov wel een eerlijk antwoord moest geven, zonder dat hij weer in zijn jargon kon vervallen. De vraag die we bedacht hadden, luidde als volgt: 'Altijd, in iedere samenleving, zelfs in de meest starre, ontstaan er nieuwe denkbeelden, die doorgaans als verwerpelijk, ja ondermijnend gezien worden maar na verloop van tijd ingang vinden, om daarna op hun beurt weer weggevaagd te worden door denkbeelden die ook eerst als ketters worden beschouwd. Hoe gaat de Sovjetunie om met dat onvermijdelijke proces, dat ervoor zorgt dat een cultuur niet ziek of afgestompt raakt?' Als dit al niet de precieze bewoordingen waren – wat het volgens mij wel zijn – was het in ieder geval de strekking van de vraag. Arnold en ik wachtten tot Soerkov even niet door trawanten omringd was. We zeiden dat we hem een vraag wilden stellen die erg belangrijk voor ons was. Hij luisterde aandachtig, knikte (met de ernst die de sovjetstijl vereiste) en zei dat hij het een heel goede vraag vond die hij de volgende dag zou beantwoorden als we naar Jasnaja Poljana gingen. Dat was het landgoed van Tolstoj, een pelgrimsoord. Wij dachten werkelijk dat we een echt antwoord zouden krijgen. We reden met een aantal auto's het land in naar Jasnaja Poljana, en langs de wegen stonden mensen wilde aardbeien te verkopen. Alle functionarissen kochten aardbeien, ook Boris Polevoj, die weliswaar geen officiele functie had maar in Moskou deel uitmaakte van ons gezelschap. Hij was een gevierd schrijver van romans over de Grote Vaderlandse Oorlog. Ook Konstantin Simonov was erbij. Die had net een bundel liefdesgedichten gepubliceerd die officiële goedkeuring hadden verworven, al werd liefdespoëzie als riskant beschouwd en had Stalin zelf gezegd dat dergelijke ontboezemingen beter tussen de slaapkamermuren konden blijven. Die opmerking werd vaak geciteerd als blijk van de vaderlijke belangstelling die de grote man voor literatuur koesterde. Boris was een aantrekkelijke man, jongensachtig, enthousiast, en hij reed altijd op een motor, wat ons voortdurend werd voorgehouden (zo'n belangrijke, gelauwerde schrijver, maar toch voelt hij zich niet te goed om op een motor te rijden). Op het landgoed van Tolstoj bezichtigden we het woonhuis, verrassend als je bedenkt dat Tolstoj van adel was en tot de crème de la crème van Rusland behoorde, want groot was het niet, terwijl het toch al die familieleden, kinderen, bedienden en bezoekers had geherbergd. Maar wat het meest trof was de schamele inrichting; de divan waarop de gravin haar vele kinderen had gebaard stond in een gewoon, gemeenschappelijk vertrek en leek wel ontworpen om een maximum aan ongemak te bieden.

De velden en bossen waren prachtig. Er stond een lange lunchtafel voor een man of dertig gedekt onder de bomen. De dochter van Soerkov was er ook, een vrolijke, knappe meid, duidelijk het lievelingetje van haar vader, want hij kon zijn ogen niet van haar afhouden en pronkte met haar. Ze vertelde dat ze een reis naar de poolstreken ging maken; Arnold, meteen gegrepen door de romantiek der communistische verbeelding, vroeg of dat misschien een expeditie naar de Noordpool betrof, van een sovjetmeisje kon je immers minder niet verwachten. Koket lachend antwoordde ze van nee, ze ging met vrienden van school een tochtje maken naar een of ander schilderachtig oord. Alleen door me dergelijke momenten voor de geest te halen, kan ik mezelf weer verplaatsen in die sfeer van heroïsche verwachting die toen rond het communisme hing.

Arnold en ik wachtten nog steeds op het antwoord van Soerkov, en toen dat uitbleef en het tijd was om te gaan, vroegen we hem om even met ons te komen praten, maar hij gaf geen krimp. Hij deed geen pas uit de buurt van de officiële begeleiders, verhief zijn stem, zodat alle aanwezigen zich naar hem moesten omdraaien, stak zijn gebalde rechtervuist in de lucht en sprak met stentorstem: 'De Sovjetunie zal onder het bestuur van de grote leider kameraad Jozef Stalin altijd de juiste beslissingen nemen, gebaseerd op marxistische principes.' Hij ontweek onze blik. Het was duidelijk dat hij instructies had gekregen om dit te zeggen, nadat de KGB naar ons gedelibereer had geluisterd en een formulering had bedacht die Soerkov en henzelf niet in gevaar kon brengen. Ook zei hij daarmee iets over zijn eigen positie, maar dat zo voor de hand liggende feit heb ik helaas pas veel later – jaren later – ingezien.

Toen Arnold en ik dat antwoord bespraken, kwamen we tot de conclusie dat we te veel hadden verwacht. Wij maakten deel uit van een officiële delegatie en hij was tijdens dat bezoek de belangrijkste vertegenwoordiger van de partij.

Ook hadden we het zodra de gelegenheid zich voordeed over Stalin en de houding die ze tegenover hem innamen. Het was een tijd waarin in korte verhalen, romans en memoires voortdurend een versie opdook van het volgende verhaal. 'Ik had pech gekregen met mijn tractor/ motor/ oogstmachine/ auto. Ik stond me aan de kant van de weg af te vragen wat ik doen moest, toen er plotseling een eenvoudig uitziende, vriendelijke man voor me stond, met eerlijke ogen. "Is er iets aan de hand, kameraad?" Ik maakte een gebaar naar mijn voertuig/ oogstmachine. Hij wees op de carburateur/ motor/ remmen/ banden. "Ik denk dat je daar de oorzaak wel zult vinden." Hij glimlachte, met ernstige vriendelijkheid, knikte en liep weer verder. Ik besefte dat het kameraad Stalin was, de man die zijn leven in dienst van het Russische volk had gesteld.'

Mijn houding tegenover kameraad Stalin was toen bepaald niet eerbiedig. Maar Arnold wilde geen kwaad woord van hem horen: hij was zo iemand die geloofde dat de waarheid voor Stalin door zijn collega's verborgen werd gehouden. Arnold vond het vreselijk dat de partij zo veel 'vergissingen' beging. Hij was iemand met behoefte aan respect voor een autoriteit, zoals ik juist de behoefte had me ertegen af te zetten. Hij bekende homoseksueel te zijn – nauwelijks een verrassing – en zei dat hij voor deze reis naar Harry Pollitt, de leider van de communistische partij, was gestapt om zijn zorgen kenbaar te maken over het feit dat hij als homoseksueel naar de Sovjetunie ging. Harry Pollitt had overleg gepleegd met zijn vrienden. Ze waren tot de slotsom gekomen dat het geen kwaad kon, de partij stond achter hem, maar zodra hij benaderd werd door spionnen, flikkers enzovoorts, moest hij dat meteen melden. Arnold was daar heel emotioneel over. Homoseksualiteit was toen in Groot-Brittannië nog tegen de wet: de mensen gingen ervoor de gevangenis in. De tolerante houding die we nu zo vanzelfsprekend vinden lag nog jaren in het verschiet. Dat 'de partij zelf' achter hem stond was naar mijn mening de reden waarom Arnold communist is gebleven toen ze het om hem heen massaal lieten afweten. Ik had ook bewondering voor Harry Pollitt en zijn collega's: het moet voor die conventionele, fatsoenlijke mannen uit de arbeidersklasse niet gemakkelijk zijn geweest om Arnold te accepteren.

Een van de laatste plaatsen waar ze ons mee naar toe namen was een zomervakantiekamp voor kinderen. We wisten dat het een showkamp was. Oksana en de anderen beweerden met klem dat ieder kind in de Sovjetunie 's zomers zes weken naar een kamp ging dat even goed was als dit. Het was een goed georganiseerd geheel, vol lieftallige meisjes met schortjes en vlechten en jongens met keurige manieren. Wat ons vooral trof was de bibliotheek, vol Russische, Engelse en Franse klassieken. Overal op de bedjes en in de gemeenschappelijke ruimten zag je Tolstoj en Tsjechov liggen, en ook uit het Engels vertaalde boeken. 'Onze kinderen lezen alleen het beste.' En dat was in het hele land zo? Jawel, werd ons verzekerd. Uiteraard hadden we het daar onderling over. Het was waar dat iedereen die we tegenkwamen net zoveel van de Engelse literatuur wist als wij, en dat je in de metro overal mensen hun klassieken zag lezen. De 'tegenstrijdigheid' daarin was dat deze mensen in een land woonden waar iedere seconde van hun leven geregeerd werd door een niets ontziende, brute retoriek. En toch werd hun de humanistische traditie bijgebracht. Eén werk van Tolstoj ondermijnde toch alles wat ze officieel geleerd kregen?

Ik ben van mening dat literatuur (een roman, een verhaal, een regel poëzie) de kracht bezit om wereldrijken omver te werpen. *And their packs infest the age* – hun horden teisteren ons tijdperk.

Ooit had je de Russische intelligentsia, die gevormd was door muziek, kunst en literatuur; dat weten we uit talloze romans en toneelstukken. Deze mensen hadden de meedogenloze, onophoudelijke aanval door de communisten overleefd en zorgvuldig hun erfgoed in stand gehouden. Maar dit is nu voorbij, want na de ineenstorting van het communisme zijn ze overspoeld met westerse rommel, met het slechtste wat wij te bieden hadden, pornografie, geweld, en wat er van hun erfgoed nog restte is toen alsnog de nek omgedraaid. Zo is er een unieke cultuur ten onder gegaan die de wereld waarlijk geïnspireerd heeft.

We kregen een uitnodiging om naar Samarkand te gaan, maar Naomi zei dat ze terug moest naar Argyll voor een gemeenteraadsvergadering. Dat had hetzelfde opzettelijke lange-neuseffect als de kilt van Douglas Young, of de uitspraak van Richard Mason: 'Ik geloof dat Lourdes me toch beter bevalt.'

Die uitnodiging had iets surrealistisch, maar het krankzinnigst waren toch de torenhoge propagandaspandoeken op het Rode Plein: 'drink meer champagne!' Want zoals altijd probeerde de regering het drankmisbruik te bevechten en champagne stond op de weg naar gezondheid kennelijk een trapje hoger dan wodka. Of het zinnetje, opgevangen tijdens een van die eindeloze banketten van een praatje tussen de functionarissen over de onovertroffen geneugten van een vakantie aan de Zwarte Zee: 'Mijn vrouw vindt dat ze de steur daar zo zalig klaarmaken.'

Maar er was meer dan collectieve boerderijen, volkspaleizen en toespraken. Zo was er *De rode papaver*, een ballet met politieke moraal, maar allesbehalve saai, want een van de schijnheiligheden die het bevatte was een tafereel van een decadente, kapitalistische nachtclub, zodat het publiek kon genieten van wat het moest veroordelen – die gezichten waarmee ze het naakte gekronkel bekeken: gretig, jaloers, afkeurend. Maar het publiek bij de opera, *Ivan Soesasin*, was andere koek: hier had je het andere Rusland, dat zichzelf in stand probeerde te houden. Wat een prachtige zang en muziek! Maar voor ons had de voorstelling al de bekoring van iets uit het verleden, want het was allemaal zo realistisch dat je de blaadjes aan de bomen kon tellen. Het is een opera waarin de held, een boer, een man van het volk, de bezetters van Moeder Rusland weerstaat en sterft om zijn tsaar te redden. Sommige mensen in het publiek zaten de hele voorstelling lang stilletjes te huilen, en van alle indrukken tijdens die koortsachtige twee weken was dit degene die het meest tot het gevoel over de Grote Vaderlandse Oorlog sprak en wat die voor deze mensen had betekend.

Ook hebben we een avond doorgebracht in het appartement van Frank Johnson, een Britse journalist die in Moskou zat. Daar kwamen alle buitenlanders. Hij maakte van zijn sovjetsympathieën geen geheim en kennelijk heeft hij de hele tijd voor de KGB gewerkt. Het was een innemende publieke figuur. Zijn vrouw was een Russische schone. Bij Johnson heb ik van de Russen, ook van haar, opmerkingen gehoord als: 'Ik heb de pest aan zwarten,' en, als de eerste de beste blanke mevrouw in zuidelijk Afrika: 'Je zult mij nooit uit hetzelfde kopje zien drinken als een zwarte. Ik zou het eerst ontsmetten.' En dan het Russische commentaar op hun niet-Russische republieken (Georgië, Oezbekistan, de Baltische staten enzovoorts), ook net blanken uit zuidelijk Afrika: 'Zonder ons stellen ze niks voor.' 'Ze teren op onze zak.' 'Ze zijn daar zó achterlijk.' 'Ik vind niet dat we ze in Rusland moeten binnenlaten.'

Toen we 's avonds naar het vliegveld werden teruggebracht, gebeurde er het volgende. Arnold, Oksana en ik zaten achterin en Douglas Young zat naast de chauffeur. Op een halfdonkere weg strompelde er een man het licht van onze koplampen binnen. De auto zwenkte, maar raakte hem toch. We sprongen er allemaal uit. Daar lag een boer, plat op de weg. Hij bloedde en was stomdronken. Oksana veranderde in een engel der wrake en zei dat we hem daar voor straf moesten laten liggen. Wij wilden hem per se onze auto in dragen, waar hij versuft, verward en bloedend in de armen van Arnold lag. Arnold huilde terwijl hij hem met warme tederheid omvat hield. Met hem hield hij de hele Sovjetunie in zijn armen, de miljoenen doden, de vrouwen zonder mannen, de treurige, door de oorlog verwoeste straten. Ik weet dat hij dat voelde omdat het mij net zo verging. Oksana bleef hem de hele weg naar het vliegveld schril en verontwaardigd uitschelden. 'Hoe durf je zoiets te doen, dit zijn belangrijke buitenlandse gasten, hoe durf je ons grote land te beledigen, je zult hiervoor boeten, je moest je schamen.' Douglas Young vertaalde, op satirische toon. Dit was het meest bizarre tafereel van die Ruslandreis, net een karikaturale samenvatting: die dronken, bloedende man, de strenge sovjetjuf, de tranen van Arnold, de opzettelijk overdreven Schotse stem van Douglas, vol bitterheid, woede, veroordeling en dan ik die Oksana in de rede viel: 'Maar je brengt hem toch wel naar het ziekenhuis als wij op het vliegveld zijn, hè? Je belooft toch wel dat je dat doet?'

Op het vliegveld stond Boris Polevoj, die op zijn motor was gekomen om afscheid van ons te nemen, een en al vriendelijkheid en hartelijkheid. Hij beloofde ervoor te zorgen dat de dronken man naar het ziekenhuis gebracht werd. 'Dat zal wel,' zeiden wij allemaal. 'Boft nog als hij niet wordt doodgeschoten,' zei Douglas, en Arnold ging daar niet tegenin.

We waren het er allemaal over eens: we waren dolblij dat we vertrokken.

Op de terugweg zijn we nog twee dagen in Praag geweest, om naar het Karlovy Vary-filmfestival te gaan en schilderijen te bekijken. Waarschijnlijk omdat ik inmiddels te uitgeput was, herinner ik me niets van Tsjechoslowakije, op één voorval na: wij liepen met ons zessen door het museum, en ik bleef ergens alleen achter om een schilderij te bekijken dat me beviel. Er kwam een suppoost naar me toe die fluisterde: 'Ik hou van je. Ik moet met je trouwen. Neem me mee naar Engeland.' Hij smeekte, wanhopig, omklemde mijn arm en zei: 'Alsjeblieft, zeg tegen ze dat je van me houdt, neem me mee.' En toen kwam de tolk haar gevaarlijk van de kudde afgedwaalde schaapje ophalen, en de kleine suppoost – hij was oud, dat vond ik toen tenminste, mager, treurig, één en al bang, donker oog – wees haastig op een schilderij alsof hij me iets aan het uitleggen was. Zijn blik volgde me toen ik de zaal uitliep, daar ging zijn kans om te ontsnappen aan zijn leven, zijn leven dat ondraaglijk was om redenen die ik nooit weten zou. Toen ik het later aan Jack vertelde, zei hij met die karakteristieke mengeling van bitterheid, pijn en woede van hem: 'Arme donder. Arme, kleine donder.' En toen: 'Nou, dan trouw je toch met hem? Maar denk niet dat je zo makkelijk weer van hem af komt.' Hij was in Tsjechoslowakije met een meisje getrouwd om haar te redden van de nazi's, een door de communisten georganiseerd plan, maar later had ze het hem erg moeilijk gemaakt om weer van haar te scheiden. Toen ze eindelijk in een ontmoeting toestemde, verweet hij haar: 'Ik heb je een dienst bewezen en nu doe jij zo moeilijk.' Waarop ze op gekwetste toon zei: 'Maar je hebt me na het trouwen niet eens mee uit lunchen genomen. Dat vergeef ik je nooit.'

'Moet je nagaan,' zegt Jack, 'als ik eraan gedacht had om haar een roos of bloemen te geven, had ik me al die ellende bespaard.' Dat was een verwijzing naar een bekend vroeg sovjetverhaal. Bij trouwpartijen was het sentiment uitgebannen, en een jong paar had alleen de zeer summiere plechtigheid op het gemeentehuis, zoals het bij alle sovjethuwelijken ging. Ze droegen de sovjetbeginselen weliswaar een warm hart toe, maar vonden het toch maar somber en kaal. Toen kregen ze bloemen van iemand – een rebels gebaar. Iedereen voelde zich meteen een stuk beter.

Zodra we in Londen aankwamen, werden wij zessen weer een eenheid. Dat kwam door de persconferentie. Het is echt onmogelijk om die van haat doortrokken Koude Oorlogssfeer goed weer te geven. We kregen journalisten tegenover ons die zo'n hekel aan ons hadden dat ze nauwelijks beleefdheid konden opbrengen. Ze eisten dat we 'de waarheid' vertelden. Met als onvermijdelijke reactie dat we verdedigden wat we konden, ook Naomi en Douglas. Hadden ze een hekel aan ons? Dan wij ook aan hen. Dit is bij lange na niet de enige keer in mijn leven geweest dat ik bedacht heb dat journalisten soms hun eigen grootste vijand zijn.

Daarna heb ik alle uitnodigingen om in een vredes- of culturele delegatie zitting te nemen geweigerd; het was in het begin van het tijdperk dat er naar alle communistische landen delegaties werden afgevaardigd. Ik herinner me uitnodigingen voor onder meer China, Chili, Cuba. Schrijvers van wie men dacht dat ze het communisme goed, of in ieder geval niet vijandig gezind waren, werden altijd en eeuwig uitgenodigd. Het probleem is niet dat je dan het gevaar loopt de officiële partijlijn voor zoete koek te slikken, maar dat je de mensen die je ontmoet aardig gaat vinden, en je je vanuit je sympathie één met ze gaat voelen en zich met hun ellende identificeert. Het zal wel net zoiets zijn als gijzelaars die zich na een tijdje met de terroristen die hen gevangenhouden door osmose één gaan voelen. De communistische regeringen hebben altijd het prestige van hun bezoekers willen gebruiken om indruk te maken op de door hen onderdrukte bevolking, al was die bevolking in werkelijkheid te slim om daarvan onder de indruk te raken. Net als toen worden er nog steeds discussies gevoerd of je nu wel of niet als officiële bezoekers naar landen met een repressief regime moet gaan. Toen ik in 1993 met Margaret Drabble en Michael Holroyd voor de British Council naar China zou gaan, werd ik door in het Oosten werkende westerse journalisten benaderd die zeiden dat ik dat niet kon maken. Maar de Chinezen die ik raadpleegde, onder wie een die erbij was geweest op het Plein van de Hemelse Vrede, vroegen: 'Waarom zou u niet gaan?'

'Omdat de mensen dan denken dat we de Chinese regering bewonderen.'

'Dat denken ze heus niet. Maar voor onze schrijvers en intellectuelen is het van belang om schrijvers uit het Westen te ontmoeten. Ze voelen zich geïsoleerd.'

Zodra ik in Londen terug was, kreeg ik mijn officiële lidmaatschapsbewijs en werd ik benaderd door John Sommerfield met de vraag of ik lid wilde worden van de schrijversgroep van de communistische partij. Ik had inmiddels spijt gekregen van mijn impulsieve besluit om partijlid te worden. Ik besefte dat het een neurotische ingeving was geweest, want het besluit ging gepaard met een slepend, hulpeloos gevoel, alsof ik gedrogeerd of onder hypnose was – net als toen ik voor het eerst trouwde, omdat de oorlogstrommels klonken, of die keer dat ik kinderen liet komen terwijl ik toch had besloten dat ik die niet wilde – als een gevangen vis die aan de lijn wordt voortgesleurd. Het verblijf in de Sovjetunie had emoties losgewoeld die veel dieper gingen dan politiek. Wat ik voelde klopte niet met wat ik dacht. Ik had toen nog lang niet door dat mijn 'steun' aan de Sovjetunie enkel een voortzetting was van gevoelens uit mijn vroege jeugd – de oorlog, het begrip voor lijden, identificatie met pijn: de kennis van goed en kwaad. Ik wist alleen dat hier sprake was van een diep begraven iets dat met me op hol sloeg als een nachtmerrie.

Wat ik dácht – pogingen tot koele objectiviteit – was weer andere koek. Aan een ex-partijlid vertelde ik het volgende voorval. Bij het afscheid van Oksana, die zo arm was, zo hard werkte en zo weinig kleren, laat staan sieraden had, wilde ik haar een armbandje uit Egypte geven. Het was een verguld filigraandingetje, echt niet veel bijzonders. Ze werd bleek van... angst, toch niet? In paniek weigerde ze, stotterend en stamelend. Ik begreep er niets van en vroeg mijn alwetende vriend om uitleg. Die zei met het korzelige ongeduld dat we voelen voor mensen die nog in een situatie verkeren waar we zelf net overheen zijn gegroeid: 'Doe toch niet zo naïef. Als ze haar met dat armbandje hadden gezien, zou de KGB – die haar uiteraard dagelijks instructies gaf – haar ervan beschuldigen dat ze zich liet omkopen door het decadente, verdorven, kapitalistische Westen. Ze hadden haar wel naar een werkkamp kunnen sturen.'

En waarom wilden zo veel schrijvers die we hadden gesproken het toch almaar over het koningshuis hebben? Ze gingen er maar over door, dat ze zich zo voor onze koningin interesseerden, en wat een prima instelling – voor Groot-Brittannië uiteraard, niet voor henzelf – die monarchie toch was en hoe ze ons bewonderden. Waarom zouden schrijvers uit de Sovjetunie zich in hemelsnaam voor het Britse koninklijk huis interesseren? Daarop kreeg ik als antwoord: 'Ze konden uiteraard niet openlijk zeggen hoe ze het communisme haatten. Daarom zeiden ze het indirect, in de hoop dat jij zo slim zou zijn om dat te begrijpen.'

De schrijversgroep stond op het punt om onder het gewicht van zijn contradicties te bezwijken. Ach, wat gebruik ik dat oude jargon toch met nostalgie... maar wat waren die *contradicties* dan ook nuttig; het woord lag ons in de mond bestorven terwijl we ons in de mallemolen van die tijd overeind probeerden te houden.

Het waren opmerkelijke lui. Allereerst John Sommerfield. Hij had in de Spaanse Burgeroorlog gevochten en een boek geschreven, *Volunteer in Spain*, over de diverse acties waarbij hij betrokken was geweest. Het was opgedragen aan zijn vriend John Cornford, die er was omgekomen. Ook had hij een bundel prima korte verhalen geschreven, *Survivors.* Hij was een lange, slanke pijproker, die met een uitgestreken gezicht de meest surrealistische uitspraken deed over de wereld waarin we leefden, terwijl uit zijn ogen diepe ernst straalde. Een komiek. Hij wist alles van Engelse pubs en had daar ook een boek over geschreven. Hij nam me mee naar de clubs in Soho en vertelde dat hun hoogtijdagen voorbij waren, ze waren na de oorlog op hun retour. Hij was getrouwd met de kunstschilderes Molly Moss. Net als iedereen in die tijd, hadden ze geen geld. Voor een paar honderd pond kochten ze een klein Victoriaans huisje in Mansfield

Road, NW3, dat ze volstouwden met haar schilderijen, Victoriaans meubilair en snuisterijen, die je voor een habbekrats kon kopen omdat Victoriaans uit de mode was. Dat kleine, dierbare huis, dat schatkistje van een huis, werd met honderden anderen afgebroken in die bloeiperiode der architectuur, de jaren zestig, om plaats te maken voor een aantal van de lelijkste flatgebouwen in Londen. In een bijzonder moeilijke winter, toen de Sommerfields volledig aan de grond zaten, ving hun grote kater duiven voor ze, die ze stoofden. Hij kreeg de helft van de vangst.

De bijeenkomsten werden in mijn kamer gehouden omdat ik met een kind moeilijk weg kon. Bovendien had ik John Sommerfield laten weten dat ik een hekel had aan vergaderingen, er voor de rest van mijn leven mijn buik vol van had. Hij zei dat ze in dat geval wel naar mij toe zouden komen, dan kon ik er niet onderuit. Volgens John moest je altijd zeggen dat er iets was wat je niet kon als je bij de partij ging, dat je bijvoorbeeld niet met de bus kon, of niet 's avonds weg kon. Waarom? Om ze duidelijk te maken dat ze niet over je heen konden lopen. 'Maar nee, tegen ze zeggen dat je niet naar vergaderingen wilt, dat kun je niet maken.' Ze? De partij, ofte wel 'King Street'.

Alle schrijvers dachten zo over King Street, dat qua mentaliteit veel weghad van het vakbondspaard uit de strip van David Low, een log, dom, koppig bakbeest. De loyaliteit die ze jegens 'de partij' niet konden opbrengen, werd verlegd naar de Sovjetunie, die natuurlijk nooit zo stom kon zijn als King Street.

Montagu Slater was een vrij kleine, snelle, levendige, slimme man, buitengewoon veelzijdig. Hij had het libretto voor Benjamin Brittens *Peter Grimes* geschreven. Hij stond nogal onder druk, omdat hij een boek had geschreven over de oorlog in Kenia (die toen op zijn hoogtepunt was) waarin hij de machinaties en smerige streken van de Britse regering tegen Jomo Kenyatta aan de kaak stelde; hij kreeg de wind van voren in de pers: 'Wat kun je van een communist ook anders verwachten?' Alles wat hij schreef was waar, maar algauw was het niet relevant meer omdat Kenyatta de oorlog in Kenia won en binnen de kortste keren als wijze, oude man alom gerespecteerd werd, niet in de laatste plaats door de blanken in Kenia.

Jack Beeching was een dichter. Ik ging met Peter bij hem, zijn vrouw en hun nieuwe baby logeren in Bristol. Ze hadden geen geld en woonden in een oud, vervallen appartement in een rij huizen die nu alleen voor de welgestelden betaalbaar zijn. Enorme, prachtige, steenkoude kamers. Ik heb nog niet zoveel gezegd over de kou van die tijd, toen de huizen vaak alleen maar verwarmd werden met een of twee straalelementen van die kleine elektrische kacheltjes en het soms helemaal zonder verwarming moesten stellen. Wij met zijn vijven, Jack, zijn vrouw, de kleine baby, Peter en ik, kropen als vluchtelingen onder truien en dekens midden in de grote kamer, waar het zo tochtte dat het leek of er koude wind waaide. Jack leeft nog, en woont in Spanje waar hij poëzie en geschiedenisboeken schrijft.

De Australiër Jack Lindsay was misschien het zuiverste voorbeeld dat ik ken van een goede schrijver die door de partij genekt is. Hij was een veelzijdig geleerde, met verstand van de meest uiteenlopende onderwerpen, en schreef twee soorten romans. Het ene soort volgde de orthodoxe partijlijn, over fabrieken en arbeiders en het proletariaat, en het andere soort was fantasierijk en grillig à la Iris Murdoch, maar lang niet zo goed. Ze hadden wel door twee verschillende schrijvers geschreven kunnen zijn. Hij schreef ook biografieën.

Toen de een of andere onderzoeker informatie aan mij vroeg over Randall Swingler, zei ik dat die geen lid van de schrijversgroep was geweest, hoewel ik er later achterkwam dat dat wel zo was. Ik kon me hem gewoon niet meer herinneren. Misschien was hij er nooit; tijdens het schrijven van dit boek heb ik te horen gekregen dat hij de schrijversgroep ooit als een vergaarbak van gemankeerd talent had omschreven. Wat ik nog wel van hem weet is dat hij met zijn vrouw voor vijf pond een landhuisje in Essex had gekocht, zonder stromend water, licht, telefoon, verwarming of toilet. 's Zomers een paradijsje, maar 's winters? Daar hebben ze jarenlang gewoond, vechtend tegen de armoede. Tot arbeidershuisjes in Essex in de mode raakten...

Vlak nadat ik uit de Sovjetunie terugkwam, hadden we voor de laatste keer de beruchte mist. Je kon letterlijk geen hand voor ogen zien. Naomi had in haar appartement aan de Embankment een reünie voor de mensen van de Ruslandreis georganiseerd. Ik stond op de Embankment en kon geen stap verzetten omdat ik hopeloos verdwaald was. De mist omgaf me als smerig water. Plots botste er iemand tegen me op. Het was een sovjetschrijver, Soerkov,* geloof ik, die extatisch was over de mist; alle buitenlanders vinden die mist van Dickens immers prachtig, en hebben het tot op de dag van vandaag nog over 'die vreselijke Londense mist van jullie...' 'Maar die hebben we niet meer sinds de wet op de luchtvervuiling.' Dat valt meestal tegen. Sterke symbolen zijn niet één-tweedrie weg te poetsen.

In de periode dat ik lid van de communistische partij was ben ik nooit naar gewone vergaderingen geweest. Vele jaren later, toen ik geen communist meer was, ben ik eens uitgenodigd om een communistische groep, een echte, waarin de gewone man zat, toe te spreken. Het was aan huis in een arme buurt van Zuid-Londen. Verbijsterd was ik. Het bleek een kamer vol mislukkelingen en buitenbeentjes, die bij elkaar kropen omdat de partij een soort club voor ze was, een thuis, een gezin. Maar, en dat was het schrijnende ervan, je had er ook lokale helden tussen, stille, onbekende Miltons, vaak autodidact, met een geest die origineel was en bereid om alle onderwerpen ter wereld behalve het communisme kritisch te onderzoeken.

Een bezoek aan een vergadering van de communistische partij in Parijs was weer heel andere koffie. Ik zei tegen King Street dat ik naar Parijs ging, en graag eens een kijkje bij de Franse partij zou nemen. Ze zeiden dat ik contact moest opne-

* Zeker weer als lid van een vredesdelegatie.

men met Tristan Tzara. Hij was lid van de partij. Een sympathieke man. King Street moest om toestemming vragen bij de top van de Franse partij, die Tzara vervolgens instrueerde. De plaatselijke afdeling aan de Linkeroever kreeg opdracht om mij te ontvangen, maar ze zeiden dat dat alleen kon op voorwaarde dat ik zou vertrekken zodra ze het over het beleid gingen hebben. We gingen lunchen. We hadden het alleen maar over politiek. Dit was Tzara de communist, geen spoor van Tzara de anarchistische surrealist. Ik vroeg hem wat die plaatselijke afdeling hier dan verwacht had. Dat ik ze ging opblazen? Daar kon hij niet om lachen. Ik vertelde dat je in Engeland als je erover dacht om bij de partij te gaan gewoon op een vergadering kon binnenvallen om te kijken hoe dat beviel, maar het zwijgen van Tristan bevestigde dat je zoiets uiteraard van de Engelse kameraden kon verwachten. Maar ik bleef aandringen en zei: 'Daar is toch niets mis mee?' Toen vroeg hij hoe we ons dan beschermden tegen kwaadwillende elementen. Ik zei dat je spionnen of kwaadwillende lui die per se willen binnendringen toch nooit echt kunt tegenhouden. Waarop hij zeer zakelijk reageerde dat ik me daar dan in vergiste: waakzaamheid was een eerste vereiste. Dit gesprek was uitermate typerend voor een dergelijke situatie – hoeveel van ons hebben niet in hetzelfde schuitje gezeten? – maar stond de sfeer verder niet in de weg, al was hij oprecht in mij teleurgesteld. Hij liet er geen twijfel over bestaan dat de Franse CP de Engelse CP minachtte.

Tristan nam me mee naar een gebouw ergens in de buurt van de boulevard St-Germain, aan de Linkeroever, het begin van de toeristenwijk. Bij de ingang werden we geïnspecteerd door bewakers, en binnen nog een keer – ik had een tijdelijk pasje gekregen. We gingen een groot, kleurloos vertrek binnen; langs de ene muur stond een tafeltje voor de partijfunctionarissen. Een stuk of honderd communisten, en allemaal oogden ze als legerrekruten, want er was er geen een bij die niet minstens één militair kledingstuk droeg – zeker uit de dump. Ze zagen zichzelf ook duidelijk als soldaten in een oorlog, zowel de mannen als de vrouwen, dat bleek uit hun gedrag en manier van spreken: koud, afgemeten, verantwoordelijk. Er kon bij niemand een lachje af. Misschien verkeerden ze in hun verbeelding nog in de hoogtijdagen van de partizanen, de bezetting, de Vrije Fransen. Maar ondanks dat martiale uiterlijk hadden ze het gewoon over een inzamelingsactie in het *quartier.* Na ongeveer een uur vroegen ze me om weg te gaan. Op Tristans vraag wat ik ervan had gevonden, antwoordde ik dat het me niet verbaasde dat de Fransen en de Engelsen zo slecht met elkaar konden opschieten. Hadden ze die militaire sfeer echt nodig? De Duitse bezetters waren toch al weer bijna tien jaar weg? Hij zei vriendelijk, met vergiffenis, dat ik de kracht van de vijand onderschatte.

Toen ik de schrijversgroep van dit bezoek verslag deed, zeiden ze dat je zoiets natuurlijk van de Fransen kon verwachten. Die maakten immers overal drama van.

Volgens mij zijn er niet meer dan een stuk of tien bijeenkomsten van de schrijversgroep geweest. In de discussies over literatuur werd in het geheel geen rekening gehouden met de 'partijlijn' en werd er kritisch over het 'socialistisch realisme' gesproken. Wat mezelf betreft, ik kreeg als een soort samenvatting van wat ik tot het denken van de partij had bijgedragen van de kameraden te horen dat ik vragen en problemen aan de orde stelde waar ofwel nog niemand aan gedacht had, of die zulke voor de hand liggende antwoorden hadden dat niemand er tijd aan wilde verspillen. Mijn probleem was dat ik het verschil niet zag.

Toen werd ik door de communistische schrijversgroep in een ronduit bespottelijke situatie gebracht. Montagu Slater en John Sommersfield vertelden me dat ze naar de jaarlijkse algemene ledenvergadering van de *Society of Authors** waren geweest. Ze zeiden dat dat schrijversgenootschap een autoritaire, ondemocratische organisatie was, waar de dienst uitgemaakt werd door een zichzelf in stand houdende oligarchie. Op die jaarvergaderingen kwamen nooit leden opdagen. Ze hadden mij als bestuurslid voorgedragen. Ik was woedend en zei dat ik niet voor de lol had gezegd dat ik een hekel aan vergaderingen had. Ik dacht er niet aan. Te laat, spraken ze luchtig, en trouwens, ik moest als partijlid toch ook mijn steentje bijdragen? Dan zag ik het maar als mijn revolutionaire plicht. Ze zeiden het met dat sardonische plezier in het absurde dat ik zo goed begreep. En zo belandde ik in dat alleraardigste huis in Chelsea, bij een vergadering om de zaken van het genootschap te helpen regelen. Omdat ik door twee bekende communisten was voorgedragen, wisten ze uiteraard dat ik dat ook was; ze zagen me als een bruggenhoofd voor een invasieleger. Ze verwachtten van mij het slinkse, onderhandse gekonkel van de kameraden. Want op de hoogte van de manier waarop de partij te werk ging waren ze zeker – een aantal van hen had er vast wel in of bij gezeten. Ik weet niet meer wie het waren. Een jonge vrouw verkondigde dat ze conservatief was. Zij was daar als tegenwicht voor mijn subversieve persoon, en hield bijna onafgebroken haar spottende, scherpe blik op me gevestigd. Wist ik nog maar wie dat is geweest. Ikzelf voelde me somber en moedeloos. Ik wist niets van enige beleidslijn aangaande de Britse literatuur en het interesseerde me ook eigenlijk niet, in beslag genomen als ik was door mijn pogingen om te blijven schrijven, ondanks de problemen rond geld, mijn kind, mijn moeder, mijn therapeute, mijn geliefde en, niet op de laatste plaats, door mijn wens om ongemerkt uit de partij weg te glippen. Want het was een tijd waarin de pers steevast grote ophef maakte van iedere bekende figuur die uit de partij stapte. 'Die en die heeft de communistische hel vaarwel gezegd.' 'Geheimen CP onthuld.' Je struikelde in die tijd bijna over de zich verontschuldigende ex-kameraden: 'Het spijt me, maar dat heb ik echt niet gezegd. Ze hebben het allemaal uit hun duim gezogen.' (Wat is er veranderd?)

Ik heb een jaar in dat bestuur gezeten** en heb iedere seconde als een kwelling ervaren. Ik was er weliswaar aan gewend om in een scheve positie te verke-

* De *Society of Authors* is een soort schrijversvakbond.

** Ik ben er in 1953 uitgestapt.

ren – ik denk weleens dat er een boze fee aan mijn wieg heeft gestaan die me dat heeft toegewenst – maar deze was schever dan ooit. Onder een scheve positie versta ik een situatie waarin de mensen om je heen ervan uitgaan dat je net zo denkt als zij, of juist dat je iets heel anders voorstaat en dat zij precies denken te weten wat dat andere voorstelt. Of wanneer je merkt dat een bepaald standpunt veel te simplistisch wordt voorgesteld, en teruggebracht is tot een stel grondregels, zodat je brein bij iedere bijeenkomst een doorlopend commentaar, een kritische toelichting levert op alles wat er gezegd of aangenomen wordt. Dat doe ik trouwens mijn hele leven al, vanaf dat ik klein ben. Toen ik jong was, was dat contra-commentaar heftig en geïrriteerd, maar naarmate ik ouder word, wordt het steeds vermoeider: 'O God, daar gaan we weer...'

Er was nog een probleem, dat ik aan ex-kolonialen (waaronder ik hier ook mensen uit Canada, Australië, Zuid-Afrika en al die andere onbetwistbare voormalige gebiedsdelen reken) en de meeste buitenlanders niet zal hoeven uit te leggen. Je hele leven zie je de Engelsen al in lastige, vaak geïsoleerde oorden werken, waar ze het hoofd bieden aan allerlei ontberingen en primitieve omstandigheden. Je weet dat een Engelsman het gelukkigst is als hij boven op een gevaarlijke berg staat, in een notendop de Atlantische oceaan oversteekt, of in zijn eentje door de woestijn of de jungle trekt. *Niet klein te krijgen.* Onafhankelijk, graag alleen. En tegelijkertijd, zet een groep van diezelfde mensen bij elkaar, in Engeland, en meteen zijn ze verschrikkelijk kneuterig, zo bekrompen; als ze met een buitenstaander geconfronteerd worden, kruipen ze met verschrikte kindergezichten bij elkaar. Er is sprake van een zekere onschuld, iets ongeleefds, vaak beknopt weergegeven met: 'Vergeet niet dat Groot-Brittannië al in geen honderden jaren bezet is geweest.'

Er is sprake van een zekere pietluttigheid, iets kleins, iets tams, een diepgewortelde, instinctieve weigering het afwijkende, laat staan het gevaarlijke toe te laten: een onvermogen om extreme ervaringen te begrijpen. Ergens – zo vermoedt de buitenlander, en zo beschouw ik me dan nu ter wille van de vergelijking ook maar even – ergens diep in de psyche van Groot-Brittannië ligt een Edwardiaanse kinderkamer, afgeschermd door scherpe, ondoordringbare doornstruiken, en diep in het binnenste ligt een schoonheid te slapen, Doornroosje met een briefje op haar lijf gespeld: 'Verboden aan te raken.' Op een gegeven moment had ik met kerst een kind te logeren (het was al in de jaren zeventig) en toen was het aanbod in Londen als volgt: *Peter Pan. Let's Make an Opera. The Water Babies* – kinderen als schoorsteenveger. *Alice in Wonderland. Toad of Toad Hall. Pooh Bear.* Een middagvoorstelling van *Pooh Bear* bijwonen terwijl om je heen de jonge moeders (niet de kinderen) in tranen uitbarsten – dat zet je wel aan het denken.

Twee voorvallen staan me van de herinneringen aan dat onfortuinlijke jaar als bestuurslid nog het helderst voor de geest. Het eerste is een discussie over het op Shaws *Pygmalion* gebaseerde *My Fair Lady.* Shaw had Eliza zelf een toekomst toebedacht, en wel als volgt: ze geeft haar rijke, uitgebluste vrijer het jawoord om zich uit haar milieu op te werken en aan haar kwelgeest Higgins te ontsnappen, en neemt dan het heft in eigen handen. Maar de makers van de musical wilden per se dat ze met Higgins trouwde. En zo krijgen we de zoveelste masochistische vrouw die met de pantoffels van haar man komt aandraven en voor hem door het stof gaat. Het schrijversgenootschap fungeert als agent voor Shaws nalatenschap en incasseert tien procent. Dat vond ik toen verbijsterend – en nog steeds. Het kon en kan er bij mij nog steeds niet in dat de bedoelingen die Shaw zo duidelijk heeft gemaakt schaamteloos opzij geschoven zijn omwille van het geld. Door dit voorval werd het me duidelijk dat ik bij die mensen, die hier echt geen been in zagen, niet op mijn plaats was. Het andere voorval was toen Dylan Thomas naar New York ging en gebruik wilde maken van de faciliteiten van het genootschap daar. Hij was toen stomdronken en destructief, en het genootschap besloot dat de mensen in New York gewaarschuwd moesten worden. Toen vond ik dat heel erg (een kunstenaar had immers recht op anarchistisch gedrag) maar inmiddels denk ik daar anders over, nu ik gezien heb hoe heel wat schrijvers en dichters zich allerlei vrijheden veroorloven in de verwachting dat anderen de chaos die ze aanrichten wel zullen rechtzetten.

Een ervaring die waarschijnlijk eveneens nog onder de noemer 'communistisch' valt, was toen ik Peter op vakantie meenam naar Hastings, naar een door Dorothy Schwartz gerund hotel voor communisten, Oakhurst. Je had er lezingen, cursussen en de gebruikelijke voorzieningen. Ik vond het er troosteloos. Er hing zo'n sfeer van 'wij' tegen 'hen', van de gelovigen tegen de domme buitenwereld. Voor iemand die aan de zon en het wijde zwerk gewend is, valt Hastings moeilijk in het hart te sluiten. Ik kom nu nog voortdurend mensen tegen die je nooit voor ex-communisten zou verslijten, het toppunt van fatsoen, maar die waren toen wel in Oakhurst, waar ze lezingen gaven of bijwoonden, en in één geval zelfs iemand die er als ober heeft gewerkt. Wat mij intrigeerde was dat Aleister Crowley een eindje verderop had gewoond, in Netherwood, het tweelinghuis van Oakhurst. In de jaren twintig en dertig floreerden er in Engeland allerhande flamboyante occulte groepen, met soms bekende leden: Yeats en de New Dawn bijvoorbeeld. Crowley stond in de jaren vijftig nog bekend als iemand met indrukwekkende occulte gaven, maar aan het eind van zijn leven was het een zielige figuur. Hij was overleden in 1947, maar in Hastings hoorde je de mensen nog zeggen: 'Ze zeiden toch dat hij toveren kon? Waarom leefde hij dan als een ouwe zwerver?' Het hotel van Dorothy zou het huis zijn geweest dat Robert Tressell gebruikt had voor *The Ragged Trousered Philantropists.* De woonkamer had een prachtig plafond, en alle gasten kregen het te zien als 'mogelijk door Tressell zelf gemaakt'.

Het boek van Tressell, een meesterlijke beschrijving van het arbeidersleven, was verscheidene malen gepubliceerd, voor het eerst in 1914, maar slechts in een verkorte en verminkte versie. Fred Ball, die jarenlang onderzoek had gedaan naar het leven van Tressell, wist het originele manuscript boven water te krijgen en kocht het, met de hulp van vrienden, voor zeventig pond. Er waren twijfels aan de authenticiteit, maar dat was onterecht. Het was lastig om die complete versie uitgegeven te krijgen, want de verkorte versie was nog in druk en de benaderde uitgevers vonden de onverkorte versie te veel op een socialistisch manifest lijken. Uiteindelijk werd Maurice Cornforth van de communistische uitgeverij Lawrence and Wishart overgehaald om het uit te geven. Jonathan Clowes, die een bekende literaire agent zou worden, werkte toen nog als schilder en behanger. Hij was bevriend met Fred Ball, gaf hem goede adviezen, en wist diens biografie van Tressell bij Weidenfeld (geen socialistische maar een algemene uitgeverij) gepubliceerd te krijgen. Bij Lawrence en Wishart hadden ze die biografie geweigerd omdat Fred Ball had ontdekt dat je Tressell, die waarschijnlijk de zoon van een rijke Ierse rechter was, niet bepaald tot de arbeidersklasse kon rekenen. Rond diezelfde tijd had Joan Littlewood veel succes met een 'proletarisch' toneelstuk over bouwvakkers, *You Won't Always Be on Top*, van Henry Chapman, ook een vriend van Jonathan – en in de pers als 'de metselaar uit Hastings' omschreven. Tot groot chagrijn van de culturele commissarissen van de communistische partij, bleek ook Henry een onberispelijke middenklasseachtergrond te hebben.*

In die tijd, toen bijna iedereen die ik tegenkwam zichzelf als de voorhoede van de arbeidersklasse beschouwde, was de enige echte vertegenwoordiger daarvan die ik kende (zij het politiek bewust noch geëmancipeerd) de vrouw die, hoe kan het ook anders, eens per week bij mij kwam schoonmaken. Wat ik het interessantst aan haar vond was dat ze precies leek op de Schotse boerinnen uit mijn jeugd. Ze heette mevrouw Dougall, was rond de zestig, mager, bleek, ongezond, nooit zonder sigaret – maar als het Lot haar over de zeeën naar Zuid-Rhodesië had gevlogen? In plaats daarvan was ze zo onderdrukt als maar zijn kon, al werkte ze vrijwillig aan haar uitbuiting mee. Ze stond ingeschreven bij een bureau dat schoonmaaksters in dienst nam, ons het maximumloon berekende en haar de helft gaf. Het had geen zin haar voor te houden dat ze twee keer zoveel kon verdienen als ze voor zichzelf begon. 'Ze zijn altijd goed voor me geweest,' zuchtte ze dan. Ze had een onbevredigende echtgenoot, en was vaak de enige kostwinner in huis. Ze hield van hem. Mijn piepkleine verhaaltje 'He' is op haar gebaseerd. Als ze niet liefhebbend over haar echtgenoot of welwillend over haar bazen sprak, tobde ze over Rillington Place 10, even verderop, waar gruwelijke moorden hadden plaatsgevonden.

Ze was ernaar toe gestuurd om te werken, maar ze hadden haar niet geschikt gevonden. 'Dat had ik kunnen zijn,' sprak ze met een grafstem als ze het zoveelste krantenknipsel over de moorden uit haar handtas viste. 'Ik had dat lijk kunnen zijn dat ze hebben gevonden, waar of niet, kind?'

* Jonathan had al een hele tijd als agent voor getalenteerde maar minvermogende vrienden (van wie er later internationale successen zouden boeken) gewerkt toen hij pas in de gaten kreeg dat hij agent wás.

Hoe we dachten: De tijdgeest

Allereerst, de nationale gezondheidszorg, de verzorgingsstaat. Die ongelooflijke trots erop, die extase – dat mateloze vertrouwen erin! Het beste eraan waren nog steeds de jonge artsen die een groepspraktijk opzetten. De meesten waren op de een of andere manier wel socialist. De herinneringen aan de jaren dertig waren nog vers, beschreven in Cronins The Stars Look Down *[vertaald als* De sterren getuigen*] en* The Citadel *[vertaald als* De Citadel*] en Greenwoods* Love on the Dole, *romans die iedereen had gelezen. Hele gezinnen konden aan de ziekte van één gezinslid onderdoor gaan. Die gruwelijke armoede van de jaren dertig, die wrede onverschilligheid voor het leed onder het volk bij de mensen die het land bestuurden – maar nu hadden we de verzorgingsstaat. Pensioenen betekenden dat ouderdom geen bedreiging meer vormde. (Veertig jaar later kan een regering doodleuk zeggen: maar we kunnen het niet meer betalen – en korten ze uitkeringen waarvan de mensen hadden gedacht dat ze ervoor hadden betaald. Heeft iemand er ooit aan gedacht om een regering die zich niet aan haar beloften houdt, voor het gerecht te slepen? Al is het misschien een interessantere vraag op welke mentale golflengte wij eigenlijk zaten toen we die regeringsbeloften vertrouwden? Het antwoord is niet zo moeilijk: onze stemming was romantisch en idealistisch, met hoop op Utopia waar al het goede mogelijk leek.) De steun was afgeschaft, evenals de beruchte* Means Test, *het inkomensonderzoek dat in kon houden, zoals vaak gebeurde, dat er hulp werd geweigerd aan een arm iemand die aan de grond zat. Ik heb een oude vrouw gekend die me vertelde dat ze al dagenlang niets anders te eten had gehad dan oud brood waar ze bij de bakker om bedelde, maar dat de ambtenaren van het inkomensonderzoek haar niet hadden willen helpen omdat ze eerst haar vloerkleed maar moest verkopen. Niemand denkt nu nog aan de bittere wrok die de woorden '*Means Test*' alleen al teweeg konden brengen.*

Het analyseren van groepsgedrag, met name in oorlogstijd, was het eerste blijk van een houding jegens onszelf die inmiddels gemeengoed is. De sociologie werd geboren, het vermogen om naar onze samenleving en ons eigen gedrag te kijken zoals een buitenaards wezen ze zien zou. Dit lijkt me achteraf een veel belangrijker fenomeen van die tijd, maar toen werden we als burgers volledig in beslag genomen door het idee van de verzorgingsstaat.

Harry Pollitt, de algemene secretaris of leider van de Britse communistische partij, staat voor Pointings, een grote winkel in Kensington High Street. Vergeleken met de weelde van onze huidige winkels, was hij maar armzalig; vergeleken met winkels als het toenmalige Harrods of Selfridges was het niet meer dan een dorpswinkeltje. Hij hief zijn gebalde vuist, schudde die, liet hem weer zakken om met een beschuldigende vinger te wijzen: 'Als wij aan de macht komen, gaan we dat allemaal afbreken.' Die walgelijke luxe, bedoelde hij. Dat zegt dan genoeg over de communistische partij die afgestemd zou zijn op de hartenklop van het volk – het volk wilde nu de kleren niet meer op de bon waren, alleen maar een beetje mode, glans en glitter. Deze anekdote illustreert een ele-

ment in het Britse socialisme dat door en door puriteins is, wars van plezier, met een neiging tot (be)heersen en onderdrukken.

Toen ik dit verhaal aan John Sommerfield vertelde, zei hij: 'Als je Engeland wil begrijpen, hoef je alleen maar te bedenken dat wij het land zijn dat omwille van een paar pond winst de Regent Street van Nash heeft platgewalst.'

Frans eten. Dat vreselijke eten van ons toen – en dan net aan de andere kant van het Kanaal had je Frankrijk, met echt eten. Dat was nog tien jaar voor Elizabeth David. Wat kankerden we toch op dat eten van ons! De delicatessenwinkels en de Franse en Italiaanse levensmiddelenwinkels in Soho vormden onze troost. Klef witbrood was het symbool van alles wat er aan ons eten niet deugde. (In de jaren negentig is dat gehate brood in Parijs het nieuwste van het nieuwste en zijn onze wittebroodsandwiches er niet aan te slepen.) Nee, stokbrood en croissants – en Gauloises en Gitanes – dát was beschaving. Eten is altijd zoveel meer dan eten alleen. Als je uit Soho terugkwam met een lekker stukje brie of camembert, of een Frans pasteitje, had je een overwinning op het barbarendom behaald. Nu vraag ik me af in hoeverre die hartstocht voor eten – uiteraard nog aangewakkerd door de schaarste van de oorlogsjaren en onze reisjes naar Frankrijk en Italië – heeft bijgedragen tot onze huidige obsessie voor alles wat met eten te maken heeft: al die kookrubrieken, dat gepraat over restaurants en chefkoks, en de recensies van kookboeken die we als romans verslinden. Eten krijgt van pers en televisie tegenwoordig bij ons meer aandacht dan boeken.

De liefdadigheid was voorgoed de wereld uit. De verzorgingsstaat had aan die vreselijke belediging aan het adres der armen voorgoed een einde gemaakt. Bovendien zouden er over een tijdje geen armen meer zijn. 'Dan hoeven we gelukkig nooit meer aalmoezen uit te delen.'

Het toneelstuk The Offshore Island *van Marghanita Laski draaide rond het thema dat Engeland afhankelijk was geworden van de Verenigde Staten. Het land stond vol Amerikaanse legerbases: de prijs die we moesten betalen omdat de Verenigde Staten ons gered hadden toen wij 'het in ons eentje tegen Hitler moesten opnemen'. Laski werd als communiste aan de schandpaal genageld, al was ze verre van dat. Iedereen die de gevestigde orde bekritiseerde ('het establishment' – een uitdrukking die nog maar net in zwang was als vervanging van 'de heersende klasse') was een communist en per definitie een verrader. Dit lijkt me een van de kwalijkste gevolgen van de Koude Oorlog: dat veel volkomen legitieme en waardevolle kritiek van tafel werd geveegd als 'ach, dat is toch maar communistische propaganda'.*

Picasso kwam naar Londen. Die was openlijk, om niet te zeggen hooghartig, communist. 'Dat hebben jullie maar te pikken.' De vredesduif die de internationale vredescampagnes van de communisten sierde, was van zijn hand. Hij was bepaald niet bij iedereen welkom. Naast lof was er ook woede: 'Laat die communist maar wegblijven.' Er dreigden relletjes uit te breken. Hij had toen nog lang niet zo'n gevestigde reputatie als nu. Bedrieger, charlatan, oplichter, subversief element – weer een grand old man in de maak.

In bioscoop en schouwburg gingen we staan als het volkslied gespeeld werd.

Als het maar even kon gingen we naar Franse en Italiaanse films in de twee filmhuizen in Oxford Street, Studio One en de Academy. Het National Film Institute was er nog niet. Wat hebben we daar fijne uren doorgebracht; we zeiden vaak: 'Ik ga weer even een portie zon halen.' Bij die Franse en Italiaanse films konden we een paar uurtjes lang genieten van de charme en gratie die wij ontbeerden.

Televisie: die monsterlijke nieuwe uitvinding zou het brein van onze kinderen aanvreten. Hoe konden we ons hiertegen wapenen?

De leus British is best *gold nog steeds.*

Bezoekers uit het buitenland vonden dat het er bij ons op straat zo vriendelijk en beschaafd aan toe ging.

In de schrijversgroepen van de partij maakten we de grap dat de eeuwige misverstanden tussen Engeland en de Sovjetunie makkelijk op te lossen waren als de Russen maar bedachten dat Engeland nog steeds zo was als in de romans van Dickens en Rusland als in die van Dostojevski.

Tot dusverre is dit vooral een verslag van uiterlijke gebeurtenissen geweest: reisjes, bijeenkomsten, de schrijversgroep, politiek – en zo zal het ook verdergaan. Een stellage, een raamwerk waar het innerlijk leven in past. Maar stel nu eens dat het andersom was: dat het raamwerk, het kader wordt gevormd door het schrijven en het denkwerk dat daaraan te pas komt? Onmogelijk, een schrijversleven op papier zetten, want het echte deel valt niet te beschrijven. Hoe zag mijn dag eruit in die eerste tijd in Londen, in Church Street? Ik werd om vijf uur wakker, door mijn zoontje. Die kwam bij me in bed liggen en dan vertelde ik verhaaltjes, las voor, zong versjes met hem. We kleedden ons aan, hij kreeg zijn ontbijt en dan bracht ik hem naar school, verderop in de straat. Maar algauw bracht ik hem alleen maar naar de bushalte en ging hij zelf die twee haltes. Zoiets zal nu wel niet meer kunnen. Ik deed een paar boodschappen, en dan begon mijn echte dag. De koortsachtige behoefte om allerlei klusjes af te krijgen – wat ik de huisvrouwenziekte noem: 'Ik moet dit nog kopen, die en die nog opbellen, dit niet vergeten, dat opschrijven' – moest onderdrukt worden, om in die vlakke, kalme geestesgesteldheid te raken waarin je kunt schrijven. Soms lukte me dat door een paar minuutjes te slapen, vurig hopend dat de telefoon niet zou rinkelen. De slaap was altijd al mijn vriend geweest; mijn snelle genezer, maar in die tijd heb ik de waarde leren kennen van een paar minuutjes onderdompeling in – wat? – waarop je verfrist, rustig, donker te voorschijn komt, klaar om aan het werk te gaan.

Vaak als Peter een paar dagen of een weekend naar de Eichners ging, of mijn moeder met hem op stap was, ging ik gewoon naar bed, en gleed ik die genezende onderwatertoestand binnen waarin je ontspannen ligt, naar de oppervlakte stijgt, vlak onder de oppervlakte, om dan weer te zinken, weer op te stijgen... Je bent je er niet echt van bewust wanneer je weer wakker wordt, en de slaap zelf wordt lichter door het vage besef dát je slaapt. Een uur... soms wel een hele dag, als ik te jachtig was geweest. Naarmate ik ouder werd, en mijn emotionele energie steeds handiger wist te hanteren, begon ik me af te vragen of wakker-zijn misschien tot een opeenstapeling leidt van iets wat tettert en zindert en je gespannen en scherp maakt, en dat dat nog eens honderd keer zo hevig wordt als je schrijft – maar dat zelfs al een paar minuutjes slaap, de kleinste duik in die andere dimensie, die spanning oplost, en je weer kalm maakt, herboren.

En op dat tafeltje waar de ontbijtboel heeft plaatsgemaakt voor verspreid liggende vellen papier, staat nu de schrijfmachine op me te wachten. Het werk begint. Ik ga niet zitten maar loop de kamer rond. Ik denk na terwijl ik loop, een kopje afwas, een la opruim, thee drink, zonder dat ik met mijn gedachten bij die activiteiten stilsta. Dan zit ik plots in de stoel voor de schrijfmachine. Ik tik een zin... kan die er wel mee door? Nee, laat maar, bekijk dat later maar, ga nu maar door, zorg dat de stroom op gang komt. En zo gaat het verder. Ik loop rond, mijn handen bezig met allerlei klusjes. Wie me zo bezig zag, zou me voor een echte huishoudmaniak verslijten. Ik val voor een paar minuutjes in slaap omdat ik mezelf weer heb opgewerkt tot een staat van hinderlijke spanning. Ik loop, ik schrijf. Als de telefoon gaat, probeer ik op te nemen zonder de concentratie te verbreken. En zo gaat het de hele dag door, tot het tijd is om mijn zoontje uit school te halen of totdat hij aanbelt.

Dat gebruikmaken van het fysieke om tot concentratie te komen zie je bij schilders ook. Ze lopen met schijnbare willekeur hun atelier rond. Ze maken een kwast schoon, gooien een andere weg. Ze maken een doek klaar, maar je kunt zien dat ze met hun gedachten elders zijn. Ze staren uit het raam. Ze zetten een kop koffie. Ze staan een hele tijd voor het doek, kwast in de aanslag. En dan begint eindelijk het werk.

Ik doe geen pogingen om te werken als mijn zoontje er is, want dat geeft bij beide partijen maar ergernis. Ik lees hem voor, we doen een spelletje. Hij luistert naar de radio, waar hij gek op is, zowel de kinderprogramma's als de hoorspelen voor volwassenen. Avondeten. Als Joan of Ernest er is, gaat hij naar beneden. Hij wordt om acht uur naar bed gebracht, maar hij is nooit een slaper geweest en ligt minstens tot een uur of negen wakker. Ondertussen komt Jack. We eten. En praten. Jack werkt heel hard, in het Maudsley-ziekenhuis. Het is het meest vooraanstaande psychiatrische ziekenhuis van het land, en het is een tijd van veel ontdekkingen en beroering. Talrijke opvattingen en methoden die we nu in de psychiatrie als vanzelfsprekend beschouwen, stammen uit die tijd. Jack was het soort arts dat je nu waarschijnlijk niet meer aantreft. Hij illustreerde de theorie en praktijk uit het Maudsley-ziekenhuis of voorvallen met patiënten, met voorbeelden uit de muziek (waar hij veel van wist), uit het leven van componisten of uit de literatuur. Een arme, oude gek uit het East End van Londen werd bijvoorbeeld vergeleken met een personage uit Dostojevski. Een gestoord meisje met iemand uit de opera. Hij leed met zijn patiënten mee. Vaak zette hij vraagtekens bij de experimenten waaraan ze zich moesten onderwerpen. Hij had het bijvoorbeeld over de hypnose die ze moesten ondergaan. Als je een willekeurig iemand onder hypnose brengt en je vraagt bijvoorbeeld wat de desbetreffende persoon heeft gedaan op twee mei in een bepaald jaar, toen hij of zij tien was, of twintig, komt er een compleet verslag van die dag bovendrijven. 'Ik ben chagrijnig opgestaan, heb ruzie gemaakt met mijn man, ben gaan winkelen, heb gekookt,' enzovoorts. Het ligt allemaal ergens in het brein opgeslagen. Wat wij het geheugen noemen, is maar een piepklein deeltje van wat er in onze hersenen aanwezig is; je kunt het als het ware als een soort surplus van het echte, volledige archief beschouwen. 'Welk recht hebben wij om zo in de geest van iemand anders binnen te dringen?' Hij vertelde hoe hij een rij willekeurig gekozen mensen voor zich had opgesteld, knippend met zijn vingers de rij afging en: 'Weg zijn ze! Zo makkelijk gaat dat! Dan kun je met ze doen wat je wilt. Geen mens mag toch eigenlijk zo behandeld worden?' Dat zei hij altijd, dat mensen eigenlijk niet zus of zo behandeld mochten worden. Hij mocht dan een communist geweest zijn, een stalinist, en naar zijn eigen zeggen toen nog steeds een marxist, maar in feite was hij een ouderwetse humanist, iets wat trouwens opging voor alle communisten met de literaire traditie in hun bloed.

En dan gingen we naar bed. Het donker, en de liefde.

's Ochtends was hij vaak al weg als Peter wakker werd. 'Ik moet thuis een schoon overhemd gaan halen,' was de geijkte formule.

'Je mag hier altijd schone hemden hangen.'

'Nee zeg, ik ga jou toch niet met mijn hemden opzadelen?'

Deze dialoog, archetypisch tussen man en minnares, is in de vier jaar van onze verhouding altijd wel in de een of andere vorm gevoerd.

Zo zat een dag dus in elkaar. Maar in zo'n beschrijving vind je nergens het echte schrijfproces terug. Misschien is de beste uitdrukking ervoor nog 'met je gedachten elders zijn'. En dat gaat door terwijl je boodschappen doet, kookt, wat dan ook. Je bent aan het lezen, maar merkt dat je het boek hebt laten zakken: je bent met je gedachten elders. Het creatieve donker. Onzegbaar. En dan die bladzijden die worden afgekeurd, weggegooid, de verhalen die voortijdig sneven – in de prullenmand ermee, samen met de denkbeelden die een tijdje in je hoofd hebben gezeten, een paar dagen, of een week, maar waar geen leven in zit. Leven? Welk leven, wat is dat eigenlijk, waarom leeft de ene bladzijde wel en de andere niet, waar komt dat leven vandaan, dat voortspruit uit de diepste diepten, buiten het gezichtsbereik, voortgekomen uit liefde? Maar als je een dag zo beschrijft: ik ben opgestaan, mijn kind is naar school gegaan, ik ben gaan schrijven, het kind kwam terug, en de volgende dag ging weer net zo – daar boei je je lezers niet mee.

Ik ben van mening dat alleen een collega het echte leven van een schrijver kan begrijpen. Plus nog een paar anderen. Vroeger waren dat de uitgevers. De uitgeverij is echter zo veranderd dat je je nauwelijks meer kunt voorstellen dat de kern ervan vroeger de persoonlijke band tussen uitgever en schrijver was. In de jaren vijftig was iedere uitgeverij ooit begonnen door één man (toen waren het nog uitsluitend mannen) die verliefd was op literatuur. Zo iemand had vaak zijn hele hebben en houden in de waagschaal gesteld; vaak hadden ze te weinig kapitaal en het waren inderdaad soms slechte zakenlui. Ze waren heel alert op nieuwe schrijvers en ze koesterden die ook; ze hielden vaak boeken aan waarvan er misschien niet meer dan een paar honderd exemplaren verkocht werden. De huidige situatie, waarbij alles is toegespitst op een paar weken van intensieve verkoop, werd ingeluid door een grap die, zoals vaker gebeurt, al gauw geen grap meer was, maar een accurate beschrijving. 'Dit boek is elf weken houdbaar in de winkel...' Twee maanden. Zes weken.

Laat me een voorbeeld geven van het omgekeerde van de situatie van nu. In 1949 begon een zekere Frank Rudman met zijn afzwaaipremie van honderd pond op drie zolderkamertjes in Bloomsbury zestig titels per jaar uit te geven. Dat was Ace Books, het prille begin van de paperbackrevolutie; het fonds omvatte alle goede schrijvers van die tijd uit Europa, Amerika en het Caribische gebied. Ik kan me niet voorstellen dat er iemand rijk van is geworden. Frank Rudman handelde de zaken bij voorkeur in de pub op de hoek af.

De eerste roman of bundel korte verhalen van een schrijver werd in leven gehouden, niet verramsjt. De tweede roman, altijd een kritieke fase, werd op soortgelijke wijze gekoesterd. Inmiddels groeide er dan in de literaire wereld een reputatie. Een derde boek, een vierde misschien. Van al die boeken waren er misschien maar zo'n paar honderd exemplaren verkocht. En dan slaat er plots een boek om de een of andere reden aan. Misschien wint het een prijs – je had er toen een paar – of het wordt op de radio genoemd. Maar het ligt meer voor de hand dat er een onzichtbare dosis goodwill is gegroeid, en op een gegeven moment krijg je dan een omslagpunt: de schrijver heeft dan een vaste lezerskring, een publiek dat uitkijkt naar zijn of haar nieuwe boek. Dat kan een langzaam proces zijn, maar het is wel organisch, met een eigen leven: boeken worden aanbevolen, uitgeleend, en de reputatie stijgt, grotendeels via mond-tot-mondreclame. Dan worden er van het nieuwe boek misschien eindelijk tien- of twintigduizend exemplaren verkocht. Die hele tijd heeft zo'n schrijver het dan zuinig aan moeten doen, of hij heeft er een kantoorbaantje bij, of leeft van recensies, een hoorspel en een enkel artikel.

De kern van dit proces werd gevormd door de hechte band tussen schrijver en uitgeverij; bij de kleine firma's uit die tijd was dat meestal de uitgever zelf. Je had toen niet de duiventillen van nu, de mensen bleven. De schrijver kon zekerheid putten uit een blijvende, groeiende vriendschap, die trouwens dieper kon gaan dan we doorgaans denken. Ik moet bekennen dat alle schrijvers kinderen zijn, tenminste wat dit aspect van hun leven betreft. Op de uitgever of redacteur wordt een wirwar van emoties en behoeften geprojecteerd: afhankelijkheid, dankbaarheid, wrok over het feit afhankelijk te zijn, een agressief soort affectie, vol tegenstrijdigheden, die het schrijven voedt. De hartstochtelijke liefde voor literatuur van de uitgever sijpelt het werk van de schrijver binnen, voedt het, en het onderscheidingsvermogen dat je krijgt door veel te lezen, helpt het te bekritiseren en spoort de schrijver aan om beter te worden. Jawel, ik beschrijf nu inderdaad de ideale situatie, waarvan het beroemdste voorbeeld misschien de band van Thomas Wolfe (niet de journalist, maar de schrijver uit de jaren dertig) met Maxwell Perkins van Scribner's is. Dat was zowel voor de schrijver als de uitgever een lonende, stimulerende relatie. Zulke uitgevers of redacteuren moet je nu met een lantaarntje zoeken.

Met Michael Joseph, die niet die hartstocht voor literatuur bezat, heb ik zo'n band nooit gehad. Zijn compagnon Robert Lusty nam me mee uit lunchen en bekende dat hij nooit een boek las maar alleen televisie keek. Op de tv werd in die begintijd nogal neergekeken. Die twee mannen konden elkaar niet uitstaan, konden niet op een normale manier met elkaar praten en communiceerden per brief tussen hun naast elkaar gelegen kantoren, met hun secretaresses als bode. Of dat invloed heeft gehad op de efficiëntie van de uitgeverij, kan ik niet zeggen. Ik verliet me in die tijd op Juliet O'Hea.

Wat er in de uitgeverswereld is gebeurd, illustreert de regel dat dingen vaak in hun tegendeel verkeren. De keerzijde van een langzame, betrouwbare groei van een reputatie, die inhoudt dat boeken gekocht worden door mensen die er persoonlijke interesse in hebben, is het volgende: vorig jaar werd ik geïnterviewd door een jongedame van *The New York Times*, met als resultaat een oppervlakkig artikeltje. Een paar dagen later belde de uitgever met de mededeling dat er door het interview vijftienhonderd exemplaren van het boek (*Onder mijn huid*) waren verkocht aan een bepaalde grote winkelketen – maar dat betekent niet dat dat aantal ook is gelezen. Een kenmerk van de huidige situatie is dat de boeken wel verkocht, maar niet per se gelezen worden. De koopimpuls komt nu van buitenaf (een zetje van een interview of een televisieoptreden) maar een dergelijke prikkel betekent nog niet dat de lezer het boek zal waarderen. Impulsief kopen hoeft niet te betekenen dat er ook echt wordt gelezen. De oorzaak van het probleem is dat de uitgeverij in handen is van boekhouders zonder belangstelling voor de literaire kwaliteit van een boek; ze zijn uitsluitend geïnteresseerd in verkoopcijfers en schrijvers worden louter op hun verkopen beoordeeld. Maar sommige schrijvers, en dat kunnen topauteurs zijn, verkopen nu eenmaal nooit meer dan een paar honderd of paar duizend boeken. En toch hebben ze een grote en diepgaande invloed. De echte boeken, de goede boeken, de boeken die in feite normbepalend zijn, die de toon zetten voor een heel land, een hele cultuur, zijn en blijven altijd boeken voor een serieuze minderheid. Zo'n boek kan met de beste reclame van de wereld niet tot bestseller worden gebombardeerd, dat leidt alleen maar tot stapels onverkochte boeken in het magazijn, wachtend op de papiermolen.

Die grootschalige uitgeverijen, de multinationals, zijn prima voor de grote klappers, de bestsellers, en zelfs voor de serieuze schrijvers die al bekendheid hebben verworven en die goed behandeld en gerespecteerd worden. Ik val ook in die categorie en daar ben ik dankbaar voor. Tussen de boekhouders en bankiers zitten nog mensen met hart voor de literatuur, maar die klagen met een opgejaagde blik in hun ogen: 'Vroeger was ik aan literatuur verslingerd, maar tegenwoordig heb ik geen tijd meer om te lezen.' Want ze moeten veel te hard werken. Echt goede boeken worden nog steeds uitgegeven, en de goede schrijvers redden het wel, maar vooral de kleine, bijzondere, buitenissige boeken staan erg onder druk. Iedere echte literatuurliefhebber koestert een lijstje met titels die niet meer verkrijgbaar zijn, of die helemaal nooit zijn uitgegeven, of wel zijn uitgegeven maar zonder dat er pogingen zijn ondernomen het boek te verkopen. Op de lange duur zal de verwaarlozing van die moeilijk te verkopen boeken fnuikend blijken voor de uitgeverij als geheel. Ooit beseften de uitgevers terdege hoe belangrijk die 'moeilijke' boeken waren: een kleine bron van bruisende vitaliteit. Sommigen van ons denken met weemoed terug aan de tijd dat een uitgever tegen je zei: 'We gaan geen van tweeën een cent aan dit boek verdienen, maar ik vind dat het uitgegeven moet worden.'

De andere ingrijpende verandering is de reclame. Wij schrijvers maken mistroostig de grap dat we het boek ook nog eens moeten gaan verkopen als we het geschreven hebben. Maar het is geen grap. Het heeft me drieënhalve maand van mijn leven, van mijn schrijftijd, gekost om *Onder mijn huid* te 'promoten' in Engeland, Amerika, Nederland, Ierland en Frankrijk. Uitgevers oude stijl begrepen dat schrijvers rust nodig hebben, en dat je ze dus ook met rust moet laten en niet van ze moet verwachten dat ze de bekende figuur gaan uithangen. Daarom ontwikkelen we nu een gespleten persoonlijkheid. De ene is de echte, die als altijd in zijn of haar kamer rondlummelt, de gedachten elders, dagdromend, materiaal opdiepend uit zijn of haar diepste wezen. De andere zet een glimlach op en speelt de beroemdheid.

De veranderingen zijn begonnen met de gierigheid van uitgevers, die geen geld voor reclame over hadden. Ze vertrouwden op de recensies. Vervolgens kreeg je de interviews met schrijvers. Die kostten de uitgevers geen cent. Kranten en tijdschriften moeten hun pagina's vol krijgen. Zo kreeg je een sneeuwbaleffect. Schrijvers raakten bekend om hun leven, hun persoonlijkheid: ze werden beroemdheden. Naarmate dit vaker gebeurde, werden we ook vaker gevraagd voor interviews, voor een 'profiel'. Zo'n tien jaar geleden begonnen de literaire festivals opgang te maken. Ze zijn zo aangeslagen dat er elk jaar nieuwe bijkomen. Ze moeten het in feite hebben van de 'schrijver als beroemd persoon'. Er komen duizenden lezers op af, en de meesten vinden de persoonlijkheid van de schrijver interessanter dan het boek. Het gevolg is niet dat de lezer die een praatje van de 'beroemde schrijver' heeft aangehoord meteen naar de winkel rent om het boek te kopen: het een is vaak een vervanging voor het ander. De obsessieve belangstelling voor het autobiografische in het werk van een schrijver vindt hier zijn culminatie: als je de schrijver in het echt hebt gezien, waarom zou je dan het boek nog lezen?

Dan heb je nog de signeersessies, die van alle promotieactiviteiten wel het krankzinnigst zijn. Je houdt een lezing, of leidt een werkgroep, en vervolgens ga je achter een tafel zitten waarvoor zich lange rijen mensen opstellen die geduldig op een handtekening wachten. Ze hechten waarde aan zo'n handtekening, terwijl ze toch met eigen ogen kunnen zien dat het lopendebandwerk is. Ze moeten toch beseffen dat diezelfde schrijfster honderden, zo geen duizenden boeken per jaar signeert. Dan arriveren ze eindelijk bij de schrijfster, steken haar het boek toe dat ze al of niet net hebben aangeschaft, want vaak komen ze met exemplaren uit hun eigen boekenkast, en dan zeggen ze: wilt u er alstublieft inzetten 'voor Marie', 'voor Bobbie', 'voor Marcelle', 'voor Jack', 'hartelijk gefeliciteerd Pat', 'zalig kerstfeest Jorges'? De schrijfster, die ooit is begonnen met een fanatieke zorg om de eer van de literatuur hoog te houden, en die die onnozele boodschappen aanvankelijk misschien heeft geweigerd omdat ze immers nooit van Marie, Bobbie en de rest heeft gehoord, wordt murw gebeukt door al die vragen tot ze uiteindelijk tot alles bereid is om maar van de ellende af te zijn. Om niet helemaal gek te worden, bedenkt ze bij zichzelf dat schrijvers vroeger een boek met schroom signeerden voor een goede vriend of vriendin. *'Cassandra, from Jane'*. *'Dorothy, from William'*. Wat zouden zij van zo'n lopende band hebben gevonden? Mij is weleens gevraagd om zesduizend exemplaren van een nieuw boek te signeren, maar dat heb ik geweigerd. Wel heb ik er op een keer drieduizend gedaan. Waarom? Heimelijk denk ik: als ik er nu maar genoeg signeer, als we dat nu allemaal nog even volhouden, zien de lezers toch binnen de kortste keren er de idioterie wel van in? Een paar jaar geleden deed onder de studenten in Oxford de volgende grap de ronde: 'Ik heb het enige ongesigneerde exemplaar in mijn bezit van...' Hoe kan iemand in vredesnaam waarde hechten aan zo'n handtekening? Denk je die lange, geduldige rijen mensen eens in die op een handtekening staan te wachten, die de schrijfster daarvoor minstens een uur hebben horen spreken en die gezien hebben dat ze daarna ook nog vragen heeft beantwoord. Als medemens moeten ze dan toch beseffen dat die schrijfster inmiddels volledig uitgeput moet zijn en hen heimelijk verwenst? Maar ze blijven komen.

In een hotel op Sicilië stond de eigenaar achter zijn balie, stak me een van mijn boeken toe en sprak gebiedend: ' "Voor mijn moeder, Maria". En dan: "met respectvolle groet." ' Ondertussen hield hij zijn hand op mijn kamersleutel. Die kreeg ik pas als ik gesigneerd had.

In Washington heb ik eens een uitermate serieuze literaire organisatie toegesproken. Ik was na afloop door het bestuur op een souper genodigd maar had nog niet eens de gelegenheid gehad om te gaan zitten, toen er een stapel van mijn boeken voor me verscheen met de woorden: 'Eerst signeren, dan eten.' Grapje.

Halverwege de jaren vijftig heb ik het volgende meegemaakt. Michael Joseph had zijn uitgeverij verkocht aan een van de grote concerns, echter op voorwaarde dat de mensen die er werkten geraadpleegd zouden worden als de uitgeverij weer werd doorverkocht. Niet zo lang daarna werd de uitgeverij verkocht aan het *Illustrated London News* (dacht ik), maar daar hoorde het personeel pas van toen het nieuws op de telex binnenkwam. Een paar mensen namen ontslag. We vonden het allemaal schandalig. Inmiddels hebben we het punt bereikt waarop tientallen redacteuren, mensen, tegelijk bij een uitgeverij de bons krijgen en binnen een paar weken vertrokken moeten zijn. Er wordt totaal geen rekening gehouden met de subtiele band die tussen schrijver en redacteur is opgebouwd. Tegenwoordig wordt er met de redacteuren bij een uitgeverij even lukraak omgesprongen als met de schrijvers.

Het is een interessant verschijnsel, en misschien wel het meest veelzeggend van allemaal, dat de schrijvers nooit geraadpleegd worden als een uitgeverij in andere handen overgaat. We tekenen een contract met een bepaalde uitgever, misschien op basis van diens reputatie, of omdat we een redacteur die er zit graag mogen of vertrouwen. Maar dat telt niet mee. We zijn niet meer dan bagage, gebruiksartikelen, net als de boeken die we schrijven.

In die begintijd was het nog bijzonder als je de volgende brief kreeg, die nu gemeengoed is geworden: 'Het spijt me u te moeten mededelen dat ik bij deze uitgeverij vertrek en naar... ga. Ik vind het jammer, want ik heb met veel plezier met u samengewerkt. Misschien kunnen we binnenkort eens gaan lunchen? Ik zou het fijn vinden als we in de toekomst opnieuw samen konden werken.' Vroeger, voordat de uitgeverijen als zakken aardappelen werden verhandeld en redacteuren van uitgeverij naar uitgeverij trokken, werd van schrijvers verwacht dat ze hun uitgever trouw bleven. Maar toen de schrijvers doorkregen wat er aan de hand was, werden ze net zo ontrouw als hun uitgevers, en begonnen ze zelf ook naar eigen goeddunken te verhuizen, meestal in het spoor van een redacteur met wie ze een vertrouwensrelatie hadden opgebouwd. Met het verdwijnen van die trouw is er iets kapotgemaakt wat veel dieper ging dan een wettelijk contract.

Het ergste wat de literatuur is overkomen is dat de zeer rijken, de multimiljonairs, er plezier in hebben gekregen om er een uitgeverij op na te houden. Een kwestie van macht: de literatuur laat ze koud. En meteen dwongen ze de uitgeversbranche om net zo te worden als andere bedrijfstakken. Geen van de grote uitgeversconcerns maakt veel winst, dus mogen we hopen dat de rijkelui er gauw genoeg van krijgen; met een beetje geluk (of is dat een hersenschim?) vallen die onnatuurlijke allianties van uitgeverijen dan weer uit elkaar. Op dit vlak is klein inderdaad fijn. Misschien kunnen we weer terug naar de situatie waarin uitgevers het van belang vinden dat hun boeken goed gemaakt en misschien zelfs fatsoenlijk geredigeerd worden. Het is de lezer wellicht opgevallen dat boeken niet meer zijn wat ze geweest zijn: ze staan vol fouten. Dat komt omdat er op bevel van de boekhouders geen geld voor een goede persklaarmaker meer wordt uitgetrokken, tenzij de schrijver zijn poot stijf houdt.

Het zelfvertrouwen en het zelfrespect van de schrijver gaan er niet op vooruit als die beseft dat het de uitgever koud laat dat de tekst wemelt van de fouten en papier en uitvoering van het goedkoopste soort zijn.

Maar het is niet alleen een kwestie van geld. Er zit nog een duistere, dubieuze kant aan: deze hele gang van zaken voldoet aan een onbewuste behoefte. Iets vernederenders dan naar een boekhandel in bijvoorbeeld Manchester (of Detroit) gestuurd te worden, waar je achter een stapel boeken moet plaatsnemen en waar vervolgens niemand komt opdagen om een exemplaar te kopen, laat staan te laten signeren, kun je immers niet bedenken. Ik heb meegemaakt dat jonge schrijvers die ellende moesten doormaken.

Of neem een boekenmarkt. Elke uitgever stalt een rij schrijvers uit die moeten signeren. De bekende schrijvers krijgen een rij voor zich. Maar de minder bekende, die niet minder goed hoeven te zijn, zitten er soms een paar uur lang zonder dat er iemand naar ze toe komt. Waar gaat dat dan nog om? Dat heeft toch niets meer met boekverkoop te maken? Nee, zo pronkt een uitgever tegenover de andere uitgevers met zijn stal: kijk eens wat ík in huis heb!

Op het Harbourfront Literary Festival in Toronto heb ik het volgende meegemaakt: toen ik in de ontvangstruimte aankwam, trof ik daar Michael Holroyd aan, een van onze beste literaire biografen. Hij stond met een bleek gezicht te tollen van uitputting. Zijn uitgevers hadden hem vanuit Toronto op drie verschillende reizen naar een aantal steden in de Verenigde Staten laten vliegen om zijn boeken over Bernard Shaw te 'promoten'. Op de eerste reis was een tv-interview afgezegd, maar dat kwam hij pas te weten toen hij in de studio aankwam. Op de tweede was hij door iemand geïnterviewd die iets over Lynne Reid Banks wilde weten, alleen is hij toevallig met Margaret Drabble getrouwd. Bij de derde had de interviewer geen idee wat hij geschreven had. Het was een vraaggesprek van meer dan de doorsnee stupiditeit geworden. En die uitbuiting, die vernedering van de schrijver vindt men gewoon.

Vorige week nog heb ik gehoord dat iemand gezegd had: 'Je moet ze door sloten en modder laten kruipen.' Dat sloeg op schrijvers die boeken promoten. Het wordt dus ronduit en openlijk toegegeven. Uitgevers, ook de beste, kennen momenten waarop ze het irritant, zo niet onverdraaglijk vinden dat je de kwaliteit van een schrijver, de kwaliteit die goed werk oplevert, niet in de hand hebt. Al het overige kunnen ze beïnvloeden, uitgerekend dát niet. Maar je kunt die zelfgenoegzame schrijvers wel op signeersessies sturen of ze stompzinnige interviews laten ondergaan. Door die hoepels kun je ze in ieder geval laten springen, en dat kun je nog in het contract zetten ook. Het liefst zouden uitgevers vaak de schrijver helemaal afschaffen. Ze verzinnen plannetjes om romans te fabriceren op recept, volgens plots die in de computer worden gestopt. Maar vreemd genoeg hebben die romans dan niet de sjeu of het karakter waarop hun hele uitgeverij gebaseerd is. En dat kunnen ze niet hebben. Ze vinden geen troost in het feit dat schrijvers zelf het vaak ook uiterst irritant vinden dat hun beste werk in feite aan hun eigen greep ontsnapt.

Een tafereel: in een chic restaurant zit een groep invloedrijke New-Yorkse uitgevers te eten. Ze vergeten helemaal dat er ook nog een arm schrijvertje (ik was het niet) aan tafel zit. Ze pochen op hun macht. 'We maken en breken ze.' Of misschien zijn ze die schrijver wel niet vergeten: zulk intimidatiegedrag heeft publiek nodig.

Een beroemde New-Yorkse uitgever fantaseerde graag dat hij 'zijn' auteurs allemaal in een rij huisjes veilig achter slot en grendel had zitten, als paarden in een manege. We moesten de hele dag opgesloten zitten werken, en mochten alleen 's avonds een uur of drie, vier, naar buiten om ons onbelangrijke leventje te leiden om dan om twaalf uur weer binnen te zijn. Grapje!

En toch blijft dat witte wief, dat vuurvliegje, de creatieve kwaliteit, ongrijpbaar. De filmindustrie probeert die kwaliteit te kopen. Dat gebeurt al vanaf de begintijd van de film. Er is een roman geschreven die 'het' heeft. De filmregisseur koopt het boek aan. Als de schrijfster al door de wol geverfd is, zal ze fijntjes glimlachen. De filmproducenten overladen haar met complimenten. Wat een fantastisch, ongelooflijk origineel boek, vertrouw ons maar, u zult het zien. De schrijfster blijft glimlachen, maar houdt haar gedachten voor zich. Ze leest de eerste opzet van het scenario. Alleen om voor de vorm nog tegengas te geven zegt ze: maar dat heeft toch niet zoveel met mijn roman te maken? Op dat punt begint de regisseur dan iets te mompelen over compromissen sluiten. Het woord 'essentie' duikt op. 'De wezenlijke essentie van het verhaal...' Als het een naïeve auteur betreft, vraagt zij (of hij) met oprechte verbijstering: maar waarom koopt u mijn boek als u het vervolgens niet gebruikt, of er een karikatuur van maakt? Waarom schrijft u dan zelf geen scenario? Maar – en daar draait het om – de filmregisseur gelooft net als de hele filmindustrie eigenlijk in magie, al beseft hij dat niet. Die roman hééft iets – maar wat? Het boek stáát, het boeit, en om dát te kunnen pakken hebben ze de filmrechten gekocht. Ze denken dat ze een deel van die magie, van die kracht, kunnen behouden, ook al veranderen ze het verhaal of het uitgangspunt zodanig dat het weinig meer met het origineel te maken heeft. En soms hebben ze nog gelijk ook.

Begrijpen ze dat? Waarschijnlijk niet. Merkwaardig hoe weinig die machtige sjacheraars van hun eigen werkwijze snappen. Een van de dingen die ze niet doorhebben is dat hun hele wereld op volle toeren op een emotionele energie draait die ze zelf creëren. Wie uit de nuchtere wereld van de literatuur komt, zal verbaasd staan van de crises, de tranen, de dreigementen, de hysterie, de telefoontjes om drie uur 's nachts, van al dat onwerkelijke melodrama waarmee het maken van een film gepaard gaat. Waar draait dat allemaal om? Ze maken hun eigen brandstof, meer niet. Zij zien ook niet dat ze daar erg verkwistend mee omspringen.

Vaak zal een auteur ongeveer het volgende overkomen. Per fax of koerier arriveren (zeer dringend, per expres) meters tekst: 'Ik heb net uw fantastische prachtige ongelooflijk goede roman gelezen, ik ben de hele nacht blijven lezen...' En zo gaat dat honderden woorden door. Maar de emotie van het enthousiasme heeft zich dan al in die boodschap uitgestort, is al opgebruikt. Als degene die de boodschap verstuurd heeft een week later de roman oppakt, hem omdraait, zegt hij misschien: 'Gek, ik vind er niks meer aan.'

Toen Bob Gottlieb mij als nog vrij jonge schrijfster voorhield: 'Het enige advies dat ik een auteur kan geven, is: "incasseren en wegwezen",' vond ik dat maar cynisch. Maar hij had gelijk. Tenzij je echt zin hebt in een uitstapje naar die fantasmagorische wereld waar niets is zoals het lijkt.

Misschien zijn er lezers die vinden dat ik te lang over uitgevers en de uitgeverij heb doorgezeurd. Maar hoe kun je het leven van een schrijver weergeven als je dat weglaat? Het schrijven van dit boek stelt me voor twee grote problemen. Als het al moeilijk is de sfeer van de Koude Oorlog over te brengen, die alles vergiftigde, en die nu een soort waanzin lijkt, het is niet minder moeilijk om het verschil aan te geven tussen enerzijds de sfeer die er in de uitgeverswereld heerste toen ik met publiceren begon en anderzijds de sfeer van nu. Jonge schrijvers of lezers hebben soms geen idee waar je op doelt als je zegt: 'In die tijd was de uitgeverij doortrokken van respect voor de echte literatuur.' Men begrijpt het niet omdat niets in hun eigen ervaring erop aansluit en omdat velen echt het verschil tussen een goed en een slecht boek niet weten. Een voorbeeld van deze ommekeer: indertijd recenseerden bladen als *The Observer* alleen serieuze boeken en hadden ze zich geschaamd om ruimte af te staan aan recensies van tweederangslectuur. Als nu die al genoemde jongere, die het nooit anders heeft meegemaakt, in een als 'kwaliteitsblad' bestempelde zondagskrant kolommenlange recensies aantreft over een erotisch niemendalletje of een verhaal vol seks en geweld, en één alineaatje aan bijvoorbeeld een herdruk van Flauberts *Éducation sentimentale* gewijd ziet, wat moet zo iemand dan denken?

Laat me nogmaals een essentieel, hét essentiële feit benadrukken. Er zijn boeken die nu eenmaal slechts aan een minderheid besteed zijn, al prijs je ze nog zo de hemel in, maar dat zijn wel de beste, en ook – stilletjes en onopvallend – de invloedrijkste, toonzettend en normbepalend voor hun tijd.

Op een gegeven moment stond ik op de uitnodigingenlijst van de sovjetambassade. Bij gelegenheden als de Verjaardag van de Revolutie en de Dag van het Rode Leger hielden ze enorme recepties. Ik ben naar een stuk of zes van die ontvangsten geweest. Leuk vond ik ze niet. Waarom ging ik er dan toch naar toe? Je revolutionaire plicht kan een voortzetting zijn van de verplichting van je ouders en grootouders aan de kerk. Ik hoor nog steeds mijn vader zeggen: 'Jezus, moet ik echt mee?' als hij hoorde dat mijn moeder naar de kerkdienst in Banket wilde. Een kameraad: 'Je gaat toch wel naar de sovjetambassade, Doris?'

'Dat moet dan maar.'

In een barok vertrek – vreemd dat de vertegenwoordigers van de verworpenen der aarde altijd in glitter en glamour gehuisvest moeten zijn – stond een buitensporig groot aantal sovjetambtenaren op ons te wachten. Het waren bijna allemaal spionnen, al wisten we dat toen niet. Ook waren er partijleden en fellow-travellers aanwezig, onder wie een aantal opmerkelijke personen. Bijvoorbeeld de wetenschapsman J. D. Bernal, die een originele bijdrage aan de kristallografie had geleverd en een inspiratie vormde voor een generatie studenten, communist of niet, die hem als docent onvoorwaardelijk op handen droegen. Al aan het eind van de jaren dertig hield hij de Britse communisten voor hoe funest het was dat er een kloof gaapte tussen wetenschap en kunst. Het was een van de hoofdthema's van het communistische debat. Er werden talrijke discussies, lezingen en studiebijeenkomsten georganiseerd. Ik geloof dat ik er zelf ook nog een praatje over heb gehouden voor de groep in Salisbury (Zuid-Rhodesië). Het thema is later opgepakt door C. P. Snow, die het als zijn eigen probleemstelling bracht.

Het proces is van veel breder belang. Telkens weer blijken denkbeelden die aanvankelijk binnen een minderheid leefden (en dan met name een minderheid die wordt aangevallen of onder druk staat) een hoge vlucht te nemen, en sijpelen ze door in de hele cultuur. Binnen tien jaar waren uitdrukkingen die uit het communisme stamden ('concrete stappen' – we moeten concrete stappen ondernemen – 'interne contradicties', 'fascisten' en de hele rest van dat treurige jargon) gemeengoed geworden en kon je ze in de redactionele artikelen van *The Times* terugvinden. J. B. S. Haldane, de broer van Naomi Mitchison, schreef stukken voor *The Daily Worker* waarin hij uitleg gaf over nieuwe ontwikkelingen in de natuurwetenschap. Ik kende mensen die de krant om die artikelen kochten en van de rest geen woord lazen. Later is Haldane naar India gegaan, waar hij een generatie Indiase natuurwetenschappers heeft opgeleid. Mensen als hij waren creatieve geesten; net als bij de rest van hun soort kwam er echter geen zinnig woord meer over hun lippen zodra het over de Sovjetunie ging. Een vraag: hebben sommige mensen het nodig in de hoek van een gehate minderheid te zitten om in andere opzichten te kunnen floreren? Je had kleurrijke figuren als 'The Red Dean', Hewlitt Johnson, de schrijver van het misleidende boek *The Socialist Sixth of the World*; als pijler van het religieuze establishment was hij uiteraard een van de pronkstukken van de partij.

Je kon niet zeggen dat de receptiegasten een saai zootje waren, maar ik vond de sfeer er drukkend. Ik haatte de zelfingenomenheid waarmee je positie daar gepaard ging: 'wij, de slimme minderheid die de ten onrechte belasterde en aangevallen pleitbezorger van de internationale arbeidersklasse steunt'. Toen gebeurde er iets waardoor ik nooit meer ben gegaan. Er kwam een stel mannen in militaire uniformen op me af die zeiden dat ze me aan een heel belangrijke bezoeker uit Moskou wilden voorstellen. Ze namen me tussen hen in en plantten me voor een generaal – zijn naam ben ik vergeten. Hij werd omringd door assistenten die ik voor militaire stafleden aanzag, maar die natuurlijk van de KGB waren. Het was een vrij vierkante, compacte man, met ogen als ijs, en hij praatte uitsluitend in communistisch jargon. 'De arbeidersklasse... fascistische imperialisten... vredesfront... uitgebuite proletariaat... strijden voor de communistische zaak.' Ik luisterde niet echt. Wat was er met me aan de hand? Ging ik flauwvallen? Ik had het koud en het zweet stond in mijn handen. Ik had een heel raar gevoel in mijn nek – mijn haartjes stonden overeind. Ik was bang. Doodsbang van die man. Dat is me daarna nooit meer overkomen. Ik denk dat dit het moment is geweest waarop ik het duidelijkst geconfronteerd werd met de moordzuchtige verschrikkingen van de Sovjetunie en er bijna letterlijk mee in aanraking kwam. Ik heb het voorval nooit met iemand besproken. Het was te 'subjectief', zoals de kameraden zeiden over alles wat niet direct logisch verklaarbaar was. Helaas kan een van de belangrijkste ontmoetingen van je leven, die je verandert, zo onbenullig lijken dat je het de moeite van het vertellen niet waard vindt. Daarna ben ik nooit meer naar zo'n grote bijeenkomst op de sovjetambassade gegaan.

Een keer ben ik met Jack naar de Tsjechische ambassade geweest, waar ik me niet minder verveelde. We werden er aangeklampt door een onsympathiek jongmens, dat ons maar drankjes bleef brengen; toen we zeiden dat we weggingen en wel een taxi namen, stond hij erop ons met de auto naar Church Street te brengen. We vroegen hem niet naar binnen maar hij liep gewoon mee naar boven. Daar begon hij te pochen op zijn rijke en machtige vrienden, nodigde hij ons uit voor allerlei feestjes en probeerde ons een afspraak op te dringen. Toen hij weg was, zeiden wij gekscherend dat geen zinnig mens, rijk en machtig of niet, het vrijwillig een half uur met die vervelende snob zou kunnen uithouden. Stephen Ward heette hij. Later bleek hij een soort pooier voor mensen met geld en macht die bovendien bij spionageactiviteiten was betrokken. Hij was de vriend of minnaar van Christine Keeler. Toen hij in ernstige moeilijkheden raakte, lieten de mensen die hem gebruikt hadden hem vallen en pleegde hij zelfmoord. Zo kwam je ook voortdurend mensen tegen die de fascinerende Christine Keeler bij etentjes hadden ontmoet: 'Wat een geweldige vrouw... zo geestig... zo intelligent.' Maar die bewonderaars schoten haar niet te hulp toen ze dat nodig had.

Wat heb ik nog meer gedaan waar ik nooit aan begonnen was als ik geen communist was geweest? Ik colporteerde met *The Daily Worker* en probeerde in een groot flatgebouw stemmen te werven voor een gemeenteraadsverkiezing. Dat was overdag. Er werd opengedaan door vrouwen. 'Voor dat soort dingen moet je bij m'n man wezen.' Ze vroegen me binnen, want ze waren eenzaam. Vrouwen en kinderen, opgesloten in sjofele, armoedige kamertjes – het was nog lang voor die welvaartsexplosie die beschreven is als 'jullie hebben het nog nooit zo goed gehad'. Meteen bevond ik me weer in een maar al te vertrouwde situatie. Wat ze wilden was advies over koop op afbetaling, over kinderbijslag. Ze hadden geen idee waar ze recht op hadden en hoe ze dat moesten aanpakken. In Rhodesië hoefde ik dan alleen maar iemand op te bellen ('Die vrouw op nummer 23 heeft... nodig'), maar nu was ik zelf nauwelijks van alle regelingen op de hoogte en had ik geen idee wie ik op moest bellen. Ik vertelde de partij dat deze mensen geen belangstelling hadden voor het communisme en dat ze meer gebaat waren bij een maatschappelijk werker. Ik heb dat stemmenwerven maar één keer gedaan. Alles wat met de partij te maken had was akelig, deprimerend, en niet alleen omdat ik me in mijn gebruikelijke scheve positie bevond.

Aan de universiteit van Hull heb ik voor een stuk of vijftig Nigeriaanse studenten een lezing over Zuid-Rhodesië gehouden. Dat was nog eens een leerzame ervaring. Ze begrepen me niet – het wilde er bij hen niet in dat een kleine blanke minderheid van zo'n honderdvijftigduizend man anderhalf miljoen zwarten onder de duim kon houden. 'Maar waarom zeggen ze dan niet dat ze weg moeten?' 'Waarom laten ze zich door de blanken commanderen?' 'U moet het nog eens uitleggen. Ik begrijp het niet.' Ik zei dat Zuid-Rhodesië fysiek veroverd was, met wapengeweld. 'Maar wij zouden toch nooit toestaan dat ze ons tot – wat zei u ook weer? – houthakkers en waterhalers maakten?' Nooit heb ik een publiek gehad dat zo verbijsterd was.

Ook werd ik door de IRA gevraagd om iets over de situatie in Rhodesië te komen vertellen. Zo'n vijftien toehoorders, schat ik, allemaal jonge mannen. Daar kwam ik erachter dat het heel gebruikelijk is dat IRA-leden gearresteerd werden zonder bevel, gevangengezet zonder berechting en in de cel bleven zonder vonnis, zonder hoop op vrijlating, afhankelijk van de grillen van de Engelsen. De oorlog tussen de IRA en de Engelsen had veel oudere wortels dan de meeste mensen nu veronderstellen.

De communisten van Kensington vroegen of ik op een bijeenkomst de partijlijn over literatuur uiteen wilde komen zetten. Maar ik was het niet met de partijlijn eens, dat was ik nooit geweest. Ik ging toch, deels uit nieuwsgierigheid (zoals altijd). Er werd voorgesteld om Graham Greene als reactionair aan de kaak te stellen. Ik bewonderde Graham Greene. Maar ik was uitstekend in staat om de partijlijn met betrekking tot literatuur toe te lichten. Waarom dééd ik dat? Ik geloof dat het de enige keer van mijn leven is geweest dat ik zoiets heb gedaan. Ik begon te stotteren. Ik stotterde nooit. Ik kon mijn praatje nauwelijks afmaken. Ik had mevrouw Sussman niet nodig om me uit te leggen dat dat kwam doordat ik niet geloofde in wat ik zei. 'Vind je het niet eens tijd worden om nee te leren zeggen?' vroeg ze.

Al die activiteiten gingen vergezeld van commentaar van mevrouw Sussman, Jack en ook nog mijn moeder, die over haar toeren was, verdrietig, bitter, een en al verwijt, en die er maar op bleef hameren dat ik aan de toekomst van mijn zoontje moest denken. Wanneer ging Jack eindelijk met me trouwen? Waarom gaf ik me met communisten af? Wie was die mevrouw Sussman eigenlijk? Waarom wilde ik wel naar een vreemde buitenlandse luisteren en niet naar haar?

In die tijd had je in de partij – tenminste in de kringen waarin ik verkeerde – een onderstroom van discussie over het nieuws uit de Sovjetunie en Oost-Europa. Daarmee bedoel ik niet het nieuws uit de krant, dat wij automatisch als leugens van de hand wezen, maar informatie van horen zeggen. We voerden die gesprekken met verbijsterde, bange stemmen – de arrestaties, de verdwijningen, de gevangenissen, de kampen, allemaal samengevat in 'jammer dat de revolutie niet in een ontwikkeld land heeft plaatsgevonden, dan was dat allemaal niet gebeurd'. De partij ontkende officieel dat er iets aan de hand was, ook toen er voortdurend partijleden, alleen of met z'n tweeën, of delegaties van de plaatselijke afdelingen, kwamen praten. 'Kapitalistische leugens.' Officieus was het een andere zaak. Je had toen de veelgebruikte uitdrukking '*knowing the score*' – zoiets als 'van de hoed en de rand weten'. Een bittere erkenning. Maar nog steeds niet de hele waarheid, verre van dat.

Met die uitdrukking 'knowing the score' gaf je aan tot de elite van politiek raffinement te behoren.

Er is veel gezegd over de financiële corruptie in de top van de communistische partij, maar volgens mij speelde het geld een ondergeschikte rol. Net als de rest van de partijleden gingen de bonzen er prat op dat het salaris van de partijfunctionarissen nooit hoger lag dan een gemiddeld arbeidersloon. Accepteerden ze dan misschien onderhandse donaties van de Sovjetunie? Niemand kon beweren dat ze in luxe leefden. Er was wel sprake van reisjes naar de Sovjetunie en andere communistische landen, maar die kon je toch nauwelijks als extraatjes beschouwen, meer als bezoekjes aan hun alma mater. Nee, macht, daar ging het om: macht is de verslaving, het lokmiddel. Vertrouwelijke informatie krijgen, invloedrijke personen die naar je luisteren, knowing the score. Ik ben ervan overtuigd dat er veel mensen communist zijn gebleven terwijl ze allang uit de partij hadden moeten stappen, alleen omdat ze bij die elite hoorden die het privilege bezat om op de hoogte te zijn. De wens om tot een elite te behoren is een van onze basisbehoeften. De aristocratie, de dictatuur van het proletariaat, de Garrick Club, geheime genootschappen – in principe is dat allemaal hetzelfde.

Rond die tijd maakte ik kennis met mijn tante Margaret, de vrouw van mijn moeders overleden broer, en haar zuster. Dat was de wereld van mijn moeder, weer zo'n elite, de hogere middenklasse, en dat was de wereld die ze bewonderde, en waarvan ik volgens haar ook deel moest uitmaken. Toch had ze haar schoonzus nooit gemogen. Ikzelf had geen afkeer van die twee conventioneel geklede dames met hun zorgvuldige hoedjes, hun handschoenen en hun vossenstola's. Het was meer een wereld die mij volkomen vreemd was. Van het geringste contact ermee kreeg ik het Spaans benauwd. Ik had het gevoel dat ik die wereld al jaren geleden de rug had toegekeerd, maar nu drong mijn moeder erop aan dat ik er mijn plaats zou innemen, mijn plaats tussen 'fatsoenlijke' mensen.

Ik heb geprobeerd om in contact te komen met oom Harry, de broer van mijn vader. Hij was na dertig jaar huwelijk weggegaan bij zijn vrouw Dolly en zei dat hij het in dat lege huwelijk alleen maar had volgehouden vanwege het kind en nu eindelijk zijn grote liefde had gevonden. Volgens de familie was dat 'een rooie slet'. Als 'fatsoenlijke' mensen het over een roodharige hebben, ligt het scheldwoord 'slet' altijd dreigend op de loer. Volgens hen was ze een barmeid. Dat was ze niet, maar een rooie slet van een barmeid was natuurlijk te verleidelijk. Mijn vader, die zijn broer nooit had gemogen, vond eindelijk iets wat hij kon bewonderen en had nog geprobeerd een goed woordje voor hem te doen, maar tevergeefs. Ik schreef oom Harry dat ik anders was dan de rest van de familie en vroeg of ik hem misschien kon ontmoeten. Hij schreef niet terug. Ik probeerde het opnieuw – nee. Zijn dochter Joan kwam me opzoeken en heeft een uur lang haar gal over hem gespuid. Ik heb nog wel gevraagd of hij tenminste niet wat lof verdiende dat hij het tientallen jaren omwille van haar had uitgehouden in een slecht huwelijk. Ik had geen behoefte om haar nogmaals te ontmoeten.

Ik ontmoette trouwens helemaal niet zo veel mensen; de meeste contacten had ik nog vanwege mijn zoontje. Dat geldt voor de meeste moeders met kleine kinderen.

De Bulgaarse ambassade bijvoorbeeld organiseerde één keer in de week een volksdansavond. Daar nam ik Peter dan mee naar toe. Veel ouders die geen communist waren, gingen er om hun kinderen heen.

In een tuin aan het kanaal dat als 'Little Venice' bekend staat en nu chic is maar toen armoedig en verwaarloosd was, werden *ceilidhs* gehouden, waar Ewan MacColl zong, en je had er het gebruikelijke vreemde ratjetoe van mensen dat je toen in culturele kringen van de communistische partij aantrof. Het huis was van Honor Tracy, een jonge vrouw uit de hogere kringen wier opvoeding haar voor een heel ander leven had voorbestemd, en haar echtgenoot Alex McCrindle, die Jock speelde in *Dick Barton, Special Agent*, een mateloos populaire radioserie. Je had er mensen uit de wereld van de radio, de muziek, de prille televisie, en uiteraard vrouwen met kinderen. De meesten waren communist, maar tien jaar later waren ze dat geen van allen meer, op Alex na. En Ewan MacColl, de communistische dichter-troubadour.

Ik vond het maar treurige bijeenkomsten, al die mensen die Schotse volksdansen deden, vaak nog in een koude druilregen ook.

Op Guy Fawkes-avond, en bij iedere andere gelegenheid die er een excuus voor bood, hadden we grote kampvuren op de platgebombardeerde stukken, en uit de hele buurt kwamen daar dan ouders met kinderen naar toe. In gedachten zette ik die avonden met hun gemoedelijke, amateuristische sfeer af tegen de grote Walpurgisnachtvuren die ik tussen de puinhopen in Hamburg had meegemaakt.

Ik kreeg uitgebreid de kans om kennis te nemen van de heroïsche wijze waarop Engelsen de kou trotseren. Basil Davidson* nodigde Peter en mij uit in zijn boerenhuisje in Essex, waar hij woonde met zijn vrouw Marion en drie kinderen. Het huis had één elektrisch kacheltje, met één verwarmingselement, en dat was vaak nog niet eens aan. Het was toch zomer? Dan had je geen verwarming nodig, vonden ze. Ik vond het om te besterven zo koud. We hulden ons in dikke truien en ik droeg ook nog een deken. Toen zeiden ze dat we nodig een frisse neus moesten halen; we stapten in de auto en reden naar een heuvel waar de wind mistroostig huilde. We moeten een beschut plekje zoeken, riepen ze. Zo gezegd, zo gedaan, een ondiepe kom, waar de wind evengoed gierde, en scherpe, stekende regendruppels in ons gezicht joeg. Daar kropen we bijeen om sand-

* Basil Davidson zou later bekend worden als expert op het gebied van Afrika en de Afrikaanse geschiedenis.

wiches te eten en thee te drinken uit een thermosfles. 'Krankjorum,' zei ik bij mezelf, 'krankjorum, die lui.' Inmiddels ben ik van gedachten veranderd, weerhoudt geen koude regen mij van wandelen en ben ikzelf net zo krankjorum.

In het weekend organiseerde de partij vaak protestmarsen, doorgaans naar Hyde Park of Trafalgar Square. Peter vond die marsen heerlijk. De meeste kinderen trouwens. Net een picknick, een familie-uitje, mensen die elkaar opbelden om af te spreken om van tevoren of na afloop naar de pub te gaan en onderweg partijzaken te bespreken. Ik vergeleek ze stiekem met de picknicks van de kerk vroeger. Die demonstraties, of ze nu groot- of kleinschalig waren, bekrachtigden onze saamhorigheid, ons gevoel van wij-die-gelijk-hebben tegen de rest van de wereld. En in die tijd van de Koude Oorlog scholden de mensen ons uit, bekogelden ze ons zelfs, wat onze gretig aanvaarde martelaarsrol nog versterkte. De organisatoren zeiden dan meestal dat er zus of zo veel honderden, of duizenden, of tienduizenden aan hadden deelgenomen en steevast stond er in de krant de helft van dat aantal, of nog minder. De waarheid lag ergens in het midden. Op een keer protesteerden we tegen de bezuinigingen op het onderwijsbudget, die bekend stonden als 'The Butler Cuts', en de kinderen die meeliepen zongen uit volle borst: 'Stop de Buttercups.' Het feit dat het gewoon plezierig is om in zo'n demonstratie mee te lopen, zingend en protesterend (en voor sommigen om de beest uit te hangen en met de politie te vechten) wordt zelden ingezien. Voor veel mensen vormden die marsen hun sociale leven.

Eigenlijk had ik maar weinig gelegenheid om mijn revolutionaire plicht te doen. Deels omdat ik met een klein kind nogal in mijn mogelijkheden beperkt was en deels omdat de partij van mij niet zoveel vergde: 'intellectuelen' stapten er toch vaak weer uit.

Op een keer ben ik wezen lobbyen in het parlement, en stond ik te wachten met een paar mijnwerkers die helemaal uit Wales waren gekomen om hun parlementslid te spreken, een ex-kompel met wie ze nog samen hadden gewerkt. Ze lieten zich bij hem aankondigen en wij wachtten. En wachtten. Steeds langer, urenlang. We werden vrienden. Ik vertelde ze wat ik gezien had in het mijnstadje bij Doncaster, maar ze zeiden dat hun omstandigheden veel slechter waren. Uiteindelijk stonden wij dan met ons drieën in die barokke hal, met zijn suppoosten, standbeelden, grandeur. De Welshman die met zijn oude vrienden, nu zijn kiezers, die hem in het parlement hadden gekregen, kwam praten, was welwillend en vriendelijk, met een tikje gêne. Hij vroeg naar echtgenoten en ouders. Hij zei dat hij misschien over een maand naar huis kwam. Nu had hij maar heel even de tijd, hij moest weer naar de Kamer. Ja, hij was het ermee eens dat de regeringspolitiek... En weg was hij. De suppoost gebaarde dat we weg moesten. We bleven nog even rond staan kijken. Toen zei de ene mijnwerker niet bitter, niet boos, maar met die dodelijke wat-kun-je-ook-anders-verwachten-intonatie: 'Nu ik dit gezien heb, begrijp ik wat er met ze gebeurt als ze hier terechtkomen. Niemand is hier tegen bestand' – en hij wees op de marmeren gangen. En de andere: 'Ik ga geen tijd en geld meer verknoeien om hier nog eens naar toe te gaan.'

In die tijd stuurde de Sovjetunie circussen, orkesten en dansers naar Londen. De Russische clowns waren fantastisch, wij hadden – en hebben – niets vergelijkbaars. Over de manier waarop ze met de dieren omsprongen zullen we het maar niet hebben. De orkesten, koren en dansgezelschappen hadden stuk voor stuk een koket soort grilligheid, een sentimentaliteit. Monsterlijke wreedheid produceert nu eenmaal kunst met dat soort eigenschappen. Wreedheid en sentiment zijn nauw verwant: wreedheid draagt vaak een onnozele glimlach. Jonathan Clowes heeft verteld dat hij eens in de bus een achtergelaten tijdschrift doorbladerde met afbeeldingen die hij voor sovjetkunst aanzag. Bij nader inzien bleken die heroïsche figuren bij een artikel over nazikunst te horen. Op een andere keer zat hij *The Daily Worker* te lezen, en zei de schilder David Blomberg, die ook altijd met bus 36 ging, dat hij Arthur Koestler maar eens moest lezen, vooral *Darkness at Noon* [vertaald als *Nacht in de middag*]. Dat heeft Jonathan ook gedaan, maar het was vooral die overeenkomst tussen sovjet- en nazikunst die voor hem de deur heeft dichtgedaan.

Een sovjetschone of heroïsche deerne leek als twee druppels water op een nazimeisje. De lege erotiek van een naakte jongeling die naar de toekomst schrijdt kon zowel communistisch als nazistisch zijn. Evenals de banale monterheid van heroïsche soldaten die stonden te popelen om hun leven te geven voor het vaderland. En de vruchtbare moeders met barstensvolle borsten. Zowel in de Sovjetunie als nazi-Duitsland was men gek op militaire parades met colonnes blakende, rondborstige *Mädchen* en *devoesjka's*, die allemaal stilletjes hunkerden naar een aai van Hitler of Stalin. Het ergste wat ik ooit op een podium heb gezien was een dikke, lelijke vrouw van rond de veertig in een kort, strak jurkje, met een kleinemeisjes-act, guitig, koket, plagerig, flirtziek, babywoordjes brabbelend. Dat was in een sovjetvariétévoorstelling. Alleen was het geen act, ze was écht zo, en juist door de kracht van dat onnatuurlijke gegeven, een vrouw van middelbare leeftijd als bevallig klein meisje, kon ze op het podium haar brood verdienen.

Als tegenwicht voor al die communistische propaganda nam mijn moeder Peter mee naar the Changing of the Guard, Royal Tournaments, de Tower, de Boat Race, en musea in South Kensington en dergelijke gezonde kost.

Op zaterdagochtend had je fantastische kinderconcerten in de Queen Elizabeth Hall, georganiseerd door Sir Robert Mayer. Peter en ik gingen er bijna iedere week heen en soms ging Joan ook mee. Meer dan eens speelden ze Benjamin Brittens *Let's Make an Opera*, voor kinderen. Een afgeladen zaal met kinderen uit, uiteraard, de middenklasse. Ach, beter een deel van de kinderen dan helemaal geen. Wat zouden de kinderen uit de arme buurten of – binnen niet al te lange tijd – uit de sociale woningbouw trouwens hebben aangemoeten met die verhalen die hun bakermat hebben in de Victoriaanse kinderkamer, met de kinderjuf, de bedienden en papa en mama?

Het liefst ging Peter naar het huis van Naomi Mitchison, in Schotland, waar we zo'n keer of vier gelogeerd hebben. Dat enorme huis aan de Mull of Kintyre had Naomi in de oorlog gekocht als toevluchtsoord voor de familie. Met Pasen en kerst en 's zomers zat het er stampvol. De zonen van Naomi waren artsen en wetenschappers, en hun vrouwen hadden allemaal hun eigen verdiensten. Iedereen nodigde vrienden uit. Van de fameuze kloof tussen kunst en wetenschap was hier geen sprake, want de vrienden van Naomi, schrijvers en journalisten uit Londen en Edinburgh kwamen er ook, evenals politici, omdat Dick Mitchison in de politiek zat. Naomi had toen al haar banden met Botswana, waar ze algauw Stammoeder werd, en dus had je er ook Afrikanen. De plaatselijke visserslui (Naomi had een vissersboot) en plaatselijke raadsleden gingen om met de gasten uit Londen. Naomi verdient als gastvrouw eigenlijk de hoogste lof want het was toch wel een opmerkelijke prestatie om zo veel verschillende soorten mensen bij elkaar te krijgen. Verder had je er vooral veel kinderen van alle leeftijden, want het was een vruchtbare clan. Tegenwoordig kom ik mensen van in de veertig, vijftig, tegen die zeggen dat de vakanties in Carradale House zo betoverend waren, de leukste tijd van hun jeugd. Dat kan ook niet anders. Dat enorme huis, vol kamers en hoekjes en torentjes; de zachte, milde lucht van West-Schotland, die plots kon gaan stormen, woeden en beuken en dan door al die schoorstenen huilde; de kilometers heide en velden rondom waar ze veilig en zonder toezicht konden rennen en spelen; de stranden en de golven van de Mull of Kintyre, een klein eindje verderop. Je had er soms wel dertig of veertig mensen, die ergens in het huis of in bijgebouwtjes werden ondergebracht. De sfeer was onstuimig, rumoerig, en niet alleen vanwege de kinderen. 's Avonds troffen verbijsterde vreemdelingen al die vooraanstaande lui aan in het vuur van hun spel, terwijl ze als kinderen moordenaartje of pandverbeuren deden. Dan speelden ze weer schaak of een luidruchtig spelletje scrabble. De stemmen klonken vaak luid en scherp. De dochters waren jaloers op Naomi, op die uitbundige, ongeremde, slimme moeder van ze, en deden kattig. Ik dacht: als jullie dan niet met je moeder op kunnen schieten, waarom vertrek je dan niet, zoals ik, in plaats van haar het leven zuur te maken terwijl jullie wel van alles profiteren? Maar ik maakte de geboorte van een nieuw tijdperk mee, waarin kinderen kritiek hebben, kattige krengen zijn – maar wel blijven.

'Ben ik echt zo erg als ze zeggen? Zeg eens, nee, eerlijk zeggen wat je vindt.'

'Natuurlijk niet, Naomi.'

'Als ik half zo erg ben als zij zeggen, moet ik wel een monster zijn.'

'Ach, laat ze toch. Het is het klassieke moeder-dochter gedoe. Dat heb je in alle gelukkige gezinnen.'

'Zoons gaat beter,' zei ze vaak. Maar ik denk dat ze naar een aardige, meegaande, vriendelijke dochter verlangde. Mij behandelde ze als zo'n dochter. Ze was hartelijk, gul, geïnteresseerd in wat ik deed, tuk op roddel van meiden onder elkaar – wat niet in mijn stijl lag – en vol goede raad, die ik aanhoorde met het geduld dat ik voor mijn moeder had moeten opbrengen. Ja, ik was me heus wel van de ironie van de situatie bewust.

Steun zocht ze bij haar zoons. Maar ze waren wel een echte clan, en als die van buitenaf bedreigd werd, vormden ze prompt een gesloten front. Op een keer was er ook een dochter van een vooraanstaande Amerikaanse geleerde, die verliefd was op een van de jongens Mitchison; ze was diep bedroefd en vaak in tranen, want de clan had besloten dat ze haar niet mochten. Sinds ik van school af was had ik niet meer zo'n wrede, kille manier van buitensluiten meegemaakt. Volgens mij gebeurde dit allemaal onbewust, zoals een inktvis wolken inkt verspreidt. Ik had nog nooit zo'n clan meegemaakt. Al die mensen afzonderlijk waren prima lui. Maar ik dankte God op m'n blote knieën dat ik niet uit zo'n groot gezin kwam.

Een voorval: Naomi had me gevraagd om een zekere weinig spraakzame wetenschapper mee uit wandelen te nemen. 'Zorg in godsnaam dat hij iets zegt – straks verschrompelt zijn tong nog.' Hij heette James Watson. Zo'n drie uur lang hebben we over de heuvels en door de hei gelopen, terwijl ik er maar op los babbelde, dochter van mijn moeder: je moet weten hoe je mensen op hun gemak moet stellen. Aan het eind van de wandeling, toen ik volkomen uitgeput alleen nog maar weg wilde, hoorde ik eindelijk menselijke spraak. 'Het probleem is eigenlijk dat er maar één ander mens is met wie ik kan praten.' Dat bracht ik aan Naomi over, en we kwamen gezamenlijk tot de conclusie dat het de meest aanstellerige opmerking was die we ooit hadden gehoord, zelfs van zo'n jonge man als hij. Niet veel later zou hij samen met Francis Crick de DNA-structuur blootleggen.

Voorval: Freddie Ayer, de filosoof, blijft een paar nachtjes logeren. Hij heeft zijn Amerikaanse vriendin meegenomen, met wie hij kort daarna zou trouwen. Ze verschijnt aan het ontbijt in een dieprode flanellen nachtjapon, afgezet met witte broderie anglaise. Die elegantie doet de rest van ons verbleken – wij zijn allemaal in degelijke lagen wol gehuld. In die tijd gaven de Verenigde Staten voortdurend op duizend-en-één manieren aanleiding tot jaloezie en wedijver.

De gesprekken die er gevoerd werden over politiek mochten dan fascinerend zijn, voor literatuur ging dat niet op.

'O, die stomme ouwe Dostojevski,' hoorde je dan. 'Die vervelende Tolstoj.' Er bestond maar één dichter: Auden. Yeats? Ach, die trut-Yeats. Hopkins? Wie is dat? Ik dacht dat dit weer een uiting van die bekrompen Britse cultuurbarbarij was die ik zo vaak tegenkwam, maar later begreep ik dat ik hier op een laag voorbije literaire cultuur stuitte, een soort bezinksel. Ergens in de jaren twintig of dertig waren ze overspoeld geweest door een bepaalde meningengolf, zodat ze nu nog steeds allemaal zeiden: de enige dichter is Auden; Eliot, Yeats, ach, wat moet je ermee.

Die cultuurbarbarij komt in Engeland veel voor en met name in Londen. Op dit moment is het favoriete tijdverdrijf bij etentjes trots een lijst van beroemde boeken opnoemen die je níet hebt gelezen en ook niet van plan bent te lezen. Een grote krant, *The Independent*, heeft een wekelijkse rubriek met de titel 'Alles wat u moet weten over de boeken die u ooit nog eens wilde lezen', waarin ze bijvoorbeeld een korte samenvatting geven van de plot van *Oorlog en vrede.* (Wat, u kunt toch wel tegen een grapje?) Je kunt je makkelijk het triomfantelijke lachje voorstellen van de man die die samenvattingen schrijft en zo een meesterwerk tot het niveau van een antwoord bij een schoolexamen reduceert.

Ergens in de jaren zeventig heb ik een humoristisch artikel voor *The Spectator* geschreven waarin ik citaten van Meredith (*The Ordeal of Richard Feverel*) en D. H. Lawrence (geloof ik) gebruikte om aan te tonen dat bepaalde hoogdravende passages zó uit een willekeurig populair liefdesromannetje afkomstig hadden kunnen zijn. Ze dachten dat het kleinerend bedoeld was en meteen stroomden de brieven binnen die andere grote namen zwartmaakten. Goethe? – zo Dúits! Cervantes – zo sáái (een favoriet etiket). Stendhal – niet om dóór te komen. De geringste aanleiding en daar heb je ze weer, de aasgieren die staan te popelen om de literatuur aan stukken te scheuren.

Rebecca West, een intelligente, erudiete vrouw, heeft gezegd dat de hele filosofieopvatting van Goethe neerkomt op: 'Wat is de natuur toch mooi.' Daar heb je hem weer, de oerkreet van de barbaar.

Kleine romans met een duidelijk, niet al te breed onderwerp, bij voorkeur over subtiele klassenverschillen of maatschappelijke codes, dáár houden de Britten – nee, de Engelsen – van.

Ik zei tegen Naomi dat zij en haar familie kennelijk een instinctieve voorkeur hadden voor wat tweederangs was – in de literatuur, bedoelde ik. Verbazend de grofheid die kolonialen en andere buiten de wet vallende soorten zich mogen permitteren: wij weten immers niet beter? Helaas is de dag gekomen waarop ik besefte dat ik het me niet langer permitteren kon: ik en mijn tong moesten het zwijgen leren verkiezen.

Waarom ging ik dan naar Carradale, als ik het er niet zo naar mijn zin had? Om mijn zoontje natuurlijk.

Waar ik een hekel aan had was aan de Mitchisons samen, als clan, niet aan ieder van hen afzonderlijk, want dat was heel anders. Ik ging weleens met Naomi lunchen op haar club aan Cavendish Square. Wat ik zo heerlijk aan haar vond was haar vitaliteit, de manier waarop ze uitbundig van het leven genoot, en dat ze niet het minste spoortje hypocrisie vertoonde als ze me het laatste nieuws over haar liefdesleven vertelde. Naomi was door haar vader, de bekende natuurwetenschapper John Haldane, naar de Dragon School in Oxford gestuurd. Dat was een jongensschool waar ze het enige meisje was. Volgens mij heeft dat het verloop van haar liefdesleven bepaald. Dat verrassende elementen bezat. Op haar zestiende, toen ze volgens eigen zeggen 'nog met lang los haar op school zat', hebben ze haar aan Dick Mitchison gekoppeld, een knappe, jonge soldaat die ze nauwelijks kende. Hun huwelijk leek mij het toppunt van gezond verstand en beschaafd gedrag. Zij had haar avontuurtjes, hij ten minste één langdurige relatie. Ze konden het uitstekend vinden samen. Veel mensen bekeken dat huwelijk met bewondering, en vooral jongeren vonden het prachtig. Ik herinner me nog een gesprek op Carradale tussen twee meisjes die allebei niets van trouwen wilden weten. 'Maar dit soort huwelijk is er altijd al geweest, er is niets nieuws aan.'

'Jawel, maar het is allemaal zo open. Geen gehuichel, geen gelieg.' Want jong als ze waren, vormden huichelarij en leugens voor hen het grootste kwaad van het volwassenenleven dat ze observeerden.

Van de mensen met wie ik naar de Sovjetunie was gegaan was Naomi degene met wie ik daarna nog het vaakst en het langst contact heb gehouden. Coppard en zijn vrouw heb ik ook nog een paar keer ontmoet. Hij voelde zich allengs minder thuis in een steeds jachtiger en commerciëler wordende wereld. Hij was een man voor het buitenleven, voor dorpjes, bossen, weilanden, lange wandelingen. Een verdwenen wereld... Douglas Young heb ik nooit meer gezien, maar Naomi hield me van zijn reilen en zeilen op de hoogte. Met Arnold Kettle ben ik af en toe nog wezen lunchen, maar die heeft zich nooit van de partij kunnen losrukken. Richard Mason ontmoette ik ook nog. Die woonde met zijn vrouw Felicity even verderop in Chelsea. Felicity was werkelijk een heel mooie vrouw, zoals het een muze past, want zij zag zichzelf als de inspirerende kracht achter het genie. Vóór Richard waren er al een paar geweest, maar zodra ze hem ontmoette, wist ze wat haar bestemming was, en de zijne, en dat liet ze hem weten. Ze besloot dat een rustig leven in een huisje in Chelsea precies was wat hij nodig had om scheppend werk te kunnen verrichten. Elke ochtend zorgde ze dat hij naar boven ging, terwijl zij telefoontjes, bezoek en allerlei andere uitingsvormen van het dagelijks leven voor hem opving. Dit is uiteraard waar veel schrijvers (onder wie ikzelf) die allerlei besognes aan hun hoofd hebben van dromen, maar voor Richard was het niet het ideaal. Ik was er op een avond, tegelijkertijd pijnlijk en heel grappig, samen met andere gasten die met spanning en medeleven toekeken hoe dit drama zich naar zijn einde spoedde, toen Richard tegen Felicity zei wat hij eigenlijk nodig had, waarop zij hem voorhield wat zij hem wilde geven. 'Ik wil naar een exotisch oord, en dan word ik daar verliefd op een bruin meisje. Ze moet arm of ziek zijn of zoiets. En dan schrijf ik mijn volgende boek.'

'Onzin schat, jij hebt rust nodig,' sprak onze blonde godin, energiek de kamer opruimend.

'Rust, ik word gek van rust,' zei hij. 'Felicity, ik houd dit niet meer uit.'

'Je hebt gewoon een *writer's block*, schat.'

'Ja, dat weet ik ook wel. Dat komt omdat ik niet tegen dit soort leven kan.'

Vaak hing hij boven uit het raam en keek verlangend naar het drukke straatleven, of hij sloop stiekem het huis uit als ze even niet oplette, voor een schuldbewust uurtje in de pub. Dat kon nooit zo doorgaan. Dat deed het ook niet. Hij vertrok naar Hongkong waar hij *The World of Suzie Wong* schreef, een instantbestseller over een meisje dat getroffen was door een tragisch noodlot, en wel op meerdere wijzen. Een daarvan was tuberculose, net als de romantische literaire personages uit het verleden. Felicity ging heel verstandig op zoek naar een andere schrijver die een muze kon gebruiken. Richard raakte, tijdelijk althans, verstrikt in de wereld van de film. Een van de verhalen die hij daarover vertelde was hoe hij en zijn regisseur op zoek gingen naar de volmaakte Suzie Wong, op Honoloeloe of een dergelijk romantisch eiland, om daar bij aankomst de hele bevolking aan te treffen, die ter verwelkoming van het schip keurig opgesteld en in Britse kostschoolstijl gekleed 'Onwards Christian Soldiers' ten gehore bracht.

Een paar jaar lang heb ik veel contact gehad met een jonge vrouw die een zoontje van Peters leeftijd had. We haalden de jongens iedere dag op dezelfde tijd uit school en om de uren tot bedtijd te vullen gingen we dan met z'n allen naar Kensington Gardens, waar we houten bootjes lieten varen of met z'n tweeën wandelden terwijl de jongens rondholden. We woonden allebei in een huis dat te klein was voor de tomeloze energie van zes- tot achtjarigen. Je had in Hyde Park toen schapen: het platteland in de stad.

Zij was een rustige, bedachtzame vrouw, en haar zoontje een wild, roodharig ventje, agressief en explosief – twee temperamenten die niet makkelijk samengingen. Ze had een baan waar ze om vier uur weg kon, en net als ik was ze altijd moe. Haar verhaal was toen uitzonderlijk, maar nu heel gewoon: ze was zwanger geraakt van een man die zei dat hij bij haar zou blijven maar er toch vandoor was gegaan. Kortom, een ongehuwde moeder. Toen ze zwanger bleek, weigerden haar ouders haar te helpen. Ze werd opgenomen door nonnen die zich aan dit soort filantropie wijdden en waar ze twaalf uur per dag moest wassen en schrobben, als een arm meisje uit Dickens op een harde brits in een koude kamer moest slapen en slecht te eten kreeg. Ze was er met een stuk of zes andere zwangere meisjes. Tijdens haar weeën kreeg ze te horen dat die pijn het gevolg was van haar zonde. Ze werden de hele dag uitgefoeterd: sletten, hoeren, duivelskinderen. Het was vlak na de oorlog. Ze moest er wel blijven omdat ze nergens heen kon. Ik was hevig verontwaardigd dat ze zo behandeld was. Ik geloof dat dat haar amuseerde; haar houding was meer van 'wat-had-je-anders-verwacht?' Maar als je neerleggen bij maatschappelijke misstanden een teken van volwassenheid is, hoe moet het dan met de vooruitgang? Een jaar of vijf later zou ze gered zijn door de verzorgingsstaat. Toch heeft het verhaal een gelukkig einde. De vader is teruggekomen en heeft zijn verantwoordelijkheid aanvaard. Het was geen makkelijke man om mee te leven, en ze heeft omwille van het kind veel geslikt. Ze hadden twee krappe kamertjes met weinig luxe.

Die slechte behandeling van zwangere meisjes en ongehuwde moeders is van alle tijden en alle culturen. In Engeland maken we er net weer een hausse van mee; die jonge vrouwen die toch al zo moeten ploeteren worden op alle terreinen beschimpt en vernederd; ditmaal worden ze uitgemaakt voor berekenende klaplopers die een slaatje willen slaan uit de sociale voorzieningen. En hun kinderen hebben natuurlijk nergens recht op en zijn niets waard, nee, hun moeder is fout geweest en daarvoor moeten zij ook maar boeten.

Toen ik in Richmond op bezoek ging bij mijn tante Daisy en haar zus Evelyn, betrad ik een wereld die zo hemelsbreed verschilde van het onstuimige rommel-maar-aan-leven van mijn meeste vrienden dat ik het als een uitstapje naar het verleden ervoer. Het was een ruim huis dat wel een verfje kon gebruiken, met een fantastische tuin, vol vogels. Oude huizen begroeten je met reserve, en houden je door discrete ramen in de gaten als je het pad oploopt; als je aanbelt, is het alsof de bewoners, sommigen reeds ontslapen, zich in slagorde opstellen om die indringer te pareren. Voor iemand als ik, die alles wat ik over Engeland wist uit talloze romans en toneelstukken had, wisselen de bewoners van een oud huis zinnen uit van dialogen uit romans waarvan ze misschien nooit hebben gehoord, laat staan dat ze ze hebben gelezen.

Ik had me er al op voorbereid dat ik een teleurstelling zou zijn. Tante Daisy was als mijn meter immers degene geweest die me als kind altijd die boekjes over Jezus en de apostelen had gestuurd, en nu kwam ik daar als atheïst en communist bij haar aanzetten.

Ik belde aan – de deurbel klonk heel hard. Was tante Daisy of tante Evelyn doof? Weer belde ik. Langzaam ging de deur open en daar stonden twee lachende, kleine oude vrouwtjes. Ze hadden elk hun zondagse zwarte jurk aan met een bloemetjesschort erover. Die schort betekende dat ze geen personeel hadden, en ik moest de roman van Patrick Hamilton, *Slaves of Solitude*, die zich in een dergelijk huis in dit deel van Londen afspeelde, meteen al ter zijde schuiven. Die ging namelijk over de middenklasse en haar bedienden. Ik had het boek als leidraad willen gebruiken. Ik kuste de twee perkamentachtige wangen die me werden aangeboden, eerst die van Daisy, toen die van Evelyn. Mijn zoontje hield zijn armpjes omhoog naar Daisy, maar ze was traag van ouderdom, dus stak hij dan maar zijn handje uit, maar hij werd door allebei warm geknuffeld. Ze stonden het gezonde knulletje met z'n tweeën te bewonderen, en tante Evelyn, die als zendelinge in Japan had gezeten zei: 'Wat hebben die Engelse jongetjes toch blozende wangetjes.' Peter keek vragend naar mij op: hij had gedacht dat hij niet Engels was, ten minste, daar was hij op school achter gekomen.

'Japanse jongetjes zullen wel geen roze wangetjes hebben,' zei Daisy tegen haar zus, waarop Evelyn antwoordde: 'Maar dat betekent niet dat ze minder gezond zijn dan Engelse kinderen.'

Het was halftwaalf en in de woonkamer stond een theewagentje met scones en jam en twee soorten thee klaar. De schorten gingen af, met een verontschuldigend: 'Het spijt me dat we ons tegenwoordig geen echt dienstmeisje meer kunnen veroorloven. Eén keer in de week komt er een vrouw schoonmaken dus is alles een beetje verwaarloosd.'

Niets zag er verwaarloosd uit. De kamer stond vol Victoriaans meubilair. Het was gekocht toen tante Daisy jong was, en was toen het enige wat er in de meubelwinkels voorradig was, maar nu waren het antieke spullen, al waren ze niets waard omdat ze zo uit de mode waren. Peter zat een beetje te draaien en probeerde zich netjes te gedragen, waarop tante Daisy zei: 'Misschien wil hij wel de tuin in? Ik ben alleen bang dat we geen stekelvarkens, leeuwen of olifanten hebben.' Peter ging naar buiten en we konden hem door het raam tussen de struiken zien hobbelen met de tobberige blik die kinderen krijgen als ze weten dat ze nog lange, vervelende uren van onbegrijpelijke volwassenenpraat voor de boeg hebben.

Ondertussen probeerde ik, terwijl ik met tante Daisy bleef babbelen, want tante Evelyn had haar schort weer aangedaan en was naar de keuken vertrokken, in dit breekbare oude dametje de Daisy Lane te zien over wie ik zoveel wist. Ze was leerlingverpleegster geweest in het oude Royal Free toen mijn moeder er hoofdzuster was, een tiran met een hart van goud. Toen Daisy op haar beurt hoofdzuster werd, even hoog in die van jaloezie doortrokken hiërarchie als mijn moeder, werden de beide vrouwen dikke vriendinnen, en dat zijn ze gebleven; en zo schreef mijn moeder haar lange wekelijkse brieven aan Daisy, vele kantjes blauw Croxley postpapier vol, met P. S.-en en P. P. S.-en en soms ook nog op Victoriaanse wijze met verticale regels ertussendoor, iets wat toen uit zuinigheid gedaan werd, maar op de boerderij was het een kwestie van de voorraad postpapier die op was en pas aangevuld kon worden als je naar de winkel twaalf kilometer verderop ging. Daisy Lane was voor mijn moeder het Engeland waaruit ze verbannen was, en de brieven vormden een kroniek van haar ballingschap, die Daisy, die inmiddels verpleegsters examens afnam, regelmatig beantwoordde, zij het met kortere brieven. 'Het spijt me dat mijn nieuws niet zo opwindend is als dat van jou, lieverd, ik kan je nu eenmaal niet vergasten op verhalen over slangen en bosbranden.' Ze schreef ook aan mij, heel gewetensvol, als ze haar vrome boeken stuurde; ze schreef niet alleen over Jezus, maar ook over het leven van haar zus bij de zending in Japan.

'Maar jij weet waarschijnlijk meer van zendelingen dan ik,' schreef ze dan. 'Ik weet dat onze kerk een zendingspost in Kampala steunt.'

Zij wist in ieder geval meer over wat mijn moeder voelde en dacht dan ik ooit te weten zou komen. Toen mijn moeder na al die jaren en de honderden brieven naar Engeland kwam, heeft ze hier in dit huis een week bij haar oude vriendin gelogeerd. Een Londens huis, daar had ze van gedroomd, maar vast niet van zo'n te groot huis dat bij gebrek aan personeel langzaam maar zeker in verval raakte, en met alleen die twee oude vrouwen die al heel lang niet meer buitenshuis werkten en hun dagen vulden met koken en huishouden. Ik had wel willen weten hoe die logeerpartij was verlopen, maar heb het nooit gevraagd, want het zal wel niet best geweest zijn. Allereerst konden mijn moeder en Evelyn niet met elkaar overweg. 'Maud heeft nooit een blad voor haar mond genomen,' zei Daisy zachtmoedig, maar met een nerveuze blik op haar zus.

En meer ben ik nooit te weten gekomen over die week, die week van anticlimax, toen mijn moeder en haar beste vriendin elkaar in Richmond eindelijk terugzagen.

Toen we er een uurtje waren, werd er op een zilveren dienblad sherry geserveerd, met kaakjes erbij. 'Denk je dat Peter een glaasje melk wil?' vroeg Daisy.

'Misschien wil hij wel een beetje sherry,' opperde Evelyn.

'Doe niet zo raar,' zei Daisy. Het kind lag op zijn buik op het verwaarloosde gazon, zijn hoofd op een arm, met een takje naar iets te prikken.

'Nee,' zei Evelyn vastberaden. 'Je moet slapende honden en tevreden kinderen niet storen.'

We dronken zoete, stroperige sherry en tante Daisy vroeg plichtsgetrouw naar het religieuze welzijn van Peter. 'Dan ga ik maar de lunch klaarmaken,' zei Evelyn, 'terwijl jullie tweeën zijn geestelijk leven regelen.'

'Evelyn heeft in Japan heel onorthodoxe ideeën opgedaan,' zei Daisy. 'Ik weet echt niet wat onze dominee zou zeggen als hij ervan hoorde. Maar laten we het over Peter hebben. Ik heb van Maud begrepen dat je hem niet hebt laten dopen?'

'Dat heeft zij laten doen.'

Ze zuchtte. Ze was van streek. Ze dwong zichzelf mij aan te kijken, mij, de onbuigzame, en gesteund door haar jarenlange toewijding als peettante aan mij – waar ik nu dankbaar voor ben – zei ze: 'Maar dan heeft hij geen peter en meter.'

Ik zei: 'Maar tante Daisy, u weet toch dat mensen die geen peetoom of peettante zijn zich evengoed op verantwoorde wijze het lot van kinderen kunnen aantrekken? Daar hoef je toch niet godsdienstig voor te zijn.'

'Maar kindje, hoe zit het dan met zijn plicht jegens God, wie moet hem dat vertellen?'

Zo sleepte dat gesprek op dubbel spoor zich moeizaam voort, en toen was het tijd voor de lunch.

Roastbeef op een enorme porseleinen schaal met een gootje erin om het gezonde vleesnat op te vangen, dat over de groente van Peter werd geschept 'om groot en sterk van te worden'. Gepofte aardappel, bloemkool met een papje, worteltjes met een papje. Het vlees was heerlijk. Net als de toetjes, niervetpudding met stroop en jamtaartjes. Crackers met kaas. De oude dametjes konden niet veel op, en het grootste deel van het eten ging weer terug naar de keuken, en zou vast de komende dagen worden opgemaakt. We hadden allemaal slaap na de sherry en dat machtige eten, maar er moest koffie worden gedronken, grauwe, slappe koffie, en zo zaten we dan in de woonkamer in die lastige toestand waarin je alleen maar wilt slapen terwijl dat niet kan. Tante Evelyn vertelde over de Japanse kijk op Jezus, heel anders dan de onze, zei ze, en ze zong 'Vaste rots van mijn behoud' in het Japans, waarbij ze met een theelepeltje de maat sloeg. Net tante Betty al die jaren geleden in Teheran, al had die in het Chinees gezongen.

Tante Daisy zei dat ze van jongere collega's die nog niet met pensioen waren had gehoord dat de verpleegsters niet meer waren wat ze geweest waren. 'Niemand wil tegenwoordig nog aan de slag om het werk zelf,' zei ze. 'En dan die moderne meisjes – die willen geen huishoudelijk werk meer doen.'

'Nee,' zei Evelyn, 'ze gaan liever de fabriek in. Met een beetje gezond verstand ga je toch niet zo'n akelige fabriek in als je in een fatsoenlijk huis als dit kunt werken?' Eventjes kwam alsnog de geest van Patrick Hamilton langszweven.

Om vier uur werd het theewagentje weer binnengereden. De tantes trokken eerst hun schort aan om alles klaar te maken en trokken hem toen weer uit om alles op te eten. Bovenop stonden scones, boter, jam, *crumpets*, honing uit de raat, cakejes, verschillende soorten koekjes, en onderop stonden twee grote taarten, een van biscuitgebak met vruchten en slagroom en een vruchtentaart. Dit was het echte werk! Lunchen, ja dat hadden ze ook wel gedaan, omdat de lunch en zeker de zondagse lunch nu eenmaal zo hoorde, maar dit vonden ze pas echt lekker. De *tea* was duidelijk de hoofdmaaltijd van de dag; ze aten naar hartelust, drongen er almaar bij Peter en mij op aan om nog wat te nemen en dronken eindeloos kopjes thee, Earl Grey voor Daisy en Ceylon voor Evelyn, toe, neem toch nog een stukje; toen gingen de schorten weer aan voor de afwas en was het vijf uur en konden we weg. Toen Peter en ik naar de bushalte liepen, zwaaiden ze gedag, en nog een keer, en daarna hoorde ik Evelyn zeggen: 'Daisy, als jij nu even lekker gaat zitten, ga ik voor het avondeten zorgen.'

'Moeten we er later nog een keer naar toe?' vroeg Peter.

Hem meenemen naar de tantes was voor mij een poging geweest om nog een laatste restje familiegevoel overeind te houden. Maar nu was het achter de rug en nee, hij hoefde er niet nog een keer naar toe.

Ze zijn naar Salisbury (Salisbury in Engeland) verhuisd, en daar ben ik ze nog een keer gaan opzoeken. Een oud huisje met een tuin vol bijen, vogels en vlinders. Ze doodden de tijd met bloemen schikken voor de kathedraal, en hielden ijverig hun middenklasseleven in stand, de hele dag eten, en liefdadigheid, want ze gingen bij de armen op bezoek, met opbeurende woorden en kleine gaven: zelfgemaakte cake en desserts. En toen zei tante Daisy dat ze naar Londen kwam, een dagje bij mij op bezoek. Ik kon niet van haar vergen dat ze die steile trappen opklom, dus nam ik haar mee uit lunchen, alleen viel het soort restaurant waar zij aan gewend was, met fatsoenlijk Engels eten, nu moeilijk te vinden. In de provinciesteden van het land had je ze nog wel, maar in Londen niet meer. Ik nam haar mee naar het dakterras van Derry & Tom. Later zijn we gaan teaen. En toen vroeg tante Daisy mij onverwachts of ik haar wilde helpen om in een goed bejaardenhuis te komen. Dit overviel me zo, en ik was zo verbijsterd dat ik geen woord kon uitbrengen. Herinneringen als deze zijn echt nuttig, want als je ouder bent en van alles aankunt en van alles weet, vergeet je makkelijk dat dat niet altijd zo geweest is. Als iemand me nu zou vragen of ik voor een plaats in een bejaardenhuis kon zorgen, zou ik weten hoe ik dat moest aanpakken, maar toen had ze me net zo goed kunnen vragen om haar in een kruiwagen van Land's End naar John o' Groats te duwen. Ik bevond me nog steeds aan de rand van het leven in Londen, klemde me er net met mijn vingertoppen aan vast – zo voelde dat tenminste. Ik werd overvallen door een diepe wanhoop, een vermoeidheid, en die vermoeidheid was mijn vijand, want hoe vaak in mijn leven had ik al niet gedaan wat ik eigenlijk wel had willen doen? Hoe was het mogelijk dat tante Daisy, die me al vanaf mijn geboorte kende, niet inzag dat ze te veel van me vroeg? Bovendien, hoe was het mogelijk dat deze vrouw, die bijna haar hele leven in Londen had gewoond, en het grootste deel daarvan in wat we nu 'de zorgsector' noemen had gewerkt, hiervoor hulp nodig had van mij? En hoe zat het dan met Evelyn? Wilden ze hun oude dag dan niet samen doorbrengen?

Want ik deelde toen de gangbare – de luie – opvatting: 'Die twee oude dametjes vinden het vast wel leuk om samen te wonen.' (En om voor elkaar te zorgen, zodat ik het niet hoef te doen.) Maar misschien kunnen ze wel niet met elkaar opschieten! Misschien was het wel zo dat Daisy en Evelyn, de zussen die elkaar zo weinig hadden meegemaakt (de een had immers haar hele volwassen leven in Japan doorgebracht) elkaar niet eens mochten.

Daar zat ik dan met mijn mond vol tanden, in het besef dat ik als vervanging voor mijn efficiënte, energieke moeder, Maud McVeagh, gezien werd; ik bedacht dat met dit verzoek de kern van de relatie tussen de beide vrouwen was blootgelegd. Mijn moeder was de dominante, de competente van de twee geweest, maar ze zat weer in Rhodesië; gelukkig had je hier haar dochter, het petekind, nog een succesvol schrijfster ook, en die zou het vast wel net zo goed regelen als Maud.

Eindelijk zei ik nee, of eigenlijk gooide ik het eruit, met verbijstering in mijn stem (die uitdrukte: hoe kunt u zoiets van me verlangen terwijl ik toch al zo veel hooi op m'n vork heb): 'Het spijt me, tante Daisy. Dat kan ik niet. Ik zou niet weten hoe ik dat moest aanpakken.'

Niet veel later schreef ze dat ze naar bejaardenhuis zus en zo ging; wat er met Evelyn is gebeurd, weet ik niet. Ik heb ze geen van beiden teruggezien, al stuurde tante Daisy me kerstcadeautjes, net als toen ik klein was, cheques met kleine bedragen, of een linnen zakdoek met een gedroogde bloem erin. Ik stuurde haar dozen chocola, en mijn boeken als die uitkwamen.

Veel later, jaren later, drong het tot me door dat tante Daisy me op deze indirecte manier had gevraagd of ze bij me mocht komen wonen. Toentertijd was het niet in mijn hoofd opgekomen dat ze haar leven zou willen delen met die losbandige, atheïstische rooie. Ze kon al die jaren weinig goeds over me gehoord hebben. De brieven die mijn moeder aan haar schreef, moeten week in week uit hebben volgestaan met klaagzangen over haar vreselijke dochter. 'Alles wat je doet is *met opzet* bedoeld om je vader en mij zoveel mogelijk pijn te doen.' Maar als het níet de bedoeling van tante Daisy was om bij me te komen wonen, waar ging het dan wel om? Ik pieker hier nog steeds weleens over; er ligt hier iets ongrijpbaars, iets pijnlijks en onmogelijks, misschien het verhaal van twee zussen die totaal verschillend waren, elk hun eigen leven hadden geleid maar van wie op hun oude dag werd verwacht dat ze zouden gaan samenwonen om hun magere pensioentjes te delen.

Jongeren van nu kunnen zich moeilijk voorstellen wat een arm land dit na de oorlog was. Tussen toen en nu liggen decennia van geld dat voor het grijpen lag, van dingen die in snel tempo beter werden, 'welvaart'. Zelfs arme mensen hebben het nu beter dan veel mensen uit de middenklasse toen. Bijna niemand had centrale verwarming: ze lachten ons in de rest van Europa uit om die houding van ons, want ergens in een hoekje van onze puriteinse nationale ziel leeft nog steeds het gevoel dat je jezelf met warmte en behaaglijkheid te veel verwent. We hadden gashaarden of elektrische kacheltjes waarvoor je munten in de meter moest stoppen. Dat betekende dat de mensen uit hun werk in een steenkoud huis kwamen. Koelkasten waren eigenlijk nog maar net gemeengoed. Ik had een provisiekastje aan de muur, en kocht vlees en melk vlak voor gebruik. De meeste vloeren bestonden uit gebeitste of geverfde planken met kleden of matten erop: vaste vloerbedekking was nog lang niet de norm. Je kwam bijvoorbeeld in huizen of appartementen vol mooi, oud, degelijk meubilair, maar daar was dan bijvoorbeeld geen verwarming of koelkast, de keuken was nog ingericht met een stenen gootsteentje en houten afdruipplaten en onder de prachtigste tapijten rilden kille vloeren. Veel meubelen waren nog sober en praktisch ('Utility') vanwege de oorlog. In de oorlog kon je als je nieuwe spullen nodig had alleen Utility-meubilair en Utility-kleding aanschaffen, en die waren kennelijk ontworpen om te bewijzen dat iets nuttigs lelijk moest zijn.

Als je doorsneejongeren van nu in een gewoon huis van toen (begin en midden jaren vijftig) zou kunnen zetten, zouden ze – ja, wat? – gêne voelen, waarschijnlijk. Nog te kort geleden om erom te kunnen lachen; het is de wereld van hun grootouders, een soort kale, kille zuinigheid in alles.

Geen van de schrijvers of kunstenaars die ik kende had geld. Er heeft een mentaliteitsverandering plaatsgevonden; jonge schrijvers van nu vragen overdreven voorschotten en tobben over zekerheid. Wij zouden ons hebben geschaamd als we ons zorgen hadden gemaakt over onze eigen toekomst, dat was burgerlijk. Waarschijnlijk had de oorlog het geloof in vastigheid kapotgemaakt. Het was geen schande om geen geld te hebben of armoedig te leven: die dingen deden er gewoon niet toe. Wat mezelf betreft, kan ik zeggen dat ik me enerzijds over geld geen zorgen maakte, omdat ik wist dat alles uiteindelijk goed zou komen, en dat ik me er anderzijds altijd zorgen over maakte – op korte termijn; het is allebei even waar. Mijn fundamentele optimisme, wat volgens mij iets is van je zenuwstelsel, het lichamelijke (aanleg, temperament), was precies wat ik in die situatie nodig had. Ik verwachtte niet dat ik rijk zou worden, want daar ging het niet om; ik wist gewoon dat ik deed wat ik moest doen, namelijk schrijven. En dat betekende dat ik mijn middelen zo moest aanwenden dat mijn tijd niet door overbodigheden werd opgeslokt, dat mijn energie niet verkeerd besteed werd. Dat is gemakkelijk gezegd, gemakkelijk opgeschreven, maar het is wel het wezen, de kern van de taak die je als schrijver hebt. Als we erop uit trekken, en tijdelijk veranderen in sprekers die op podia staan te oreren, vragen ze ons altijd: gebruikt u een tekstverwerker, een pen, een schrijfmachine? Schrijft u iedere dag? Hoe ziet uw dagindeling eruit? Die vragen tasten instinctief naar het cruciale punt, namelijk: hoe gebruikt u uw energie? Wij hebben allemaal een beperkte hoeveelheid energie, en ik weet zeker dat mensen die succes hebben, instinctief of bewust geleerd hebben om hun energie goed te gebruiken in plaats van die te verkwisten. En voor ieder individu, schrijver of niet, ligt dat weer anders. Ik ken schrijvers die iedere avond uitgaan om daarna vrolijk de hele dag te schrijven, bijgetankt in plaats van uitgeput. Maar als ik de halve nacht blijf zitten praten, presteer ik de dag daarop weinig. Sommige schrijvers gaan graag 's ochtends zo vroeg mogelijk aan het werk, terwijl anderen de voorkeur geven aan de avond of – iets wat voor mij vrijwel onmogelijk was – de middag. Vallen en opstaan, en als je dan weet wat jouw behoefte is, wat je in gang houdt, wat jouw instinctieve ritme en beste dagindeling is, koester dat dan.

Nu ik terugkijk, ben ik eigenlijk verbaasd en onder de indruk dat ik zo goed het evenwicht wist te vinden tussen mijn taken, waarvan het kind uiteraard de belangrijkste was. Intens en geconcentreerd werken zodra het even kon, en altijd de energievreters goed in de gaten houden.

De eerste roman, *Het zingende gras*, had het in Engeland, Amerika en Europa goed gedaan voor een debuut, had veel recensies gehad en was herdrukt. Maar er zijn maar weinig serieuze boeken waar je als schrijver rijk van wordt. Mijn tweede boek, *This Was The Old Chief's Country*, had goede kritieken gekregen, werd (voor korte verhalen) goed verkocht, en afzonderlijke verhalen uit de bundel werden opgenomen in bloemlezingen of vertaald. *Martha Quest* en *Een goed huwelijk* werden redelijk goed verkocht en ook uitgegeven in andere Europese landen en Amerika, maar waren niet uit bestsellershout gesneden. Al mijn boeken blijven verkopen, gestaag, en zijn allemaal nog verkrijgbaar, maar pas in de jaren zeventig ben ik veel geld gaan verdienen met voorschotten. In 1958 had ik uitgerekend dat ik gemiddeld twintig pond per week verdiende, het loon van een arbeider.

Als alle schrijvers moest ik het zien te redden van cheque tot cheque. Joan vond het niet erg als ik twee of drie weken achter was met mijn wekelijkse huur. Eén keer was de achterstand tot vijf weken opgelopen en was ik ziek van de zorgen, want zij had het zelf ook niet breed. Dit soort kleine, scherpe herinneringen corrigeert generalisaties als: 'Ik heb het nooit erg gevonden om geen geld te hebben', iets wat ik inderdaad een tijdje heb geroepen. Er zijn wel degelijk momenten geweest waarop ik het me aantrok. Op een keer liep ik nadat ik Peter naar school had gebracht in Church Street te huilen omdat ik geen geld had om eten te kopen. Een man die dat zag, haastte zich naar me toe en vroeg waarom ik huilde. Ik heb geen geld, zei ik. Ach, kop op, zei hij, volgende week om deze tijd heb je het weer wel, waar of niet? Dat was inderdaad waar, want er kwam altijd wel weer ergens geld vandaan, dus was ik weer opgevrolijkt. Ik ben de sieraden van mijn moeder gaan verkopen. Dat ze me haar zware, gouden ketting, haar gouden broche, haar gouden armbanden en een paar Victoriaanse bijous had gegeven was een ritueel: moeders geven hun waardevolle sieraden door aan hun dochters. Ik wilde ze niet hebben, zei dat ze ze zelf moest houden, maar ze stond erop. Toen ik ze naar de juwelier bracht, vroeg ik er gewoon om om opgelicht, beduveld te worden, zo neerslachtig was ik toen. De sieraden waren ouderwets. Ik weet nog dat ik daar zelfs verontschuldigend op gewezen heb. Ik kreeg nog geen dertig shilling voor iets wat tien jaar later, toen Victoriaanse spullen in de mode raakten, honderden ponden waard zou worden. Zo had ik ook een Victoriaanse naaitafel, van mijn tante Daisy. Beeldschoon, vol kleine laatjes en vakjes met sierzaagwerk, speldenkussens –

een juweel was het. Beneden was een antiekwinkel. Ik smeekte ze de tafel te kopen. Ze weigerden, zeiden dat er geen vraag naar was. Later is hij veel waard geworden.

De wisselvalligheden van een schrijversleven maken de belastingaanslagen er niet simpeler op. In een bepaald jaar had ik geen geld voor de belastingen. Het jaar daarvoor had ik goed verdiend. De man van de inkomstenbelasting kwam bij me op bezoek en toonde begrip, maar betalen moest ik. Hoe dan? Dat weet ik niet meer. Ik heb waarschijnlijk gevraagd of ik boeken mocht recenseren. Ik geloof niet dat er toen een uitkering bestond voor vrouwen in mijn positie – een kind, en geen alimentatie van de vader. En als dat al zo geweest was, was ik toch te trots geweest om die aan te nemen.

Voor het geval de vraag rijst: maar je had toch een minnaar, waarom hielp die dan niet? Ik heb Jack nooit voor iets laten opdraaien, heb altijd mijn eigen deel betaald. Dat was een principekwestie. Bovendien moest hij vrouw en kinderen onderhouden. En toch, al had ik het dan arm, ik kan me niet herinneren dat ik me ooit echt iets hebben moeten ontzeggen of dat ik hunkerde naar iets wat ik me niet veroorloven kon.

En we aten prima. Joan en ik kookten allebei heerlijke maaltijden waarvoor we elkaar uitnodigden. Ik heb uitstekend gebruikgemaakt van die toevlucht in barre tijden, de pruttelpot, waar je steeds iets aan toevoegde en die er in de loop der dagen alleen maar beter op werd.

Soms moet ik toch weleens wanhopig zijn geweest, want ik heb ooit naar een secretaressebaantje in Mayfair gesolliciteerd. Zeven pond per week. Ik zei tegen de baas dat je daar niet van kon leven, waarop hij verontschuldigend reageerde: 'Het spijt me, we verwachten nu eenmaal dat jullie nog bij je ouders wonen.'

Ik stuurde korte verhalen naar *The New Yorker*, en verkocht er twee die allebei niet tot mijn beste behoorden. Nadine Gordimer had een kort verhaal geplaatst gekregen en had gezegd dat ze mij in de gaten moesten houden. (We hadden toen nog niet met elkaar kennisgemaakt.) Toen stuurde ik ze een stapel verhalen die ze net hadden teruggestuurd en daar namen ze er alsnog een van.

Rond die tijd ging Stalin dood, en schreef ik een verhaaltje met de titel: *The Day Stalin Died.* King Street, zo is me verteld, kon er niet om lachen.

Isak Dinesen werkte in Denemarken voor de radio, en zij kocht ook een paar korte verhalen.

Veel recensies schreef ik niet. Het is moeilijk werk, voor heel weinig geld – dat wil zeggen, als je die boeken echt leest en erover nadenkt, iets wat bij recensenten niet altijd vanzelf spreekt.

Er deed zich nog zo'n valse start voor toen ik erin toestemde om secretaresse te worden van Donald Stewart. Dat was een van de schrijvers die vanwege McCarthy uit de Verenigde Staten waren weggegaan. Hij was toen een bekend toneel- en scenarioschrijver. *The Philadelphia Story* was van zijn hand. Hij was getrouwd met Ella Winters; zij was een van de bekende linkse journalisten geweest die in de Sovjetunie de toekomst hadden zien werken.* Ze waren allebei nog fel pro-sovjet. Ze hadden een appartement aan Finchley Road. Van al mijn pogingen om mezelf van een vast inkomen te voorzien was dit wel de stomste. Hij betaalde me zeven pond per week, het minimum. Het was bijna een uur met de bus van Church Street in Kensington naar Finchley Road. Don werkte heel langzaam. Hij liep rond of staarde uit het raam terwijl ik zat te wachten om het resultaat van die langdurige denkprocessen op te schrijven. En dan klonk het: 'Maar het duurt drie kwartier om bij het vliegveld La Guardia te komen.' Werden succesvolle toneelstukken zó geschreven? Ik werd gek van verveling. Ondertussen liep Ella telkens in en uit, tot ze eindelijk zei dat ik net zo goed voor haar boodschappen kon gaan doen als ik toch niets te doen had. Het komt vaker voor dat man en vrouw om een werknemer concurreren. Ik heb het daar ongeveer drie weken uitgehouden en we zijn in goede verstandhouding uit elkaar gegaan. Toen bedacht ik dat ik voor een van de soaphoorspelen op de radio kon proberen te schrijven, *Mrs Dale's Diary*, en ik bood ze een aflevering aan, maar die vonden ze te extreem. Het ging over een criminele jongere, een onderwerp dat binnen korte tijd in zo veel doorsneehoorspelen en radioseries een rol zou spelen. Daarop kwam ik tot de slotsom dat al die pogingen om geld te verdienen met andere dingen dan serieus schrijven een vergissing geweest waren.

Mijn steun en toeverlaat was Juliet O'Hea. Het was een opmerkelijke vrouw en het bijzondere was dat ze zulke uiteenlopende mensen vertegenwoordigde. Ze was rooms-katholiek en lid van de conservatieve partij. Ze had minstens drie communisten onder haar hoede, onder wie mijzelf, en had een hartgrondige afkeer van het communisme. Ze werkte met serieuze schrijvers maar ook met schrijvers van lichte kost en avonturenromans. Ze behandelde elk van ons naar onze eigen waarde en verdienste, was rechtvaardig, hartelijk, en een goede vriendin. Ik kan me niet herinneren dat ze me ooit slecht advies heeft gegeven. Sinds die tijd is de uitgeverswereld in een staat van grote beroering geraakt en totaal veranderd, en tijdens dat hele proces ben ik steeds gesteund door uitstekende agenten, eerst Juliet O'Hea en toen Jonathan Clowes, die nog steeds mijn agent is, en een goede vriend.

Mijn sociale leven veranderde ook, want een tijd lang heb ik deel uitgemaakt van een groep Canadese en Amerikaanse schrijvers. De meesten zaten in Londen omdat ze verjaagd waren door McCarthy. Reuben Ship had *The Investigator* gemaakt, een grammofoonplaat vol spot op McCarthy. Niemand had die man ooit durven uitlachen, en het gelach dat toen door die plaat overal door de Verenigde Staten golfde heeft waarschijnlijk zijn val ingeluid, of er in ieder geval toe bijgedragen. Niemand herinnert zich *The Investigator* nog. Het hoogtepunt was het moment waarop de duivel aan sollicitanten voor de hemel plaatsen in de hel

* 'Ik heb de toekomst gezien en die werkt' was een uitspraak van Lincoln Steffens, een Amerikaanse journalist die in de jaren dertig verliefd was op de Sovjetunie.

toewijst. Reuben had in Hollywood gewerkt, en werd geboeid naar het vliegtuig afgevoerd omdat hij zo gevaarlijk was, iets wat diepe indruk maakte op zijn familieleden, volgens Reuben stuk voor stuk beroepsmisdadigers die op hem neerkeken omdat hij fatsoenlijk was gebleven en voor zo'n weinig lucratieve loopbaan als schrijver had gekozen. Maar die boeien hadden hem weer in de gunst gebracht. Of dat verhaal waar was? Ach, Reuben was onweerstaanbaar grappig en wie maakt zich druk om details als je zo moet lachen? Geen loot van een oude familie heeft ooit zijn voorvaderen beter benut dan Reuben zijn criminele voorgeslacht, maffiabaas incluis.

Ted Allan had ook in Hollywood gewerkt. Hij wilde het beste toneelstuk, of de beste roman aller tijden schrijven, iets wat toen de stijl was van de schrijvers van de overkant van de Atlantische Oceaan. Hij heeft inderdaad een aantal goede dingen geschreven, maar zijn ware talent lag ongetwijfeld in het gesproken woord: wat een rasverteller. Hij nam voorvallen uit zijn leven en blies die op tot reusachtige, hilarische proporties.

Sommige leden van de groep waren uit Canada vertrokken omdat het toen erg moeilijk was daar als schrijver je brood te verdienen.

Stanley Mann schreef filmscenario's.

Mordecai Richler was de jongste van de groep. In die tijd wierpen honderdduizenden – miljoenen? – jonge mannen over de hele wereld zich op als adept van James Dean, die trouwens een hoogst onaangenaam karakter blijkt te hebben gehad. Maar wat maakt dat uit? Hoeveel miljoenen communisten hadden niet gezworen om Stalin en andere wrede tirannen waardig te zijn? En terwijl ze hun (vermeende) grote ideaal probeerden te evenaren, verwierven ze in ieder geval allerlei deugden. De beminnelijk bescheiden (niet geveinsd) Mordecai stond vaak met zijn rug tegen de muur, glas in de hand, te hakkelen, of half te stotteren. Dan confronteerde hij mij, of Ted Allan of Reuben, stuk voor stuk gebukt onder de last van verantwoordelijkheid en kinderen, met de ernstige, dringende vraag (uit de grond van het brandende hart van de bohémien): denken jullie dat een kunstenaar moet trouwen en zich met kinderen moet opzadelen? Dat is toch fnuikend voor je talent? Later is hij met Flo, de vrouw van Stanley Mann, getrouwd, heeft hij vier kinderen gekregen, en nam hij bovendien nog de zorg voor de zoon van Stanley op zich.

Eerst was het Mordecai en later zijn toenmalige vrouw Cathie die ik het vaakst zag, want hij heeft een paar maanden een eindje verderop aan Church Street gewoond. Het ging op de informele, koloniale manier, bij elkaar binnenvallen en spontaan eten klaarmaken. Cathie was een luidruchtig, openhartig en slim mens, en de vaste grap was dat zij als sjikse beter joods kon koken dan welke joodse vrouw dan ook. Veel grappen, veel drank, veel lekker eten. Later was Reuben degene die ik het vaakst zag; we zijn jaren bevriend geweest.

Deze 'groep' veranderde vaak van samenstelling. Allereerst omdat er relaties stukliepen – die van Ted Allan, van Reuben, en na een tijdje ook die van Mordecai. De vrouw of vriendin die de eerste, moeilijke tijd had meegemaakt, als agent en raadsvrouw had gefungeerd of zelfs kostwinster was geweest – exit. Wat heeft het nog voor zin er moreel verontwaardigd over te gaan doen als zoiets strijk-en-zet voorkomt? Ik heb de indruk dat mannen heel hard moeten vechten om zich van hun moeder te bevrijden, maar dan wordt hun vrouw (door omstandigheden, of door hun aard) ook weer hun moeder en moeten ze zich opnieuw bevrijden. En heus niet altijd om haar in te ruilen voor een jeugdiger exemplaar, verre van dat. Jonge vrouwen die met jonge kunstenaars in zee gaan, of met mannen met een carrière in het verschiet, moeten van meet af aan beseffen dat het weleens op liefdewerk oud papier kan uitdraaien.

Het was een clubje stevige drinkers. Ik dronk in die tijd sinds ik uit Rhodesië weg was nauwelijks meer. Op Denbigh Road had ik er geen geld voor, en daar dronk trouwens niemand. Bij Joan dronken we wijn, maar niet regelmatig. Bij die Noord-Amerikanen werd zeker geen wijn gedronken, en ze staken elkaar fanatiek naar de kroon omtrent de juiste bereiding van allerlei cocktails. 'Maar één drupje vermouth in die gin, of nog beter, éven met de kurk eroverheen.' Dat soort dingen. Ook met pillen probeerden ze elkaar te overtroeven, want een aantal van hen slikten daar verbijsterende hoeveelheden van. Later staken Clancy Sigal en Reuben elkaar weleens een hand toe met hun dagelijkse portie erop uitgestald, terwijl ze elkaar hoonden omdat hun eigen pillen veel sterker, minder sterk, betrouwbaarder, gevaarlijk of het nieuwste van het nieuwste waren. Hun stijl van grappen maken shockeerde me soms, al genoot ik er wel van. Het was keiharde, agressieve Noord-Amerikaanse humor, vaak ook wreed. Later heeft Donald Ogden het toneelstuk *The Kidders* geschreven, dat in het Unity Theatre is opgevoerd en waarin de personages zichzelf en elkaar plagen en pesten tot de dood erop volgt. Het was een prima stuk, maar het Unity Theatre was toen niet in de mode.

De grappen in de groep gingen vaak over de vraag wie van hen nu een CIA-agent was. Ik geloof niet dat er bij deze vluchtelingen voor McCarthy echt een CIA-agent zat, maar of dat verschil maakte? Je had geen agent en ook geen parttime agent nodig, want een groep bannelingen berokkent zichzelf met zijn onderlinge achterdocht toch wel genoeg schade. Omdat dit de eerste groep bannelingen was die ik meemaakte, wist ik nog niet dat je daar onherroepelijk paranoia in krijgt. Over niet al te lange tijd zouden de bannelingen uit Zuid-Afrika volgen. Bij die groep heb ik me nooit aangesloten, want ik wilde niet toegeven aan de Zuid-Afrikaanse zwakte om in het buitenland alleen maar om te gaan met elkaar. Ik weet vrij zeker dat de Zuid-Afrikaanse regering, die heel efficiënt was in spionagezaken, ervoor gezorgd heeft dat er een paar geheime agenten rondliepen, maar stel dat dat niet zo geweest was? Dat had geen verschil gemaakt, de paranoia was er niet minder om geweest, evenals de wrede achterdocht waarmee ze elkaar achtervolgden.

Nog weer later was ik in Parijs, waar ik korte tijd ben opgetrokken met vluchtelingen uit de Sovjetunie. Dat was een volkomen vergiftigde sfeer. Ze wantrouwden elkaar en waren ervan overtuigd dat iedere Fransman die ze tegenkwamen voor de KGB werkte; het was een obsessie voor hen. Ik durf rustig te zeggen dat ik me geen akeliger lot kan voorstellen dan tot een groep politieke ballingen te behoren.

Achteraf ben ik bij die vluchtelingen voor McCarthy voornamelijk geïnteresseerd in hun 'contradicties', die weliswaar niet anders waren dan bij communisten waar dan ook in die tijd, maar die door hun onzekerheid een acute vorm aannamen. Het waren (behalve Mordecai Richler, dat was de vreemde eend in de bijt) communisten of fellow-travellers geweest die per definitie geloofden – of niet soms? – in de gewelddadige omverwerping van de kapitalistische staat. Toch bleek duidelijk dat ze niet echt met dat artikel des geloofs konden hebben ingestemd, want dat ze een gevaar voor de Verenigde Staten vormden of gevormd hadden vonden ze oprecht bespottelijk. Dat was deels omdat niemand het voor mogelijk hield dat zo'n klein clubje voor zo'n machtig land een bedreiging vormde. Maar als je ervan overtuigd was dat het doel de middelen heiligde, waarom dan geen *Reds under the Beds*, waarom geen goud uit Moskou? Maar ik kwam niemand tegen die geloofde dat de Sovjetunie financiële steun gaf aan communistische kranten of sovjetgezinde organisaties als de British Soviet Friendship Society of de Amerikaanse equivalenten daarvan. Het communistenjargon werd tussen aanhalingstekentjes gezet, 'kapitalistische leugens' bijvoorbeeld, en dat was deels omdat inmiddels iedereen besefte dat die kapitalistische leugens wáár waren. En vooral hadden die mensen het gevoel onschuldig te zijn: ze hadden niets gedaan. Dat hadden ze ook niet, ze hadden alleen maar gepraat. McCarthy was een schertsfiguur die zichzelf belachelijk maakte. En toen zijn handlangers Cohn en Schine op tournee door Europa zijn onheilsboodschap kwamen prediken, lachte iedereen ze uit. Maar zoals uit talrijke memoires is gebleken, was McCarthy wel degelijk angstaanjagend voor zijn slachtoffers, de mensen die voor zijn commissies moesten verschijnen. Ook heb ik toen en later gehoord van mensen die in de Verenigde Staten kleine, onbelangrijke communisten waren maar toch regelmatig de FBI op bezoek kregen, die bedreigd werden, hun baan kwijtraakten, geen baan konden vinden; het was een genadeloze, jarenlange vervolging. Maar ik geloof niet dat véél Amerikaanse communisten dat hebben meegemaakt. Volgens mij was het leven van de doorsneecommunist in Amerika, net als in Groot-Brittannië niet opwindender dan dat van een lid van de bond van plattelandsvrouwen of de kerk. Dat gold in ieder geval voor de meeste Britse communisten, al waren die dingen in Amerika vast wel erger, omdat de Amerikanen zo'n extreem volk zijn. Niemand heeft het daar ooit over, maar Amerikanen voeren iedere geloofsovertuiging, kruistocht of campagne waar ze achter staan altijd door tot het uiterste. Zodra echter zo'n wervelstorm dan voorbij is, wordt alles weer vergeten. Hier was zelfs het dieptepunt van de Koude Oorlog kinderspel bij de Verenigde Staten vergeleken.

Het interessantste dat tegenwoordig uit de stortvloed aan publicaties over de CIA en de FBI naar voren komt, is dat de ketterjagers er geen benul van hadden hoe de communisten eigenlijk in elkaar zaten. Dat komt waarschijnlijk doordat ze hun informatie ontleenden aan overgelopen sovjetspionnen of professionele geheime agenten, en die leefden nu eenmaal in een eigen spookwereld. Ze besef-ten in ieder geval niet welke indruk ze maakten op verfijndere zielen, anders hadden ze nooit die zielige paljassen Roy Cohn en David Schine als afgezanten naar Europa gestuurd.*

Al zolang ik hem kende, drong Jack er bij mij op aan om eigen woonruimte te zoeken. 'Je bent nu een grote meid.' Hij zei dat ik bij Joan onder de plak zat, maar ik besefte dat zijn houding tegenover haar voortvloeide uit een 'onopgelost conflict' waar hij zelf mee zat. Of ik Joan al of niet tot mijn moeder had ge-maakt, werd uiteraard al met mevrouw Sussman besproken. Ik vond dat Jack niet inzag waar het werkelijk om ging, namelijk dat het voor Peter goed was om in het huis van Joan te blijven wonen, want hij was gek op haar en zij op hem, en Ernest deed niet voor een oudere broer onder. Dat begreep hij toch wel? Hij was toch psychiater? Dat was natuurlijk naïef van mij, maar in die begintijd werden psychoanalytici en psychiaters als onfeilbaar beschouwd; in ieder geval werd hun een inzicht toegedacht op een manier die je nu niet meer voor moge-lijk houdt; tegenwoordig beseffen we dat het ook maar gewone mensen zijn.

Er is natuurlijk geen vrouw ter wereld die het niet als een belofte voelt als haar minnaar haar aanspoort iedereen in de steek te laten om op zichzelf te gaan wonen, al zegt haar verstand iets anders. Ik zag Jack minder vaak dan eerst. En ik dacht dat we elkaar weer vaker zouden zien als ik een eigen huis had.

Het kernpunt had ik over het hoofd gezien. Naast mij kregen ook andere vriendinnen te horen dat ze een eigen huis moesten zoeken. Het ging hier om een man die zijn hele jeugd straatarm was geweest, in een land en een cultuur waar zekerheid een illusie was. De eerste stap naar zekerheid voor iemand die arm is, is een dak boven het hoofd. Tientallen jaren later, toen ik met een paar heel arme, oude vrouwen optrok, hoorde ik voortdurend: 'Een dak boven mijn hoofd.' 'Ik ben tenminste onder de pannen.' 'Je moet zorgen dat je een dak boven je hoofd houdt.' Het advies dat Jack iedereen gaf, was om een huis of een appartement te zoeken in een buurt die niet goed in de markt lag, een hypo-theek te nemen en ervoor te zorgen dat er genoeg ruimte was om kamers te ver-huren, zodat je de aflossing kon betalen. Het is dé manier om in moeilijke tijden overeind te blijven. Maar ik had nooit zo gedacht; ik was in mijn leven al zo vaak verhuisd dat ik de tel was kwijtgeraakt en ik werd zenuwachtig bij de ge-dachte op één plek te moeten blijven. Ik woonde nu vier jaar bij Joan, sinds 1950.

Niet dat ik niet heb geprobeerd iets te vinden. Ze hadden me aangespoord

* In de Verenigde Staten golden Cohn en Schine als serieuze politici die bewondering oogstten. Cohn was medeverantwoordelijk voor de dood van de Rosenbergs. In Europa maakten ze zich met hun opgeblazen, hysteri-sche taalgebruik voornamelijk belachelijk; *gefundenes Fressen* voor cabaretiers en komieken.

om een huis in Blenheim Crescent te kopen, een groot, slecht onderhouden huis met een vraagprijs van vijfentwintighonderd pond, wat zelfs toen belachelijk laag was. Ik vroeg de bank om een lening, maar de directeur zei dat de huizenprijzen zo onredelijk hoog waren dat ze wel moesten kelderen, en dat hij zijn vrouw of dochter er ook zeker van zou weerhouden om zo'n vreselijke vergissing te begaan. *Deskundigen.* (Ik heb een tijd lang een dossier bijgehouden met de titel *Experts* maar ben het bij een van de verhuizingen kwijtgeraakt.) Als hij me toen in die begintijd in Londen die lening wel had gegeven, had hij me mijn jarenlange, decennialange zorgen over het hebben en houden van een dak boven mijn hoofd bespaard.

Plots kwam er een telefoontje van Pamela Hansford Johnson, die vroeg waarom ik me niet had ingeschreven voor de Somerset Maugham-prijs. Die bedroeg toen vierhonderd pond, die je aan een reis van minstens drie maanden moest besteden. Dat was omdat Somerset Maugham Engelse schrijvers provinciaals vond, omdat ze niet verder keken dan Engeland. Het was vóór de explosieve groei van het toerisme. Ik zei dat ik volgens mij niet voor die toelage in aanmerking kwam, omdat ik buiten Engeland was grootgebracht. Wat maakt dat uit, zei ze. Ze was altijd vriendelijk voor jongere schrijvers. (Het is mijn ervaring dat oudere schrijvers de jongere vriendelijk bejegenen.) En zo won ik de Somerset Maugham-prijs, al moest ik beloven het geld in het buitenland te besteden. Het was zoiets als een appel krijgen als je sterft van de honger en dan te horen krijgen dat je hem pas over een maand mag opeten. Ik had die vierhonderd pond hard nodig. Dat beding van Maugham heeft me geleerd dat je nooit voorwaarden moet stellen als je iets geeft. Eerdere prijswinnaars, die ook zaten te springen om een dak boven hun hoofd, of om eten, hadden vals gespeeld. Een was er voor drie maanden naar het buitenland vertrokken en had aan de letter der wet voldaan door het geld op een bank te zetten en drie maanden met zijn gitaar door Italië te trekken; hij verdiende zijn brood met spelen en sliep onder de blote hemel. Of bij welwillende meisjes.

Er kwam een appartement vrij aan Warwick Road, met een huurgarantie voor tweehonderdvijftig pond. Het was groot genoeg om kamers te verhuren. Ik gaf dat bedrag als aanbetaling aan een Australische moeder en dochter die naar huis teruggingen. Ik kreeg al hun meubilair, 'als je er nog iets aan hebt', erbij. Ik moest drie maanden het land uit. Ik zou een maand naar Parijs gaan. Peter ging een maand naar de Eichners, daarna zouden mijn moeder en Joan voor hem zorgen. En dan zou ik hem in zijn vakantie een maand meenemen naar de Middellandse Zee.

Jack was bij me toen ik het telefoontje kreeg dat ik de Somerset Maugham-prijs had gewonnen. Ik was bang het aan hem te vertellen, en terecht, naar bleek, want hij riep meteen: 'Dan is het voorbij, dan is het uit.' Het welde op uit zijn diepste innerlijk, zijn diepe, duistere, mannelijke binnenste. Wat was ik geschokt. Wat was ik bang. Ik protesteerde. Smeekte. Ik smeekte om rechtvaardigheid, maar het was voorbij, en dat wist ik.

'Je houdt niet van mij, je geeft alleen om je schrijven.'

Ik weet zeker dat geen schrijfster uit de hele wereldgeschiedenis die woorden niet van haar man heeft gehoord.

Het was niet terecht. Je kon mij niet vergelijken met George Sand, die uit het liefdesbed opstond om de hele nacht bij kaarslicht te gaan zitten schrijven, terwijl haar minnaar alleen achterbleef; ik gaf het schrijven nooit de voorrang boven de liefde, of boven Jack, paste me altijd aan zijn plannen aan, gaf mijn schrijfplannen voor hem op, kortom, ik leek meer op Jane Austen, en schreef – nee, nog net niet stiekem onder een vloeiblok, maar wel alleen als hij er niet was of niet verwacht werd. Maar hier krijgen we met iets diepers te maken. Een schrijfster die de liefde boven de literatuur stelt, zal literatuur maken van de liefde als die haar teleurstelt. *'Tja, wie zijn schuld is dat dan!'*

Ik nam mijn intrek in een goedkoop hotel aan de Linkeroever, vastbesloten zo weinig mogelijk uit te geven. Vijfentwintig – dat is de leeftijd voor Parijs, jong, vrij en zonder zorgen. Ik was halverwege de dertig. Ik bracht mijn dagen door met schrijven, maar leefde niet het leven van 'een schrijver in Parijs'. Ik zat in cafés waar ik de gesprekken probeerde te volgen, raakte hortend aan de praat met vreemden, maar ondernam geen pogingen om vriendschap met iemand te sluiten. Ik was droef, depressief, maakte me zorgen en wachtte tot Jack kwam zodat hij kon zien dat ik niet met Jan en alleman aan de rol was. Het heeft nu geen zin meer om te zeggen 'had ik dat maar gedaan'. Wat oneindig zonde van Parijs. Jack kwam een weekend. Je kunt je nauwelijks een slechter besteed weekend in Parijs voorstellen, maar het kostte weinig, en daar ging het om. Toen kwam Peter, met het vliegtuig, en we gingen de tweede maand doorbrengen in St Maxime. Ik vond een zeldzaam goedkope kamer onder in een huis, groot, koel, met alleen een stel matrassen op de vloer, twee harde stoelen en een elektrisch kookplaatje. Het wemelde er van de zwarte miertjes. Nooit heb ik me zo verveeld als daar, maar Peter genoot natuurlijk van iedere seconde, want we zaten van zes of zeven uur 's ochtends tot zonsondergang op het strand. We picknickten op onze kamer. Er waren nog meer kinderen, maar die waren Frans en hadden geen belangstelling voor een Engels jongetje. Het vaak herdrukte en in bloemlezingen opgenomen verhaal *Through the Tunnel* stamt uit die vakantie, dus je zou kunnen zeggen dat die zichzelf betaald heeft. Over diezelfde vakantie gaat het zure verhaaltje *Pleasure.*

Toen ik weer in Londen terugkwam, was het tijd om te verhuizen. Mevrouw Sussman gaf me steun. Zoals altijd. Ik weet hoe ik met haar heb geboft, omdat ik sindsdien therapeuten heb meegemaakt die meer kwaad dan goed deden. Toen ik zei dat ik me zorgen maakte om Jack, die ik steeds minder zag, net toen ik dacht dat we zouden gaan samenwonen, zei ze: 'Maar je bént al met hem getrouwd.' Ik zal me hier niet overgeven aan bespiegelingen over wat echt getrouwd zijn betekent. Maar naast zijn vrouw was hij waarschijnlijk getrouwd met meer dan een van ons. Net als ik had hij een talent voor intieme relaties. De Shona zeggen dat het jaren kan duren voor een man en vrouw echt getrouwd zijn. Per definitie moet dat betekenen: binnen een polygaam stelsel.

Die twee of drie keer in de week naar mevrouw Sussman, zoals ik zo'n vier jaar heb gedaan, hebben me gered. Dat wist ik toen al, daar heb ik geen terugblik door de tijd voor nodig. Ze was een vriendin. Als er een goede, oudere vriendin voor me geweest was, had ik mevrouw Sussman waarschijnlijk niet nodig gehad. De ideologieën, Freud, Jung enzovoorts, lieten me koud. Als ze volgens zo'n geloofsovertuiging begon te 'interpreteren', wachtte ik gewoon tot ze klaar was. Ik was tenslotte van kinds af aan al in die regionen thuis.

Joan raakte een gevoelige plek toen ze zei dat verhuizen slecht zou zijn voor Peter. Dat wist ik ook, maar het appartement was te klein. Hij was toen inmiddels een energiek ventje van acht. Hij had meer ruimte nodig. Maar het meest had hij een vader nodig, en Ernest was in ieder geval een grote broer.

Voor ik bij Joan wegging, schreef ik nog aan Somerset Maugham, om hem voor de vierhonderd pond te bedanken. Ik kreeg een knorrig briefje terug; allereerst had hij niets met de keuze van de prijswinnaars te maken, ten tweede had hij nooit een letter van me gelezen en ten derde had er nog nooit iemand hem geschreven om hem te bedanken. Daar sta je dan met je goeie gedrag. 'Je moet altijd een bedankbriefje schrijven als je ergens gelogeerd hebt.' Of: 'Doddis is een héél braaf kindje.' (zie Deel één.) Die brief van Maugham deed pijn. Dat was ook de bedoeling. Maar ik had wel een dak boven mijn hoofd aan hem te danken.

Voor ik me met dat nieuwe appartement vastlegde, heb ik zowel mijn boekhouder als de bankdirecteur gevraagd of het erin zat dat er een andere wetgeving zou komen. Ik wilde mijn kostbare tweehonderdvijftig pond niet aan een huurgarantie spenderen om vervolgens op straat te worden gezet. Geen sprake van, verzekerden ze me allebei, dat die wet gaat veranderen is volledig uitgesloten. Dat is dus wel gebeurd; tenminste, het deel van de wet waar ik mee te maken had. *Deskundigen.* Maar dat zou nog vier jaar duren.

WARWICK ROAD
SW5

HET HUIS LAG AAN WARWICK ROAD, EEN BIJZONDER LELIJKE STRAAT, waar de hele dag en het grootste deel van de nacht vrachtwagens doorheen denderden. Het bestond uit een grote keuken, een heel grote woonkamer, en boven twee flinke en twee kleine slaapkamers. Een 'maisonnette'. Van alle kamers, appartementen en huizen waarin ik gewoond heb, was dit de eerste plek die ik de mijne kon noemen. Alles was uitgevoerd in bruin houtwerk en roomwitte verf, iets wat twintig jaar daarna als modieus zou gelden maar op dat moment voor het toppunt van saaie bekrompenheid doorging. Ik had er niet mee kunnen leven. Ik schilderde alles wit, en dat heeft me tweeënhalve maand gekost. Ik balanceerde op ladders, vensterbanken, zelfs op bouwsels van ladders, stoelen en planken boven het trapgat; als ik bedenk wat ik toen allemaal deed, krijg ik de rillingen. Een schilder van beneden die een kijkje kwam nemen bij dat vrouwmens dat hem het brood uit de mond stootte, wierp één blik op de toen pas uitgevonden verfrollers en zei dat geen fatsoenlijke vakman met die rommel zou werken. 'Met rollers kan niemand goed werk afleveren.' *Deskundigen.*

De meubels die er stonden waren vreselijk. Een deel ervan heb ik geverfd. Ik hing goedkope, maar leuke gordijnen op. Het oeroude karpet verfde ik groen. Onlangs vertelde een vriendin me nog hoe geschokt ze was geweest toen ze zag dat ik een zwarte sprei op mijn bed had liggen. Maar die was toch rood? Ik kan me nog herinneren dat ik een sprei van 'brokaat' donkerrood heb geverfd. Eerst sliep ik op een van de kleine kamertjes, maar toen Jack me aan de kant had gezet ben ik naar beneden verhuisd en werd de grote woonkamer de plek waar ik sliep, werkte, lééfde.

Toen ik in dat appartement trok, die 'maisonnette' (het was inderdaad net een huisje), verschilde mijn houding eigenlijk niet zo veel van die van iemand die een stukje jungle verovert. Die woning was van míj. Ik huurde geen hoekje in andermans huis. Op nieuwe huizen en appartementen drukken we ons stempel met gordijnen, kleuren, meubels; maar daar had ik allemaal geen geld voor. Wat ik voor de ramen hing, was niet echt mijn eigen keus. In feite was het verblindende laagje wit over iedere centimeter muur mijn stempel. Ik had gedacht dat de keuken van mij was – blauw linoleum, wit houtwerk, rood behang – tot Jack er lachend in stond rond te kijken en zei: 'Wat een bont geheel! Je hebt meer met mijn vrouw gemeen dan je denkt. Ze heeft precies hetzelfde behang in haar keuken.' Je had toen niet zo veel keus in keukenbehang als nu, geen honderden verschillende soorten waar je uit kon kiezen, dus zo verbazend was dat nu ook weer niet. Maar vernederend bleef het.

Ik had me die woning nooit kunnen veroorloven zonder een kamer te verhuren, tenminste niet toen ik er pas zat. De huur was heel laag, maar niemand zou tegenwoordig nog zulke kamers kunnen verhuren, ook niet in de provincie. Er waren bedden, die die benaming maar net verdienden, toilettafels en kleerkasten, geverfde vloerplanken; alles kleurig, goedkoop. De badkamer en de wc waren gezamenlijk. Peter kreeg een van de grote kamers. Er volgde een lange rij van huurders; ik had de wereld van de uitgestotenen en eenzamen betreden, de zwervers en buitenbeentjes die in de grote steden van de ene huurkamer naar de andere trekken. Het was geen prettige ervaring. Dat ik een nog tamelijke jonge, alleenstaande vrouw was, maakte het er niet beter op. Mijn maatschappelijk hoogtepunt als hospita bereikte ik toen er een stel lagere diplomaten van de Franse ambassade een grote en een kleine kamer nam. Ze waren heel innemend, lief, op die strelende Franse man-tegen-vrouw-manier, en dat krikte mijn moreel aardig op. Ze namen bloemen voor me mee en boden aan om allerlei klusjes voor me te doen waar ik moeite mee had, zware meubels verslepen bijvoorbeeld. Ze waren aardig voor Peter. Het waren fascisten – en dan bedoel ik echte. In die tijd leverden de Fransen een achterhoedegevecht in Vietnam, en noemden ze de Vietnamezen bange bruine konijntjes. Die twee knappe jonge kerels hielden een konijnenjacht door de vier kamers boven, en Peter werd er bang van omdat ze zo gewelddadig en gemeen deden, al was het dan voor de grap. Ze waren op een conventionele manier antisemitisch. Ze klaagden over de zwarte mensen op straat. 'Laat ze naar hun eigen land teruggaan.' Het verhuren was zo'n deprimerende ervaring dat ik na een paar maanden besloot de gok te wagen en te leven van wat er binnenkwam, in de hoop dat dat genoeg zou zijn. Dat was het, min of meer.

Peter was niet gelukkig. Op zijn eerste school had hij het prima gedaan, hij had het er leuk gevonden, of in ieder geval die indruk gewekt, en toen ik een vervolgschool moest kiezen dacht ik: ach, laat ik maar vasthouden aan wat tot nu toe kennelijk heeft gewerkt. De meeste kinderen van die school (die vlakbij was, in de buurt van Notting Hill Gate) gingen naar de vervolgschool in het gebouw ernaast. Peter werd meteen nors, voelde zich ellendig en was de slechtste van de klas. Toen kwam hij met de boodschap thuis dat de bovenmeester hem had geslagen. Tot dan toe had hij nooit een klap gehad. Ik ging naar de hoofdmeester, een akelige kleine bullebak was het. 'Zachte heelmeesters maken stinkende wonden,' zei hij, en Peter noemde hij 'Lessing the Blessing'. Ik besefte dat Peter gestraft werd (en het zou niet voor het laatst zijn) voor het feit dat hij mijn zoon was. Kinderen van succesvolle mensen hebben het soms erg moeilijk. De bovenmeester maakte zurige, jaloerse opmerkingen over mijn boeken. Het ergste aan die man was zijn koude, sarcastisch bijtende stem, zo'n stem waar ik als kind van ineenkromp. Daarna zijn er nog twee minder geslaagde scholen gevolgd. Ik dacht dat dat zo op gezelschap gestelde kind misschien leed onder het feit dat hij zo vaak met mij alleen was – hij sliep nog steeds niet voor een uur of negen, tien en werd nog steeds om vijf, zes uur wakker. Toen ging hij naar een kostschool waarbij hij in de weekenden naar huis kwam, maar hij vond het er vreselijk. Hij vond het in Warwick Road net zo erg als ik. Toen ik nog huurders had, was hij wrokkig en achterdochtig tegen ze. Hij was gewend aan een huishouden met een levendige familiesfeer – dat van Joan – en nu moest hij stil zijn om die vreemden die in zijn huis zaten niet te storen. Ik beging de vergissing om geen televisie te willen kopen, al wilde hij er dolgraag een hebben. Ik vond de stripverhalen die hij iedere dag urenlang zat te lezen al erg genoeg. Dus ging hij uit school met vriendjes naar huis om daar televisie te kijken. We raakten in een machtsstrijd verwikkeld op dit punt en eigenlijk ook op alle andere punten. Ik wist dat hij een vader nodig had. Toen Gottfried hem zonder meer had laten vallen, en hij zo ongelukkig was, heb ik mijn best gedaan een beeld van Gottfried te creëren als dappere, onversaagde held die voor de armen en berooiden vocht. Dat was bezijden de waarheid, maar ik dacht dat het het kind geen goed zou doen als hij te veel van de mislukkingen van het communisme zou weten. Ik verzon verhalen voor Peter waarin hij samen met Gottfried allerlei moeilijke en gevaarlijke omstandigheden het hoofd bood, van het oplossen van de woningnood in arme wijken tot het bevechten van de huisbazen (het was in de tijd van de verderfelijke huiseigenaar Rachman, wiens naam nog steeds synoniem is met de uitbuiting van huurders) of hele divisies nazi-soldaten om zeep helpen. Toen Peter later als tiener bij zijn vader Gottfried ging logeren, bleek dat die mij op allerlei mogelijke manieren zwartmaakte en dat hij dat al jaren deed. Zoiets komt vaker voor; de ene partner uit een mislukt huwelijk, meestal de vrouw, bouwt dan een positief of vleiend beeld op van de afwezige partner, om vervolgens tot de ontdekking te komen dat zij (of hij) zelf bij de kinderen als de grote boosdoener wordt afgeschilderd.

Hoe kon ik deze nare situatie verbeteren? In de tussentijd zijn we gered door de Eichners, in East Grinstead, op hun oude boerderij tussen de rotsen, en alle andere kinderen daar. Dat was een echt normaal gezin van vader, moeder en kinderen, en ze vormden een soort tegenwicht voor mij, die onconventionele vrouw die zonder man leefde (iets wat toen veel minder voorkwam dan nu) die schrijvende moeder; Peter was immers op de leeftijd waarop kinderen het meest hechten aan fatsoen en graag gewoon willen zijn. De Eichners namen hun eigen kinderen en hun logeetjes overal mee naar toe, het hele land door en ook naar Frankrijk en Spanje, en Peter mocht mee.

Bij de Eichners maakte Peter bovendien deel uit van iets heel leerzaams. Fred Eichner was een soort genie. Hij had iets uitgevonden wat hij schuimplastic noemde, in twee vormen. De ene bestond uit blokken van een spul vol minuscule belletjes, net spons, en de andere vorm bestond uit bolletjes van allerlei formaat. Hij had een fabriekje en dacht dat dit spul als verpakkingsmateriaal kon dienen en ook nuttig kon zijn voor bloemisten. Terwijl hij met zijn karavaan volwassenen en kinderen het land doortrok, probeerde Eichner steun te krijgen van een bedrijf, bank of vooruitziende financier, maar hij kreeg telkens nul op het rekest, toen tenminste. Misschien heeft hij later meer geluk gehad.

Michael Eichner, de oudste zoon, was de vriend van Peter en als hij naar Londen kwam trokken ze samen op. Ik heb Peter een keer een maand meegenomen op vakantie naar Spanje, iets waarvan hij genoot, maar ik niet zo.

In het appartement onder ons heeft een tijdje een jongen van Peters leeftijd gewoond. Wij ouders maar hopen dat de kinderen vriendjes zouden worden, zoals dat gaat in zo'n geval, maar ze lagen elkaar niet. Op een dag gebeurde er het volgende. Ik had Peter op weg geholpen met een postzegelverzameling; we kochten ze, bestelden ze, en hij ruilde. Het ventje van beneden kreeg het album te pakken en pikte er de helft van de postzegels uit. Peter vond het vreselijk, met die woeste verontwaardiging die kinderen krijgen als ze zich klem gezet voelen. Ik vroeg de moeder of ze de postzegels aan Peter terug wilde geven, maar alles wat ze zei was: 'Het arme ventje' – waarmee ze haar zoontje bedoelde. Peter was vreselijk gekwetst door de onrechtvaardigheid ervan, en ik voelde die maar al te vertrouwde nare ontmoediging – dat de dingen zo vaak fout liepen voor hem en dat ik dan niets kon doen om ze recht te zetten.

Ik zal dit thema verder maar laten rusten. Vrouwen die een zoon zonder vader hebben grootgebracht weten wel hoe moeilijk dat is, en wie dat niet heeft meegemaakt, heeft er toch geen idee van. Je zou makkelijk één enkele dramatische gebeurtenis kunnen beschrijven – zoals die keer dat er iemand op doorreis langskwam met een cadeautje voor Peter van Gottfried, een plastic walvis, maar dan zonder één woord van zijn vader erbij, geen briefje, niks. Je zou de pijn daarvan kunnen beschrijven, de pijn om het kind, zijn verbijstering en de woede van de moeder, maar nooit het eeuwige geploeter, dag in, dag uit, om te proberen het onmogelijke te zijn: vader en moeder tegelijk.

Toen Jack eindelijk voorgoed bij me wegging, waren we in Parijs. Hij ging naar een ziekenhuis in het buitenland. Ik besefte dat hij dat zo geregeld had om met mij te breken. We wisten allebei dat dit het einde was, maar zeiden dingen als: 'Ach, het is maar voor een half jaartje.' Hij moest naar het vliegveld, maar ging nog met me mee naar het loket op het station, waar ik mijn kaartje naar Londen zou kopen. We omhelsden elkaar. Hij ging weg. Ik kon me niet verroeren en de tranen begonnen te stromen. De jonge man achter het loket maakte meelevende geluidjes. Er stond geen rij. Hij zag dat ik een pakje Gitanes in mijn hand had, kwam zijn kantoortje uit wippen, stopte een sigaret in mijn mond, stak die aan, klakte met zijn tong, klopte me op mijn rug, zei een paar keer '*Pauvre petite*' en wipte weer terug om een klant te helpen. Toen ik eindelijk in staat was een kaartje te bestellen, zei hij dat de liefde een serieuze zaak was, maar, kop op, ik zou gauw wel weer een ander vinden.

Het was niet best. De 'verhouding' mocht dan vier jaar geduurd hebben, eigenlijk was het een huwelijk geweest, meer dan een van mijn beide wettelijke huwelijken. Toen was ik nog onervaren geweest, een groentje, en maar met een heel klein deel van mezelf erbij betrokken. Maar met deze man was het alles of niets geweest. Was dat niet belachelijk? Hij had nooit gezegd dat hij met me zou trouwen, nooit iets beloofd. En toch was ik hem volledig toegewijd geweest. Het was de meest serieuze liefde van mijn leven. En hij heeft zo slecht begrepen hoe dat voor mij geweest is, dat hij later nog tot drie keer toe is komen opdagen (de laatste keer in de jaren zeventig) om te zeggen dat we best opnieuw konden beginnen omdat we het immers zo goed hadden gehad. En met een blik op het bed. Dáár hadden we elkaar begrepen... Tja, en op een heleboel andere manieren ook. In *Onder mijn huid* vertel ik hoe ik twee kleine kinderen in de steek heb gelaten; ik heb kritiek gekregen op het feit dat ik er niet op ingegaan ben wat ik daarbij voelde. Het leek me zonneklaar dat ik daar doodongelukkig over was en dat elke intelligente lezer dat ook zonder het verplichte nummertje ach-en-wee geroep zou snappen. En nu voel ik precies hetzelfde. Er is geen mens die nooit liefdesverdriet heeft gehad, en dus moet het genoeg zijn om te zeggen dat aan de kant gezet worden door die man niet best voor me was. Het was verschrikkelijk. Ik ben een hele tijd ongelukkig geweest. Er zijn andere mannen verliefd op me geweest, maar dat hielp allemaal niks, ze lieten me koud. En toen heb ik iets stoms gedaan, op grond van een verkeerde redenering. Van mijn twee huwelijken had ik niet het gevoel dat ik ze zelf had gekozen; het eerste was tot stand gekomen doordat de oorlog eraan kwam, die huwelijksmakelaar bij uitstek, en het tweede was een politiek huwelijk. Met mijn grote liefde, Jack, was het slecht afgelopen. Waarom deed ik niet wat mensen al eeuwen doen: een man kiezen op grond van gelijkgestemdheid, iemand met dezelfde smaak, dezelfde denkbeelden (in die tijd betekende dat ook politieke verwantschap)? Onder de mannen die in mij geïnteresseerd waren, was er een die precies aan die voorwaarden voldeed, en bovendien was hij aardig voor Peter, die hem op zijn beurt mocht. We begonnen een verhouding. Dat was voor hem geen gelukkige ervaring. Hij was verliefd op me, echt verliefd, en ik moest er een eind aan maken. Ik voelde me door hem verstikt. Daar was geen objectieve reden voor en ik heb het ook nooit begrepen. We maakten een afspraak, dat was prettig, we praatten, wandelden, gingen uit eten, ik vond hem heel sympathiek – en dan begon het, een gevoel van irritatie, de behoefte om te vluchten, ervandoor te gaan; in bed was het net zo, al leek op het eerste gezicht alles in orde. Ik kreeg geen lucht. Het was me nooit eerder gebeurd en sindsdien is het me ook nooit meer overkomen. Ik was geschokt over mezelf dat ik hem zo veel pijn deed, want het heeft hem diep gekwetst.

En nu mijn moeder: er komt geen eind aan het wrede verhaal. Ze had vier jaar in Londen gewoond, het Elysium waar ze die lange jaren van haar ballingschap van had gedroomd, en ze had die vier jaar doorgebracht in een akelig huisje, waar ze weer een oude man verzorgde, die niet eens familie van haar was maar van mijn vader. Ze had meer dan eens in het huis van Joan op Peter gepast toen ik weg was. En de hele tijd zei ze maar: 'Alles wat ik wil is nuttig zijn voor mijn kinderen.' Toen ik bij Joan wegging, naar mijn eigen huis, stelde ze (zij het met niet veel hoop) voor dat ze bij me zou komen wonen. 'Je kunt met Peter wel hulp gebruiken.' Dat was ook zo, ik zat erom te springen, maar niet van haar. Ze is naar mevrouw Sussman gegaan, om haar ertoe over te halen mij tot rede te brengen. Mevrouw Sussman zei met een reeks uiteenlopende conventionele frasen dat jonge mensen hun eigen leven moeten leiden. Later klaagde mijn moeder over het feit dat mevrouw Sussman rooms-katholiek was. Ik stond met mijn mond vol tanden. Ze had kunnen zeggen dat mevrouw Sussman joods was, niet Engels was, de essentie van de Europese cultuur belichaamde, me blootstelde aan vreemde, on-Britse invloeden als Jung en Freud. Maar dat ze rooms-katholiek was? Ik wist dat ik niets kon zeggen waar ze naar zou willen luisteren, laat staan ontvankelijk voor zou zijn.

Inmiddels vond Peter het bij de Eichners, in dat kinderparadijs, aantrekkelijker dan de uitstapjes met mijn moeder. Ik opperde voorzichtig dat een uiterst levenslustige negenjarige jongen een huis vol kinderen van allerlei leeftijden nu eenmaal interessanter vindt dan het gezelschap van volwassenen.

'Wie zíjn die Eichners?'

'Ze hebben zelf vier kinderen en nemen in de vakanties kinderen in huis.'

'Ja, maar wat zíjn het voor mensen?'

'Oostenrijkers. Ze zijn hier als vluchtelingen gekomen.' Nooit had ik van mijn ouders de geringste suggestie van antisemitisme gehoord, dus toe ze zei: 'Maar het zijn buitenlanders,' bedoelde ze niet: joden. 'Ze zijn toch niet rooms?'

'Dat weet ik niet, dat heb ik nooit gevraagd.'

Hoezo, rooms? Kon het zijn dat Emily Maud McVeagh in haar jeugd bang was gemaakt voor rooms-katholieken, omdat haar stiefmoeder de dochter van een protestantse dominee was? Maar als de rooms-katholieken zo vreselijk waren, had ze haar geliefde dochter toch nooit naar een dominicaans klooster gestuurd? Het was allemaal weer volkomen onbegrijpelijk, irritant, ergerlijk – onuitstáánbaar.

Op een van hun uitstapjes naar de zuidkust had ze Peter laten dopen, vertelde ze me later. Op uitdagende toon, al vond ze dat ze in haar recht stond. Het was niet dat dopen zelf waar ik kwaad om was, want dat lag voor mij ongeveer op hetzelfde vlak als een heidens ritueel, maar omdat er voor de zoveelste keer voorbijgegaan was aan wat ik vond. 'En nu moet je hem meenemen naar de kerk,' sprak ze gebiedend. Daar ging hij toevallig al heen, omdat hij een mooie stem bleek te hebben, hij zong in het koor. 'En dan kun je Joan vragen om zijn peettante te worden.'

'Daarmee kan ze toch geen betere vriendin voor hem worden dan ze al is?'

Vlak nadat ik in mijn nieuwe woning was getrokken, kwam ze kijken. Daar stond ze met haar keurige hoed met zo'n kleine voile, met haar keurige handschoenen, haar vos en haar gepoetste schoenen mijn lelijke meubels te inspecteren.

'Je hebt die spullen toch niet gekocht?'

'Nee, ze hoorden erbij. Ze zijn naar Australië vertrokken, weet u wel.'

'Neem die van mij maar, ik zal ze uit de opslag laten halen.'

Toen haar stiefmoeder overleden was, had mijn moeder de meubels uit het Victoriaanse huis laten opslaan en was ze er jaar in jaar uit voor blijven betalen, ook als er geen geld was voor de rekening van de kruidenier. Als ze eindelijk 'van de boerderij af zouden gaan', weer naar Engeland terug, zouden ze misschien niet gelijk een plek vinden om te wonen, maar dan hadden ze in ieder geval meubilair. En dat was niet omdat ze die meubels zo mooi vond. Integendeel, ze haatte het loodzware, donkere huis waarin ze was grootgebracht met alles wat erin stond.

En nu begreep ze niet dat als ik mijn huis, de eerste plek die ik echt de mijne kon noemen, vol zou zetten met haar meubels, dat ik me dan aan haar zou overleveren, mezelf tot gevangene van het verleden zou maken, een Nessuskleed zou aantrekken.

'Ik wil ze niet, moeder. Verkoop ze maar.'

'Hoe kun je, hoe kún je de voorkeur geven aan deze rommel...' En ze keek naar wat er in mijn kamer stond, en toen naar mij, en we keken naar elkaar, met het gebruikelijke, hopeloze, hulpeloze gevoel van ellende. Ze had toen kunnen roepen, net als toen ik een meisje was: 'Maar waarom háát je me zo?' En ik tegen haar: 'Je hebt me nooit gemogen, waar of niet?'

Wat was mogen of niet mogen, haat of liefde nu nog van belang?

In godsnaam, moeder, ga gewoon weg en laat me met rust. Nee, dat heb ik niet gezegd. Maar ze deed het wel. Eerst legde ze nog gedecideerd een stapeltje papieren op het lelijke bureau. 'Dit zijn de reçus van de meubels. Doe er maar mee wat je wilt.'

En toen ging ze terug naar Zuid-Rhodesië. Naar haar zoon.

Het meubilair was uiteraard Victoriaans. Het woord alleen al bracht toen een superieur of minachtend lachje teweeg. (Korte tijd later zou het veel waard worden.) Ik wilde er niet mee opgezadeld zitten. Ik schreef naar mijn neef, de zoon van mijn tante Muriel, en vroeg of hij het misschien wilde. Hij kwam me opzoeken en zei dat hij geen oude meubels kon gebruiken. Nu weet hij niet meer dat hij geweest is. Hij had het toen niet breed.

En zo zei ik tegen de mensen van de opslag dat ze de spullen maar moesten verkopen en het geld aan mijn moeder moesten sturen. Het was zo weinig dat het nauwelijks de moeite van het sturen waard was.

Hier zit nog een raadsel. Een kwarteeuw lang had mijn moeder haar grote vriendin, Daisy Lane, brieven geschreven. Toen ze in Londen was, waar ze al die jaren van gedroomd had, zocht ze een plek om te wonen, net als tante Daisy zelf. Waarom zijn die twee niet bij elkaar gaan wonen? Toentertijd heb ik erover nagedacht met die geërgerde verbijstering die ik altijd voelde als ik aan mijn moeder dacht: ik snapte er niets van en heb er daarom verder niet meer bij stilgestaan. Maar nu voeg ik twee mentale beelden samen. Tante Daisy, jonger dan mijn moeder, een krom vrouwtje in zwaar zwart, was een oude vrouw. Maar mijn moeder kon op haar zeventigste voor vijftig doorgaan, ze was energiek en gezond. Aan wie heeft mijn moeder die vijfentwintig jaar dan echt geschreven?

Je moet volwassen zijn, echt volwassen, niet alleen in jaren, om je ouders te begrijpen. Ik was al op middelbare leeftijd toen het bij me opkwam dat ik mijn vader nooit gekend had zoals hij echt was, zoals hij geweest zou zijn zonder die rot-oorlog. In zijn jonge jaren was hij optimistisch, flink, hij vertegenwoordigde Essex met voetbal, cricket en biljart, wandelde veel en, waar hij het meest van genoot, hij danste op alle dansfeesten in de wijde omtrek, de hele nacht, en liep dan weer terug naar huis. Die jongen was door de oorlog vermoord, en wat er overbleef was een sombere, opvliegende man, eerst half-invalide en later erg ziek. Had ik die jonge Alfred Tayler herkend als ik hem ooit was tegengekomen? En dan mijn moeder. Ja, ik wist wel dat de oorlog haar ook te grazen had genomen, niet het minst omdat haar grote liefde erin was omgekomen, zodat ze uiteindelijk dan maar met een oorlogsslachtoffer is getrouwd dat ze de rest van haar leven heeft verzorgd. Maar het heeft heel lang geduurd voor ik nog iets anders zag. Dit was het meisje dat haar vader getrotseerd had door verpleegster te worden en jarenlang tegen hem overeind was gebleven, al weigerde hij nog met haar te praten. Dit was de vrouw die iedereen die haar ontmoette imponeerde met haar daadkracht, competentie en onafhankelijkheid. Ik kan me niet voorstellen dat ik de jonge Emily Maud McVeagh veel te melden zou hebben gehad, maar bewonderd had ik haar zeker.

Volgens mij is er het volgende gebeurd. Toen ze op die boerderij aankwam, toen nog ongerepte bush, waar nog niet eens een open terrein in was uitgekapt en waar nog geen huis, geen boerenschuur stond – niets; toen ze besefte dat dit haar toekomst zou worden, een eenzame toekomst, want met haar buren had ze niets gemeen; toen ze besefte dat de weg vooruit in haar leven, haar streven naar een conventioneel middenklassebestaan, was afgekapt; toen ze besefte dat haar man een invalide was die zijn greep op het leven zou kwijtraken; toen ze besefte dat niets waar ze op gehoopt had werkelijkheid zou kunnen worden – toen is ze ingestort en is ze op bed gaan liggen. Maar woorden als 'inzinking' en 'depressie' werden toen nog niet zo makkelijk in de mond genomen als nu: wel kon je aan 'zenuwzwakte' lijden of somber zijn. Ze zei dat ze het aan haar hart had, en dat geloofde ze waarschijnlijk ook, zoals ze daar in bed lag terwijl haar hart tekeer ging van de zorgen en ze lag uit te kijken over de Afrikaanse bush, waarin ze zich nooit thuis zou voelen. Zo heeft ze maanden gelegen, terwijl ze tegen haar kleine kinderen zei: 'Arme mammie, arme, zieke, mammie,' en om hun liefde en medelijden smeekte; iets wat zo slecht bij haar past dat het me tot nadenken had moeten stemmen. En toen is ze weer opgestaan. Ze moest wel. Maar wie is er opgestaan? Niet de jonge Emily Maud (ze was toen inmiddels 'Maud' geworden en had de naam van haar moeder, Emily, laten vallen). Wie er uit dat bed opstond was een vrouw die haar kinderen voortdurend voorhield dat ze haar leven voor ze had opgeofferd, dat ze hard en ondankbaar waren en... de hele standaardlitanie aan verwijten van de martelares. Een wezen dat ze vast en zeker gehaat en veracht had als ze nog zichzelf was geweest, nog jong was geweest – onbeschadigd door de oorlog.

Na vier tegenvallende jaren in Engeland is ze teruggegaan naar Zuid-Rhodesië, heeft haar zoon en diens vrouw (nogmaals) laten weten dat ze haar leven aan hen zou wijden waarop haar schoondochter (nogmaals) tegen haar zoon zei: zij of ik. En toen begon ze een bezoekronde aan haar vrienden. In haar brieven schreef ze: 'Ik hoop dat ik me nuttig kan maken, ik wil niemand tot last zijn.'

Het leukste wat ik aan de Ruslandreis heb overgehouden was mijn vriendschap met Samuel Marsjak, een vooraanstaand sovjetschrijver die de Stalin-prijs voor literatuur had gewonnen. Hij was dichter, vertaler van Burns en Shakespeare en schreef verhalen voor kinderen. In die tijd deden schrijvers die door de repressie van de serieuze literatuur niet konden schrijven wat ze wilden, liever vertaalwerk; daarom stonden de Russische vertalingen ook op zo'n hoog peil. Tijdens mijn verblijf in de Sovjetunie was hij me niet speciaal opgevallen. Maar in 1954 of 1955 kreeg ik plots een telefoontje van de sovjetambassade of ik niet bij Samuel Marsjak op bezoek wilde in zijn hotel in Kensington. Door de dood van Stalin werd alles wat vrijer, maar evengoed was ik op mijn hoede. Daarna werd ik telkens opgebeld als hij naar Londen kwam (wat meerdere malen is gebeurd) en ging ik naar hem toe. Ik kwam om een uur of tien, als mijn zoontje was gaan slapen, om dan rond een of twee uur weer te vertrekken. In die tussentijd luisterde ik. Dat was mijn rol. Als heel jonge man was hij met zijn eerste vrouw in Londen geweest. Dat was nog voor de Eerste Wereldoorlog. Geld hadden ze niet, maar ze waren verliefd, op elkaar en op Londen. Dat was de gelukkigste tijd van zijn leven, vertelde hij. Hij wilde over dat oude Londen praten, het British Museum, de uitstapjes naar het platteland, de parken, de boekwinkels. Ik deed hem aan die vrouw denken, zei hij. Maar toen was ze gestorven en was hij opnieuw getrouwd. Die tweede vrouw was in de Tweede Wereldoorlog omgekomen van honger en kou. Hij wilde graag kwijt wat die oorlog voor de Russen had betekend.

Ik zat in de ene leunstoel, hij in de andere, en zo praatte hij zich het verleden in. Soms hief hij lichtjes zijn handpalm terwijl hij de pols op de armleuning liet rusten – dat betekende dat er méér was dan hij zeggen kon omdat hij bang was voor onzichtbare oren: de KGB liet alle hotelkamers waar ze hun protégés in zetten afluisteren.

De dagelijkse strijd om te overleven tijdens de Tweede Wereldoorlog, de Grote Vaderlandse Oorlog... als ik daar zo zat, bedacht ik dat het voor mensen in Engeland niet makkelijk was om zich die ontberingen, die kou, voor te stellen. Later werd hij verliefd op een andere vrouw, die in de Hermitage in Leningrad werkte, maar hijzelf woonde toen ergens buiten Moskou. Het was toen zelfs voor een vooraanstaand schrijver moeilijk om een reisvergunning te krijgen, maar soms nam hij de trein naar Leningrad – de trein van Anna Karenina, zei hij – en zorgde zij dat ze een dag vrij had. Ze had het beleg van Leningrad overleefd en was heel mager, zwak en ziekelijk. Ze zaten de hele dag op haar kamer te praten of te zwijgen en daarna nam hij de trein terug naar Moskou. Woorden waren niet eens nodig, zei hij. Samenzijn was genoeg. Zo ontwikkelde die liefde zich. Maar ook zij ging dood.

Over politiek praatte hij ook veel, over de tijd onder Stalin. 'Ik heb nooit iemand verraden,' zei hij vaak met klem. Dan werd zijn stem harder en wierp hij woedende blikken op de telefoon, waar hij de microfoontjes van de KGB vermoedde. 'We zijn allemaal gecompromitteerd, niemand uitgezonderd. Jullie hier in het Westen begrijpen het niet. Het was absoluut onmogelijk om nee tegen ze te zeggen. Maar toen ik ondervraagd werd, heb ik geweigerd iets over andere schrijvers te zeggen, en dat wilden ze juist. Ze wilden ons bang maken en daarom ondervroegen ze ons, ook al had *hij* al besloten ons niet naar de gevangenis te sturen.'

Verder wilde hij me waarschuwen voor het gevaar dat de politiek voor schrijvers betekent. 'Jij bent nog jong. Ik ben ook jong geweest. Ik was als jongen geniaal. Een arme boerenjongen. Gorki kreeg me in de gaten. Die zei dat ik een genie was. We leken op elkaar. Allebei uit een arm gezin. Allebei zwierven we graag alleen van dorp tot dorp. Hij heeft heel Rusland doorgelopen en ik ook. Soms liep ik maanden aan een stuk, alleen. Ik kreeg te eten bij de boeren. Maar later is Gorki kapotgemaakt, ze hebben hem vermoord, en ik ging ook kapot, zij het op een andere manier. Ik heb mijn leven in commissies gesleten. Daar is mijn genie op stukgelopen. Ik zeg altijd tegen jonge schrijvers: niet in commissies gaan zitten, die betekenen je einde. En dat zeg ik nu ook tegen jou.'

'Ja, daar ben ik een tijd geleden al achter gekomen.'

'Goed. Heel goed. Maar voor jullie is het makkelijk. Jullie kunnen nee zeggen. Voor ons is het heel moeilijk om nee te zeggen.'

Hij vertelde een verhaal dat hij ergens op een landweg liep waar Gorki hem zag, zijn auto stilhield en hem liet instappen. 'Ik wil je iets laten zien. Je zult vandaag een belangrijk man zien.' Er kwam een aantal schrijvers bijeen in een landhuis, en Stalin had laten weten dat hij langs zou komen. Dat gebeurde. Hij luisterde naar hun debatten, die van a tot z vleiend voor hem waren. Toen stond Gorki op; hij richtte zich rechtstreeks tot Stalin en zei dat alles wat er gezegd was onwaar was. De mensen leefden onder vreselijke omstandigheden. Zij zaten nu wel hier in dit mooie huis, maar overal om hen heen hadden de mensen een vreselijk leven. De schrijvers ook. De denkbeelden van de partij over literatuur waren verkeerd en deden de schrijvers geen goed.

'We hielden onze adem in,' zei Marsjak. 'We zagen allemaal wit van angst. Ik zat te trillen – ik was nog heel jong; dit waren stuk voor stuk grote, belangrijke mensen voor me en Gorki behandelde ze als een stel stoute kindertjes. En Stalin tarten dééd je niet, nooit. Dat begrijpen jullie niet hier in het Westen. Toen stond Stalin op, doodkalm, en zei dat hij blij was dat er tenminste één eerlijk mens aanwezig was – kameraad Gorki. 'En al die anderen zijn leugenaars, jullie zeggen alleen maar dingen om me gunstig te stemmen.' En weg was hij met zijn lijfwachten.

Ik heb dit verhaal ook over andere dictators horen vertellen. Kennelijk hebben we er behoefte aan om over die 'ene eerlijke man' te horen.

Ik was erg op Samuel Marsjak gesteld en hij geloof ik ook op mij. Maar hij had voornamelijk iemand nodig die naar hem luisterde en aandacht voor hem had. Hij was eenzaam. En toch was hij een belangrijke sovjetschrijver.

Hij wilde Peter graag leren kennen. De volgende keer dat hij kwam, maakten we een afspraak overdag, gingen we iets eten in een park en zijn we gaan winkelen om voor Marsjak schoenen en goede kleren te kopen. Hij vond Peter leuk en dat was wederzijds. Peter heeft een heel mooi mes van hem gekregen en een paar van zijn gedichten voor kinderen, in het Russisch. Ook heeft Marsjak een paar gedichtjes voor hem geschreven, maar ik weet niet waar die zijn gebleven. Later kwam de zoon van Marsjak, een natuurkundige, en kreeg ik af en toe een telefoontje van de ambassade of ik met hem schoenen en kleren wilde gaan kopen.

Ik kan me geen erger lot als schrijver voorstellen dan dat van Samuel Marsjak. Als je in die tijd als arme boerenjongen geniaal was, of gewoon talent had, werd je geacht een glorieuze toekomst te beërven. Wie beschermd werd door Gorki, was door de beroemdste schrijver van Rusland goedgekeurd. Gorki heeft het onmenselijke beleid van Lenin consequent bestreden en honderden politieke gevangenen vrij gekregen; later heeft hij tegenover Stalin hetzelfde gedaan. Zo was het voor Marsjak niet moeilijk om zich verbonden te voelen met de goede kant van de revolutie, want toen was het nog mogelijk om te geloven dat die er was. Geleidelijk aan werd hij opgenomen in de structuur van de onderdrukking, al besefte hij nauwelijks wat er gebeurde. Toen hij erachter kwam dat hij in de val zat, was het te laat. Mensen die nooit onder politieke terreur hebben geleefd, hebben makkelijk praten met: 'Dan had hij er maar uit moeten stappen.' Hoe dan? Hij zou ter dood veroordeeld zijn in de goelags, zoals tientallen andere schrijvers. 'Ik heb nooit geschreven wat ik had moeten schrijven,' zei hij. 'Ik had een tweede Gorki kunnen zijn. Mijn ware talent lag in het realisme. Ik had moeten beschrijven wat ik om me heen zag.' Samuel Marsjak wordt tot op de dag van vandaag door de Russische intelligentsia met opperste minachting beschouwd. Ze lijken zijn naam te willen bespugen (spugen is een typisch Russische uiting van minachting, verankerd in de taal): hij heeft de Stalin-prijs gewonnen, was synoniem met sovjetmacht. Ze willen zelfs nauwelijks toegeven dat hij mooie vertalingen van onder anderen Burns en Shakespeare heeft gemaakt. Was die treurige, bescheiden oude man die ik gekend heb, dan niet evenzeer slachtoffer als Maxim Gorki, die door Stalin vermoord is?

Een voorval dat niet van humor ontbloot was, was toen de culturele attaché zei dat hij me graag wilde ontmoeten om met me te praten over... wat? Literatuur waarschijnlijk. Ik gedroeg me net als tegen ieder ander en vroeg hem op de lunch. Bij aankomst trof hij me alleen aan, met de tafel gedekt voor twee (het was nog in het huis van Joan). Hij had een etentje met meerdere gasten verwacht. Hij inspecteerde de stapels boeken en papieren die overal lagen en zei: 'U bent een echte schrijfster, dat zie ik wel.' Hij was zenuwachtig; ik deed net alsof ik niets merkte en dacht: ik ga me heus niet aan hun stomme ideeën aanpassen, dat vertik ik. 'Ik kan hier niet alleen met u lunchen,' zei hij. 'Dat kan verkeerd worden uitgelegd.'

'O, waarom?' vroeg ik geveinsd naïef. Het was een aardige man, helemaal geen ambtenarentype. Ik nam hem mee naar de French Pub, die boven een goed restaurant had en vertelde hem het verhaal over de Vrije Fransen en deze pub, dat de mensen er op de veertiende juli op straat dansten. Dat vond hij allemaal leuk. Hij wilde het helemaal niet over literatuur hebben, bekende dat cultuur hem verveelde, maar dat hij hoopte dat ik daarom niet slecht over hem zou denken. Wat hij echt leuk vond was het circus. Daar ging hij zo vaak mogelijk heen. Hij was blij dat ik niet geschokt was, want hij was ervan doordrongen dat hij als cultureel attaché veel over boeken moest weten. Toen we afscheid namen, zei hij dat hij me tot zijn spijt moest mededelen dat ik in de verste verte geen communist was, maar Tolstojaan. Nee, dat bedoelde hij niet als compliment.

En nu een voorval dat zijn volledige implicatie pas later prijsgaf. Ik was op de sovjetambassade op de lunch genodigd om kennis te maken met Paul Robeson, de zanger, die erg in de kijker stond als communist en het in de Verenigde Staten heel moeilijk had. Zoals gewoonlijk ging ik erheen met de gedachte: o god, nou ja, dat moet dan maar. Er waren evenveel sovjetambtenaren als gasten. We zaten met zo'n zestien mensen aan de lunch. Onder de gasten waren Pamela Hansford Johnson en C. P. Snow, die weliswaar geen officieel partijlid was maar bij de Russen groot vertrouwen genoot.* Verder was James Aldridge er, met zijn vrouw Dina. Zijn roman *The Diplomat* werd in de Sovjetunie als een groots literair werk beschouwd, maar in Engeland was James niet zo bekend. *The Diplomat* stond vol wat toen 'progressieve denkbeelden' heette en was geen best boek. Het treurige was dat hij een prachtige kleine roman had geschreven, *The Hunter*, over de Canadese wildernis waar hij was opgegroeid. Maar díe roman, de echte, de goede, werd in de Sovjetunie vrijwel genegeerd en hier ook, omdat hij zo'n uitgesproken communist was.

Ik zat naast Michail Sjolochov, de schrijver van *De stille Don.* Het werk bestaat uit meerdere delen, het eerste is een epische roman over de gevechten in de burgeroorlog tussen de Roden en de Witten, een prachtig boek. Ik had het als meisje gelezen toen ik nog op de boerderij woonde. Het enige woord voor Sjolochov was 'macho', een echt haantje, zó uit de komische opera. De antipathie stroomde meteen in golven tussen ons heen en weer. Hij vroeg of ik zijn boeken had gelezen. Ja. Vond ik ze goed? Jawel, maar ik vond het eerste deel van *De stille Don* beter dan het tweede. En waarom dan wel? Omdat hij me het compli-

* De Amerikanen vertrouwden hem ook. Ik ken geen andere schrijver bij wie dat het geval was. Het kwam doordat hij zo door-en-door eerlijk was.

ment had bewezen me naar mijn mening te vragen, vertelde ik dat ik het eerste boek heel sterk vond, vol daad- en verbeeldingskracht, met een prachtig liefdesverhaal, maar dat het tweede er niet tegenop kon. Plots werd hij woedend. Als hij me in zijn land voor zich had, zei hij, zou hij op zijn paard springen, mij erachter binden en me laten rennen tot ik erbij neerviel; hij zou me achter zich aanslepen tot ik om genade smeekte en dan zou hij me laten afranselen. Dát was de behandeling voor vrouwen zoals ik. Ik zei dat ik er niet aan twijfelde dat hij daartoe in staat was. In die trant grapten we nog een tijdje door. Pas later ontdekte ik dat hij die eerste roman van een onfortuinlijke jonge schrijver had gepikt, en toen die een internationaal succes bleek had hij dat met een vervolg erop willen evenaren.*

Onder de koffie praatte ik met Paul Robeson en zijn vrouw. Ik vond ze allebei stom, omdat ze uitsluitend in communistenjargon spraken: 'kapitalistische leugens', 'fascistische imperialisten', 'hielenlikkers van de heersende klasse', 'democratisch socialisme' (de Sovjetunie), 'vredelievende volkeren'. Er was geen normaal woord bij. Maar toen begreep ik nog niet dat die taal vaak opzettelijk of instinctief gebezigd werd als iemand zich bedreigd voelde, en dat kon dagen- of wekenlang duren. Hij bevond zich op de sovjetambassade, waar het wemelde van de partijfunctionarissen, en hij was aan de genade van de Sovjetunie overgeleverd omdat zijn eigen land hem zo slecht behandelde. Als de politiek, het openbare leven, zo gepolariseerd wordt als toen het geval was, kunnen mensen makkelijk een domme indruk wekken. En zo kan ik zeggen dat ik met een van de grootste zangers van onze tijd heb gepraat, maar als ik zeg dat dat niet zo is, is dat even waar.

Uit het gesprek met Robeson kon ik opmaken hoezeer links in Amerika verschilde van links in Engeland. Maar nogmaals, de Amerikanen zijn nu eenmaal een volk van uitersten. Ik vind het vreemd dat dat nooit erkend wordt, laat staan dat er dieper op ingegaan wordt. Hier zit een soort nationaal 'imago' of een complex aan imago's in de weg. 'De arme jongen of het arme meisje dat het tot president kan schoppen'... 'jonge mensen uit doodarme gezinnen die zich via school en universiteit opwerken tot ze rijk en beroemd zijn'...'van krantenjongen tot miljonair'... 'een kip in iedere pan' als beeld van welvaart wel aan inflatie onderhevig)... Jefferson, Lincoln, enzovoorts. Maar het is een land dat snel verhoging krijgt, om niet te zeggen hoge koorts. Als we het over onze gemeenschappelijk taal, het Engels, als barrière tussen Engeland en Amerika hebben, vanwege het verschillende woordgebruik (al valt dat wel mee), is het bovenstaande minstens nog zo'n barrière, die de waarheid verdoezelt, en dan heb ik het over de barrière van nationaal temperament, van nationaal karakter. Op het moment dat ik dit schrijf, mag je in de Verenigde Staten eigenlijk niet eens hardop zeggen dat er een fenomeen als een nationaal temperament of nationale kenmerken bestaat,

* Dat Sjolochov het boek van die jonge schrijver gepikt zou hebben, is later weer tegengesproken maar ook bevestigd. Ik weet niet wat de huidige opvatting hierover is.

want dat is niet politiek correct. Hetgeen mijn stelling bewijst.

De Amerikaanse communisten waren communistischer, fanatieker, meer aan de partijlijn gehecht en meer paranoïde dan wie dan ook in Engeland. Ze genereerden meer van wat de communistische partij zelf betitelde als 'de honderdvijftigprocenters', en dat was geen term van bewondering, want ze beseften dat een extreme communist makkelijk omslaat in zijn tegendeel: de communistenvreter. Geen Britse communist is ooit zo hardvochtig behandeld als Paul Robeson en een aantal andere communisten door de Amerikaanse regering.

En toen deed Clancy Sigal zijn intrede. Alsof hij zo van de filmset stapte. Geheel in de stijl van de toenmalige jonge Amerikanen, spijkerbroek, sweatshirt, laaghangende riem waarin je een denkbeeldige revolver zag hangen. De eenzame outlaw. De sheriff die het in z'n eentje tegen een bende bandieten opneemt.

Ik was door iemand opgebeld die zei dat deze Amerikaan in de stad was, dat hij een plek zocht en of ik hem een kamer kon verhuren. Mijn antwoord was dat mijn carrière als hospita me niet happig had gemaakt op een vervolg. Kameraad-wie-het-ook-geweest-is vroeg of ik me niet schaamde dat ik een kameraad weigerde te helpen als ik een kamer over had.

Hij was anders dan de Amerikanen die ik tot dan toe had ontmoet, grotendeels mensen uit de wereld van uitgeverij en film. Dat waren toen formele, correcte, keurig kortgeknipte figuren, die oogden alsof ze in een onzichtbaar harnas zaten. Ze letten altijd op hun woorden. Ze spraken langzaam. De uitdrukking *stiff upper lip* had wel uitgevonden kunnen zijn om de Amerikanen van toen te beschrijven, vooral de mannen, want het leek wel alsof hun lippen behekst waren: ze kregen ze nauwelijks van elkaar. Je kon een Amerikaan op honderd meter afstand herkennen aan de stand van zijn mond. Kwam dat soms door McCarthy? Had hij ze zo bang gemaakt dat ze zich nu met hun kaken op elkaar angstvallig conformeerden, ook al hadden ze niets met linkse politiek te maken? Maar na een tijdje was dat type Amerikaan verdwenen en werden ze allemaal los, ontspannen, *relaxed* – als stijl.

Clancy was een heroïsche figuur, niet alleen vanwege de ontelbare filmhelden en de sterren van de linkse politiek, die zijn verbeelding bevolkten als trouwe vrienden, maar ook vanwege de grote figuren uit de Amerikaanse geschiedenis. Hij had pas de verplichte reis voor jonge Amerikanen gemaakt en de Verenigde Staten doorkruist per auto, alleen, tamelijk krankjorum, keuvelend met Abraham Lincoln, Clarence Darrow, Sacco en Vanzetti, Jefferson, Mother Bloor, John Brown, en verder Rosa Luxemburg, Speranskij, Boecharin, Trotski en wie er verder nog meer mocht opduiken.

Clancy was een spiegeltje voor alles in mijzelf waar ik me ongemakkelijk over begon te voelen. 'Begon' – dat was juist het lastige. Komende gebeurtenissen werpen hun schaduw vooruit. Maar als je vanuit het perspectief van die gebeurtenissen terugkijkt, is het heel verleidelijk om oneerlijk te zijn. Een vluchtig voorbijtrekkend gevoel, een zweempje schaduw maar, kan tien jaar later een stormwolk van openbaring worden: over jezelf, anderen, een tijdperk. Of het is juist spoorloos verdwenen.

Waar ik me toen onbehaaglijk over begon te voelen was de romantiek van links, om niet te zeggen de sentimentaliteit, die geenszins is voorbehouden aan communisten en in feite de hele linkervleugel doortrekt. Het is het soort sentiment waarmee extreme wreedheid zo vaak gepaard gaat of die tot wreedheid leidt. Een pose. De Rode Vlag door de stervende held door het vuur gedragen en op de heuvel geplant. De bestorming van de Bastille, van het Winterpaleis... Die twee laatste zo gemythologiseerd dat ieder verband met de waarheid zoek is. Ik kan hier bladzijden – wat zeg ik? – boeken over volschrijven.

Voor deze laag van links was en is altijd het dramatische, het melodramatische, van belang, nooit de sobere, weinig opzienbarende inspanning en prestatie. Bij links (en elders) kun je mensen vinden die zich een leven lang uitsloven om een klein aspect van het leven voor iedereen te verbeteren, maar nooit bij het links waar ik deel van had uit gemaakt. Clancy's geschiedenis van de Verenigde Staten was een en al heroïsche strijd, vaak bloedige confrontaties met de overheid. Mijnwerkers tegen gewetenloze mijneigenaren (nee, ik bedoel niet dat er geen gewetenloze mijnbazen zijn geweest; de mensen zijn vergeten hoe wreed die vaak waren). *John Brown's Body*, zijn schimmelende lijk. De rechtszalen waar Clarence Darrow vocht voor liberalisme en de waarheid. De gaarkeukens van de crisistijd. Vanuit Clancy's perspectief bevonden die en die alleen zich in de schijnwerpers, midden op het toneel.

Er bestaat een opvatting over de geschiedenis van Groot-Brittannië waarin die een en al heroïek en grote gebeurtenissen is. Die was Clancy even vertrouwd als de Amerika-sage, en in geen van beide was plaats voor het verhaal van die ene vrouw of man die jarenlang heeft geploeterd om een klein wetje veranderd te krijgen.

Mijn 'twijfels' – en die hadden niets te maken met de 'onthullingen' over de Sovjetunie – moeten hier beschreven worden, al waren ze nog zo ongemakkelijk en wankel.

Soms neem ik mijn huidige opvattingen onder de loep (waaronder ook de nieuwe, die nog de overdrijving van onbeproefde denkbeelden vertonen en niet door ervaring tot een vorm zijn gesleten, en sommige die verbijsterd zijn over hun eigen stoutmoedigheid) en vraag ik me af welke daarvan gedachten zullen blijken waarnaar ik had moeten luisteren, die ik had moeten uitbouwen. En welke zullen over een jaar of tien belachelijk lijken, armetierig?

Clancy was nogal ziek toen hij kwam, hield zichzelf maar nauwelijks op de been. Hij kwam uit Parijs, waar een goede vriendin, een Amerikaanse die daar woonde, hem had laten weten dat hij gek was. Dat zeiden de mensen al jaren tegen hem. 'Je moet het onder ogen zien, Clancy.' Hij was net tot de slotsom gekomen dat er misschien iets in zat, en maakte er geen geheim van dat hij mij een goed alternatief voor een psychotherapeut vond. Hij was jonger dan ik.

Als ik weer diezelfde kille, maar nuttige maatstaf aanleg die ik ook voor Jack, Gottfried en anderen heb gebruikt, moet ik zeggen dat Clancy en ik emotioneel gezien niet bij elkaar pasten – vooral dat niet, en seksueel ook niet, maar dat kwam omdat de kille afstandelijkheid van zo veel Amerikanen waarmee ze hun gevoel van zich af hielden zo remmend werkte; maar in intellectueel opzicht waren we aan elkaar gewaagd, een tijd lang tenminste. Allereerst had hij alles gelezen. Zijn moeder, een naar Amerika geëmigreerde Russin, een heel arme vrouw, zag zichzelf evenals zijn vader als erfgenaam van de wereldwijde grote revolutionaire bewegingen, en daar hoorde de literatuur uiteraard bij. Beide ouders stookten de arbeiders op, wierven vakbondsleden, raakten voortdurend hun werk kwijt en moesten dan weer verhuizen. De opvoeding van hun kind was altijd op de tweede plaats gekomen, de revolutie ging voor. Clancy was daardoor een doordouwer geworden, een van de extreemste die ik gekend heb. 'Geen wonder dat je gek bent,' zei ik vaak tegen hem, waarop hij dan antwoordde: 'Niet ik ben gek, dame, alle anderen zijn het.'

Hij was een trotskist. Dat had hem tot een dubbele verschoppeling gemaakt. Allereerst als revolutionair in het paranoïde Amerika. En ten tweede als een verrader van het communisme – en van de communistische partij. Hij vormde dus een minderheid binnen een minderheid. Dat kwam doordat zijn moeder tot de conclusie was gekomen: als de Sovjetunie stalinistisch is, ben ik trotskist . Op de universiteit was hij jarenlang door de stalinisten gehaat en gehoond. Nu begon het tij te keren. Binnen korte tijd zou de hele revolutionaire jeugd in Engeland en de rest van Europa trotskist zijn.

Nog een enkel woord over die oude scheuringen, want ze raken snel in het vergeetboek. Overal waren de communistische partijen stalinistisch; Trotski was een ketter en verrader. Maar de nieuwe jeugd geloofde dat het communisme het Utopia zou zijn geworden dat in de bedoeling had gelegen als Trotski en niet Stalin de machtsstrijd in de Sovjetunie had gewonnen. Van Isaac Deutscher, de historicus die over de sovjetrevolutie heeft geschreven, zijn twee boeken over Trotski verschenen: *The Prophet Armed* en *The Prophet Disarmed.* Ik kan ze aanbevelen. Een verslag van de politieke conflicten uit die tijd, gezien in het licht van de strijd tussen Stalin en Trotski. Je kunt echter moeilijk om het feit heen dat die twee vaak stuivertje verwisselden, en dat de een vaak een positie innam die hij bij de ander nog kort tevoren als verraderlijk of ondoordacht had betiteld. Alsof je marionetten ziet dansen. En die stropoppetjes worden meegesleurd door een grote waterval. De bolsjewieken, die de geschiedenis van de Franse Revolutie hadden bestudeerd, hadden gezworen zich niet tegen elkaar te keren en elkaar niet te gaan beschuldigen en vermoorden, zoals de Franse revolutionairen. Maar dat is precies wat er gebeurd is.

Isaac Deutscher vond Lenin, een van de meest meedogenloze moordenaars uit de geschiedenis, de Volmaakte Mens. Heel interessant: het is een begrip uit de spirituele traditie.

Een van Lenins bijdragen aan het geluk der mensheid was het begrip 'permanente revolutie', hetgeen in de praktijk betekende dat de leden van de communistische partij regelmatig en onverdroten moesten worden uitgemoord, gemarteld, gevangengezet en naar kampen gestuurd, om ze alert te houden. Dat beleid is door Stalin trouw voortgezet.

Toen ik Clancy Sigal voorstelde aan Reuben Ship, Ted Allan en de rest van de groep, kon ik even proeven hoe het voor een trotskist in Amerika geweest moest zijn. De hele groep was stalinist geweest. Ze begroetten elkaar met ironisch of sarcastisch begrip, en stortten zich meteen in een bitter debat. Maar ze prááten in elk geval met elkaar, terwijl er nog niet zo lang daarvoor bij een stalinist nog geen goeiendag voor een 'Trot' had afgekund – die kon eerder een ijspriem in zijn harses krijgen.

Ik dacht terug aan de trotskistische groep in Salisbury. Die had ik stiekem veel levendiger en interessanter gevonden dan ons. Je had zoiets als een trotskistisch temperament: anarchistisch, scherp, agressief en geestig.

In de jaren vijftig deed in de partij de grap de ronde dat stalinisten en freudianen uit hetzelfde hout waren gesneden: conformistisch, conservatief; en jungianen en trotskisten ook: allemaal rebellen. Alles is nu zo veranderd dat je moeilijk kunt uitleggen hoe er toen tegen de freudianen werd aangekeken: ze vormden een kerk, een priesterorde, hun was de waarheid onthuld; tegenstanders of mensen die van het rechte pad afweken werden genadeloos vervolgd. Ze hadden geen humor. Ze waren paranoïde. Ik kan niet zeggen dat ik Freud zo'n beminnelijk mens vind, en Marx evenmin, maar zouden ze niet allebei hun erfgenamen gehaat hebben? Mensen met originele denkbeelden, mensen die een beweging op gang brengen, moeten toch wel gebukt gaan onder de wetenschap van wat er onherroepelijk gaat gebeuren: ze zullen een generatie voortbrengen die grauwend en grommend om hun nalatenschap vecht, die hen tot heiligen maakt en die zelf tot een groep fanatiekelingen en dwepers verwordt.

Ik bleek het in politiek opzicht met de trotskist Clancy eens te zijn, terwijl ik toen nog lid was van de partij (al zon ik al op manieren om er stilletjes tussenuit te knijpen). Het was op z'n zachtst gezegd eigenaardig, want de officiële partijlijn aangaande Trotski was nog niets veranderd. In het linkse kamp was iedereen altijd druk in de weer de exacte intellectuele positie te bepalen. De eigen lijn van het individu hoefde niet per se met de partijlijn overeen te stemmen, dat was eigenlijk zelden het geval. Clancy en ik konden ons uren bezig houden met vragen als: 'Wat vind je van dit... en dat? Denk je dat dit zus is of zo?' Ja, een revolutie zou er moeten komen, dat stond buiten kijf, maar de toenmalige communistische partijen in Engeland en de rest van Europa konden ons daar niet in voorgaan, want die hadden te veel boter op hun hoofd.

Clancy begreep vrouwen, op een intuïtieve en intelligente manier. Dan bedoel ik niet de vrouw als sekspartner, maar de situatie waarin we zaten, onze problemen. Dat kwam door de ellendige situatie waarin zijn moeder langdurig verkeerd had; doodarm als ze was, had ze hem grootgebracht zonder de hulp van zijn vader, die ervandoor was gegaan en een nieuw gezin had gesticht. Vrouwen reageerden spontaan op hem. In *Het gouden boek* noem ik dat *benoemen.* Hij *benoemde* ons. Met iedere vrouw die hij tegenkwam ging hij naar bed, of hij probeerde het, uit principe. De stijl van de 'lone ranger'. Hij vertelde hoe hij Amerika doorkruist had en zelden een nacht alleen had geslapen. Ik geloof niet dat die vrouwen tekort kwamen, ook niet als hij ziek was, want als hij de volgende ochtend vertrok, voelden ze zich gesteund, alleen al omdat hij ze had begrepen.

Ik herinner me, met schaamte over mijn domheid, dat ik het gevoel kreeg dat de eenzaamheid waarin ik sinds Jack weg was had geleefd, voorbij was toen Clancy bij mij in bed stapte (meteen de eerste avond dat hij in huis was, geloof ik). Niemand zo dom als een vrouw die hunkert naar een man. Een man voor vast, bedoel ik dan.

Maar lang ben ik niet dom gebleven. Weer een man die er openlijk voor uitkwam dat het maar voor tijdelijk was. Jack en Clancy staan allebei in *Het gouden boek.* Niet per se feitelijk, maar de *emotionele* waarheid staat er helemaal in. Ook in *Play with a Tiger.* Later heeft Clancy een roman geschreven waarin ik voorkom, maar die heb ik niet gelezen. Boeken over mezelf lees ik niet, tenzij het om non-fictie gaat en ik de feiten moet checken. Maar die andere lees ik niet omdat de verleiding wild te gaan protesteren en discussiëren waarschijnlijk te groot is en dan kun je er wel je hele leven mee bezig blijven.

'Maar dat heb ik nooit gezegd.' 'O, jawel.'

'Echt niet.' 'Mooi wel.'

'Nietes.' 'Welles.' 'Nietes.' 'Welles.'

'Zo is dat nooit gebeurd.' 'Jawel hoor, ik weet het zeker.'

'Nietes.' 'Welles.' 'Nietes.' 'Welles.'

De meeste onenigheden van dit soort zijn echt niet van een hoger niveau. Wat jij waar vindt, hoeft nog niet voor mij te gelden.

Clancy woont nu in Californië, met een nieuwe jonge vrouw en een baby. Hij heeft ook een eerste echtgenote gehad en daarna een eindeloze reeks vrouwen. Toen ik hem leerde kennen was huiselijk leven, intimiteit en alles wat mij zo makkelijk afgaat, voor hem niet alleen een val, zoals jonge mannen dat al zo snel zien (en vooral toen, omdat dat toen de trend was), maar meer nog een verraad aan alles wat zuiver, goed en oprecht was, een concessie aan de burgerlijke moraal (en niets was uiteraard erger dan dat). Hij vertelde weleens hoe hij bij een vriend in de Verenigde Staten het huis uit was gelopen omdat die vriend getrouwd was – de ultieme knieval voor het burgerdom – en er zaaddodende pasta in het badkamerkastje lag. Hetgeen blijk gaf van de walgelijkst denkbare morele afvalligheid van de normen van de jonge ridders die ze wilden zijn. Toen hij op zijn afscheidsreis de Verenigde Staten rondtrok, bleek de helft van zijn jeugdvrienden getrouwd, mét belastend materiaal op de badkamer. 'Toen wist ik dat ik er echt weg moest.' Vunzige huiselijkheid – hij róók het zodra hij ergens voet over de drempel zette.

We zijn een jaar of drie samen geweest, als je het zo kan noemen.

Ik heb echt niet veel te zeggen over Clancy's verhalen over Londen, behalve over zijn bewering dat hij er in goedkope hamburgertenten heeft moeten eten. In werkelijkheid werd er voor hem gekookt door een aantal van de beste amateurkoks in Londen. En als hij dan toch ooit in een hamburgertent heeft gegeten, was dat op een nostalgisch uitstapje naar de dapper gedragen ontberingen van zijn straatarme jeugd. Londen is heel genereus geweest voor Clancy.

Hij was een romanticus. Links was toen romantisch, heroïsch, onder het toeziend oog van de schimmen van helden en heldinnen. Over de schaduwzijde daarvan later meer.

Op het moment dat ik Clancy leerde kennen, begon ik juist geshockeerd te raken door die romantische – sentimentele – overdrijving van links. Jarenlang had ik me eraan gelaafd. Het was mijn brandstof geweest, mijn impuls tot het streven naar beter. Vreemd hoe lang je zonder veel moeite in iets mee kunt blijven gaan, ondanks een gevoel van onbehagen, dat eerst niet zo sterk is, dan toeneemt, totdat je ten slotte een golf van afschuw voelt over wat je bent, geweest bent, als de schellen je van de ogen vallen. De afkeer die je dan voelt over hoe je was is veel heviger dan nodig is, maar je kunt niet anders, omdat het nog zo'n bedreiging vormt.

Voor een man van achter in de twintig was Clancy emotioneel nog jong. Ik was qua ervaring oud voor mijn leeftijd. En zo stond dat vanaf het begin meteen tussen ons in – als hij zei dat ik te nuchter, praktisch en verstandig was, was dat allesbehalve een compliment.

Clancy heeft mijn zelfbeeld de meest radicale ommezwaai van mijn leven gegeven. Ik was altijd als een buitenbeentje beschouwd, als tactloos, koppig, 'lastig', en nu werd ik er ineens van beschuldigd dat ik een Engelse dame was. Het had geen zin daartegen in te brengen dat een echte Engelse dame me meteen als namaak zou afwijzen. Deze Engelse dame had geen weet van de harde realiteit van het bestaan – voor hem betekende dat de problemen van de armen. Clancy was er de man niet naar om voorzichtig te zijn met kritiek, en ik kreeg de wind van voren, al betaalde ik hem met gelijke munt terug. Ik had me nog maar net de kunst eigen gemaakt om niet alles wat ik dacht er meteen uit te flappen, toen ik die met moeite verworven sociale vaardigheid moest verdedigen tegen die woesteling met zijn ongenadig felle kritiek.

'Jezus, ik word gek van die Engelsen. Waarom zeggen jullie nooit wat jullie denken?'

En hij begon me meteen in de realiteit van het echte leven in te wijden, te beginnen met jazzmuziek. Daar zal ik hem altijd dankbaar voor zijn. Jazz had tot dan toe voor mij de *kids* in de Sports Club van Salisbury betekend die bij de climax van hun dronken dans Satchmo na-aapten, of de gladde deuntjes van Cole Porter.

Hij ging met me mee om een pick-up en een stuk of twintig platen te kopen, elk op hun eigen manier bijzonder, een mijlpaal in de jazz, of het beste werk van een musicus. Pas na jaren kreeg ik door wat een volmaakte kleine verzameling het was. Wie in echte jazz of blues wordt ondergedompeld, ontkomt niet aan een bewustzijnsverandering. Clancy besefte dat. Hij was op de eerste plaats iemand die zijn medemensen dingen leerde. Hij zag het als zijn taak om iedere oningewijde die hij tegenkwam te hervormen, te kneden. Mij onderwees hij in de geschiedenis van de jazz en de blues; hij leerde me hoe ik naar de verschillende instrumenten moest luisteren, hoe ik vals van echt kon onderscheiden, waardering kon leren opbrengen voor samenspel, de instrumenten als een groep, een familie. Hij stond erop dat ik dezelfde loepzuivere smaak ontwikkelde als hij. Toen ik later onder zijn hoede vandaan was, permitteerde ik me minder strikte normen: een schuldige Duke Ellington, een Eartha Kitt.

Ik heb zo'n vier jaar naar jazz en vooral blues geluisterd. Wat heeft dat met me gedaan? Als de verlangende, smachtende, je-bent-onbereikbaar-voor-me-muziek van de oorlogsjaren ('I'm Dancing with Tears in My Eyes', 'Smoke Gets in Your Eyes') mij en alle anderen op het spoor heeft gezet van de romantische liefde, die draait om het onbereikbare, dan kun je zeggen dat de jazz en vooral de blues ons op het spoor zet van lijden, genieten van de pijn van verlies. In werkelijkheid ligt het natuurlijk gecompliceerder, maar ik kan in mijn geval stellen dat het luisteren naar de blues, Billie Holliday, Bessie Smith of de hartverscheurende, gefragmenteerde jammerklachten van de saxofoon van Bird, samenviel met een tijd van pijn, en dat dat elkaar wederzijds versterkt heeft. De zalige melancholie van de puberteit kan zich tot iets gevaarlijks verdiepen, kan tot een gif verworden.

Clancy heeft me de erecode van de Amerikaanse arbeider geleerd, maar die moet toch wel beïnvloed zijn door de arbeiders van Rusland, Oost-Europa en het *sjetl*? Clancy wist altijd precies het verschil tussen goed en kwaad. Het was de meest rigide gedragscode die ik ooit heb meegemaakt.

Allereerst, als je vriend, maar ook een kennis of iemand van wie je weleens gehoord had, werkloos raakte, dan was het jouw plicht meteen nieuw werk voor hem of haar te helpen zoeken. Dat ging zelfs voor je eigen belangen. Het was een erfenis van de werkloosheid uit de jaren dertig.

Ten tweede had je bij voorbaat een hekel aan de politie, overal en altijd. Je verdedigde je vrienden en maten te allen tijde tegen de politie, en elke leugen over de politie was toegestaan omdat de politie zelf loog over de arbeiders en armen. Toen Clancy lopend of liftend door de zuidelijke staten van Noord-Amerika trok, was hij de stad uitgejaagd als landloper, buiten de stadsgrenzen gedumpt of in de gevangenis gezet op verdenking van allerlei misdaden. Wie een goed woord voor de politie over had, bewees burgerlijk te zijn en tot het vijandelijke kamp te behoren.

Ten derde, als een vriend of kameraad, of de vrouw of de vriendin van een vriend het moeilijk had, schoot je te hulp met eten en geld.

Ten vierde, als er iemand voortvluchtig was, of zich schuilhield, om wat voor reden dan ook (behalve uiteraard als het een politieke tegenstander betrof) dan verleende je hem onderdak, zonder vragen te stellen. Dat laatste was vast nog een overblijfsel uit de slaventijd: weggelopen slaven verstoppen.

Clancy vond het ook bij mijn vorming horen dat ik meeging op zijn excursies door Londen, door de achterbuurten, want daar werd hij instinctief toe aangetrokken, alsof de waarheid alleen in de onderste regionen te vinden valt. Ik had bijvoorbeeld nooit geweten dat er op een bepaalde straathoek in Soho iedere dag werd gepokerd, vlak onder de neus van de politie. Clancy ging daar weleens heen om een gokje te wagen als hij krap bij kas zat. Hij praatte veel met hoeren. Ik ergerde me vreselijk aan de manier waarop hij ze zag: wéér dat romantiseren, dat verheerlijken van armoede en misdaad. Amerikanen werden toen allemaal erg door hoeren gefascineerd – alsof ze die zelf niet hadden. Iedere Amerikaan die in die tijd bij me op bezoek kwam, wilde meteen weten waar hij de meisjes van plezier kon vinden. Ik stuurde ze naar Soho, waar ze iedere avond op straat stonden, of naar Bayswater. Maar later was dat verboden en toen stuurde ik ze naar de advertenties bij de kiosk.

Clancy raakte al snel bevriend met Alex Jacobs, een forse, vriendelijke jonge kerel die de mensen meteen voor zich innam, een van de figuren die zich zou aansluiten bij de New Left-beweging die toen in opkomst was. Alex was niet de enige die ik heb horen zeggen dat een gedwongen bedlegerigheid van een paar maanden het beste was wat hem ooit was overkomen. In zijn geval was het tbc. Het hele verblijf in het sanatorium had hij gelezen, en toen hij werd ontslagen keek hij met medelijden terug op de onwetende jongen die hij geweest was. Hij was journalist en wilde gaan schrijven. Alex en Clancy schuimden Earls Court, Notting Hill Gate en Soho af, waren overal te vinden waar iets te doen was – criminaliteit, schandalen, opstootjes, demonstraties – en hingen rond in pubs, eethuisjes, busstations, goedkope restaurantjes en de koffiehuizen die net overal opengingen; ze keken naar mensen, voerden eindeloze gesprekken, luisterden en rapporteerden kleine onrechtvaardigheden aan de autoriteiten. Ze waren allebei buitenstaanders, vielen allebei buiten de ongeschreven wet dat de twee grote kampen binnen de Britse samenleving volledig ontoegankelijk dienden te blijven voor elkaar. Door het Amerikaanse accent van Clancy en het arbeidersaccent van Alex, dat hij bij die escapades sterk overdreef, werden ze door 'de gewone man' geaccepteerd. Het opende deuren voor hen die voor mij gesloten bleven. Toen ik mijn Rhodesische accent nog had was dat geen probleem, toen viel ik buiten het systeem, maar nadat dat accent was weggesleten, werd ik geklasseerd aan de hand van mijn manier van spreken, zoals hier nu eenmaal gebruikelijk is. Ik ontdekte bij toeval dat ik die eerdere vrijheid kwijt was toen ik in Devon naar een ijzerwarenwinkel liep waar de eigenaar me zag aankomen. Hij stond met zijn handen in zijn zij in de deuropening en dacht kennelijk: ze ziet er wel zo uit, die kleren... maar het is net niet helemaal... Hij wachtte tot ik iets zei: Hebt u misschien... wat het verder ook was, en nauwelijks merkbaar veranderde hij van houding, zijn armen gingen omlaag en: 'Ja mevrouw, als u me maar wilt volgen.'

Clancy en Alex kwamen na hun zwerftochten opgetogen binnenzetten om me er bij de koffie of onder het eten alles over te vertellen. Ze waren als ereleden geaccepteerd door een groep jongeren. Het waren geen schoolkinderen meer (in die tijd ging je op je vijftiende van school af). Clancy en Alex identificeerden zich allebei met die 'kids', die niet veel bagage hadden meegekregen en weinig anders te doen hadden dan op straat rond te hangen. Dat hartstochtelijke beschermersinstinct voor de minder bedeelden (ik begreep heel goed waar het om ging) wilden ze ook op mij overbrengen. Op een avond kwamen ze met een jongen aanzetten die, aangemoedigd door Alex en Clancy, een paar uur lang over zijn leven heeft zitten vertellen. Hun begrip voor zijn situatie gaf hem meer coherentie en helderheid dan hij normaal had opgebracht. Hij had niets tegen zijn ouders, maar wilde niet worden zoals zij. Films (veel televisie was er toen nog niet) hadden hem het zicht op een wijdere horizon gegeven, en hij weigerde genoegen te nemen met hetzelfde leven als zijn ouders. Geen compromissen, geen tweederangskeus, zoals Clancy het uitdrukte. Maar die jongen besefte dat hij met die opvoeding van hem niet veel verder zou komen. Hij zei dat hij werkloos was omdat hij méér wilde dan voor hem was weggelegd. Maar hij zou er binnenkort toch aan moeten, want hij wilde niet op de zak van zijn ouders teren, en dan zou hij trouwen, met iemand als zijn zus, en zodra hij getrouwd was zou hij in de val zitten. Deze periode was de enige waarin hij een beetje van zijn vrijheid kon genieten, en hij nam het ervan zo lang het nog kon. Eenmaal getrouwd had je het gehad, dan was het voorbij. Eigenlijk dacht hij precies het tegenovergestelde van zijn zus, zei hij, want die zat te wachten tot ze kon trouwen – dan zou voor haar het leven beginnen. Dit bezoek was een week voor de rassenrellen in Notting Hill Gate, waar blanke jongeren zwarten in elkaar sloegen. De jongen die zo intelligent over zijn leven had verteld werd gearresteerd en kort daarna stond hij terecht in de Old Bailey. Ik ben erheen gegaan met Clancy en Alex. Die wisten precies wat er die avond was gebeurd, wat ze waren erbij geweest, waren van hot naar haar gerend en hadden alles gezien. Zij hadden weer alles aan mij verteld. Zo zaten we daar in de bomvolle rechtszaal terwijl de politie loog, de getuigen logen, de advocaat van de verdachten loog en natuurlijk ook de verdachten zelf, om hun hachje te redden, al hielp dat weinig, want ze kregen gevangenisstraf. Ik heb daar naar de jury zitten kijken, dolblij dat ik niet in hun schoenen stond, want als Clancy en Alex het me niet verteld hadden, had ik nooit kunnen zeggen wie er loog en wie niet.

Clancy en Alex zetten hun onderzoekingen voort, ook toen de New Left al een club was geworden, een kliek van mensen die vrijwel alleen contact hadden met elkaar. Op een dag zeiden ze dat ze een jong meisje hadden gevonden dat gevangen werd gehouden door de eigenaar van een Grieks restaurant en dat ze haar gingen redden en mee zouden nemen naar mij. Het was een mollige, blonde, breekbare schone, met mistigblauwe ogen. Achttien was ze, het vriendinnetje van de Griek. Haar ouders mochten haar niet, zei ze. De Griek had vrouw en kinderen. Ze moest van hem de hele dag op haar kamer blijven. Ze verveelde zich, zei ze. En ze was bang van hem, zei ze.

Clancy en Alex geloofden kennelijk dat ik alleen maar hoefde te zeggen: 'Kom op, meid, doe er wat aan, zo kan het niet langer.' (Want wat ik ook zou zeggen en hoe ik het ook bracht, zó zou het haar in de oren klinken.) Erg slim was ze niet, heel anders dan de jongen die inmiddels ergens in de gevangenis zat, maar ze wist wel dat ze niet ging trouwen met een saaie vent als haar vader om vervolgens zijn slaafje te spelen. Was ze dan nu geen slaaf van haar Griek? vroeg ik, maar dan lachte ze alleen maar dat luie, superieure lachje van haar. Het was mij volkomen duidelijk dat ze met haar redding door onze jonge helden had ingestemd omdat ze dacht dat die haar een toekomst hadden beloofd. Glamour. Chique lui. Opwindende tijden met die beroemde schrijfster (ze hadden haar verteld dat ik dat was). Ze liet doorschemeren dat ze wel fotomodel of filmster wilde worden. Ik viel haar tegen. Ze frummelde aan de boeken met mijn naam erop: had ik die geschreven? En toen ik ja zei, een blik van vragende verbijstering: waarom woon je dan zó, waarom niet in zo'n huis dat je op de tv ziet? Wat hadden Clancy en Alex haar dan eigenlijk beloofd? Verbetering op alle fronten, kennelijk, onderricht. Ze kwamen af en toe binnenvallen om te zien hoe dat proces verliep, en troffen ons dan kletsend bij de thee aan in de keuken. En bij sterker spul – ze hield wel van een glaasje gin of zoete likeur; ze was eraan gewend om met de Griek en zijn vrienden 's avonds ergens iets te gaan drinken.

Ze pikte schaamteloos mijn kleren in, want ze had er zelf geen bij zich. De kleren die genade vonden in haar ogen schoof ze naar een kant van mijn kast, de rest was afgekeurd, en toen begon ze zich op te tutten. Ik droeg veel zwart in die tijd. 'Waarom heb je allemaal zwarte spullen?' Dat had Clancy ook gevraagd, en ik had geantwoord: 'Ik rouw om mijn leven, dat is duidelijk,' maar tegen haar zei ik: 'Omdat zwart me goed staat.' Ze trok me een rode blouse aan, een witte, probeerde nog het een en ander en zei toen dat ik gelijk had, ik moest zwart dragen, maar die lippenstift van mij... Ze maakte me op met haar eigen make-up, schudde toen haar hoofd, nee, ik moest me houden aan wat ik droeg. Volmaakte concentratie, die inspectie van mij en mijn kleren. Maar lang duurde dat niet, en toen verveelde ze zich weer. Ze wachtte tot er iets ging gebeuren. Toen Clancy en Alex kwamen en zij hun aarzelend vroeg waarom ze haar hier mee naar toe hadden genomen, vroegen die of ze niet naar school wilde, om diploma's te halen, te gaan studeren misschien? Stomverbaasd was ik, zoals vrouwen kunnen zijn over mannen die iets voor de hand liggends niet zien. Daar zat ze te roken in mijn vuurrode ochtendjas (die ze de tien dagen dat ze bij me logeerde nauwelijks heeft uitgetrokken) terwijl zij vol bewondering keken naar haar borsten, want ze liet de jas openvallen tot haar middel, en naar haar witte knieën die uit de rode plooien te voorschijn kwamen; nee, school zag ze niet zo zitten. Toen zeiden ze: Doris zal weleens informeren of je kapster kunt worden. 'Wat verdienen die?' vroeg ze sloom, haar mooie blauwe ogen zwaar van verveling.

Ze was vele centimeters te kort om model te kunnen worden. Toen haar gevraagd werd of ze dan misschien beha's en ondergoed wilde showen, zei ze dat haar Dimitri dat vast niet goed zou vinden. Ze wilde hem niet kwetsen. Hij zei dat hij een dezer dagen met haar zou trouwen. Ach, misschien waren de wonderen de wereld nog niet uit. Jawel, ze mocht hem graag. Ze vond het wel fijn om een beetje gemept te worden ('Maar nooit zo dat ik blauwe plekken heb, mevrouw Lessing, dat moet u niet denken') en daarna op het bed gegooid. Op een dag kwam ze niet uit haar kamer naar beneden, wat ze anders meestal zo rond het middaguur deed, en boven vond ik mijn ochtendjas opgevouwen op het bed, dat ze keurig had opgemaakt, als een braaf meisje, en een briefje op het kussen: 'Hartstikke bedankt. Geen stoute dingen doen hoor! (Ha ha.)' Ze was dus teruggegaan naar haar Griek, en daarna... wie zal het zeggen. Ze zal nu wel een dikke, zwaar geverfde oude vrouw zijn, aan de drank waarschijnlijk, en die gedachte doet pijn.

In Warwick Road ging ik vaak 's avonds laat wandelen. Nu zou niemand het laat vinden, maar toen gingen de mensen veel vroeger naar bed. De straten waren om elf uur nog steeds uitgestorven, net als toen ik pas in Londen zat, en je had niets van dat alles wat we nu zo gewoon vinden, alsof het er altijd geweest is: leven op straat tot lang na middernacht, vrolijke groepjes meestal jonge mensen op zoek naar vertier en avontuur. Ik ging alleen wandelen als Peter op kostschool zat of bij de Eichners logeerde. Niet omdat ik hem niet alleen durfde te laten: er woonden mensen beneden me (en toen ik nog huurders had, ook in het huis zelf) en later was Clancy er, met zijn schrijfmachine die ratelde als een mitrailleur. Nee, Peter was bang als ik weg was, omdat een van zijn ouders al verdwenen was, en ik misschien ook niet terugkwam. Hij heeft die angst nooit uitgesproken, maar ik wist het.

Dat rondlopen door de straten van Londen leek op mijn avondlijke omzwervingen door Salisbury: als ik daar de deur uitging, waren de huizen nog verlicht, en als ik weer terugkwam, waren ze donker, en zwegen de radio's die hun muziek van huis tot huis hadden laten horen. Maar nu was het het geflakker van de televisie tegen de gordijnen dat doofde terwijl ik liep.

Wat deed ik? Wat zocht ik? Ik had behoefte aan beweging, want ik had een overmaat aan lichamelijke energie, opgedaan tijdens het ritueel dat ik nodig had om te schrijven, als ik door de kamer ijsbeerde, blind voor mijn omgeving, even schrijven, mezelf opwerkend tot een inspanning zo intens dat ik er uitgeput van raakte en ik een paar minuten moest slapen, om dan opnieuw te gaan ijsberen. Dat kon uren zo doorgaan, afwisselend een poosje achter de schrijfmachine en een verfrissend dutje; gek genoeg putte dat mijn fysieke energie niet uit maar hield ik er juist energie aan over en die moest ik kwijt.

Ik ging uit dat bovenhuis niet de straten in die ik van overdag kende. Dit nachtelijke Londen was een vreemd land, en onder het lopen dacht ik niet: dit is Kensington High Street; hier heb je Earls Court. De grote straten vermeed ik meestal, omdat ze me vijandig voorkwamen, met een introverte hardheid die mij buitensloot. Zo ervaar je als kind een bepaalde straat of een vertrek: je slaat de hoek om en ziet je geconfronteerd met een onbekende rij winkels met een rode brievenbus die een vijand lijkt; het plantsoentje aan de overkant staat vol onbekende bomen en struiken (en toch spelen er kinderen, alsof ze geen gevaar zien) of je doet een deur open in een nieuw huis waar de meubels staan opgesteld in een onwrikbare slagorde die 'verboden toegang' zegt, tot je plots op een stoel stuit die je verwelkomt, of je komt een winkel binnen waar een vrouw opkijkt en naar je lacht... Er zijn geen straatnamen, geen huizennamen of huisnummers in dit vreemde land, en een volwassene zou de manier waarop een kind een straat, een huis, een kamer, zelfs het hoekje van de bank ervaart, niet herkennen. En wie al in een stad woont, snapt niet de vrees die de nieuwkomer ervoor voelt.

Er waren straten waar ik snel doorheen liep, om er maar weer uit te zijn, want ik vond ze niet prettig, en andere waar ik lang bleef hangen. Als ik bij de grote pakhuisachtige gebouwen van Earls Court kwam, die daar donker en zwijgend massief stonden te wezen, onverschillig voor mij, haastte ik me voorbij, want ze leken mij vol nauw bedwongen geweld en ik wilde geen aanval provoceren. Als ik bij de Albert Hall was aanbeland, die misschien nog geen uur daarvoor stampvol mensen had gezeten, als een doos vol speelgoed, stelden die nuchtere rondingen me gerust: jawel, hier ben je welkom; maar ik ging weer verder, misschien een eindje Kensington High Street af, uitgestorven alsof de pest had toegeslagen. En toch was het nog maar twaalf uur 's nachts. Soms stond er op de halte van de nachtbus iemand te wachten, en dan liep ik langzaam voorbij, en zag de gloed van een sigaret een gezicht oplichten dat mij geen aandacht schonk, want er kwam een rode bus aan uit het West End, op weg naar een buitenwijk die voor mij net zo goed Oost-Mongolië had kunnen zijn, maar zonder die plezierige verwachting die je hebt bij de gedachte aan oorden waar je ooit nog eens heen zult gaan; nee, een uitgestrekte, verduisterde semi-stad, bestaande uit op zichzelf staande, zelfgenoegzame huisjes met keurige tuintjes, dat was het beeld dat voor me opdoemde als ik die ene passagier de bus in zag stappen die hem wegvoerde. Wat is de enorme uitgestrektheid van Londen toch angstaanjagend voor nieuwkomers, want een nieuwkomer was ik die zes, zeven, acht jaar na mijn aankomst nog steeds: ik probeerde nog steeds met Londen in het reine te komen, de stad te bevatten. Een doorgewinterde Londenaar heeft dat leren onderdrukken door met hoofd, hart en zintuigen maar in één gedeelte van de stad te wonen, en daar een thuis te scheppen onder het motto: 'Londen is een verzameling dorpjes'; er wordt dan één zo'n dorpje uitgekozen en de schrikwekkende onmetelijkheid van de rest wordt genegeerd; zo iemand wacht op de groet van de vrouw van de overkant, of een opgestoken hand van de groenteboer, of een miauw van welkom van de kat van nummer 25, of de bocht in de weg waar ieder voorjaar een bepaalde boom opduikt in schitterend wit, of waar in de herfst een struik zich tooit met donkerrood.

In de straten waar ik 's avonds laat liep, viel niets te beleven, er was geen restaurant, geen koffiebar, en de pubs waren allang dicht. Als ik voor sluitingstijd ging wandelen, vormden de pubs stuk voor stuk een eiland van plezier, afgesloten van de straat achter de verlichte ramen, vol mensen die elkaar kenden, want pubs zijn net clubs, zonder het voordeel van regels en lidmaatschap: dezelfde mensen treffen er elkaar en creëren kleine gemeenschappen, gezelligheid. Maar als de pubs eenmaal dicht waren, restten alleen de slechtverlichte straten en donkere huizen. Een straat door, de hoek om, een andere straat in, en nog een; naar de namen keek ik nooit, want het kon me niet schelen waar ik was, en toch, als ik van het ene kluitje straten naar het andere liep, of van de ene straat naar de volgende, bewoog ik me van het ene territorium naar het andere, elk met een eigen sterke sfeer en uitstraling die ik hun toekende met mijn behoefte om dit nieuwe te doorgronden. Als ik de naam niet wist, kon ik zo'n straat opnieuw leren kennen, want ik weet zeker dat ik vaak zonder het te weten door dezelfde straten liep, langs dezelfde huizen; mijn begrip en onderscheidingsvermogen verschilden van avond tot avond. En bovendien is het zelfs overdag zo dat een andere lichtval of een ander perspectief een nieuw beeld oplevert. Als je een bepaald metrostation vaak gebruikt, loop je de trap af naar een perron dat je even goed kent als de straat voor je huis, maar als je bij datzelfde station uitstapt bij je terugkeer naar huis, loop je de trap op van een perron dat heel anders is dan het perron waarvan je tien passen verderop bent vertrokken.

Ik liep meestal zo'n twee, drie uur aan een stuk en was nooit bang om te verdwalen, want ik zou altijd wel weer bij een metrostation uitkomen dat ik kende, of bij een politiebureau. Daar stapte ik dan naar binnen. 'U bent wel een eind van huis hè?' sprak de agent dan berispend.

'Ja, ik ben verdwaald,' zei ik dan monter, mijn incompetentie aanbiedend als fooi voor zijn hulp.

'U kunt daar op de hoek de nachtbus nemen.'

'Nee, ik loop liever.'

'Goed dan,' en hij liep mee naar de deur. 'Slaat u daar die straat in, dan linksaf, en dan...'

Het lijkt lang geleden dat we in grote steden als Londen bij nacht en ontij over straat konden lopen zonder dat het bij ons opkwam om bang te zijn. Ik vond die veiligheid vanzelfsprekend.

Als iemand over verkrachting was begonnen, waar jonge vrouwen van nu rekening mee houden, had ik dat verontwaardigd van de hand gewezen. 'Doe niet zo belachelijk.' Maar de vrouwen zijn veranderd. Soms, niet alleen 's avonds maar ook overdag, liet een zielige kerel in een steelse jas of regenjas die plotseling openvallen... maar dan was ik al weer doorgelopen, met de gedachte: arme sukkel. Als er een auto vaart minderde om te kijken of ik te koop was, schudde ik van nee en liep ik wat sneller door. Het kwam nooit bij me op om me beledigd te voelen. Is het goed dat vrouwen zo preuts zijn geworden, zo lichtgeraakt – en hulpeloos bovendien? De vrouwen van nu beginnen als Victoriaanse dames (of tenminste, dat zegt men, al heb ik het nooit geloofd) te gillen of in katzwijm te vallen bij de aanblik van een penis waaraan ze niet zijn voorgesteld; ze voelen zich vernederd door een suggestieve opmerking, en roepen meteen om een advocaat als een man ze een complimentje maakt. En dat alles in naam van de gelijkheid der seksen. Ik heb nooit gevaar gelopen, geen enkele keer in al die nachtelijke wandelingen, ook niet in de meest onsmakelijke, duistere straatjes; als ik me daar al bedreigd voelde, kwam dat alleen door mijn onvermogen om te begrijpen wat ik zag. Het is lang geleden dat ik me op zo'n kille manier buitengesloten heb gevoeld, in Londen of waar dan ook ter wereld – zoiets als een klein kind voelt als het een kamer wordt binnengebracht vol enorm grote, geveinsd lachende volwassenen die op stoelen en banken zitten die ineens vijandig zijn, terwijl ze als de vreemden uit de kamer zijn verdwenen weer vertrouwd zijn, vrienden waartussen je speelt en wegkruipt.

Wanneer ik thuiskwam, om zo'n twee, drie uur 's nachts, leken de kamers van mijn huis, vooral de woonkamer, die eigenlijk best groot was, en de keuken, ook een ruim vertrek, klein, veel te fel en banaal. Waar was ik geweest? Ik wist het niet en het kon me niet schelen ook. Mijn hoofd zat vol donkere straten en gebouwen. Toen er onderweg plots een lamp was aangefloept in een huis waarvan de ramen eerst een zwak lantaarnschijnsel weerspiegeld hadden, was het alsof het huis zijn ogen naar me opsloeg: *Wie ben jij?*

Dat was de nacht, die de ware aard van de straten van Londen verhulde. Londen bij daglicht was niet de grauwe, toegetakelde, kleurloze stad meer waarin ik was aangekomen. De oorlog was al bijna geschiedenis; de gebouwen kregen een verfje, en de nieuwe koffiebars fleurden het straatbeeld op. Toen ik er pas was, had iedereen het over de slagvelden, de oorlog in Noord-Afrika... Egypte... Birma... India... Frankrijk... Italië... Duitsland, en de bombardementen op Londen. De nieuwe jongeren praatten niet over de oorlog van tien jaar geleden, die wilden zich vermaken. En ze droegen kleding die hemelsbreed verschilde van de saaie 'Utility' uit de oorlog. Overal gingen nu Indiase restaurants open, die ons redden van de keus tussen eten in een duur restaurant, wat de meesten van ons zich niet konden veroorloven, of thuis. De Koude Oorlog bestookte ons nog met bombast en retoriek, maar binnen de linkse beweging (en ik zou zeggen dat ook het denken van mensen die zich nooit links zouden noemen doordrenkt raakte van linkse opvattingen) ontsproten allerhande nieuwe ideeën. Het was het stadium van een proces waarin ideeën, opvattingen, nieuwe gedachten (die allemaal ingingen tegen de heersende mentaliteit) zich opstapelen achter een dam die op het punt van doorbreken staat... om vervolgens een nieuw conformisme te gaan vormen.

Ik kon me al bijna niet meer voor de geest halen hoe terneergeslagen ik geweest was toen ik pas in Londen was, hoe ik me telkens wanneer ik het kleine, beschermende omhulsel verliet waarin ik woonde, en me buiten waagde, van binnen moest pantseren: 'Nee, ik ga me er niet door laten ontmoedigen.'

En toen mijn eerste kat, in mijn huis, mijn thuis. Mijn verantwoordelijkheid. Ik had hartstochtelijk gehouden van de katten op de boerderij, lang geleden, maar had er eigenlijk verder geen verstand van. Mijn moeder had voor ze gezorgd. Goede plek voor een kat, zei iemand die wanhopig op zoek was naar een tehuis voor een jong katje. Je hebt twee verdiepingen, van je voordeur loopt een houten trap naar het plaatsje, en dan nog een groot plat dak – je huis vráágt om een jong katje. En zo worden we katteneigenaar. Wat is een kat – máár een kat? Een beest zonder rechten, dat leeft naar beste kunnen, op elke plek die het krijgt; als dat bij ons in huis is, wordt de kat vaak slecht behandeld, uit onwetendheid. Ik had geen idee hoe je voor een kat moest zorgen. Op de boerderij had je binnen- en buitenkatten, ze dronken water uit de drinkbakken van de honden, kregen melk als de volle melkemmers arriveerden, vingen eten in de bush en verder kregen ze kliekjes en hapjes. Oud werden ze meestal niet: voor een kat liet je geen dierenarts komen, die vele kilometers verderop woonde en die zich trouwens toch alleen bezighield met serieuze beesten, werkbeesten als honden, schapen en koeien en de paarden voor de sport. De katten verwilderden makkelijk met de wilde katten; ze liepen slangenbeten op of werden blind van het spuug van een cobra en dan moesten ze uit hun lijden verlost worden. Er waren ontelbare nesten jonge katten, en de meeste werden meteen verdronken.

Met die leerschool als achtergrond kreeg ik mijn kat, een zwart-witte, een echte huiskat, mollig, lief, nogal dom en heel aanhankelijk, want het liefst zat ze iedere seconde van de dag en de nacht bij me.

Ze hield niet van blikvoer en wist me er geleidelijk aan van te overtuigen dat ze kalfslever moest hebben; in die tijd van voor de culinaire revolutie waren lever, niertjes en alle soorten orgaanvlees zo goedkoop dat alleen de prijs al aangaf dat het niet het eten waard was. Ze was gek op biefstuk. Of een stukje vis. Ze raakte overvoed, want ik wist toen niet dat een dieet van lever, biefstuk en vis niet goed is voor een kat. Laten we hopen dat ik in ieder geval een bakje water had staan voor haar en haar jonkies. De meeste katten hebben graag veel water en zijn niet eens zo dol op melk. Nee, ziek is ze niet geworden en ze was tierig genoeg, maar lang heeft ze niet geleefd, want ze is van het platte dak gevallen en heeft haar bekken gebroken – zo zette ze in ieder geval voort wat ik nog wist van de boerderij, waar de katten hun negen levens bliksemsnel opgebruikten.

Ze werd vriendelijk behandeld, ze kreeg te eten, ze werd naar de dierenarts gebracht, ze werd geaaid en vertroeteld, ze sliep op mijn bed. Maar pas later heb ik katten leren waarderen als individu, ieder op zich, net als mensen. Later zijn er katten geweest die diepe indruk op me hebben gemaakt met hun sterke karakter, hun intelligentie, hun moed, hun dapper verdragen lijden, hun gevoeligheid voor wat je denkt, de zorg voor hun kleintjes – en dat geldt in mijn ervaring ook voor katers. Maar deze poes, mijn eerste als volwassene, was gewoon een lief beest.

Ik moest nog leren hoe je katten observeert, hoe je in contact treedt met hen en hun gevoelsleven, hun liefdes, hun genegenheden, hun jaloezie. Want katten zijn net als mensen jaloerse wezens en willen bij jou op de eerste plaats komen. Van een kat krijg je wel in honderdvoud terug wat je geeft aan aandacht en observatie, vooral observatie, zodat je weet wat de kat denkt en voelt. Mensen die denken dat alle katten hetzelfde zijn, dat ze onafhankelijk zijn en niets om mensen geven, 'dat ze je alleen interessant vinden omdat ze eten van je krijgen', die mensen missen dat allemaal.

Hoe vaak zie je niet het treurige verschijnsel van een intelligente kat bij onwetende eigenaars, die die harteloze blokken beton probeert duidelijk te maken dat hier een liefhebbend wezen rondloopt dat graag een echte vriend wil zijn – om dan keer op keer te worden afgewezen, van een schoot gegooid, of zelfs geslagen, en daar gaat ze dan maar weer, triest maar geduldig, een gevangene van domheid.

Inmiddels weet ik dat het me bij die eerste kat aan een heel scala aan reacties en genegenheden heeft ontbroken, omdat ik het me in mijn hoofd had gezet dat ze wel lief maar niet al te slim was. Maar als je het van haar standpunt bekijkt: die intens aanhankelijke kat, die qua karakter dag en nacht met iemand samen had moeten zijn, belandde in een appartement bij een vrouwtje dat geen aandacht voor haar had als ze werkte, dat almaar rusteloos heen en weer liep of heel even een tukje ging doen, waarna ze weer opsprong, zodat zij (de kat) weer weg moest. Dat vrouwtje was vaak weg, een keer zelfs zes weken aan een stuk, en hoe lang moet dat voor een kat wel niet lijken, misschien wel hetzelfde als jaren voor ons. Ja, ze bleef soms jaren achtereen weg, en liet haar dan achter bij mensen die soms wel en soms niet van haar hielden. Als dat vrouwtje dan weer thuiskwam, en de kat zich eindelijk weer kon verheugen op een warm plekje op het voeteneind, ging dat soms ook weer niet door, want het was lang niet zeker dat er maar één mens in het bed lag, en vaak moest ze uitwijken naar een stoel, zich klein maken, zorgen dat ze niet lastig was. Er was ook een jongen, en die was lief, maar hij had geen tijd voor haar, en ook hij was vaak weg. De gevoelens die rondkolkten in dat huis waar ze naar toe was gebracht (niet haar eigen keus) waren verontrustend, beangstigend vaak: katten pikken iedere gevoelsnuance op. Het was geen kalmerende, rustgevende omgeving; alle mensen die er woonden waren rusteloos of gespannen, ze liepen voortdurend in en uit, en daarom wilde deze kat altijd bij het vrouwtje zijn, dat misschien wel helemaal zou verdwijnen – want als ze jaren kon wegblijven, waarom dan niet voor altijd?

De kat had net als alle anderen die in dat huis kwamen, niet veel vertrouwen in het dak boven haar hoofd.

En nu, gewoon omdat het zo prettig is om erover te schrijven, een droomhuwelijk. Een jonge communistische Russin, een volbloed idealiste, leerde in Moskou Bill Rust kennen, de hoofdredacteur van *The Daily Worker*, het Britse communistische dagblad. Hij was daar op een of ander officieel bezoek. Bill Rust was bekend, populair en genoot ook buiten de communistische wereld respect, omdat hij zover de beperkingen van het communistische dictaat dat toelieten als hoofdredacteur onafhankelijk en recht-door-zee was. Dankzij zijn positie kreeg zij meteen een vergunning om de Sovjetunie te verlaten en met hem te trouwen. Sommige bruiden in spe moesten jaren blijven hunkeren terwijl de vergunning uitbleef. Na korte tijd overleed Bill en bleef Tamara als weduwe achter. Qua temperament, overtuiging en training was ze een communistische activiste. En verder was ze nog buitengewoon Russisch, wat voor de geïsoleerde Britse arbeiders heel exotisch was. De partij bedacht haar de taak toe om de Britse boerenstand te activeren. (Een formulering die tekenend was voor het gevoel voor humor van de partij.) Tijdens een verblijf in het zuidwesten van Engeland ontmoette Tamara Wogan Phillips, de oudste zoon van een lord, een herenboer in de buurt van Cheltenham. Deze herenboer had zijn zoon uit woede over diens communisme onterfd, maar zijn titel kon hij hem niet ontnemen, zodat Wogan die uiteindelijk wel erfde. Wogan wilde met Tamara trouwen. Begrijpelijk. Zij wilde ook wel trouwen met hem, maar uit onvermijdelijke twijfel over die krankzinnige stap die het huwelijk nu eenmaal is, bracht ze de dagen voor de bruiloft door in kwellende onzekerheid, grotendeels samen met mij. 'Hoe kan ik als weduwe van Bill Rust nu met een Engelse lord trouwen?' wilde ze weten.

'Geen enkel probleem,' zei ik. (In die tijd deed in de partij de grap de ronde dat de partij weliswaar de gewone man niet in het Lagerhuis verkozen kon krijgen maar geen enkele moeite had om lords in het Hogerhuis aan te trekken. Er zaten drie communisten in het House of Lords, en binnenkort zou Wogan zich bij hen voegen. Je had nog een communistische aristocraat, Ivor Montague, en die was verliefd op communistisch China. Hij heeft dat gigantische rijk laten kennismaken met tafeltennis, en dat doet het daar tot op de dag van vandaag uitstekend.)

Tamara wilde ook trouwen met Wogan. Begrijpelijk. Hij was waarschijnlijk de knapste man die ik ooit heb gekend. Hij bezat alle deugden van de edelman en geen van de ondeugden. Het was een prachtmens en ik heb nooit iemand ontmoet die dat niet vond. Maar zij was van degelijke Russisch-communistische afkomst en... 'Natúúrlijk moet je met hem trouwen,' drong ik aan; romantisch als ik was, had ik het vreselijk gevonden ware liefde gedwarsboomd te zien door de politiek.

De bruiloft vond plaats ergens in een huis in Noord-Londen. Het was er niet groot en er waren niet zo veel mensen. Wogan, onverstoorbaar vriendelijk en aardig, Tamara, zinderend van verrukking, liefde en twijfel, en ook Harry Pollitt, de algemeen secretaris van de Britse communistische partij. Hij gaf Tamara nog net niet ten huwelijk maar belichaamde wel de goedkeuring van het proletariaat der beide naties. Hij had een secondant meegenomen. Die twee korte, gedrongen mannen in hun stijve zondagse pak lieten zich in deze bizarre situatie niet uit het veld slaan. Wie waren er nog meer? Ik kan me alleen twee lange, blonde jonge mensen herinneren die tegen een schoorsteenmantel geleund welwillend toekeken, en ons met hun charme betoverden. Het waren Sally, de dochter van Rosamond Lehmann en Wogan (die twee mooie mensen hadden iemand voortgebracht die in de herinnering van iedereen die haar gekend heeft, voortleeft als een uitzonderlijk, beeldschoon meisje) en Patrick Kavanagh, dichter en literator. Ze waren pas getrouwd of stonden op het punt van trouwen. Zij zou niet lang daarna onverwachts overlijden. Sally en Patrick hadden net als Wogan en Tamara nog tientallen jaren gelukkig moeten leven.

Ik heb een paar keer met Peter op de boerderij van Wogan en Tamara gelogeerd. Zijn vader mocht hem dan wel geen cent hebben nagelaten, gelukkig moet er elders nog een potje zijn geweest. Hun leven was een Engelse droom, een en al welwillendheid en vriendelijkheid, op het landgoed van een herenboer, en Peter vond het net als ik heerlijk om erheen te gaan.

Tamara en Wogan reden vaak naar Cheltenham, een stad die sinds de Burgeroorlog waarschijnlijk geen opruiende gedachte meer had gekend, om daar aan de verbaasde burgers op straat *The Daily Worker* te verkopen. Ik moest terugdenken aan even wereldvreemde pogingen in Salisbury (Zuid-Rhodesië) om het communistische blad *The Guardian* te slijten in de uitsluitend door blanke kafferhaters bewoonde buitenwijken. Als hun revolutionaire plicht erop zat, togen Wogan en Tamara naar hun favoriete pub, waar de boerenarbeiders (waaronder een paar van hun eigen werknemers) *The Daily Worker* kochten omdat ze Wogan zo graag mochten.

Wogan had een landgoed in Noord-Italië geërfd en besloot het te verdelen onder de pachtboeren die er werkten. Binnen de kortste keren kwamen ze hem smeken het terug te nemen, of het in ieder geval weer te beheren, want ze werden door de omringende grootgrondbezitters afgezet. Tamara en Wogan konden daar het grappige niet van inzien, en evenmin van hun colportage met *The Daily Worker* in Cheltenham; en als dat wel zo was, hebben ze het in ieder geval nooit laten merken.

Nog een bruiloft: die van Arnold en Dusty Wesker. De hele familie van Arnold was er, van gegoede zakenlui tot mensen die het East End nauwelijks ontgroeid waren. De familie van Dusty bestond uit keuterboertjes en boerenarbeiders uit Norfolk; Arnold heeft ze geportretteerd in zijn toneelstuk *Roots*. Er waren ook toneelspelers, regisseurs en schrijvers van het Royal Court Theatre, een stuk of twintig. Het blonde, grote, trage boerenvolk met de blozende buitenwangen, de rappe, donkere, donkerogige joden en wij, het ongeregelde zootje van het Court Theatre, dat rare mengelmoes van mensen zat in drie verschillende kluitjes in de grote ruimte naar elkaar te koekeloeren tot we ten slotte allemaal één werden, verenigd in het dansen van de *hora*, rond en rond, eindeloos rond.

Niet iedereen met wie ik omging was de vooruitgang van de samenleving toegewijd. Er kwam iemand uit Canada een paar weken logeren. Ze gaf me een gele zijden paraplu, een kleine, elegante paraplu met een ivoren handvat. Die kwam uit een heel ander leven. Hij stond schuin tegen de keukenmuur, en ik dacht: als ik die gebruik, moet ik andere kleren kopen, en in een ander huis gaan wonen, en zeker in een ander deel van Londen. De paraplu deed me denken aan een schitterend kort verhaal uit *New Writing* over het naoorlogse Londen, toen bevlogen vluchtelingen uit alle windstreken hun wankel bestaan leidden in koude, gammele onderkomens en nauwelijks wisten hoe ze hun volgende maaltijd bij elkaar moesten scharrelen. Een zekere dichter – het was een Hongaar, geloof ik – zei tegen zijn vriend: 'Als je die jas toch weggooit, geef hem dan aan mij, ik sterf van de kou.' Het was een elegante, zij het sleetse jas. Hij droeg hem dag en nacht. Zijn kameraden zeiden: 'We gaan niet met jou uit in die jas, we moeten aan onze reputatie als serieuze mensen denken.' De dichter droeg de jas naar een feestje van de uitgeverij, en hij viel op bij de dochter van de uitgever. Hij zei tegen zijn eigen vriendin: 'Waarom koop jij geen nieuwe jurk?' Haar antwoord luidde: 'Vroeger hield je van me om mijzelf. Je bent gewoon een walgelijke bourgeois geworden.' Hij moest een nieuwe baan nemen, waaraan hij een hekel had, om zich een nieuwe garderobe en nieuwe vrienden te kunnen veroorloven, en daarna betrok hij een nieuwe woning, met de dochter van de uitgever. Zijn kameraden beschouwden hem als een hopeloze afvallige, maar eigenlijk was hij gewoon de tijd een stapje voor.

En nu, opnieuw, die lastige kwestie van de tijd. Ik zat bijna acht jaar in Londen. Wat stelt dat voor, acht jaar? zou ik nu zeggen. Niets, een vloek en een zucht; maar toen leefde ik nog in jong-volwassenentijd, en ik had het gevoel dat ik al een eeuw in Londen zat, in die stad stampvol nieuwe mensen, gebeurtenissen, activiteiten, ideeën. Mijn vrienden uit Zuid-Rhodesië (mevrouw Maasdorp, de Zelters, de kameraden in het algemeen, maar zeker niet mijn broer, met wie ik beleefde briefjes uitwisselde) spoorden me aan om terug te komen en artikelen te schrijven die 'de waarheid vertelden'. Ik had grote behoefte om terug te gaan, omdat de tijd in Rhodesië zo veraf leek, zo ver van mezelf af stond, en omdat ik elke nacht droomde, lange, droeve dromen over grenzen, ballingschap en doodse landschappen. Er waren echter twee redenen waarom teruggaan niet makkelijk was. Ik had geen geld, en Peter kon ik de tijd die ik nodig had niet bij de Eichners achterlaten. Zes weken was te lang. Ik begon met het geld. *Picture Post* was een heerlijk tijdschrift, een van de eerste die fotoreportages gebruikte; altijd bonje met de eigenaar, die bang was; het stond onder redactie van Tom Hopkinson, die dapper was. Uiteindelijk heeft de moed het van de lafheid verloren. Maar voor het zover was, kon ik op *Picture Post* terugvallen. Ik ging Tom Hopkinson vragen of het tijdschrift mijn reiskosten naar Zuid-Rhodesië wilde vergoeden. Ik vond dat ik daar met mijn achtergrond niet minder voor geschikt was dan wie dan ook. Al zolang ik in Engeland zat, had ik onzin over zuidelijk Afrika moeten aanhoren, al raakte over Zuid-Afrika stukje bij beetje de waarheid bekend – deels uiteraard door mensen als ik. Inmiddels was de Centraal-Afrikaanse Federatie gevormd, een unie van enerzijds Noord-Rhodesië en Nyasaland, die beide altijd Britse protectoraten waren geweest waarin de belangen van de inheemse bevolking op de eerste plaats kwamen, en anderzijds Zuid-Rhodesië, dat altijd de onrechtvaardige wetgeving van Zuid-Afrika had nagevolgd. In Engeland was iedereen, ook de pers en zelfs die goeie ouwe *Guardian*, idolaat van die federatie: precies het soort verheven formule dat de Britten zo aanspreekt. Slechts twee kranten, *The Tribune* en *The Daily Worker* (beide extreemlinks) wezen erop dat olie en water slecht samengaan en dat er onherroepelijk 'onrust' zou ontstaan. Overal in Nyasaland en Noord-Rhodesië brak al 'onrust' uit. Zoals ik en een aantal anderen voorspeld hadden. Ik liet Tom Hopkinson weten dat ik in alle drie de gebieden wel bij mensen kon logeren, vrienden en kennissen genoeg, dat het tijdschrift dus alleen de vliegreis voor zijn rekening hoefde te nemen, en dat ik in een veel betere positie verkeerde om nieuws boven tafel te krijgen dan de echte journalisten. Hij was voorzichtig, zei dat hij dacht dat het wel zou gaan maar hield nog een slag om de arm. Waarop hij schreef: sorry, het gaat niet door. Hij had natuurlijk contact gehad met de geheime diensten (waarvan de leden uiteraard maatjes van hem waren, dat geldt nu eenmaal voor bijna het hele mannelijke establishment), had te horen gekregen dat ik communist was (wat hij uiteraard al wist) maar ook dat ik gevaarlijk was (we hebben het nog steeds over de Koude Oorlog). Ik wist toen nog niet dat ik van de Zuid-Afrikaanse en ook de Zuid-Rhodesische regering het land niet meer in mocht. Ondertussen hadden Mervyn* en Jeanne Jones uit eigen beweging het riante aanbod gedaan om zes weken voor Peter te zorgen; ze hadden zelf ook kinderen. En zo ontbrak toen nog alleen het geld voor de vliegreis.

Ik puzzelde alles zorgvuldig en nuchter uit. Ik stapte naar de sovjetambassade en vroeg een onderhoud aan met de cultureel attaché (niet dezelfde als toen): konden ze er niet voor zorgen dat een sovjetkrant mijn vliegreis betaalde en me als correspondent inhuurde? Ik besefte natuurlijk best dat ik me met die wandaad beschuldigingen van omkoperij door Moskou op de hals haalde, zo niet erger. Bovendien was het ongehoord om ze daar doodleuk te gaan voorstellen dat ze zich als een westerse krant moesten gedragen, alsof dat de gewoonste zaak van de wereld was. Ja, ik zag er de grap wel van in, genoot ervan. Maar ik was ook erg kwaad. Mijn gevoel zei dat ik mijn eigen kant de kans had gegeven om me in dienst te nemen; hadden ze dat maar moeten doen, eigen schuld. En ik wist dat ik ze waar voor hun geld zou hebben gegeven. Met die Russen lag het wat dubbel. Ik was weliswaar partijlid en ze konden natuurlijk niet weten dat ik rebelse gedachten koesterde en van plan was eruit te stappen; maar ik was ook weer niet, zoals James Aldridge, 'een van hen', de toen nog veelgehoorde Russische term: die-en-die is 'een van ons' – *nasje.* 'Nasje', en dus goed. *Het zingende gras* was door hun recensenten afgekraakt als 'freudiaans', met talloze niet-communistische tekortkomingen, die ik nu niet meer weet. De korte verhalen waren paternalistisch en misten gevoel voor het proletariaat. Het feit alleen al dat ik op ze afgestapt was zonder eerst de partij te raadplegen toonde ruimschoots mijn ernstige gebrek aan revolutionair begrip aan.

Ik ging verder met mijn voorbereidingen en vertrouwde maar op mijn geluk. Ongeveer een week voor mijn vertrek, toen ik in paniek begon te raken, niet in de laatste plaats omdat alle kameraden me voorhielden dat dit nog nooit was gebeurd en ook nu niet zou gebeuren, kreeg ik een cheque van de Narodny-

* Mervyn Jones is romanschrijver en journalist.

bank van duizend pond (meen ik me te herinneren). Misschien was het vijfhonderd. Het was in elk geval veel geld. Als ik er mijn vliegticket van betaalde hield ik nog aardig wat over. Toen ik de sovjetambassade belde om uitleg zeiden ze dat het geld voor royalty's was. (De Sovjetunie werkte nog steeds met roofdrukken van mijn boeken en betaalde nooit royalty's uit – je moest het geld ter plekke gaan uitgeven. Heel wat schrijvers deden dat, ze vierden vakantie aan de Zwarte Zee en leefden als vorsten – of volkscommissarissen. Dat heb ik nooit gedaan. Ik vond dat de uitgevers de schrijvers moesten geven wat hun toekwam en geen emotionele chantage mochten plegen. 'U weet hoe vreselijk moeilijk wij het hebben; we zijn ervan overtuigd dat u ons graag zult helpen door hierheen te komen, uw geld in Moskou op te halen en het bij ons uit te geven.') Het is nooit zwart op wit bevestigd dat dat geld voor royalty's was. Toen ik vroeg voor welke krant ik zou gaan schrijven, zeiden ze dat ik de artikelen naar de ambassade moest opsturen, dan zochten zij wel een krant.

En nu mijn echt onvergeeflijke naïviteit: het is geen seconde bij me opgekomen dat mijn artikelen 'creatief' vertaald zouden worden om de omstandigheden in Centraal-Afrika erger af te schilderen dan ze waren. Dit kleine voorval laat zien waarom de mensen die met de sovjetbureaucratie te maken kregen overspannen raakten of ermee moesten kappen. Allereerst: hoewel ze bij de ambassade wisten dat mijn reis van hen afhing, kreeg ik het geld pas op het laatste nippertje; mensen die reisjes naar de Sovjetunie organiseerden, kregen de visa pas op de avond voor of de ochtend van het vertrek, zodat iedereen gegarandeerd volop in de zenuwen zat. Ten tweede kreeg ik niet officieel te horen voor welke van mijn boeken ik die royalty's eigenlijk kreeg. Het werd schrijvers nooit meegedeeld wanneer hun boeken in de Sovjetunie werden uitgegeven. Soms kwam er iemand terug van een reis met de boodschap: 'Ik heb in Moskou je boek in de winkel zien liggen,' terwijl ik van niks wist. Tot op de dag van vandaag heb ik geen idee welke van mijn boeken en korte verhalen daar zijn uitgegeven. En ten derde, toen ik na mijn reis de artikelen opstuurde (dezelfde die hier in *The Tribune* en elders in Europa in linkse dagbladen verschenen) hebben ze me niet verteld in welke sovjetkranten ze zouden verschijnen.

In de tussentijd was er nog iets anders gebeurd. De communistische partij van de Sovjetunie had haar Twintigste Congres gehouden. Geen jongere van vandaag zal 'het Twintigste Congres van 1956' nog iets zeggen, maar iedereen die toentertijd in politiek geïnteresseerd was, en niet alleen de mensen uit het linkse kamp, weet nog dat dat het congres was waarop Chroesjtsjov de misdaden van Stalin heeft opgebiecht. Die 'onthullingen' troffen de getrouwen met het effect van een bom die de communistische partijen in alle landen uiteenreet. Over de hele wereld had je mensen (en er zijn er nu nog steeds een paar over) die ervan overtuigd waren dat al het slechte dat over de Sovjetunie verteld werd leugens waren, verzinsels van de kapitalistische pers, en dat in het communisme (al waren er uiteraard 'vergissingen' begaan), onder aanvoering van de grote en nobele opvolgers van de grote Stalin, de toekomst van de wereld lag. Er waren kameraden die de 'onthullingen' verontwaardigd van de hand wezen: Chroesjtsjov was een verrader, was omgekocht door de CIA, hij overdreef; of: als het waar was wat Chroesjtsjov zei, was er iemand anders of een kliek van samenzweerders voor de misdaden verantwoordelijk en had Stalin er nooit iets van geweten.

Om dit in de jaren negentig allemaal op te schrijven is niet gemakkelijk. Verdwenen (laten we hopen voor altijd, al durf ik daar niet op te rekenen) is het klimaat waarin deze dingen konden gebeuren. Ik beschrijf hier een massawaan. Ik heb er zelf deel van uitgemaakt. Maar de zaken lagen niet zo helder afgebakend als het nu allemaal klinkt: ze liepen in elkaar over. Zoals Arthur Koestler eens gezegd heeft, hield iedere communist er voor zichzelf een stelsel van persoonlijke opvattingen op na. Ik hoorde bij het handjevol mensen dat juist om tegenovergestelde redenen teleurgesteld was door het Twintigste Congres. Dat handjevol wist toen inmiddels dat de misdaden van Stalin duizendmaal erger waren dan Chroesjtsjov zei. Waarom vertelde hij niet de hele waarheid? Wij, het handjevol dat deze zaken onder elkaar besprak, geloofden weliswaar wat de 'kapitalistische pers', de emigrés uit de Sovjetunie en nu ook de vele vluchtelingen uit de communistische landen van Oost-Europa zeiden, maar we geloofden ook dat er zich in de Sovjetunie een aantal zuivere zielen schuilhield dat zich 'als de tijd rijp was' zou melden: 'Ja, alles wat over ons gezegd is, is waar, maar wij gaan nu het sovjetcommunisme weer op het juiste spoor brengen.' Met het woord 'geloven' duid ik hier maar een half-geloven aan, want met elk nieuw boek over de Sovjetunie en elk gesprek met iemand die er gewoond had, was het geloof verder afgebrokkeld. Langzaam. Je geloof in het communisme verliezen gaat precies zo als bij verliefde mensen die hun liefdesdroom niet kunnen opgeven. Inmiddels weet ik dat alles waar ik me toen aan vastklampte, onzin was. Ik kan niet zeggen dat het een doodklap voor me was, want ik had er niet mijn hele ziel en zaligheid in gelegd, dat was nooit zo geweest. Wel kende ik mensen die er alles in geïnvesteerd hadden, hart en ziel, en die soms pijnlijke offers hadden moeten brengen, mensen die alleen voor de gouden toekomst van het communisme hadden geleefd: die mensen zag ik overal om me heen instorten of zo'n radicale ommezwaai maken dat ze in hun eigen tegendeel veranderden. Dat waren dramatische processen; algauw circuleerde in linkse kringen de grap dat een verleden als communist de beste springplank voor een geslaagde carrière als zakenman was.

Alle vertrouwen in de Sovjetunie en het communisme kwijt zijn betekende nog niet dat je de revolutie opgaf. Het idee dat de revolutie nodig was om ons allemaal te redden, lag diep verankerd. Achteraf valt dat moeilijk te benoemen, maar ik zou durven zeggen dat het geloof in revolutie als basisonderdeel van een overtuiging daarna nog minstens twintig jaar overeind is gebleven. Misschien nog langer. Het sprak vanzelf: beargumenteren of definiëren was overbodig. Revolutie was goed. De tijdrekkerij van het socialisme was slecht, een walgelijk symptoom van lafheid, net als het geloof in God.

Het was (is?) onderdeel van de structuur van onze geest en ons denken. Neem nu Zuid-Afrika. Toen ik me politiek bewust werd van Zuid-Afrika, was ik een jaar of twintig, en wij namen als vanzelfsprekend aan dat er een bloedbad moest komen, een 'nacht van de lange messen'. En nogmaals, dat maakte zozeer deel uit van de kijk die alle betrokkenen erop hadden dat het geen uitleg behoefde. Toen Mandela en De Klerk in 1992 tot een overeenstemming kwamen en het 'onvermijdelijke bloedbad' van de baan was, gingen er tientallen jaren van politiek geloof simpelweg in rook op.

In 1956 bevond ik me in een maar al te vertrouwde situatie: ik kon maar tegen een paar mensen zeggen wat ik dacht. En bij de kameraden wier harten braken, kameraden die ziek waren van ellende, kon ik zeker niet aankomen met de mededeling dat wat Chroesjtsjov op het Twintigste Congres had gezegd slechts lafheid was en dat hij de hele waarheid had moeten vertellen.

Voor mijn vertrek werd ik door de partij benaderd met de vraag of de kunstenaar Paul Hogarth misschien met me mee kon. Ik stond niet te juichen, maar ach, waarom niet.

Over die reis heb ik een dun boekje geschreven, *Going Home* [vertaald als *Terugkeer*], en voor wie het interesseert: het is nog verkrijgbaar.

Ik heb een paar dagen in het huis van de Zelters* gelogeerd, en kwam tot de ontdekking dat je in Engeland altijd een harde, strakke kern hebt zitten, ergens bij je zonnevlecht, die schrap staat om zich te weren tegen kou en vocht en zich nooit ontspant. De heerlijke, droge, opwekkende warmte van het hooggelegen Salisbury begon in mijn botten, nam geleidelijk bezit van de rest van mijn lijf en eigenlijk had ik geen zin om aan de slag te gaan. Maar ik had met Bram Fischer** afgesproken om bij hem in Johannesburg te komen logeren. Hij had al afspraken met anderen geregeld en Paul verteld waar hij landschappen kon zien waar de meeste toeristen geen notie van hadden. In die tijd ontzegde Zuid-Afrika iedereen die kritiek had als *Prohibited Immigrant* de toegang tot het land, en we zeiden voor de grap dat ik misschien weer op het vliegtuig terug gezet zou worden waarmee ik op het vliegveld Jan Smuts was aangekomen. En zo geschiedde. Ik had tegen Paul gezegd dat hij moest doen alsof hij me niet kende als de veiligheidsdienst me tegenhield; maar toen ik door de politieagent werd weggevoerd, begon hij te zwaaien en te roepen: 'Waar ga je heen?' terwijl ik deed alsof ik hem niet kende. De Engelsen leven al zo lang in veilige omstandigheden dat ze er geen benul van hebben hoe je je als buiten de wet staand mens dient te gedragen. In partijkringen deed de volgende grap de ronde: als er in een land met een repressief regime, Griekenland bijvoorbeeld, een Britse communist als fotograaf, journalist of kunstenaar onder de bescherming van de communistische partij rondreisde, kon je zonder mankeren zijn route volgen aan het spoor van gearresteerde en gevangengezette mensen dat hij achterliet: zijn contacten,

* Zie *Onder mijn huid.*

** De jurist Fischer is waarschijnlijk de bekendste en dapperste Zuid-Afrikaanse communist; hij heeft jaren gevangengezeten.

de dappere mensen die klaarstonden om hem te helpen. Dat trekje is nog lang niet verdwenen. Tegenwoordig zie je op de televisie interviews met mensen die uit angst voor arrestatie of wraakneming gevraagd hebben om onherkenbaar te blijven. En dan zie je ze daar op het scherm met van die minuscule schitterblokjes alleen in het midden van hun gezicht, zodat je ervan opaan kunt dat ze gearresteerd, zo niet vermoord worden zodra het programma is uitgezonden. Maar journalisten en televisiemakers hebben immers het recht om te doen wat ze willen...

Ik was er niet echt van ondersteboven dat ik Zuid-Afrika uitgezet was, want ik had geen emotionele banden met dat land. Ik werd door twee beambten teruggebracht naar het vliegtuig waarmee ik aangekomen was, en op de terugweg zat ik alleen terwijl de mensen me aanstaarden en zich god weet wat voor misdaden in het hoofd haalden.

Weer in Salisbury stelde ik alle journalistieke activiteiten even uit (trouwens toch niet mijn favoriete bezigheid) en ging op de veranda's lekker zitten kletsen. Toen kwam er een telefoontje van het secretariaat van minister-president Todd, of ik hem wilde interviewen. Dat was nog niet bij me opgekomen. Want waarom zou ik? Ik was op heel andere informatiebronnen uit. Maar toch ben ik naar het kantoor van de premier getogen, en daar was hij dan, Garfield Todd, een lange, knappe man, die rondbeende als Abraham Lincoln; je zag gewoon dat muren en plafonds hem hinderden en dat hij liever in de buitenlucht verbleef. Ik heb er zo'n drie uur gezeten. Ik bevond me weer eens in een door en door scheve positie. Garfield Todd, een nobel mens, was idolaat van de Centraal-Afrikaanse Federatie, dat van iedere realiteitszin gespeende verheven idee. Hij zei: 'Ik heb je binnengelaten...' of liever: 'Ik heb mijn hand over je uitgestrekt, mijn kind' (hij had voor de zending gewerkt) en wel omdat hij wilde dat ik aardige dingen over Zuid-Rhodesië en de Federatie schreef. De buitenlandse journalisten schreven daar altijd zo ongunstig over, zei hij. Hij had zijn voorlichtingsmensen opdracht gegeven mij alle mogelijke faciliteiten te verlenen, want als ik 'met eigen ogen' zag wat daar gaande was, zou ik zeker onder de indruk raken en aardige artikelen schrijven. Mijn antwoord was dat ik in dit land was opgegroeid, het door en door kende en er met geen mogelijkheid 'aardige artikelen' over kon schrijven. Wonderlijk is dat toch, hoe je bepaalde dingen gewoon niet hoort, niet laat doordringen. Omdat het voor mij *emotioneel* gezien onmogelijk was om uitgesloten te worden van het landschap waarin ik was opgegroeid, hoorde ik gewoon niet wat hij zei. Ik bleek al acht jaar daarvoor, toen ik uit Zuid-Rhodesië was vertrokken, door Lord Malvern (onze huisarts dokter Huggins) tot Prohibited Immigrant te zijn verklaard: 'Ik kon niet toestaan dat jij mijn Afrikanen, mijn *natives*, ging opruien.' Alleen hadden ze me nooit vertéld dat ik een ongewenste vreemdeling was geworden. Ze deden er hoogst gegeneerd over toen ik weken daarna in Londen met een advocaat naar het Rhodesia House ging. Ze draaiden, kronkelden, logen, maar gaven uiteindelijk toe dat ik ongewenst was: 'Verdorie, je liet ons ook geen andere keus.'

Maar intussen had Garfield Todd van de veiligheidsdienst te horen gekregen dat mijn naam op de zwarte lijst stond, waarop hij tussenbeide was gekomen zodat ik toch het land in kon. Ik zei tegen hem dat hij me daarmee in een onmogelijke positie had gebracht. Waarop hij antwoordde dat hij alle vertrouwen had in mijn gezond verstand. Ik zei dat dat duidelijk geen rol speelde, want gezond verstand hadden we allebei en toch waren we het oneens. Waarop er een discussie over de grondslagen van de federatie volgde. Ik stelde dat het ontvlambare karakter ervan toch zeker wel bleek uit het feit dat de Federatie aanleiding had gegeven tot het ontstaan van *twee* ANC's, een van Noord-Rhodesië en een van Nysasaland. (En tot het nog onzichtbare African National Congress in Zuid-Rhodesië; ik had in het geheim al twee mannen ontmoet die permanent op de vlucht waren voor de politie in alle drie de landen en pamfletten en informatie uit de twee noordelijke landen Zuid-Rhodesië binnensmokkelden.) Garfield Todd zei dat hij de National Congress-leiders haatte en verafschuwde. Hij vond het onruststokers met een grote mond. Natuurlijk zijn ze dat, zei ik. Niet lang daarna zou hij met alle zwarte leiders dikke maatjes zijn.

De rest van mijn verblijf in Zuid-Rhodesië werd ik hoffelijk geëscorteerd door zijn voorlichtingsdienst, en tegelijkertijd op de hielen gezeten door de politieke veiligheidsdienst, die er een iets realistischer beeld op nahield. Die figuren doken op de meest verrassende plaatsen op: midden in de bush bij de Zambesi bijvoorbeeld, waar Paul een schets maakte van een Coca-Colastalletje; aan een belendend tafeltje in hotel Karoi, waar ze ons probeerden af te luisteren (die man had de korzelige uitdrukking die zo typerend is voor die lui als ze tegen wil en dank in de nabijheid van hun rebelse verdachten verkeren); in de auto naast ons in een drive-in bioscoop (maar die viel in slaap).

Het pijnlijkste onderdeel van die reis was de confrontatie met al mijn oude kameraden, 'de rooien'. Er opvattingen op nahouden over de maatschappij waarin je leeft die niet gedeeld worden door de mensen tussen wie je leeft, en daar dan objectief en verstandig aan vasthouden, zonder paranoïde en verbitterd te worden... ach, dat gaat gewoon niet. In het oude Zuid-Rhodesië, voor de komst van de rooien en kaffervrienden, had je inderdaad een paar mensen wie dat wel was gelukt, de dichter Arthur Cripps bijvoorbeeld, die steun vond in zijn godsdienst, maar over het algemeen lukte het echt niet. Er waren acht jaar voorbijgegaan. Men verkeerde nog steeds in de greep van de Koude Oorlog, en door de oprichting van de National Congresses in het noorden had de houding van de blanken zich nog verhard. Ik ontdekte dat mijn oude vrienden paranoïde waren geworden, aan de drank waren geraakt, of in hun eigen tegendeel waren verkeerd, waarbij ze de Blanke Beschaving verdedigden op een wijze die ze kort tevoren nog laatdunkend van de hand hadden gewezen. Of ze waren volledig ingestort. Al die mensen hadden inspiratie ontleend aan het beeld van dat mooie, ware Utopia in Rusland, maar hadden net in *The Observer* de volledige tekst van de toespraak van Chroesjtsjov gelezen; ze waren kwaad, ongelovig, verbitterd. Ik ontmoette kleine groepjes of de geïsoleerde eenling in een mijnstadje of in een huis in Bulawayo of Salisbury, en ze waren wanhopig, hun hart was gebroken. Er was één ding dat ik niet over mijn lippen kon krijgen: 'De toespraak van Chroesjtsjov is niet alleen waar, in werkelijkheid is het nog duizendmaal erger.' 'Ja, het is waar,' zei ik. 'Ja, ik ben bang dat het waar is, de toespraak van Chroesjtsjov is waar.'

Wat ik zag – dat besefte ik terdege – was wat ikzelf was geworden als ik niet uit dat eerste huwelijk was gestapt en in die samenleving ambtenaarsvrouw was gebleven. Ik zou aan de drank zijn geraakt, zijn ingestort, was op z'n minst verbitterd en neurotisch geworden.

Ik heb een paar dagen bij mijn broer in Marandellas gelogeerd. Het was voor geen van ons beiden een pretje. Hij moest gastheer spelen voor die koppige kaffervriendin die zulke onbillijke boeken had geschreven. Ik was te gast bij een man voor wie de benaming 'reactionair' nog te zwak was, want al zijn opvattingen waren steevast extreem, karikaturaal.

Mijn moeder heb ik een middagje gezien. Ze logeerde bij haar oude vriendin mevrouw Colborne, en ons samenzijn was beleefd, zoals altijd, met onder die oppervlakte werelden van verdriet.

Ik ben Lord Malvern gaan opzoeken, het hoofd van de fameuze Federatie, en vertelde hem dat ik naar Noord-Rhodesië en Nyasaland wilde, want Garfield Todd had me gewaarschuwd dat ik daar toestemming voor moest hebben. 'Hoe lang wil je er blijven?' vroeg hij, en toen ik zei: 'Een weekje,' was zijn reactie: 'Ik denk niet dat je in die tijd veel kwaad kan.' Ik wist toen nog steeds niet dat hij me tot ongewenste vreemdeling had verklaard.

Die hele gang van zaken heeft iets vertederends, iets amateuristisch. Dat komt doordat ik blank was. Als ik zwart was geweest, had de Zuid-Afrikaanse veiligheidspolitie geen seconde gêne gevoeld over mijn uitzetting. Als ik zwart was geweest, met die opvattingen van mij, dan was ik op de vlucht geweest, net als de mannen van het National Congress, die zich moesten schuilhouden of zich voor huisbedienden moesten uitgeven.

Het beste deel van die reis was het alleen zijn in de bush, waar ik uren rondreed zonder een levende ziel tegen te komen, niemand op de weg, en waar ik van tijd tot tijd stilhield om gewoon aan de rand van die uitgestrektheid te gaan zitten en naar de weidse luchten te staren. Op een keer zag ik op weg naar het noorden, naar de nog in aanbouw zijnde Kariba-dam, voor me aan de kant van de weg een auto die zo te zien pech had. Er zaten twee Amerikaanse antropologen in die ik de avond daarvoor in Salisbury ontmoet had. Kon ik misschien helpen? vroeg ik. Ze zagen bleek, zaten te trillen, waren volkomen van de kaart. Wat was er aan de hand? Het is de ruimte hier, zeiden ze. Het is hier zo groot. Daar konden ze niet tegen. Ze konden de aanblik niet verdragen. Ik ging bij ze staan, terwijl zij in elkaar gedoken in hun stoel zaten; ik keek naar die glorieuze leegte en de blauwe verten erboven en vroeg waar ze bang voor waren. Voor hen was het landschap vol dreiging. Ze smeekten of ze achter me aan mochten rijden, zodat ze niet de enige auto op de weg waren. Zo gedaan, tot de afslag bij

Kariba, waar ze met een zielig lachje vaarwel wuifden terwijl ze langzaam alleen doorreden.

Op die tocht ben ik door het prachtigste bos gereden dat ik ooit heb gezien – hoge, nobele bomen en schoon, geel gras, overal vogels en dieren, tot olifanten aan toe, want die heb ik van heel dichtbij gezien, op een heuveltje. Dertig jaar later was het weg, het woud was verdwenen, er waren alleen nog vernielde bomen en erosie.

De tocht naar Noord-Rhodesië was niet alleen opwindend vanwege de toenmalige 'onrust'. In die dagen ging je er alleen heen als het moest – mijnbouwkundigen, ambtenaren, mijnwerkers op zoek naar werk. Noord-Rhodesië was de Copper Belt, Lusaka stelde niets voor. Toen woonde net als nu het grootste deel van de zwarte bevolking in de steden, niet in dorpjes in de bush zoals in Zuid-Rhodesië en – nu – Zimbabwe, waar het gros nog steeds dorpeling is. Het was een ruige omgeving waar veel werd gedronken, een soort stads-wilde westen. Na een uur vliegen naar Lusaka kwam je van een modern, ontwikkeld land in een achterlijk land terecht. Heel Noord-Rhodesië stond in vuur en vlam, er waren opstootjes, blanken in auto's werden met stenen bekogeld en er werden gebouwtjes in brand gestoken – de treurige wapens van mensen zonder macht. Vroeger, in de jaren dertig en veertig, was de figuur in het nieuws Roy Welensky, de leider van de mijnwerkersvakbond, van blanke mijnwerkers, wel te verstaan. Het was een opgewonden standje, effectief en grof anti-zwart. 'Een ruwe diamant' zeiden de blanken van Zuid-Rhodesië. De laatste tijd had hij, overeenkomstig de tijdgeest, zijn racisme wat gedempt, maar de zwarten wantrouwden en haatten hem. De blanken hadden hem premier van Noord-Rhodesië gemaakt, een van de steunpilaren van de Federatie. Dat was zo'n schitterend staaltje stupiditeit dat ik me er nog over kan verbazen. Alsof de machthebbers de zwarten opzettelijk voorhielden: Jullie hebben volkomen gelijk, de Federatie houdt inderdaad in dat jullie in handen van de racisten vallen, niet alleen de Zuid-Rhodesiërs maar ook jullie eigen superracist Welensky.

Ik heb er heel wat rondgetrokken, maar dat staat allemaal in *Terugkeer.* Drie gebeurtenissen zijn me bijgebleven. Allereerst een bezoek aan het hoofdkwartier van het African National Congress, een bakstenen huisje in een buitenwijk. In de voorkamer zat Kenneth Kaunda, een man met een ambtelijke uitstraling, op en top een intellectueel, *The New Statesman* te lezen. In de achtertuin was een klein gezelschap bijeen ter verwelkoming van Harry Nkumbula, de toenmalige leider van het Congress. Hij had een bezoek gebracht aan de rivier-Tonga, die met geweld van hun land werden afgegooid om plaats te maken voor de grote Kariba-dam. De Tonga vormden toen een heet politiek hangijzer, de National Congresses gebruikten ze om de blanken aan te klagen. Maar toen ze eenmaal aan de macht waren, konden die arme Tonga doodvallen. Ik was een sentimentele ziel in die tijd en de noodkreet raakte me diep. Harry Nkumbula, die net een paar dagen in de bush had doorgebracht om de politie te ontwijken, en nauwelijks had geslapen, trof bij zijn terugkeer de groep in de tuin aan, ging op een kist staan en gaf ze de wind van voren. Een schitterend redenaar. Zijn tweede man, Kenneth Kaunda, bleef in zijn hemdsmouwen zitten lezen.

In Ndola, een stadje in de Copper Belt, organiseerden ze een feestje voor me. Dat kan geen onverdeeld genoegen voor ze geweest zijn. Enerzijds was ik een schrijfster en beroemd, en vertier van dien aard konden ze wel gebruiken, maar anderzijds stond ik als vriend van de zwarten, een rooie, een vijand te boek. De hele avond ben ik het mikpunt van misselijk makende racistische opmerkingen geweest. Die mensen voelden zich bedreigd, omdat de zwarten niet langer onderdanig waren, maar hun auto's bekogelden en verwensingen schreeuwden; die avond gingen ze in de verdediging met haat, venijn en wraakzucht. Als ze me langzaam en met een maximum aan narigheid om zeep hadden kunnen helpen, hadden ze dat zeker gedaan. Ondertussen luisterden ze de hele avond naar platen van Eartha Kitt en zongen ze op sentimentele wijze mee. Gek waren ze op haar, 'Brown Sugar', 'Little Black Rabbitt', ze konden geen genoeg van haar krijgen. Ach, landgenoten, blanke landgenoten van me, wat had ik een hekel aan jullie, wat waren jullie toch walgelijke lui. Dat wil zeggen, als de rassenzenuw geraakt werd, want op andere momenten waren jullie niet minder aardig dan wie dan ook. Wie waren er die avond allemaal? Bazen, toptechnici van de mijn en vertegenwoordigers van de grote mijnmaatschappijen, Anglo-American en de Rhodesian Selection Trust. Meer mannen dan vrouwen, want aan vrouwen hadden ze in de Copper Belt altijd een tekort. De hele tijd dat ik daar was heb ik gezinderd van woede. De Copper Belt had een rauwe, gewelddadige energie; als je iets haat, wordt je ook met energie geladen.

Nu de derde gebeurtenis. In het vliegtuig van Ndola naar Lusaka zat ik naast een aardige jonge vent die – vreemd genoeg – bij de politie was. Hij was op de een of andere missie in de Copper Belt geweest en ging terug naar zijn moeder en zus, bij wie hij woonde. Hij vertelde over zijn duifjes, zijn konijnen. Hij zei dat ik maar met hem mee moest om kennis te maken met zijn moeder en zus. Hij vond dat we maar moesten trouwen, we zouden het goed met elkaar kunnen vinden. Die vlucht heeft nog geen uur geduurd. Geschokt was ik. Verbijsterd. Aantrekkelijke jonge vrouwen zijn wel losse flodders van aanzoeken gewend. De liefde – dat is weer wat anders; er is niets verbazends aan dat soort voorstellen op staande voet. Maar trouwen? Meer dan eens had ik me in mijn jonge jaren (maar dat was wel in de oorlog) met andere vrouwen zitten verbazen over de terloopse manier waarop mannen je ten huwelijk vragen. Maar deze jonge kerel vond ik best verstandig. Dronken was hij ook niet. Hij was nergens van onder de invloed – ja, misschien wel van een droom. Hij had nooit een voet buiten Noord-Rhodesië gezet. En nu zat hier hoog boven de aarde die vrouw naast hem, een journaliste, zei ze. Ze woonde in Londen. Die aardige jonge vent (hij was minstens tien jaar jonger dan ik) verkeerde in een soort droomtoestand. Er was iemand uit de pagina's van de tijdschriften die zijn zus altijd las gestapt en die zat nu naast hem in het vliegtuig, en toen ze op het vliegveld vaarwel wuifde, voelde hij een groot verlies, alsof je uit een droom van je hartenwens ontwaakte met lege armen.

Maar ik vond het zo'n gek voorval, zo bizar, dat ik het niet kon vergeten. Ik heb erover zitten peinzen, heb het weer losgelaten, maar ben er weer op teruggekomen en toen kon ik het rijmen met andere, soortgelijke voorvallen. Het valt geen enkele jonge vrouw, ook al zijn haar bekoorlijkheden nog zo minimaal, licht om haar charmes als irrelevant te moeten beschouwen, maar ik moest uiteindelijk toch tot de conclusie komen dat sommige vrouwen net een leeg scherm zijn waarop anderen (niet alleen mannen) hun beelden projecteren. Die vrouwen hoeven niet mooi of aantrekkelijk te zijn. Ze kunnen ook lelijk zijn. Ze trekken hun hele leven allerlei aanzoeken en aanbiedingen aan, en vergissen zich als ze denken dat dat aan hun charmante persoonlijkheid is te danken. Ik dacht altijd: ach, we kunnen goed luisteren, dat zal het wel zijn. Ik heb onder vrouwen van mijn eigen leeftijd eens een privé-enquête gehouden. Sommigen keken me aan met spot in hun ogen: waar heb je het in godsnaam over? Maar anderen snapten meteen wat ik bedoelde.

Vlak na mijn terugkeer in Londen kreeg ik een telefoontje, dat zo frequente telefoontje: je mag je weleens wat meer inzetten. De topfiguren van het Noord-Rhodesische National Congress waren naar Londen gekomen. Als ze in hun land waren gebleven, waren ze gevangengezet. Ze hadden weinig geld en leefden van de hand in de tand; kon ik ze misschien eens uitnodigen en zorgen dat ze af en toe fatsoenlijk te eten kregen? Zo heb ik een paar maanden lang twee tot drie keer in de week een huis vol zwarte bannelingen gehad, in mijn grote kamer. De belangrijkste was Harry Nkumbula, de leider van de beweging. Die toen zo bekende politicus is nu allang van het toneel verdwenen. Net als zo veel andere Afrikanen in ballingschap toen, dronk hij te veel. Later is hij een beleid gaan volgen dat te gematigd was voor de onverzoenlijke houding van de zwarten in het Zambia dat niet veel later is ontstaan, en is hij uit de gratie geraakt. Zijn plaats is ingenomen door Kenneth Kaunda. Harry is blijven drinken en heeft zichzelf ermee de das omgedaan. Triest; het was een bijzonder aardige man. De mensen die op die avonden kwamen, waren niet allemaal uit Noord-Rhodesië afkomstig. Een van hen was Orton Chirwa uit Nyasaland. Hij werkte in Londen bij het onderwijs. Zijn klassen bestonden uitsluitend uit blanke kinderen. Elke ochtend zette hij ze in de rij, ging op een stoel zitten, en liet ze langs zich heen paraderen, waarbij ieder kind onder verbaasde uitroepen aan zijn haar mocht voelen. Het was een ceremonie waar hij niet onder uit kon, anders werd de les voortdurend onderbroken door: '*Please, sir*, mag ik even aan uw haar voelen?' Orton was een beminnelijk en geestig man, al heeft hem dat niet voor een vreselijk lot kunnen behoeden. Nog zo'n habitué was Babu Mohammed uit Zanzibar. Die kwam altijd vroeg om me te helpen koken; zijn bijdrage bestond uit de enorme kerrieschotels zoals ze die op Zanzibar maken. Er kwamen nog meer mensen binnenvallen, maar hun namen ben ik vergeten. Die mannen beseften niet dat ze binnenkort aan de macht zouden komen. Ze voelden zich onzeker, depressief, en eenzaam in Londen. Later heb ik met pijn in mijn hart op hun zo uiteenlopende lot teruggekeken. Orton Chirwa zou het opnemen tegen de dictator Hastings Banda en heeft jarenlang in de gevangenis gezeten, waar hij aan de ketting lag, gemarteld en uiteindelijk vermoord is. Kenneth Kaunda is de eerste zwarte president van Zambia geworden. Mainza Chona, de veelbelovende jonge dichter van het gezelschap, vol vertederend idealisme, is minister van Binnenlandse Zaken geworden en had een aantal zeer onfrisse gevangenissen onder zijn beheer. Hij heeft acht kinderen gekregen, als voorbeeld voor zijn land, want de gedachte dat kinderrijke gezinnen slecht zouden zijn, was natuurlijk weer zo'n slinks plot van de blanken. Babu had hier bij de post gewerkt, een toevluchtsoord voor vele bannelingen, en is teruggegaan naar Zanzibar waar hij door de Engelsen wegens opruiende activiteiten gevangen is gezet. Hij zei dat hij in de gevangenis *Het gouden boek* had gelezen, een alarmerende ervaring, en niet bepaald gebruikelijke gevangeniskost. Later is hij in de regering van Julius Nyerere minister geworden. Hij was mede-verantwoordelijk voor de socialistische dorpen – Ujaama – in Tanzania, die de ondergang van de landbouw daar hebben betekend. Zanzibar had een dictator, Karume, die met uitzondering van zijn kleine club trawanten verfoeid werd, en tegen wie Babu zich met anderen verzet heeft. Karume werd vermoord. Babu kreeg met vele anderen de schuld. Hij heeft me verteld dat hij die moord onmogelijk had kunnen plegen omdat hij op dat moment met een paar meisje een boottochtje maakte. President Nyerere van Tanzania, over wie Babu nooit positief is geweest, zette hem in de gevangenis om hem in veiligheid te brengen voor de moordenaars van Zanzibar en weigerde hem uit te leveren, omdat dat een gewisse dood had betekend: op Zanzibar werden ze met honderden tegelijk opgeknoopt, gevangengezet en gemarteld. Als ik ooit een gezelligheidsdier heb ontmoet, was dat Babu wel, en juist hij heeft zeven jaar in eenzame opsluiting doorgebracht; in die tijd heeft hij (op wc-papier, volgens het vertrouwde recept) zijn memoires geschreven. Hij heeft het overleefd en is niet verhongerd omdat zijn cipiers hem bewonderden en wilden helpen. Volgens hem was een gevangenis onder Brits bewind een vakantiekamp bij een Afrikaanse vergeleken. Babu werd in de pers vaak omschreven als 'de gevaarlijkste man van Afrika'. Wat zijn ze toch dol op dat soort onzinnige etiketten. Gevaarlijk voor wie?*

Op die avonden bij mij thuis werden er veel treurige grappen gemaakt. Ze droomden van de toekomst, hoe het in hun land zou zijn als zij er de dienst uitmaakten. Op een keer hoorde ik de Noord-Rhodesiërs, ook Kenneth Kaunda, zeggen dat ze hun land onmogelijk konden gaan besturen, en onmogelijk echt onafhankelijk konden worden zolang de Copper Belt in handen was van het internationale kapitaal. Koper is naast de uitbundige flora en fauna de enige rijkdom van Zambia. Ze zouden nooit toestemming krijgen om de mijnen te sluiten. Het zou het beste zijn om ze allemaal op te blazen, dan konden ze echt onafhankelijk worden. Die gedachte vormde een serieus, zij het speculatief,

* Babu is in 1996 overleden.

onderdeel van hun plan de campagne, en ze hebben er avondenlang over gesproken.

Kenneth Kaunda, Mainza Chona en Harry Nkumbula zijn teruggegaan naar Zambia, waar ze een tijdje gevangen hebben gezeten, waarna de eerstgenoemden respectievelijk premier en minister van Binnenlandse Zaken zijn geworden en de derde uit het zicht is geraakt. Babu ging naar Zanzibar en het Britse gevang. Orton Chirwa naar Nyasaland, Malawi en zijn gruwelijk einde.

De Noord-Rhodesiërs hebben nooit meer contact met me opgenomen. Ik kreeg te horen dat Mainza Chona aan iedereen rondbazuinde dat ze mij moesten mijden, omdat ik een gevaarlijke communiste was...

Dat vond ik niet erg. Zo had ik de avonden in ieder geval weer voor mezelf. Voelde ik toen – of nu – dan geen wrok dat ik voor mannen met wie ik bevriend was geweest, die ik geld en eten had gegeven (al was ik natuurlijk niet de enige gastvrouw in Londen die ze hielp) iemand was geworden die ze links lieten liggen? Nee. In de politiek beloont de deugd zichzelf, en wie rechtvaardigheid, laat staan dankbaarheid, verwacht, is even stom als de soldaat die in de oorlog zijn leven waagt en dan verwacht dat zijn regering hem zal belonen – invalide soldaten leurden in Londen al met veters en lucifers om in leven te blijven toen de loopgravenoorlog nog niet eens voorbij was – of vrouwen die arme jonge kunstenaars en dichters steunen.

In werkelijkheid was er op die avonden van communisme vrijwel geen sprake, in theorie noch praktijk. Allereerst hield de partij zich nog steeds aan de stelregel dat zwart nationalisme een dwaling was, reactionair enzovoorts. Een zwart proletariaat was nog steeds de enige weg naar de glorieuze dageraad in Afrika. Geen van die mannen had belangstelling voor het communisme. Ze hadden het vooral over het repressieve beleid van het ministerie van Koloniën, of over het verraad door de Federatie. Koningin Victoria had hun leiders beloofd dat hun (zwarte) belangen altijd op de eerste plaats zouden komen, en toch had het ministerie ingestemd met de vorming van de Federatie, die ze aan de genade van Zuid-Rhodesië zou overleveren. Hun gesprekken cirkelden om dat bittere verraad.

Nu een voorval dat me nog steeds aangrijpt. Iemand van de regering had besloten dat het een goed idee was om die rebellen eens bij iemand van het koninklijk huis op de thee te vragen, want je wist het immers maar nooit: kijk maar naar die Kenyatta en Nkrumah, eerst gevaarlijke opruiers en nu nobele leiders. Op het paleis zeiden ze waarschijnlijk: 'O God, néé, iemand moet een zootje zwarten op de thee vragen. Wil jij dat niet doen?'

'Mooi niet, kan die figuren niet uitstaan.'

'Jij dan?'

'Nee, mij niet gezien.'

'Ik weet het, we zeggen wel tegen Alice dat ze het moet doen.'

En zo vroeg prinses Alice de toekomstige regering van Zambia op de thee in een paleis, welk weet ik niet meer; die eenzame, veronachtzaamde mannen waren zo dankbaar voor die aandacht, en ook voor wat zij als een subtiele verwijzing naar koningin Victoria's belofte aan hun voorvaderen opvatten, dat president Kenneth Kaunda vijf jaar later, toen Zambia onder zelfbestuur kwam, prinses Alice als zijn eregast uitnodigde en met haar het grote officiële feestbal heeft geopend. En zo heeft die broze, oude dame, met haar juwelen en mooie tiara, daar op het bal bedaard rondgewalst met president Kaunda... Om politiek kun je uiteindelijk alleen maar lachen.

Ik had inmiddels genoeg gekregen van de in mijn ogen romantische en paranoïde figuren in de partij die ervan overtuigd waren dat hun telefoon werd afgetapt en hun brieven werden opengemaakt, tot er iets gebeurde wat mij ervan overtuigde dat míjn brieven werden opengemaakt. Toen Babu naar Zanzibar terug was, kreeg ik een brief van hem waarin hij me een zekere neef van hem aanbeval, die mij op een bepaalde datum zou komen opzoeken en die veel profijt zou trekken van de avonden bij mij – maar die waren inmiddels opgeheven. Volgens Babu was zijn neef niet in politiek geïnteresseerd, maar een fuifnummer dat leiding nodig had. Toen de neef opdook, zonder briefje of telefoontje vooraf, was hij bang; hij zei dat hij alleen kwam omdat Babu gezegd had dat dat moest. Hij was door een regeringsbeambte ontboden en had te horen gekregen dat hij uit de buurt moest blijven van een zekere mevrouw Lessing, want die was bij gevaarlijke samenzweringen met de Arabieren betrokken. Hij deed er beter aan die vrouw te mijden, anders was het zó uit met de Londense pret. Ze wisten dat hij op een bepaalde datum bij mij op bezoek zou gaan. Dus moesten ze de brief van Babu hebben gelezen. De neef wilde weten wie die Arabieren waren. Daar was ik zelf ook wel nieuwsgierig naar. De Arabieren (welke, trouwens?) waren in die tijd niet prominent op het wereldtoneel aanwezig, we schonken ze nauwelijks aandacht. Ik had in Londen nooit Arabieren ontmoet. De enige keer dat ik een Arabier had ontmoet was in Zuid-Rhodesië geweest, in Salisbury, toen onze groep het briljante idee had opgevat om al onze joodse vrienden uit te nodigen voor een ontmoeting met de Arabieren die net uit de interneringskampen waren vrijgelaten, waar ze de oorlogsjaren wegens hun pro-Duitse houding hadden vastgezeten. Het waren verbitterde, boze mannen en ook de joden waren boos en verbitterd. En wij maar denken dat een beschaafde discussie de lucht wel zou zuiveren. De eerste ogenblikken van de confrontatie waren zo vijandig dat wij – de neutrale partij – ze maar aan hun lot overlieten en iets gingen drinken in het Grand Hotel, vanwaar we van tijd tot tijd afgezanten stuurden om te kijken hoe de zaken ervoor stonden. Niet zo best, het is op vechten uitgedraaid. En dat was mijn enige ontmoeting gebleven met Arabieren van welke soort dan ook. Ik snapte er niets van, evenmin als de neef, die zei dat hij het zich niet kon veroorloven om Babu's instructies op te volgen en naar mijn bijeenkomsten te komen, want hij wilde zich in Londen komen amuseren en niet het risico lopen dat hij het land werd uitgegooid. Die geheimzinnige samenzwerende Arabieren zouden later nog een keer opduiken. En ik, ik haalde mijn schouders maar eens op en dacht: ach, wat kun je anders verwachten? Alle aanvaringen die ik ooit met de beruchte Britse geheime dienst heb gehad – al stelden ze verder weinig voor –

hadden datzelfde kolderieke, surrealistische karakter.

De geloofsovertuiging die bij mij in huis het vaakst werd beleden was niet het communisme maar het anarchisme – in zijn klassieke vorm. Voor Babu naar zijn land terugkeerde om zijn onvermijdelijke gevangenisstraf uit te zitten, was hij anarchist, bevriend met Murray Sayle, die anarchist was omdat de arbeidersbeweging in Australië was beïnvloed door deze hoogst aantrekkelijke wereldbeschouwing, die alle onaangename verplichtingen van de macht omzeilt. Ik weet nog dat ik aan Babu vroeg: 'En als jullie nu aan de macht zijn, wat ga je dan doen met de organisatie die je daar al hebt?' 'Doodsimpel,' zei hij luchtig. 'Die heffen we gewoon op en dan laten we de natuurlijke krachten hun gang gaan.' Ik moet er voor de eerlijkheid wel bij zeggen dat Babu later geschokt was toen ik hem aan zijn anarchistische periode herinnerde en zei dat hij blij was dat hij niets meer van die jeugdige onverantwoordelijkheid wist. Maar ondertussen, onverantwoordelijk of niet, was het allemaal hoogst vermakelijk. Babu kwam op een middag bij me binnenstormen met de mededeling dat hij een prachtig plan had om de hele toekomst van Afrika te veranderen. Hij had een neef – weer een andere – die op een boot werkte die tussen Londen en Egypte heen en weer voer. Caïro gebruikte in die tijd een heel sterke zender om 'heel Afrika' met propaganda te overspoelen. Welke ben ik vergeten. Babu zei dat we dat radiostation, waar hij een vriend had zitten, van geschikt materiaal moesten voorzien, feitelijk, nuchter, en niet de wollige retoriek van Caïro. Hoe we dat moesten klaarspelen? Simpel! We zouden het aan de neef op de boot geven, die gaf het weer aan een contactpersoon in Alexandrië, en die stuurde het dan naar Caïro. Ik wierp tegen dat dat waardevolle materiaal weken verouderd zou zijn tegen de tijd dat het ter plekke aankwam. En bovendien zouden de mensen die de radioprogramma's in Caïro verzorgden het toch merken? Helaas, het was mijn rol om jeugdige overmoed te temperen. Want ik sloot die heerlijke dwazen onvermijdelijk in mijn hart, ook al moest ik als domper fungeren.

Rond die tijd ben ik een paar keer naar vergaderingen van de Movement for Colonial Freedom gegaan, het geesteskind van Fenner Brockway. Ze werden altijd gehouden in een grote ruimte in de onderste regionen van het Lagerhuis. Onder de ongeveer twintig mensen bevonden zich soms toekomstige premiers en presidenten die in hun land net uit Britse gevangenschap waren vrijgelaten of op het punt stonden in de gevangenis te verdwijnen. Ja, ik vond de democratie in de praktijk werkelijk aantrekkelijk. Die bijeenkomsten, die het uiteenvallen van het Britse Rijk markeerden of hebben bespoedigd, gingen als volgt. Er was een lange agenda, een lijst namen van de Britse koloniën of protectoraten in diverse stadia van onrust: Cyprus, Noord-Rhodesië, Nyasaland, Brits Guyana... enzovoorts. Barbara Castle kwam ervoor naar beneden, een uiterst efficiënte en indrukwekkende vrouw. De namen van de verschillende landen werden voorgelezen, en dan deed iemand verslag van wat er gaande was. Noord-Rhodesië? Onrust. Rellen. Stenengooierij. Stakingen in de Copper Belt. Harry Nkumbula en Kenneth Kaunda gevangengezet. Nyasaland? Onrust, stakingen, stenengooierij, rellen... enzovoort. Maar als Zuid-Rhodesië aan de beurt kwam, werd het gewoon overgeslagen. Daar viel niets over te zeggen. Ik vroeg waarom en kreeg te horen dat Zuid-Rhodesië een kolonie met zelfbestuur was en dat Groot-Brittannië niets te zeggen had over wat daar gebeurde. Ik kon mijn oren nauwelijks geloven. Ik zei dat Zuid-Rhodesië in 1924 weliswaar zelfbestuur had gekregen, maar met twee beperkende bepalingen. De ene gold defensie. De andere kleurlingenbeleid. Groot-Brittannië had sinds 1924 op ieder willekeurig moment het recht gehad om in te grijpen en de zwarte bevolking te beschermen, en wetgeving tegen te houden, die altijd op Zuid-Afrikaanse leest geschoeid was. Dat was nooit gebeurd, helemaal nooit. Het was nog niet te laat. De zwarten van Zuid-Rhodesië verafschuwden de Federatie, en Groot-Brittannië had het recht om in te grijpen.

Mijn opmerkingen sorteerden geen effect. Ik zag de beleefde, gepantserde gezichten van mensen die er gewoon niet aan wilden. Groot-Brittannië had nog nooit nee gezegd tegen de blanken van Zuid-Rhodesië, en het was duidelijk dat men daar in dat vertrek vond dat het te laat was om daar nu nog mee te beginnen.

Het was een traumatische ervaring, pijnlijk. Ik had me neergelegd bij het feit dat het Lagerhuis altijd leeg was als de koloniën aan bod kwamen. Niemand interesseerde zich ervoor, behalve de mensen in dit vertrek, die wijd en zijd bekend stonden als voorvechters van vrijheid voor de koloniën en vrijheid erbinnen. Dit waren de mensen die toch hadden moeten weten dat Groot-Brittannië verantwoordelijkheid bezat jegens de Zuid-Rhodesische zwarten. En nu ze daarop werden aangesproken, gaven ze niet thuis. Het was voor hen niet van belang. Ik moest denken aan al die keren dat ik bij Charles Mzingele en zijn vrienden was geweest en ze had horen zeggen: 'En als onze broeders in Engeland erachter komen hoe wij behandeld worden, zullen ze ons steunen.' De 'broeders' hier... maar dat was geen eenduidig begrip. Onder de 'broeders' verstond je het vakbondsidee van broederschap, en ook de broederschap van de arbeidersbewegingen; je had op vakbondsbijeenkomsten en congressen van de Labourpartij allerhande hoogdravende morele praat over vrijheid voor de koloniën. Maar wat overheerste was het idee van Groot-Brittannië, of misschien moet ik zeggen van Engeland, als de belichaming van fatsoen, 'fair play', en (vergeef me het ouderwetse woord) eer. 'Eer' is, of was, voor de Afrikanen nog geen achterhaald begrip. Toen de zwarten van Noord-Rhodesië rebelleerden en met stenen begonnen te gooien, toen de zwarten van Nyasaland tot geweld overgingen, was dat omdat ze zich verraden voelden. Koningin Victoria had hun leiders beloften gedaan, en die beloften waren geschonden. Zo konden ook Charles Mzingele en zijn vrienden niet geloven dat Groot-Brittannië nooit de belofte zou nakomen die in de bepaling was vastgelegd, namelijk dat er in Zuid-Rhodesië nooit wetgeving mocht worden aangenomen die schadelijk was voor de zwarten. En ergens moet ikzelf ook nog steeds in dat ouderwetse begrip 'eer' hebben geloofd, want er ging iets in me stuk op het moment dat ik besefte dat die mensen daar, leden van de enige organisatie in dit land die zich het lot van de koloniën aantrok, geen boodschap hadden aan Zuid-Rhodesië en de verantwoordelijkheid van Groot-Brittannië. Wat was het Britse Rijk toch nalatig, lui en onverschillig, wat nam het toch lichtvaardig het lot van enorme landen en miljarden mensen in handen, zonder ook maar de moeite te nemen zich er fatsoenlijk van op de hoogte te stellen. Ja, natuurlijk had ik dat al wel geweten, en natuurlijk had ik op mijn eigen kleine manier geprobeerd die onverschilligheid te bestrijden. Maar nu bevond ik me in het souterrain van het Lagerhuis, en daar kwam ik er koud, scherp en definitief achter hoe onachtzaam en onverantwoordelijk Groot-Brittannië kon zijn. En – er ging een knop bij me om. Omdat het zo krankzinnig, zo ongelooflijk was – enerzijds dat trouwhartige 'als onze broeders in Engeland weten...' van Charles Mzingele en anderzijds de onverschilligheid van de mensen in dat vertrek. Ik ging naar huis, zo woedend dat – maar nee, ik was de woede voorbij. Ik had kunnen huilen om Charles Mzingele en zijn misplaatste hoop, zijn beschaamd vertrouwen in zijn 'broeders' – maar ook de tranen was ik voorbij. Op dat moment heb ik waarschijnlijk het laatste restje geloof verloren in de mogelijkheid dat er in de politiek een greintje fatsoen kon schuilen. En daarom ben ik nooit meer naar vergaderingen gegaan. Afgelopen, uit. Het was het moment waarop mensen die zich altijd geschraagd hebben geweten door een bepaald idealisme of een geloof, dat zien eindigen, en dan tot geweld of 'directe actie' overgaan. Maar voor mij had die 'directe actie' haar glans al verloren, zoals voor zo vele anderen. Toen echter de zwarte bevolking van Zuid-Rhodesië kort daarop de 'onrust' in oorlog liet overgaan, was dat omdat dat moment bereikt was. De knop ging om: en nu is het genoeg.

Het kwam voor mij als een grote verrassing dat ik kennelijk dergelijke sentimentele verwachtingen van mijn land had gehad.

Maar om dat dramatische jaar 1956 af te ronden: het was het jaar van het Twintigste Congres van de communistische partij van de Sovjetunie. Het jaar van de Suez-crisis. Ik was in zoverre bij de 'onrust' daarover betrokken dat ik bij een demonstratie op Trafalgar Square aanwezig ben geweest, maar alleen als toeschouwer. Mijn afkeer van mensenmassa's, die altijd op het punt staan in een menigte relschoppers te veranderen, werd bij iedere demonstratie die ik bijwoonde groter. En evenmin bemoeide ik me veel met die andere grote gebeurtenis van dat jaar, de sovjetbezetting van Hongarije.* Ik zag met verbazing hoeveel van onze jonge activisten halsoverkop naar Boedapest afreisden, omdat dat zo lekker spannend was... vervolgens schaamde ik me diep over die cynische houding, maar in feite was dit het begin van een totaal andere kijk op dat opwindende begrip revolutie. Het regende afzeggingen aan de partij. Weldra ontstond er een afsplitsing van 'revisionistische intellectuelen' zoals de Sovjetunie ze beti-

* Ik schreef een vurige protestbrief aan de schrijversbond van de Sovjetunie en kreeg een sussende brief terug. Ik had uiteraard niet gedacht hiermee iets te kunnen uitrichten.

telde, die een aantrekkelijk tijdschrift begonnen, *The New Reasoner.* Edward Thompson (de historicus) en John Saville waren de drijvende krachten van dat kleine achterhoedegevecht: achteraf valt immers makkelijk vast te stellen dat dit geen nieuw begin was, zoals we toen allemaal dachten, maar slechts een van de laatste stuiptrekkingen van de communistische partij.

Ik heb tijdens het schrijven van dit boek een brief gekregen van Dorothy Thompson met de vraag of ik prijs stelde op kopieën van de brieven die ik Edward in die tijd had geschreven. Ik was die brieven totaal vergeten. Ik heb ze met belangstelling gelezen, om uit te vinden hoe ik toen was, want die rijpe en redelijke beschouwingen van nu over de partij, waaruit alle hartstocht is verdwenen, zijn niet onwaar, maar de emotie van toen is nergens meer te bekennen.

Allereerst, het tegenstrijdige van de hele toestand.

Voor mij is tegenwoordig het interessantste aan monolithische politieke bewegingen, of landen met een staatsreligie of -geloof, níet de uniformiteit, die slechts schijn is. Toen ik jong was had je nazi-Duitsland, paraderend en 'Sieg Heil' brullend alsof het door één enkele geest bestuurd werd, maar dat is iets heel anders dan wat de geschiedenis nu ziet, namelijk een soort dertien jaar durende explosie. En die nazi-partij, die ons allemaal zo'n angst aanjoeg, alsof we keken naar mensen die tot één enkele geest gehypnotiseerd waren, was in werkelijkheid verre van dat: eerder een verzameling ruzies, intriges, samenzweringen. En dan de Sovjetunie, ook makkelijk op te vatten als een massageest, een bastion waar het handjevol 'dissidenten' nauwelijks een bres in kon slaan, maar ook daar was het in werkelijkheid een en al intrige, samenzwering, vruchteloze kleine rebellieën en de massamoord op tegenstanders. En om van het monstrueuze op het minuscule over te stappen: ook in de Britse communistische partij was de homogeniteit slechts schijn.

Dan heb ik het niet over het feit dat de partij altijd zo veel leden verloor; het verloop was zodanig dat je tot voor kort de grap kon horen: 'Iedereen heeft in de CP gezeten, maar niemand zit erin.' Binnen de partij was altijd sprake van een gestage stroom van onenigheid en aanpassing. De 'partijlijn' was net zo'n bibberlijn op een seismograaf ten tijde van een aardbeving.

In 1956, toen ik mezelf niet als 'echt' partijlid beschouwde, omdat ik het met zoveel niet eens was, zat ik nog steeds te bedenken hoe ik 'King Street' van zichzelf kon bevrijden en zag ik de partij nog steeds als iets wat hervormd kon worden, gered uit de noodlottige klauwen van de Sovjetunie. Als ik mijn opvattingen van toen in kaart zou brengen, zou ik meer als een trotskist hebben gegolden – en in een communistisch land was ik doodgeschoten als ik maar een fractie had uitgesproken van wat ik vond.

Als ik tegenwoordig naar de grote, 'monolithische', fanatieke bewegingen kijk, vraag ik me af: wat gaat er *werkelijk* in om?

Warwick Road 58
London SW5

19 oktober

De reactie op het Twintigste Congres is in partijkringen over de gehele wereld verwoord met de uitdrukking 'de cultus van het individu'. Dat we onder die vlag de misstanden binnen de partij willen bevechten, lijkt me een teken van onzuiver denken. Die woorden suggereren namelijk dat de democratie binnen de partij ten onder is gegaan aan een overmaat aan individualisme. Het tegendeel is echter waar. Het kwaad schuilt niet in het feit dat één man een dictator is geweest, maar dat honderden, duizenden partijleden binnen en buiten de Sovjetunie hun individueel geweten hebben verloochend en hem de kans hebben gegeven een dictator te worden.

We bespreken nu welke regels we in de partij moeten invoeren om het ontstaan van bureaucratie en dictatuur te voorkomen. Veel bezorgde en verontruste mensen vestigen hun vertrouwen op een instelling die hen tegen dictatuur moet beschermen. Maar regels en instellingen zijn wat mensen ervan maken. De publicatie van de Grondwet van de Sovjetunie, een bewonderenswaardig document, viel samen met de ergste periode van de terreur. De partijregels van de verschillende partijen zijn (volgens mij) min of meer hetzelfde; maar de ontwikkeling van de diverse communistische partijen is langs totaal verschillende lijnen verlopen.

Naar mijn mening is al dit gepraat over het veranderen van de regels een symptoom van de wens die in ons allen leeft om onze individuele verantwoordelijkheid over te dragen op iets buiten onszelf, iets waar we de schuld op kunnen afschuiven als er dingen fout gaan. Het is heel prettig om je geliefde leider onvoorwaardelijk te vertrouwen. Het is prettig en makkelijk om te geloven dat de communistische partij gelijk moet hebben omdat ze nu eenmaal 'de voorhoede der arbeidersklasse' is. Het is prettig om op een congres een resolutie aan te nemen met de gedachte dat daarmee alles goed komt.

Maar er bestaat geen eenvoudige beslissing die we kunnen nemen zodat we ervan op aan kunnen dat we voortaan het juiste doen. Er bestaat geen stelsel van regels dat ons kan bevrijden van de noodzaak om iedere dag opnieuw te besluiten hoeveel van onze individuele verantwoordelijkheid we aan een centrale instelling willen delegeren – of dat nu de communistische partij is of de regering van het land waarin we wonen, communistisch of kapitalistisch.

Het lijkt mij dat we uit de afgelopen dertig jaar de lering kunnen trekken dat een communistische partij moet bestaan uit individuen die ieder angstvallig hun onafhankelijke oordeelsvorming bewaken, wil ze niet tot een club van jaknikkers verworden.

De bescherming tegen dictatuur ligt nu zoals altijd in het aanscherpen van de individualiteit en het versterken van de individuele verantwoordelijkheid, niet in het delegeren ervan.

Doris Lessing

De kalme, nuchtere en verstandige toon van deze brief verschilt hemelsbreed van alles wat toen privé gezegd werd.

Hij dateert uit 1956 en is gepubliceerd in *The New Reasoner.* De CP reageerde onmiddellijk, bij monde van Maurice Cornforth, die tegen Edward zei dat dit een persoonlijke brief geweest moest zijn die hij niet had mogen publiceren. Dat ze dit hadden kunnen denken toont nogmaals aan hoe weinig ze begrepen van de heftige emoties die door de gelederen raasden. Het gistte binnen de partij: bijeenkomsten, telefoontjes, dreigementen van King Street; de stapel brieven die ik hier heb, zou zeker fascinerend zijn voor de mensen die dat allemaal hebben meegemaakt, maar stomvervelend voor de rest.

De tweede brief: ik was van plan geweest een satirische korte roman te schrijven, *Excuse Me While I'm Sick,* waarin ik de nieuwe, norse beeldenstormers op de hak nam – Kingsley Amis en consorten. (John Wain is later een goede vriend van me geworden.) Maar later had ik er geen zin meer in.

Warwick Rd 58
Londen SW5

21 feb. 1957

Lieve Edward,

Allereerst wat praktische punten.

a) *Excuse me while I'm sick.* Trek het je niet aan dat ik het me misschien aantrek dat jij het niet goed vindt. Ik heb er toch al niet meer zo'n zin in. Als ik het af zou maken, kan het volgens mij best een interessante korte roman worden, die een bepaalde groep zeker zal aanspreken; maar het is overduidelijk dat de toon totaal niet past bij de natuurlijke lezersgroep – zoals die door een groot aantal mensen wordt gezien. Een boek als dit, een soort intellectuele grap, ontleent zijn waarde aan een achtergrond van algemeen geaccepteerde morele waarden. Als die er niet is, kun je het schrijven misschien beter laten. Ik vind het in zeker opzicht wel jammer dat dit boek niet af komt. Maar een polemisch stuk, zelfs als het gebracht wordt onder een schijn van lichtvoetigheid, is het halve tijdschrift waarin het verschijnt, en *The New Reasoner* is duidelijk niet het aangewezen tijdschrift.

De verschillende mening die we hierover hebben weerspiegelt uiteraard een veel diepere kloof, en daarom vind ik het zo moeilijk om deze brief te schrijven...

Maar allereerst over het voorstel in, dacht ik, je tweede brief. Ik vind het voorgestelde artikel van Alex Werth prima. Een stuk van Herve zou me ook interesseren. Ik zou graag een stuk van *Niet bij brood alleen* lezen, maar je moet eerst goed nagaan of het al niet in zijn geheel vertaald en gepubliceerd is – het zou me verbazen als het hier niet binnenkort uitkomt. Dat soort dingen publiceren ze altijd heel snel. Net als *Dooi,* bijvoorbeeld. En ze hebben *The Visitors* heel snel op de radio gebracht.

Autobiografie lijkt me een goed idee. Een echt naar waarheid geschreven stuk over ervaringen in de CP op een stormachtig moment zou fantastisch zijn, maar het zou

me verbazen als er mensen bereid zijn om naar waarheid te schrijven of te lezen. De instinctieve afweer tegen oprechtheid is heel sterk.
Het zou interessant zijn om een serieus verslag te krijgen van de ervaringen die Kingsley Amis bijvoorbeeld met de CP heeft gehad.* Die zouden typerend kunnen zijn voor de ervaringen van honderdduizenden mensen met de partij. Maar die *angry young men* hebben niets filosofisch te melden. En waarom zouden ze? Het zijn allemaal literators, geen filosofen.
Maar nu, lieve Edward – vooral in je middelste brief zitten veel punten.
Dat gedicht 'Plea for the Hated Dead Woman'** dateert van tien jaar geleden en heeft helemaal niets met recente politieke ontwikkelingen te maken. Ik heb het geschreven in een opwelling van haat jegens mijn moeder.
Wat mijn recente roman *Retreat to Innocence**** betreft, dat vind ik een slecht boek, omdat het de essentiële vragen niet onder ogen zag – ik was niet eerlijk tegen mezelf, al dacht ik van wel, en daarom heeft het een weke kern, het is sentimenteel. Ik sta er niet achter. Al zitten er een paar goeie passages in.
Maar wat ik probeer te zeggen is veel ingewikkelder dan dit allemaal:
Luister, als ik je brieven lees, krijg ik het gevoel dat je van mij een soort definitief oordeel of harde uitspraak verlangt; je wilt iets van me, en ik vraag me af: waarom? En wat dan?
Maar het belangrijkste is dat onze stemmingen zo van elkaar verschillen.
Ik weet donders goed dat ik alle reacties die ik nu vertoon, heb omdat ik een schrijfster ben, iemand die scheppend werk doet, en omdat ik bij de oude manier van communist-zijn alle ervaringen, alle emoties die als auteur nuttig voor me zijn al volledig heb opgebruikt. Ik heb iemand eens schertsend horen zeggen dat de mensen uit de CP stappen omdat ze verveeld raken. Je weet wel – Frank Pitcairn, vergeet altijd zijn echte naam. Maar die zei dat omdat hij kunstenaar is.
Mag ik ter plekke doodvallen en nooit meer een woord schrijven als ik me niet uit dit keurslijf kan bevrijden van wat we allemaal zolang hebben gedacht en gevoeld.
Maar dat is geen politieke stellingname, en daarom vind ik dat je me niet om opheldering moet vragen.
En in jou zie ik ook een scheppende geest, een schrijver, en in dat geval moet je uitvinden wat je denkt door het te schrijven.
Gistermiddag kreeg ik het idee dat jij en Randall hetzelfde standpunt hebben, namelijk dat jullie jezelf tekort zouden doen als jullie niet in staat zouden zijn om je te manifesteren zoals jullie de afgelopen vijftien-of-hoeveel-het-ook-is jaar zijn geweest en jezelf ervoor te rechtvaardigen? Maar wij zijn toch allemaal betrokken geweest bij dit gebeuren dat zo funest heeft gewerkt, en er valt niets te rechtvaardigen wat de mensen die er niet bij betrokken zijn geweest zou interesseren. Jij,

* Kingsley Amis was geen partijlid.
** Gepubliceerd in de *New Statesman*.
*** Ik heb dat boek uit de handel laten nemen.

Edward Thompson en Randall Swingler staan of vallen niet bij de verklaringen die jullie nu gaan afleggen... Als je vindt dat ik je vraag om filosofische helderheid daarmee wel heel erg emotioneel opvat, wil ik tegenwerpen dat jullie houding in de grond van de zaak in het geheel geen vraag om een wereldbeschouwelijke stellingname is, maar een intense behoefte om jezelf te rechtvaardigen.
Je bent een zuivere, idealistische communist geweest, tot voor kort wilde je er niet aan dat er kwaad in school; nu ben je in je idealisme gekwetst en is je zelfbeeld beschadigd.
Wijd u aan uw schrijfmachien, lieve Edward. Je kunt je ervaring overbrengen via de literatuur, en die kan als zodanig worden overgebracht. Maar wat heeft je verloren gevoel met filosofische opvattingen te maken?
Ik ben ervan overtuigd dat we in een tijd leven waarin er waarschijnlijk geen wereldbeschouwingen zijn die men met hart en ziel kan onderschrijven. Het marxisme is geen wereldbeschouwing meer, maar een systeem van regeren dat van land tot land verschilt.
En dat is maar goed ook. Elke wereldbeschouwing die het langer dan vijftig jaar uithoudt, kan gewoon niet deugen, als je ziet hoe snel alles verandert.
Ik weet dat ik socialist ben, en ik geloof in de noodzaak van revolutie als de tijd rijp is. Maar of de economen als Ken en John of de historici als marxist gelijk hebben, zou ik niet weten. Hoe kun je zoiets weten? Ik geloof dat veel van de denkbeelden die we marxistisch genoemd hebben, en die gedeeld worden door mensen die geen marxist zijn, gewoon de druk van de tijd waarin we leven weerspiegelen.
Ik wil geen nieuwe dogma's creëren. Voor mezelf, bedoel ik.
Ik wil mezelf tot een soort staat van wijsheid laten sudderen, al weet ik niet welke.
Denk je dat er iets te zeggen valt voor het standpunt dat communist-zijn (een enkeling uitgezonderd) nooit een kwestie van intellectuele stellingname is geweest, maar meer een soort gedeelde morele hartstocht?
Ik heb geen morele hartstocht meer over. Kan iemand die zich verantwoordelijk voelt voor de bloedbaden en het cynisme van de afgelopen dertig jaar nog morele verontwaardiging opbrengen voor de wreedheid van het kapitalisme? Ik in ieder geval niet.
Wat ik voel is een grote vreugde en voldoening omdat het in de wereld zo snel gaat, dat de boer in China niet langer verhongert, dat er overal ter wereld mensen genoeg om hun medemensen geven om te vechten voor wat zij op dat moment als rechtvaardigheid beschouwen. Ik voel een soort ingewikkelde, immense stromende beweging waar ik deel van uitmaak, en het schenkt me enorme voldoening dat ik daarbij hoor. Maar wat dat met politieke stellingnames heeft te maken?
Ik wil een hoop boeken schrijven.
En de muffe lucht van dertig jaar dode politieke woorden maakt me misselijk.
Ik besef heel goed dat deze brief je teleur zal stellen, want je wilt iets van me. Maar ik kan er niets aan doen. Je moet mensen als ik niet om zekerheden vragen.

Ik heb het gevoel dat ik uit een gevangenis ben vrijgelaten.
Maar bovenal ben ik ervan overtuigd dat jij achter een schrijfmachine moet gaan zitten en je moet afvragen wat je denkt.

Liefs,
Doris

De achtergrond van dit alles was de vraag of Edward Thompson, John Saville en de rest zich uit de partij moesten laten gooien. Ik vond kennelijk van niet. Maar de hele tijd dat dit speelde, waren mijn gesprekken met Clancy en anderen puur 'trotskisme'. Ergens geloofden wij 'revisionisten' nog steeds dat de partij gezuiverd en hervormd kon worden. Edward pleitte voor bijeenkomsten – open bijeenkomsten met de top om 'alles boven tafel te krijgen', iets wat paste bij de sfeer van die tijd. Het valt nu moeilijk voor te stellen dat het nog in '56 en '57 voor deze intelligente mensen als een onthulling kwam dat King Street loog, vergaderingen organiseerde die doorgestoken kaart waren en verkiezingen manipuleerde. Allerlei mensen togen naar King Street en verlangden de waarheid en niets dan de waarheid. Bijvoorbeeld Haimi Levy, die naar de Sovjetunie was gegaan, nadat hij King Street had meegedeeld dat hij ging, of ze dat nu goed vonden of niet en daar de beruchte Soeslov had ontmoet. Haimi wilde de behandeling van de joden in de Sovjetunie aan de orde stellen. Er waren er honderdduizenden vermoord, gemarteld, vervolgd. Soeslov bleef tijdens het hele gesprek herhalen dat er geen jodenvraagstuk in de Sovjetunie bestond, omdat er geen joden waren. Haimi ging terug naar Londen en eiste dat de partij 'schuld zou bekennen'; toen ze weigerden, sloot hij zich bij Edward Thompson, John Saville en anderen aan.

Ik wilde duidelijk niet dat de 'revisionisten' zich in een positie manoeuvreerden waarin ze eruit geschopt werden, omdat dat de partij er alleen nog maar slechter op zou maken.

Voor Dorothy Thompson met die brieven kwam, was ik vergeten dat ik naar Gollan was toegegaan. Ik weet nu weer dat hij weinig indruk op me maakte. John Gollan was Harry Pollitt opgevolgd als leider van de communistische partij. Pollitt was degelijk en rechtdoorzee, voor zover dat tenminste mogelijk was, en werd ook buiten de CP gerespecteerd. Hij was gevormd door de Britse arbeidersbeweging en haar strijd in de bijzonder moeilijke tijden van de jaren twintig en dertig. Gollan was een product van de communistische partij – en dat was iets heel anders. Ik heb nooit iemand gesproken die geen respect had voor Harry Pollitt, maar met Gollan had niemand veel op.

Ondertussen bleef ik me afvragen hoe ik met stille trom uit de partij kon vertrekken. De journalisten sprongen namelijk als bloedhonden op afvalligen af om koppen te produceren als: 'Die-en-die onthult waarheid over communistische hel' (= de Britse communistische partij). Ik was niet van plan krantenvoer te worden als ik het ook maar enigszins kon voorkomen. Dus waarom moest ik zo nodig op bezoek bij Johnny Gollan en brieven schrijven aan Edward Thompson, waarvan er in ieder geval een paar de toon hebben van een liefhebbende maar nogal bazige oudere zus? Helaas, de waarheid moet gezegd: ik genoot van die politieke intrige, van het gevoel in het middelpunt te staan, kortom, van *macht*, zij het op deze kneuterige schaal.

Feiten: er is een aantal bijeenkomsten geweest bij mij thuis, een handig trefpunt voor mensen die van buiten Londen kwamen. De mensen die me nog duidelijk voor de geest staan zijn Edward Thompson, John Saville, Haimi Levy, Randall Swingler.

Ik kan me van die hartstochtelijke debatten zelf niets meer herinneren, maar de sfeer is me wel bijgebleven: fel, vaak venijnig, en natuurlijk gekleurd door het plezier in politieke strijd. We zullen het uiteraard wel over de bezetting van Hongarije hebben gehad, maar die is in de loop der tijd uitgegroeid tot dé gebeurtenis die de mensen zich nu herinneren. Voor ons, die die tijd hebben beleefd, was Hongarije het dieptepunt van een hele reeks van nare gebeurtenissen, waaronder de onderdrukking door de sovjets van de opstand in Oost-Berlijn (1952?).

Ik was ziek van de spanning die dit allemaal met zich meebracht, en ik was niet de enige.

Voor *The New Reasoner* schreef ik een kort verhaal, *The Sun Between Their Feet*, dat ik tot mijn beste vind behoren. Toen beschouwde ik het als mijn commentaar op het falen van het communisme, nu eerder als een commentaar op de ijdelheid der menselijke wensen.

Ik had niets te maken met de organisatie van het tijdschrift, dat was bijna uitsluitend het werk van Edward en John.

Eén van onze artikelen des geloofs was nog steeds De Revolutie.*

Het gistte en rommelde... een storm... een wervelstorm van verandering, die begon met de drama's van 1956. Of liever gezegd, de snelle veranderingen die al aan de gang waren, grotendeels buiten het zicht, en zeker buiten het zicht van het grote publiek, werden zichtbaar. De jeugd was terug. Wie van ons geklaagd had over de onverschilligheid van de jeugd voor de politiek, ondervond nu hoe jongeren overal hun stem verhieven en vaak bij ons kwamen aankloppen – nee, bónken – om steun te krijgen voor talloze fantastische politieke plannen. Als ze klaagden over je gebrek aan enthousiasme, mompelde je: 'Ach, dit is niet bepaald mijn eerste Dageraad – het spijt me, ik heb geleerd om al te veel vuur te wantrouwen.' Ik wist wel dat dit geen populair standpunt was, want ik hoefde maar terug te kijken op mijn eigen eerste Dageraad (was dat echt nog maar vijftien jaar geleden?) of ik zag mijn eigen felle blik en vurige ideeën, en mijn minachting voor die gematigde, bezadigde ouderen, die ons met humor bezagen.

* Welke revolutie? Tegen wie of wat? Waarom? Wanneer? Maar we hebben het hier over een massawaan.

'Het is gewoon een stelletje trotskisten, die jeugd van tegenwoordig,' zeiden we dan tegen elkaar, bijvoorbeeld over de telefoon, als we een nieuwtje voor een voormalige stalinist hadden. 'Ach, waarom ook niet,' sprak die dan vastberaden. 'Ze kunnen tegenwoordig moeilijk stalinist zijn.' 'Waarom móeten ze trouwens "-ist" zijn?' Maar dat ging te ver.

Voor sommigen was dit echter allesbehalve een tijd van euforie en vernieuwing. Voor Haimi Levy bijvoorbeeld, die de partij in het hol van de leeuw, in Moskou, het lot van de joden onder de neus ging wrijven. Hij was een arme jood uit het Londense East End. Eerst was de bond van jonge communisten en daarna de partij zelf alles voor hem en voor velen zoals hij geweest: universiteit, opvoeding, redding uit het soort armoede dat je nu nergens meer in het land vindt. Hij had een broer die al even slim was als hij. Het gezin kon maar een van beiden laten studeren. De broers hebben erom geloot. Haimi Levy is gaan studeren en is de briljante, gerespecteerde professor in de mathematica aan Imperial College geworden, terwijl zijn broer in zaken is gegaan, ook succes had, en Haimi financieel en anderszins liefdevol heeft gesteund. De broers hebben elkaar hun gehele leven geholpen. Voor Haimi was de ondergang van het communisme niet slechts een tijdelijke klap. Hij is kort daarop gestorven – aan de pijn van de desillusie, daar ben ik van overtuigd. En er zijn er meer geweest als hij, met een gebroken hart.

Een bijeenkomst

Generaal De Gaulle had de Franse pers aan banden gelegd. Er volgde een protestbijeenkomst in Londen: De Gaulle werd een dictator. Het was een middagbijeenkomst, die me nog om twee redenen voor de geest staat. Ten eerste omdat ik er een glimp van het verleden heb opgevangen. Isaac Deutscher sprak. Hij droeg militair aandoende kledij, beende het podium op, blikte bars vooruit, de toekomst in, en begon aan een zwaar bombastische redevoering, waarbij zijn geheven rechtervuist ritmisch de lucht beukte. Lenin zelf! dachten we allemaal; hier had je de vleesgeworden oude garde. Wat hij gezegd heeft? Geen flauw benul. De tweede reden waarom ik me die middag nog herinner is dat er, toen ik mijn plaats op het podium innam om de democratie te verdedigen, een man uit het publiek me toeriep: 'Kom je net je bed uit?' Instemmend gelach. Ik was diep verontwaardigd, want ik had de hele ochtend hard gewerkt. Maar ik droeg een rode rok en een zwart hemd, en paste ongetwijfeld in een sjabloon. Aha, La Pasionaria. Aha, Rosa Luxemburg. Wat spoken de schimmen van deze en soortgelijke vrouwen toch hardnekkig rond in het hoofd van linkse mannen! (Bij vrouwen is dat minder.) Maar ik zette toen met de dag meer vraagtekens bij onze heroïsche fantasieën en het clichébeeld van onverschrokken heldhaftigheid. Wie zat er nog meer op dat podium? Ik herinner me verder alleen nog Spike Milligan, de tegenpool van Deutscher, met een humoristische, milde, verstandige toespraak waarin hij erop aandrong om excessen te vermijden. Ik voelde met hem mee, omdat hij ondanks zijn afkeer van politiek gekomen was. Toen wij sprekers naar de uitgang gingen, kwam Spike Milligan naast me lopen, voor mij net zo'n grote held als voor iedereen, vanwege de radioserie *The Goon Show.* Hij kreeg in de gaten dat ik iets wilde zeggen waarmee ik zijn privacy aantastte en stak me ijlings zijn hand toe met: 'Zo zien we elkaar weer' – waarna hij zijn hand weer vinnig terugtrok – 'voor de eerste keer.' Mijn mentale machientje raakte ervan ontregeld en ik stond met mijn mond vol tanden. Ik besloot ter plekke dat foefje ook eens te gaan gebruiken als fans het me lastig maakten, maar je moet er wel een Spike Milligan voor wezen wil het werken. Het is in ieder geval niet vernederend, zoals die keer toen ik, kersvers in Londen, bij een bijeenkomst op de PEN-Club naast de hoog boven mij uittorenende Eleanor Farjeon belandde en tegen haar zei dat haar verhalen voor mij als kind zoveel hadden betekend. Waarop ze me zoetjes toevoegde: 'Ja, ik heb ze speciaal geschreven voor jóu.' Toen heb ik gezworen dat ikzelf nooit zo onaardig zou zijn tegen een respectvolle fan, en ik hoop dat ik me daar ondanks de verleiding aan heb gehouden.

Nog een bijeenkomst

De pas opgerichte *New Left Review* organiseerde een bijeenkomst, die vast wel 'Engeland waarheen?' of 'Groot-Brittannië op een tweesprong' heeft geheten. Ik stond met een paar anderen op het podium te vertellen wat ik vond, toen er in het publiek een man opstond met de vraag: 'Hoe kunt u het nu verantwoorden dat u ons daar uw mening staat te geven terwijl u en uw club het over alles zo verschrikkelijk bij het verkeerde eind hebben gehad?'

Heel goede vraag. Eén mogelijk antwoord is: 'Waarom zit u dan daar naar ons te luisteren?' Of: 'Maar we hebben het over veel dingen wel bij het rechte eind gehad.' Of: 'Maar iederéén was communist.'

Wij legden getuigenis af. Waarom? Dat kan alleen maar zo geweest zijn omdat we vonden dat we representatief waren voor anderen. 'Hier volgt mijn ervaring en die van veel anderen.' Vertrouwen we misschien onze eigen ervaring niet tot we weten dat die door anderen gedeeld wordt? Dat komt vast omdat we in een tijd leven waarin er zo verschrikkelijk veel en vaak onverhoeds verandert. Je wilt tegenwoordig graag weten wat je vrienden vinden, want het spreekt vanzelf dat ze niet meer hetzelfde vinden als de laatste keer dat je ze zag. ('Hoe kijk jij er inmiddels tegenaan?') Toch schijnen er samenlevingen te hebben bestaan waarin iedereen eeuwenlang hetzelfde heeft gedacht. En er zijn waarschijnlijk nog steeds geïsoleerde kluitjes van dergelijke mensen. Een Amerikaanse vriendin van Oezbeekse afkomst die ging kijken waar ze vandaan kwam (een behoefte die we vroeg of laat allemaal hebben) kwam tot de ontdekking dat de clan of stam die haar grootouders hadden verlaten nog precies hetzelfde leefde als toen; het waren handelaars, winkeliers en mensen die met paarden werkten. Hun leven cirkelde rond gezellige groepsmaaltijden waarbij ze lang zaten te praten. Een ontspannen levenswijze, die vast ook heilzaam was, anders was ze niet zolang hetzelfde gebleven. Maar ondertussen was zij, een klein splintertje van die clan, als een blad in een wervelwind van moderne mensen terechtgekomen, waar alles nog geen vijf minuten hetzelfde bleef.

Je hebt bekende figuren wier faam voornamelijk berust op de frequentie en intensiteit waarmee ze van opinie zijn veranderd. 'Er heeft een frisse wind door mijn hoofd gewaaid, en het meubilair is flink verschoven.' We leggen getuigenis af. 'Vroeger dacht ik zus, nu denk ik zo.' Alsof denkbeelden ankers zijn.

Uitgerangeerd

John Wain en ik zeiden dat we zo graag gedanst hadden 'toen we jong waren'. Het spreekt natuurlijk voor zich dat we onszelf nog niet echt als niet-jong-meer beschouwden. Ik moest nog veertig worden, John zal het net geweest zijn. We togen naar de Jazz Club in Oxford Street, waar de saxofonist Humphrey Lyttleton speelde met zijn band, en waar de jongelui uiterst vriendelijk waren voor die ouwetjes, die eigenlijk niet het recht hadden daar te komen. We hupsten bezadigd rond, enigszins gehinderd door de tolerante, maar geamuseerde blikken, en dansten vervolgens naar de rand van de dansvloer – weg, naar buiten om koffie te drinken en onze wonden te likken.

Heilzaam gebeuren

John Berger was tot de conclusie gekomen dat schrijvers alleen schrijvers ontmoetten, schilders schilders, architecten hun eigen soort... Hij had gelijk. We zouden een centrale ontmoetingsplaats moeten hebben, zoals in Parijs, cafés waar kunstenaars, schrijvers en denkers elkaar troffen. Maar niet voor het eerst – en zeker niet voor het laatst – stuitten we op de grootte van Londen, dat nooit Parijs kan worden, omdat dat zoveel compacter is, gecentreerder, met de Dôme en het Flore en de Deux Magots tien minuten van elkaar. En bovendien zat je in Londen met de sluitingstijden van de pubs, die om elf uur dichtgingen. Maar John vond het toch het proberen waard. Hij huurde een grote ruimte boven een pub op een minuut afstand van Oxford Circus – als dat niet centraal was – en nodigde er een heleboel uiteenlopende mensen uit, om die als bloedschendig beschouwde barrières te slechten. Iedereen was er. Het was er stampvol, het zinderde, het swingde, het vibreerde. Wat een goed idee, vonden we allemaal, wat slim van John Berger om dat te bedenken, we moeten dit vaker doen! Toen vroeg John om attentie en begon hij met een toespraak. Het ging om de een of andere (politieke) goede zaak. En meteen zag je de schilders blikken uitwisselen en zich naar de uitgang begeven. Zij waren het eerst vertrokken, en zoals de anderen zeiden: 'Die zijn altijd al verstandig geweest.' En toen vertrok de rest, een voor een of in groepjes, terwijl John onversaagd verder sprak. Om welke goede zaak het ging? Wie weet dat nog, en wie kon het toen iets schelen, want we vertrokken. 'O nee, niet weer,' zeiden we. 'Dit hebben we al te vaak gehoord.' En zo eindigde een moedige poging; maar als de politiek er niet tussen was gekomen, kwamen we daar misschien nog...

Het sociale leven van de New Left
Bruisend. Ze openden een nieuw café-restaurant, even actief als wij vroeger, en sloegen met verve aan het schilderen en opknappen. Het moest het centrum van het nieuwe politieke leven worden, maar met idealisme zonder zakeninstinct kom je er niet, en het ging failliet. Verder had je nog Jimmy de Griek, die goedkoop en overvloedig eten serveerde in zijn enorme kelderrestaurant aan Frith Street, waar het vol zat met de nieuwe kameraden die dag en nacht over politiek praatten. Jimmy zit er nog steeds. Er werden verscheidene goedkope panden gehuurd om *The New Left Review* en bijbehorende organisaties te huisvesten, die allemaal geschilderd werden door de trouwe aanhang, die daar volop van genoot. Net als wij vroeger. Daar en in de koffiebars en in de goedkope restaurants zaten de nieuwe jongeren te praten. Praten is wat je bij een Nieuwe Dageraad voornamelijk doet. Ik heb hier niet aan meegedaan, maar Clancy wel, en via hem bleef ik op de hoogte.

In 1957 stierf mijn moeder. Het is gegaan als volgt. Toen ze bij mij niet in huis kon, en weer naar Zuid-Rhodesië terugging, heeft ze bij diverse oude vrienden gelogeerd, maar ze besefte wel dat daar een einde aan moest komen. Vervolgens liet ze mijn broer weten dat ze in Marandellas kwam wonen (dat nu weer Marondera heet), om bij hem in de buurt te zitten. Ze wilde haar leven aan hem en zijn kinderen wijden. 'Waar ben ik anders goed voor, als ik anderen niet tot nut kan zijn?'

Mijn moeder zat in een prettige en comfortabele bejaardenwoning. Ze had een tuintje. Daar mankeerde niets aan – ze had het zelf zo geregeld. Maar ze had niets te doen. Ze was drieënzeventig en bruiste van energie. Ze speelde 's middags en 's avonds bridge en whist – wat ze uitstekend kon – en probeerde zichzelf wijs te maken dat ze nuttig bezig was. In werkelijkheid wachtte ze op het seintje van haar zoon: Monica kan het allemaal niet meer aan, wilt u alstublieft bij ons intrekken en voor de kinderen komen zorgen?

En toen kreeg ze een beroerte. Er kwam een katholieke priester om het laatste oliesel toe te dienen, maar zij behoorde tot de anglicaanse kerk. Ze heeft nog geprobeerd overeind te komen en 'nee, nee' te zeggen met haar zware tong, en toen viel ze weer achterover en is ze gestorven. Ze had nog tien jaar kunnen leven, als iemand haar nodig had gehad.

Ik werd overmand door verdriet, maar het was geen onderdompeling in de simpele pijn van verlies; het was eerder een kille, grauwe, halfbevroren toestand, een hermetisch verdriet. Zoals gewoonlijk had ik medelijden met haar, om haar vreselijke leven, maar die golf van mededogen werd geblokkeerd door de kille gedachte: als je haar in huis had genomen, was ze nu niet dood. Ik liep doelloos door mijn huis, gereduceerd tot mijn vroegste ik, het kleine meisje dat kon zien hoe haar moeder leed, maar mompelde: Nee, dat nooit. *Laat me met rust.* Clancy was er af en toe, en was lief voor me. Door het medelijden en de angst die hij voor zijn eigen moeder voelde, kon hij mijn gevoelens begrijpen. De emoties die ik mezelf omwille van de eerlijkheid niet kon toestaan, simpele tranen bijvoorbeeld, werden voor mij geuit in bluesmuziek. Weken, maandenlang, heb ik naar niets anders geluisterd. 'St. James Infirmary', 'St. Louis Woman'... Onder anderen Bessie Smith, Billie Holliday... Als ik ze nu hoor, moet ik mijn oren dichtstoppen of de radio of wat dan ook uitzetten. Al luisterend dacht ik: op welk punt van die eindeloze, ellendige geschiedenis van mijn moeder en mij had ik me anders kunnen gedragen? Het anders kunnen doen? Maar ik kon alleen maar tot de conclusie komen dat er niets anders had kunnen gaan. En als ze weer tot leven zou komen, weer naar Londen kwam en daar voor me stond, dapper, nederig, niet-begrijpend ('Ik wil toch alleen maar nuttig zijn voor anderen?'), zou ik weer precies hetzelfde zeggen en doen. Dus wat had dat verdriet voor zin? Die pijn? Dat leed? Die spijt?

Het was een nare, trage tijd, alsof ik kilometers onder drabbig, koud water zat. Peter wist wel dat zijn grootmoeder dood was, maar waarom zou hij zich druk maken om een oude vrouw die even was opgedoken en toen weer was vertrokken? Sommige sterfgevallen geven geen klap maar een beurse plek, die zich donker en uit het zicht uitbreidt zonder ooit te vervagen. Soms denk ik: stel je voor dat ze nu binnen zou komen lopen, een oude vrouw, en ik hier ook als oude vrouw... hoe zou dat zijn? Ik verbeeld me graag dat we een soort humoristisch begrip zouden delen. Waarvan? Dat het leven zo vreselijk beroerd is, daarvan. Maar vooral denk ik dat ik dan gewoon mijn armen om haar heen zou slaan... Om wie? Om de kleine Emily, wier moeder stierf toen ze drie was, zodat ze achterbleef bij de bedienden, een kille, liefdeloze stiefmoeder en een kille, plichtsgetrouwe vader.

De New Left-beweging was niet de enige uiting van de nieuwe, jonge politiek. De andere was het Royal Court Theatre, dat nu als een klein gouden tijdperk van het theater wordt gezien, onder de welwillende protectie van George Devine. Jawel, maar het was een tijd van jonge, getalenteerde, slimme jonge mannen, grotendeels uit het noorden van Engeland en uit de arbeidersklasse, die vastbesloten waren het te maken. Hetgeen ze gedaan hebben, stuk voor stuk, want binnen de kortste keren zouden ze aan de top van opera, toneel en film belanden. Maar toen waren ze nog musjes naast adelaar George Devin, behalve Tony Richardson, die het Court-theater nog een tijdje geleid heeft. Net als de andere jonge mannen van de New Left had hij totaal geen ontzag voor de gevestigde orde. Hij zou niet lang daarna de films gaan maken die de Britse film nieuw leven zouden inblazen: *Look Back in Anger*, *A Taste of Honey*, *Tom Jones*, *The Charge of the Light Brigade.* Hij fungeerde als het enfant terrible van het Royal Court. Het was een lange, benige, knappe jonge vent, die zich een opzettelijk gemaakte stijl had eigen gemaakt (vol *daahlings*), waarmee hij waarschijnlijk ooit was begonnen als parodie, maar waar hij nu niet meer vanaf kon komen, zoals zo vaak met dergelijke poses gebeurt. De kracht van Tony Richardson lag in het feit dat hij de vleesgeworden buitenstaander was, zowel qua omstandigheden als temperament. Niet uit de middenklasse, niet uit het zuiden van Engeland, maar met de onverbloemde taal en het directe van Noord-Engeland, zag hij dat kneuterige middenklasse-Londen eens goed aan en voerde hij binnen de kortste keren in elke groep waar hij deel van uitmaakte de boventoon. Als ik nu terugkijk op de mensen in en om het Royal Court, is hij degene die erbovenuit steekt, en het was een stelletje buitengewoon getalenteerde figuren.

Het Court was nog meer dan een bruisend theater, met een verleden dat van moed getuigde, en waar iedereen met talent wel wilde werken. De sfeer, de uitstraling was zo sterk dat het een tijd lang meer een soort informele gemeenschap is geweest. Er ontstonden workshops en happenings omheen van het soort dat in de jaren zestig gemeengoed zou worden. Door welke behoefte werden ze (al die mensen, stuk voor stuk jong, of tenminste niet oud; sommigen acteur en dramaturg, anderen die niet eens bij het toneel werkten) toen, in de tweede helft van de jaren vijftig, gedreven om avond aan avond, en in de weekends Boom te spelen, of Muur of Rivier, of om Woede, Medelijden, Liefde, Mededogen enzovoorts uit te beelden? Sommige van die bijeenkomsten deden denken aan wat je leest over Victoriaanse salons met hun tableaux en gezelschapsspelen. Een van de huizen waarin ze dat deden was dat van Anne en Peter Piper* aan de rivier bij Hammersmith, een prachtig, fragiel huis, met veranda's met pilaren zodat het net een schip leek dat op de golven dreef. Het was een huis vol mooie dochters van alle leeftijden, je had gewoon gewild dat Renoir nog eens terugkwam om ze allemaal te schilderen. Al vond ik – en Peter ook – het heerlijk om bij de Pipers op bezoek te gaan, ik kan niet zeggen dat ik van die charades erg genoot, daar niet en in het Court niet, ondanks de uitgelaten stemming. Dat kliekerige stond me niet aan, zo'n clan, die sfeer van 'wij tegen de rest', daar had ik voor de rest van mijn leven genoeg van. Ik wist dat het binnen niet al te lange tijd weer zou overwaaien, want zo gaat het altijd, maar het was leuk voor zolang als het duurde. En een tijdje ben ik ook een van de schrijvers voor het Royal Court geweest. 'Aha, je bent een van onze schrijvers,' zeiden ze dan en dan kreeg ik goede plaatsen, maar ondertussen broedde ik over verraad: jullie hebben me iets beloofd en je er niet aan gehouden.

Ik had namelijk een toneelstuk geschreven over die tijd waarin de jongeren bepaald niet in politiek geïnteresseerd waren. Voor mij, na jaren van politieke vluchtelingen, overlevenden van concentratiekampen, en de vluchtelingen uit communistische landen, was het een schok als ik zo'n lamlendig jongmens hoorde zeggen: 'Sorry, maar politiek interesseert me niet.' Kenneth Tynan was een typisch voorbeeld van die tijd, want hij was een dandy die pronkerige kledij droeg om de oudere garde te shockeren, geïnspireerd door Max Beerbohm en Wilde. Wij waren verontrust, want we dachten: als je niet 'politiek bewust' bent, krijg je wat je verdient – Hitler, op z'n minst. Dat een van de meest politiek bewuste generaties in de geschiedenis Stalin had gekregen was een gedachte die

* Eigenlijk David Piper, maar zijn vrienden noemden hem Peter.

we nog niet konden bevatten. Dat was dus de achtergrond van mijn stuk *Each His Own Wilderness*, dat, en het feit dat ik had meegemaakt hoe een vriendin van mij, een communiste, maandenlang constant door haar apolitieke zoon was getreiterd en bestookt over haar politieke overtuiging. Toen gaf ze van de ene op de andere dag de politiek op en werd hij extreem, om niet te zeggen agressief politiek, alles wat hij in haar zo bekritiseerd had. Terwijl ik dat stuk schreef, was alles veranderd, en de nieuwe golf werd aangevoerd door Kenneth Tynan. Ik stuurde het stuk naar het Royal Court, ofte wel naar Tony Richardson, die mij samen met George Devine op de lunch vroeg. Ze prezen het stuk de hemel in. 'Doet niet onder voor *Look Back in Anger*, daah-ling,' zei Tony op zijn geaffecteerde wijze. Toen ik zei: 'Maar misschien veranderen jullie nog van mening,' was dat vast een helderziende geest die door mij sprak. Maar ze verzekerden me allebei met duizend-en-een beloften dat daar geen sprake van kon zijn. Er gingen maanden voorbij voor ik ze durfde schrijven om te vragen hoe het met de opvoering zat die mij beloofd was, waarop George Devine me een brief terugschreef die begon met: 'Er zijn nog steeds een paar dingen die ons aan je stuk bevallen.' Tony Richardson was in de Verenigde Staten gaan werken, en hij was degene die het stuk juist zo bewonderd had. Zijn opvolger als de mentor van George was Lindsay Anderson, van dogmatisch linkse signatuur; hij vond het stuk niet goed en had het George afgeraden. In plaats van de beloofde reeks opvoeringen kwam er een eenmalige voorstelling in het Court op een zondagavond, onder de regie van John Dexter.* Hij was toen nog niet bekend en onzeker (over zichzelf tenminste, niet over zijn talent) maar al een uitstekend regisseur. De zondagavonden in het Court trokken in die tijd veel publiek. Het stuk kreeg goede recensies. Als ze het langer hadden gespeeld, zou het niet hebben ondergedaan voor vele andere, maar het was niet modieus, noch qua onderwerp noch qua vorm. Het Court had een afkeer van hecht doortimmerde stukken. Ze verfoeiden hun voorgangers, Noël Coward, Terence Rattigan, Anouilh en vooral Priestley. Die hoefde je alleen maar te noemen om een geluid te horen dat het equivalent is van een luidruchtig doorgetrokken wc.

Kan het nu echt niet anders? Ik bedoel, dat een nieuwe lichting jong talent altijd op de voorgangers spuugt? Ik heb heel vaak een Nieuwe Dageraad meegemaakt, en die was steevast op touw gezet door jongeren die de oudere generatie haatten. En terugkijkend op míjn Dageraad, als ik me de felheid van mijn minachting voor mijn directe voorgangers herinner, voel ik me ontmoedigd, en weet ik waarom het zo is; en toch kan ik het niet helpen om me af te vragen: kan het nu echt niet anders? Want het is zo zonde, zo'n verspilling, die cyclus, de nieuwe energie die de kop opsteekt en al het voorgaande vernietigt... waarop ze dan geleidelijk aan beseffen dat ze misschien overijld te werk zijn gegaan en gaan leren om de mensen van misschien nog maar een generatie terug alsnog de eer te geven die hun toekomt. En ondertussen worden ze zelf door hun opvolgers

* John Dexter is later een bekende toneel- en operaregisseur geworden.

de grond in geboord. Een treurige, slechte, stomme cyclus.

De nieuwe stukken die in het Court wél vaker werden opgevoerd, waren voor het grootste deel vormeloos, om niet te zeggen anarchistisch, en er had flink het mes in gemoeten. Maar schaven, slijpen en snoeien vonden die nieuwlichters een belediging van hun creativiteit. (Wat overigens niet gold voor Arnold Wesker, John Osborne en Shelagh Delaney.)

Ik wil *Each His Own Wilderness* hier niet gaan ophemelen. Het was een aardig stuk, niets bijzonders. Het wordt soms nog weleens gespeeld. Om te begrijpen wat eraan mankeerde, denk dan aan Becketts *Wachten op Godot*, of de stukken van Genet of Sartre. Heel veel later, toen Tony Richardson me tijdens een bezoek aan Londen nog eens kwam opzoeken, zei hij: 'Het was een goed stuk.' Hij vond het vreselijk dat het zo gelopen was. En hij deed iets heel ruimhartigs. Hij vroeg of ik voor duizend pond een scenario wilde schrijven van Faulkners *Intruder in the Dust* [vertaald als *Ongenode gast*]. Ik wist toen inmiddels genoeg van de filmwereld om te weten dat die film misschien nooit gemaakt zou worden, en zeker niet zoals ik het geschreven had; pas later begreep ik dat Tony me op deze manier geld had willen toestoppen. Er worden soms harde dingen over Tony gezegd, maar ik heb hem ervaren als een aardige, attente man, met een gul karakter – en natuurlijk buitengewoon slim.

Osborne's *Look Back in Anger* heb ik gezien met Miles Malleson en beter gezelschap had ik me niet kunnen wensen. Het stuk bracht hem van streek, al was hij bepaald geen ouwe pietlut. Tegenwoordig vinden we Ibsen, Tsjechov en Molière vanzelfsprekend, maar toen wilden toneeldirecteuren er niet aan. Miles had wel nieuwe vertalingen gemaakt, de directie onder druk gezet en in die stukken opgetreden. Hij zag zichzelf als iemand die zijn hele leven al tot de avant-garde behoorde, iemand als George Devine. Maar die avond, tussen dat koortsige, onrustige publiek, het luidruchtig enthousiasme van de jeugd, en de oudere generatie die zich niet prettig voelde, bleef Miles maar zeggen: 'Maar slechte manieren zijn nog geen maatschappijkritiek.' Miles was socialist, tegen het communisme aan. Misschien was hij wel communist, dat zou ik niet durven zeggen. Ik heb nog niet zo lang geleden in het National Theatre een dochter van hem ontmoet die ervan uitging dat mijn vriendschap met Miles die van twee oude ijzervreters uit de partij was, al heb ik uit de mond van Miles nooit de partijlijn mogen vernemen. Jimmy Porter, met wie zo veel jongeren zich identificeerden, vond ik infantiel, met net zo veel zelfmedelijden als de jongeren die zelfmoord pleegden om *Werther.* Miles zag hem als het equivalent van een scheet in het gezicht van het fatsoen – en bepaald niet nuttiger.

Waarom was Jimmy Porter zo kwaad? Er gingen in het stuk twee mensen dood. De ene was zijn vader, die stierf door de Spaanse Burgeroorlog, waardoor zo veel Engelsen zich voor hun regering waren geen schamen, en de andere was een oude volksvrouw die de honger en smerige armoe van de jaren dertig had overleefd. Ik kon me met die woede vereenzelvigen. En toch vroegen de ouderen: waar was Jimmy Porter – of John Osborne – zo kwaad om? Dáár was hij

– of waren zij – kwaad om. Vervolgens zijn er zeeën inkt gebruikt om de redenen van die woede te beschrijven.

In 1951 was *Angry Young Men* verschenen, de autobiografie van Leslie Paul, een literator van naam wiens biografie en publicaties in *Contemporary Authors* twee dikke kolommen beslaan. Ik ken niemand die dat boek heeft gelezen, maar de titel is waarschijnlijk een inspiratiebron geweest voor de titel van Osborne. De uitdrukking hing in de lucht. Toen de publiciteitsmensen van het Royal Court bedachten hoe ze de aandacht op *Look Back in Anger* konden vestigen, zeiden ze tegen John Osborne: 'Je bent zeker een *angry young man*?' En voerden het aan de pers. Zoals we allemaal tot onze schade en schande weleens hebben ondervonden, wordt een vondst door de pers uitentreuren uitgemolken, en jarenlang is ieder spoortje nieuw talent als 'angry young man' ingehaald. Een verbazingwekkend fenomeen, die journalisten; je zou toch denken dat ze af en toe een beetje origineel voor den dag willen komen. Recentelijk hebben we hetzelfde gezien bij John Major, die toen hij pas premier was eens is omschreven als 'grijs'. Jarenlang, tot voor kort nog, hebben de journalisten bij 'John Major' automatisch: 'grijs' geschreven. Als geprogrammeerde ratten. 'Mevrouw Thatcher': 'handtas'.

En nu verschijnt Tom Maschler ten tonele, piepjong – drieëntwintig – knap en ambitieus; hij kwam bij mij thuis met de eis dat ik een stuk schreef voor een boek dat hij wilde maken, *Declaration* geheten. Ik zei dat ik het vreselijk vond om opiniërende artikelen te schrijven, waarop hij mij verwijtend toevoegde dat zijn hele toekomst van deze bundel afhing. Later kwam ik erachter dat we er allemaal zo zijn bijgesleept: we konden die drang van Tom niet weerstaan. Bovendien had hij Iris Murdoch benaderd – zei hij – en die wilde niet en hij móest er een vrouw in hebben, ik kon hem toch niet in de steek laten? En zo ben ik een angry young man geworden.

Tom was heel duidelijk een oorlogsslachtoffer. Zijn ouders waren Wenen ontvlucht toen hij zes was, en alsof dat nog niet erg genoeg was, na hun aankomst in Engeland gescheiden. Zij moeder vond werk als kokkin op een groot landgoed. Tom, die in Wenen het leven van een prinsje had geleid, was nu het zoontje van de kokkin. Hij werd de leider van een groep criminele jongeren, iets waarover hij heel geestig en een beetje opschepperig kon vertellen. Ook klaagde hij dat zijn redding, doordat hij naar een Quaker-school gestuurd was, hem geruïneerd had: als ze hem daar geen moreel besef hadden bijgebracht was hij een tweede Onassis geworden. Zijn korte militaire loopbaan was geen succes geweest: hij was niet de enige jongeman die ik kende die, diep verontwaardigd dat hem zoiets ongehoords was overkomen, gewoon op bed was gaan liggen en weigerde om op te staan. Hij was reisgids geweest – dat soort toerisme was toen net in opkomst. Met zijn talenkennis en charme was hij een groot succes. Die baan ging met allerhande avonturen gepaard, waaronder het smokkelen van koffie. (Goede, echte koffie was toen goud waard.) Toen ik met Peter naar Spanje ging, hadden ze mij gevraagd als koffiekoerier voor onze charmante jonge gids – onschuldige tijden... Tom had besloten dat hij uitgever wilde worden, had een baantje bij André Deutsch gehad, voor vijf pond per week, en zat nu bij MacGibbon and Kee, onder aan de ladder. Hij zei dat hij de beste uitgever van Engeland zou worden, maar ja, je moet ergens beginnen. En dat begin was *Declaration.* Tom is inderdaad de beste, en zeker de opvallendste, uitgever van Engeland geworden. Hij had er een neus voor, flair en intuïtie. Die flair liet hij zien in zijn keuze voor de bijdragen aan *Declaration.* Wat wij gemeen hadden, was dat wij in die tijd opvielen; we hadden een naam, en een uitstraling van succes of belofte.

Tijdens het wachten op de publicatie van *Declaration*, raakte Tom met ons allemaal bevriend. Sommigen van ons gaven hem advies: als hij uitgever wilde worden, zou het misschien slim zijn om eens een paar boeken te lezen. Interessant dat we allemaal met ongeveer dezelfde lijst van twintig boeken kwamen aanzetten. Ook moest hij maar proberen om iedere dag een krant te lezen, want al was hij niet in politiek geïnteresseerd, hij moest toch weten wat er in de wereld omging. Goed dan, als hij per se geen krant wilde lezen, moest hij maar iemand zoeken die hem het nieuws vertelde.*

Tom is zo iemand die altijd commentaar krijgt, meestal negatief. Voor een deel is dat natuurlijk jaloezie, omdat hij zo mateloos veel succes heeft gehad.

Ik heb een keer tegen hem gezegd dat het moeilijk zou worden om over hem te schrijven, omdat hij ook vreselijke dingen had gedaan.

'Zoals?' vroeg Tom.

'Het volgende bijvoorbeeld,' zei ik. Mijn Italiaanse uitgever, Feltrinelli, belde me op een keer vanuit het Ritz of ik met hem wilde komen ontbijten. Dat was toen het toppunt van chic, een zakenontbijt, en het was nieuw voor mij. Daar zaten we dan in het Ritz, te midden van die hoorn des overvloeds van een Ritzontbijt zwarte koffie te drinken, want geen van ons beiden ontbeet ooit. Het was een sympathieke man, die Giangiacomo Feltrinelli, en een moedige uitgever. Hij was communist, Feltrinelli was een linkse uitgeverij, en hij gaf boeken uit als *Dokter Zjivago* en andere romans die de sovjetautoriteiten verboden hadden. Daarmee haalde hij zich uiteraard de verguizing door de kameraden op de hals. Die ochtend belde Tom toevallig op, en ik vertelde hem dat ik met Feltrinelli had ontbeten. Tom zei: 'Ik kom eraan.' Ik moest en zou meteen Feltrinelli bellen in zijn hotel om te zeggen dat mijn vriend Tom Maschler bij me was en dat die hem graag zou willen spreken. Dat heb ik gedaan, maar ik zal niet zeggen wat ik ervan vond. Ik luisterde toe hoe Tom met Feltrinelli aanpapte, die er ook niets aan kon doen dat hij aannam dat Tom met me samenwoonde. Toen het gesprek ten einde was, legde Tom de hoorn neer en draaide hij zich triomfantelijk naar me om: 'Ik heb een afspraak met hem voor vanavond.' De volgende

* Omdat het tijdperk waarin het voor de jeugd bon ton was om niet om politiek te geven toen net op zijn einde liep, hebben heel wat ambitieuze jonge mannen van hun mentors het advies moeten krijgen dat ze echt geen pijlers der natie konden worden als ze niet een béétje wisten wat er in de wereld te koop was.

dag belde hij me om te zeggen dat hij was uitgenodigd om bij hen in hun landhuis te komen logeren. En zo is Tom een goede vriend van de Feltrinelli's geworden.*

'Nou, wat is daar erg aan?' vroeg Tom. 'Ik was gewoon ondernemend.' Gotspe, dat was de perfecte naam voor Tom geweest, Tom Gotspe. Hij zat een half jaar bij MacGibbon and Kee toen Howard Samuels, de eigenaar, hem ontbood voor een gesprek, waarop die dat uitbundige en innemende kind, dat hij tenslotte zelf uit talrijke hoopvolle sollicitanten had uitgekozen, liet weten: 'Hoor 'ns, Tom, ik vind het niet erg dat je bij iedereen de indruk wekt dat jij deze uitgeverij runt, maar ik ben bang dat ik het niet kan waarderen dat je je ook nog als eigenaar gedraagt.'

Maar eigenlijk hoefde je alleen maar te denken aan Balzacs Rastignac, de provinciaal die Parijs aan zijn voeten wilde krijgen. Londen zat vol jonge mannen, die grotendeels uit het noorden van Engeland kwamen, veel uit de arbeidersklasse, van de *grammar school*, zonder de connecties die in dit land zo belangrijk zijn, maar wel met een hoop slimheid en durf. Vrouwen zijn van oudsher heel nuttig voor ambitieuze jonge mannen. En waarom ook niet? Zo werkt het nu eenmaal in de maatschappij. Maar totdat je daar als bekende vrouw achter kwam – sommigen van ons omdat we het verband zagen met Rastignac – was je altijd weer verbaasd dat je in de foyer van de schouwburg en andere openbare gelegenheden voortdurend werd omhelsd door jonge mannen die je nauwelijks kende, en van wier attenties de omstanders, en jijzelf niet te vergeten, danig onder de indruk raakten; of je naam werd in hotels of vliegvelden omgeroepen met het verzoek naar de balie te komen, samen met die van jongelui die je nauwelijks kende.

En nu een wat algemener commentaar. Er heerst een zekere consensus dat onaangename feiten meer over iemands wezen onthullen dan aangename, maar waarom eigenlijk? Niets is makkelijker dan venijn, en om iets negatiefs over iemand aan de weet te komen hoef je maar even goed te kijken; bovendien staat ieder levend mens met zijn wortels in de modder: dat is nu eenmaal het menselijk lot. Wij zijn doorgewinterde critici van onze medemens en hebben een neus voor andermans morele zwakheden. Ooit werd venijn als een slechte eigenschap beschouwd, nu word je erom toegejuicht. De huidige uitdrukking 'lekker roddelen' zegt meer over ons dan ons lief zou moeten zijn: het is een graadmeter voor onze malicieuze tijd. En nu, terwijl ik dit schrijf: Tom is jarenlang een ondernemend en briljant uitgever geweest; hij heeft Jonathan Cape van een zieltogende onderneming tot een van de bruisendste uitgeverijen van Engeland gemaakt; hij heeft jonge schrijvers ontdekt, ze gekoesterd en gesteund; hij heeft voor boeken gevochten die eerst door recensenten hautain werden bejegend of afgekraakt, zoals *Honderd jaar eenzaamheid* en *Catch-22*; hij heeft gezorgd dat zijn vrienden hem door dik en dun trouw bleven... maar ik weet zeker dat het oog van de lezer

* Later is Feltrinelli vermoord – een politieke moord, al schijnt niemand te weten waarom.

over al deze lof is heengegleden, op zoek naar de roddel. *De waarheid.* *

De klacht die ik nu heb is meer algemeen: wat gebeurt er met die heerlijke avonturiers als ze op leeftijd raken? Die jongelui die ons met hun wapenfeiten hebben verblind? Ze worden *achtenswaardig*; je komt een kalend oudje tegen dat je nog bijstaat om zijn roekeloze avonturen, en die man begint uit te weiden over vermeende jeugdige conformiteiten, die hij in werkelijkheid vanuit de grond van zijn dappere hart verfoeid zou hebben.

Tom Maschler werd met de verschijning van zijn geesteskind *Declaration* op slag beroemd; iedere krant betitelde het als een manifest van de angry young men, alsof die een beweging of groep zouden zijn. Ik kwam er echter al snel achter dat ze in twee groepen uiteenvielen, die onderling niets gemeen hadden. De echte linkervleugel bestond uit Ken Tynan – die zijn dandyachtige start ontgroeid was – en Lindsay Anderson. John Osborne kreeg door anderen het etiket 'socialist' opgeplakt, maar ik geloof niet dat hij zichzelf ooit zo heeft aangeduid. John Wain mocht dan wel *Hurry on Down* hebben geschreven, te vergelijken met *Lucky Jim* van Kingsley Amis, en in mijn ogen even goed, maar hij was en bleef een volbloed jonge conservatief.

Waarschijnlijk kon je hen wel allemaal terecht als 'angry' kwalificeren, vanwege de situatie waarin het land verkeerde, maar er waren er nog drie die ik bij mezelf de 'Metaphysicals' noemde, en die waren niet alleen niet 'angry', ze hadden bovendien hun linkse collega's nog nooit ontmoet, en ze minachtten ze eigenlijk nogal om hun oppervlakkige levensbeschouwing. Het was absurd om zo'n samengeraapt zootje een groep of beweging te noemen. Ik vroeg de Metaphysicals op de thee, ieder afzonderlijk. Ze waren vreselijk aardig. Een van hen was Stuart Holroyd, een piepjonge vent, wiens boek *Emergence from Chaos* veel aandacht trok. Later zou hij schrijven: '... op mijn vijfentwintigste was ik zo vermetel om een verslag over mijn eigen ervaring en innerlijk leven te schrijven. Dat was aan het eind van de jaren vijftig, toen de Britse pers veel ophef maakte over de "angry young men", en dat was waarschijnlijk een van de redenen waarom ik het aandurfde om autobiografisch te schrijven: al die publiciteit gaf ons het gevoel dat we iets belangrijks te zeggen hadden.' Bill Hopkins had een debuutroman geschreven, *The Divine and the Decay*, die ook bejubeld was. Hij is heel jong gestorven. Die twee verschilden sterk van de andere schrijvers in *Declaration*, die veel strijdlustiger waren en zich druk maakten om maatschappelijke processen; zij waren verlegen, gevoelig, geïnteresseerd in de binnenwereld, en doorkneed in de mystieke en religieuze literatuur.

Colin Wilson had *The Outsider* geschreven, dat door de literaire wereld als een uitermate belangrijk, zo niet geniaal werk was ingehaald. Als er ooit sprake is geweest van een rijzende ster aan het literaire firmament, dan is het Colin Wil-

* Later, toen Tom Maschler aan het hoofd van Jonathan Cape stond, is hij jarenlang – en met fantastisch resultaat – mijn uitgever geweest. In de Verenigde Staten ben ik uitgegeven door Knopf – Robert Gottlieb. Ik heb geboft: twee van de beste uitgevers van hun tijd zijn mijn uitgevers en goede vrienden geweest.

son wel, maar daarop is een reactie gevolgd, alsof de mensen die hem gefêteerd hadden plots dachten: dat flik je geen tweede keer, jongen. Over het algemeen is het niet zo gunstig als je eerste boek de hemel in wordt geprezen: er volgt bijna altijd een irrationele reactie. Maar dat eerste (overigens goede) boek van Wilson mocht dan te veel geprezen zijn, zijn volgende boeken zijn onterecht genegeerd of afgewezen. Minstens twee ervan – ik heb ze niet allemaal gelezen – hadden meer verdiend. Het ene was *Rasputin and the Fall of the Romanovs*, dat Raspoetin bevrijdde van zijn reputatie als een soort hysterische charlatan, en hem in de context van Russische sjamanen en genezers plaatste. Het andere was *The Great Beast*, over Aleister Crowley, al even evenwichtig en doordacht.

Dat waren wij dus. De 'linkse politiekelingen' helemaal volgens de heersende trend. En dan de Metaphysicals, minder volgens de trend, maar binnen tien jaar zouden zíj weer bon ton zijn. En dan ik, een vrouw, en tien jaar ouder dan zij.

Even een kort terzijde: wat is het toch jammer dat het geschrevene blijvend is, terwijl wat gezegd wordt vaak niet wordt opgemerkt. Het geschrevene wordt herdrukt, wordt onderdeel van proefschriften. Tientallen jaren later word je er nog mee om je oren geslagen. Het is een molensteen om je nek, en je staat machteloos. 'Maar op bladzijde 123 hebt u gezegd...' Het grootste deel van mijn bijdrage aan *Declaration*, 'A Small Personal Voice', staat me nog best aan, maar sommige passages vind ik nu heel erg. Wat schrijf ik daar voor onzin over Camus, Sartre, Beckett, Genet? Ik ben onthutst over mezelf. Ook heb ik onzin geschreven over China en de Sovjetunie. Vreselijk, die sentimentaliteit van me, als ik zeg dat ik nog nooit iemand ben tegengekomen die op de knop zou drukken van wat we toen als De Bom betitelden. Nu denk ik dat iedereen daartoe in staat zou zijn mits hij of zij maar effectief genoeg geprogrammeerd is. Ach, het was een actueel stuk, dat wel.

Eén ding waarover ik in *Declaration* heb geschreven, geldt nog steeds, nu nog meer dan toen. Ik klaagde over de vreemdelingenangst en bekrompenheid van Engeland. Als je uit het buitenland terugkomt, geeft een bijeenkomst met de pers hetzelfde effect als wanneer je een schoolklas vol bijdehante, ruzieachtige kindertjes binnengaat. Nieuwtjes over zichzelf vinden ze belangrijk. Er kunnen oorlogen en hongersnoden woeden, regeringen op vallen staan, maar waar ze over schrijven is dat een van de kindertjes een nieuw kapsel heeft, of dat de een te beledigd is om met de ander te gaan lunchen. Mijn vader klaagde altijd over de benauwde dorpsmentaliteit van Engeland; daarom zat hij in 1919 en 1924 ook te popelen om weg te gaan.

De Angry Young Men waren een volledig door de pers, door de media, bedacht fenomeen. En de sneeuwbal rolde maar door, jaar in jaar uit, steeds dikker, en al die tijd verbaasde ik me erover dat niemand leek te zien hoe weinig ze in feite gemeen hadden. De media zijn te vergelijken met de wetenschappers van weleer, want de moderne wetenschappers hebben ingezien dat ze zelf onderdeel zijn van het onderzoek dat ze doen en dat ze alleen al doordat ze zijn wie ze zijn, de uitkomst beïnvloeden; de media daarentegen kunnen een verhaal, een schandaal of een gebeurtenis creëren om zich vervolgens te gedragen alsof ze er niets mee te maken hebben, alsof het voorval of de reputatie een spontaan verschijnsel is en zij geen invloed hebben gehad op het resultaat, en alsof ze het niet allemaal zelf bedacht hebben. 'De publieke belangstelling voor... neemt nog steeds toe.' Uiteraard, de journalisten wakkeren zelf het vuurtje aan, permitteren zich hevige morele verontwaardiging, opwinding, zorg. En het publiek zich maar verbazen.

Nogmaals: de Angry Young Men waren een creatie van de media, verzonnen door de krant, en hebben nooit een feitelijke basis gehad. Maar het heeft geen zin om dat te zeggen; er zijn al duizenden scripties en proefschriften geschreven en duizenden reputaties gevestigd: men heeft nu belang bij het fenomeen en het krijgt waarschijnlijk nooit meer de kans om een stille dood te sterven. Toen ik in Japan was, vroeg een professor me iets over de Angry Young Men en hun manifest, en mijn antwoord was dat ze nooit bestaan hadden, dat het een krantenzeepbel was. Het gezicht van die man... maar ik las er ook op dat hij een deskundige was op het terrein van die revolutionaire beweging en dat hij absoluut niet zou kunnen verdragen dat het allemaal gebakken lucht was.

De Angry Young Men (en ik) werden met het Royal Court Theatre geassocieerd vanwege John Osborne en vanwege de glamour die het Court toen had.

Er bestaat een beroemde foto van Royal Court-mensen op een uitstapje, boven in een open dubbeldekker, met de mooie Mary Ure vooraan – zij was even fascinerend als Marilyn Monroe, met diezelfde breekbaarheid. De jonge coryfeeën lachen, en alle jonge mannelijke coryfeeën, vooral John Osborne (die kort daarop met haar zou trouwen) en Tony Richardson, kijken naar Mary, die lachend haar hoofd in haar nek heeft gegooid maar een beetje in paniek lijkt vanwege alle aandacht. Het geeft een beeld van heerlijke vrolijkheid, net opgewonden kinderen bij een picknick.

Er werd een feest gepland in het Royal Court om het verschijnen van *Declaration* te vieren, maar de leiding weigerde het theater te laten gebruiken omdat John Osborne in zijn stuk de koninklijke familie had beledigd. 'Mijn bezwaar tegen het koningshuis als symbool is dat het dood is, een gouden vulling in een mond vol rot.' Het werd verplaatst naar de Pheasantry in Chelsea, een grote kelderruimte, vol regisseurs, politici, acteurs en uiteraard, de contribuanten; iedereen die toen in het nieuws was. Aneurin Bevan was er ook met zijn gevolg, net terug van de een of andere conferentie waar hij zijn beroemde vuur wat had laten doven door de heersende trend; sommigen van ons vielen hem erop aan en zeiden dat hij veel meer vertegenwoordigde dan de linkervleugel van de Labourpartij nu het communisme ineengestort was. Hij leek verbaasd over wat er van hem verwacht werd. Hij was een politicus, en revolutie viel zeker niet binnen zijn bestek, terwijl ik zou zeggen dat 'revolutie', abstracte, bezielende, onbezoedelde revolutie, bij de meeste aanwezigen daar toch wel in het denken verankerd lag. Niet als je ze vroeg: denk je dat het zus of zo'n revolutie moet zijn? Nee, niets wat in een doctrine was gegoten.

Het was er ongelooflijk rumoerig, maar het werd stil toen er boven aan de trap die de drukte in leidde een luide stem klonk. Daar stond een jonge vrouw, degelijk, met sluik blond haar en een bloemetjesjurk – toen zwaar uit de mode – en afkeurende lichte ogen. 'Zeg,' wilde ze op de schallende toon van haar klasse van haar begeleider weten, 'wat zijn dat voor malle mensjes?' Want men ging toen vaak aapjes kijken in de achterbuurten en de klassen werden flink dooreen geklutst.

De mensen met wie ik in die tijd omging, kwamen uit heel uiteenlopende werelden. De zegen van de grote stad is dat je allerlei mensen kent die elkaar misschien liever niet kennen, en alleen wie in de provincie gewoond heeft – Salisbury in Zuid-Rhodesië bijvoorbeeld – kan de vrijheid die dat biedt op waarde schatten.

Een tijd lang heb ik vrij veel met Miles Malleson opgetrokken. Hij had veertig jaar aan het toneel gezeten, en ik hoorde hem daar graag over vertellen. Ik ging met hem naar de schouwburg, naar theaterrestaurants als het Ivy, en ook naar de dierentuin, want hij was lid van de Royal Zoological Society. Miles was dol op Peter, en Peter op de dierentuin, waar hij naar het speciale dier van Miles toe kon, al ben ik vergeten welk dier dat was. Ik heb zo veel mensen gekend die tarantula's, luiaards, schorpioenen, apen en kameleons steunden, dat die tot één Speciaal Dierentuinbeest ineen zijn gevloeid.

We hadden het ook over de liefde, ik met terughoudendheid. Miles had een oogje op me, maar daar hoefde ik weinig compassie mee te hebben, wat hij was verliefd op de liefde zelf. Hij zei dat hij een product van de jaren twintig was: hij was grootgebracht met de vrije liefde en vond nog steeds dat dat de enige manier was om je leven en je geliefden te benaderen. Miles zei dat hij nooit jaloers was geweest, of de behoefte had gevoeld een vrouw voor zich alleen te hebben, maar dat de vrouwen helaas die ruimhartige opvatting niet deelden. Hij vond dat je je belangrijkste geliefde moest kunnen vertellen over de vluchtige verliefdheid van een heerlijk weekend, maar zei dat zijn hele leven het patroon zich herhaald had van die eerste keer, toen hij zijn eerste vrouw (tenminste, ik geloof dat het zijn vrouw was) opgetogen over zo'n avontuurtje had verteld en zij hem er prompt had uitgesmeten. Waarom doen vrouwen toch zo? wilde hij weten, en hij verwachtte echt een antwoord. Hij zei te geloven dat liefde tussen man en vrouw – echte liefde – alleen kon bestaan op basis van volkomen eerlijkheid. Maar eerlijkheid gaf verdriet. Ja, zei ik, ik had daar in mijn verleden al vaker over horen klagen, maar dat was immers het vreselijke basisdilemma dat inherent was aan de liefde? Waarom dacht hij dat hij dat in één klap zou kunnen oplossen? Dat dacht hij echt, hij had er nog steeds hoop op. Hij praatte erover met een stem waarin de hete wrok van een heel leven klonk. Ik heb over hem geschreven in het verhaal *The Habit of Loving.*

Met Tom Maschler trok ik ook veel op. Die raasde door Londen en had voortdurend met iedereen afspraken, want hij draaide op superenergie. Je komt niet vaak mensen tegen die je zo sterk het gevoel geven dat je eigen wielen wel erg traag rondgaan vergeleken met de hunne.

De journalist Murray Sayle zag ik te hooi en te gras. Hij woonde met zijn vrouw Tessa Sayle even verderop, in Notting Hill Gate. Ze hadden elkaar in Parijs leren kennen, allebei arm, zoals iedereen toen, en hadden de juiste leeftijd gehad voor die stad. Zij was een aristocratische Oostenrijkse, knap en opgewekt, met als meest in het oog springende eigenschap toen dat ze zo op orde gesteld was. Ze was de netste vrouw die ik ooit heb gekend, in hun huis lag nooit iets een centimetertje scheef. Later, toen ze zich dure kleren kon veroorloven, tornde ze die los om ze precies naar haar hoge eisen in elkaar te zetten. Murray kwam uit Australië, innemend, makkelijk, en zorgeloos gul met zijn tijd. Weer zo'n onmogelijk huwelijk, en ook dit heeft niet stand gehouden. Murray woonde in een altijd spannend avonturenboek, bevolkt met buitenmaatse figuren, onder wie ene Shoulders Moresby. Toen ik er later achter kwam dat dat een werkelijk bestaande persoon was, was ik teleurgesteld. Je hoort soms een vriend jarenlang over een vriend vertellen, tot die alle vertrouwde aantrekkingskracht van een sprookjesfiguur bezit, en het laatste wat je wilt horen is dat zo iemand ook maar een stervelingenbestaan leidt. Een van de voorvallen in het heldenverhaal was toen Murray en zijn vrienden besloten om een boot op de Theems op te knappen en ermee om de wereld te zeilen; een jaar lang offerden ze er al hun weekends en vakanties aan op, uiteraard tot groot verdriet van hun vrouwen. Eindelijk vertrokken ze dan, uitgeluid door champagne en toespraken. Maar in het Kanaal spookte het. Ze werden allemaal zeeziek, iets wat ze niet hadden ingecalculeerd. Ze lieten de boot achter in Cherbourg, waar hij misschien nog wel ligt, en keerden huiswaarts – niet over het water. Met zulke surrealistische avonturen hebben Murray's vrienden zich jaren vermaakt. Hij werkte voor een populaire krant als de *Sun* of de *Daily Mail*. Toen hij op een dag op een bankje in het park zat, nadat hij het een of andere schandaal tot het uiterste had uitgemolken, vielen hem plotseling als Saulus op weg naar Damascus de schellen van de ogen. Het zijn ménsen die ik deze vreselijke dingen aandoe, dacht hij. Waar ben ik mee bezig? Ik word geacht de mensheid lief te hebben. Hij nam ontslag bij de krant en ging dat aan al zijn vrienden vertellen met het berouw van een misdadiger die vastbesloten is zijn leven te beteren.

De journalisten van die roddelbladen oogstten niet bepaald onze bewondering, maar ik geloof niet dat we ze zo verafschuwden als de fatsoenlijke mensen van nu, om hun leugens, oneerlijkheid en wreedheid jegens hun slachtoffers. Maar ze hadden dan ook bij lange niet het huidige niveau van hypocrisie bereikt. We zijn inderdaad afgegleden. Het zou leuk zijn om te kunnen melden dat Murray op slag de wereldberoemde journalist werd die hij nu is, maar in werkelijkheid heeft hij het in het begin erg moeilijk gehad, en moest de deugd maar beloning in zichzelf zijn. De roman die hij schreef moest worden teruggetrokken na een aanklacht wegens smaad. Zijn leven sudderde op het minimum voort. Een tijdje verdiende hij zijn brood als zalmvisser in de monding van de Severn. Hij moest de zalm bij eb uit de rieten fuiken halen. Hij woonde in een piepklein huisje en at veel te veel zalm, klaagde hij terwijl hij zijn vrienden die hem kwamen opzoeken heerlijke zalmschotels voorzette. De avonturenroman ging weer verder, met Shoulders Moresby als schildknaap. Waar of niet waar, wat gaf het? De verhalenvertellers van deze wereld hoeven zich niet door dorre precisie te laten remmen.

Een tafereel: tegenover me aan een lage tafel vol asbakken, sigaretten en theekopjes zit Betty, een lelijke jonge vrouw, me met een ernstige frons en angstig bezorgde ogen aan te kijken. Toch lees ik in die ogen ook een zekere zelfvoldaanheid, want ze heeft een reeks vrouwen gestrikt in de rol van Lieve Lita, onder anderen Tessa Sayle en Joan Rodker. Ze houdt op haar schoot een keurige witte handtas omklemd die eruitziet alsof ze hem gekocht heeft op een bazaar van de kerk. Ze is de dochter van een bisschop: bisschopsdochters lijken zich wel vaker dan doorsneestervelingen in seksueel avontuur te verstrikken.

Hoewel mijn leeftijd bij Babu Mohammed en Murray Sayle, die allebei jonger zijn dan ik, niet uitmaakt – kameraden in plezier en kolderieke complotten als we zijn – maakt die tien jaar ouder me bij Betty tot een bezadigde raadgeefster. Net als Tessa en Joan Rodker en wie weet hoeveel anderen, zit ik vaak haar dilemma's aan te horen.

'Ik weet niet wat ik doen moet, mevrouw Lessing, en niet wat ik ervan moet denken. Ik kan niet slapen, ik lig maar te draaien; want sinds ik naar dat dansfeest van Colonial Advancement ben geweest en met Mahmoud naar huis ben gegaan, hou ik van zwarte mannen. Ik ben overal aan gewend geraakt, mevrouw Lessing. Hij zei altijd: ga het weekend maar naar huis, Betty, dan wil ik je niet hier, ik heb zin in een lekkere jongen. Ja, dat hoort bij hun cultuur, dat weet ik, en dan zei ik gewoon: ik wil je niet in de weg zitten, en dan ging ik naar mijn ouders, maar die zijn zo bezorgd. Heb je er wel aan gedacht dat een interraciaal huwelijk heel moeilijk is? vragen ze dan, en dan hou ik maar voor me dat ik niet aan trouwen denk. Ik ben nog zo jong, mevrouw Lessing, nog maar tweeëntwintig, ik hoef me nog niet druk te maken om vastigheid, vindt u ook niet? Maar nu ben ik aan Mahmoud gewend, en die is tegen de Engelsen, tegen ons, gaan vechten op Zanzibar, en wat moet ik nu? Ik zie blanke mannen niet meer zitten.'

'Heb je er al aan gedacht om een andere zwarte man te nemen? Je kunt weer naar zo'n dansavond van Colonial Advancement.'

'O, nee, ik weet dat u het goed bedoelt, maar ik hou van Mahmoud, ziet u. En dat wilde ik u eigenlijk vragen: denkt u dat het goed is dat ik mijn ticket al heb besteld?'

Ik vertel haar niets nieuws als ik zeg: 'Maar Betty, hij heeft een nieuwe vrouw, én een vriendin, en dat zijn kopstukken van de Militant Women. En mooi zijn ze allebei ook.'

'Ja, dat weet ik, maar als hij mij ziet, weet hij weer wat we voor elkaar betekend hebben en dan kiest hij mij.'

'Heeft hij je uitgenodigd?'

'Ik heb toch evenveel recht om daar te zijn als hij? Ik ben toch Brits? Nou dan. Het is een Brits land.' En weg is ze, om haar verhaal aan iemand anders te vertellen.

De tijd verstrijkt. En weer zit ze tegenover me, met haar keurige blouse, keurig kapsel, haar handtasje voor zich. 'Ik weet niet wat ik doen moet, mevrouw Lessing. Ik ben erheen geweest, maar hij heeft de boodschap die ik voor hem had achtergelaten nooit beantwoord. Hij heeft naar me gezwaaid toen hij me zag bij een demonstratie, dus heb ik daar nog een maand gewacht, en toen ben ik maar naar huis gegaan. Ik denk dat ik een gebroken hart heb, mevrouw Lessing. Wat moet ik nu?'

Ze was van plan om naar Zuid-Afrika te gaan, want daar kon ze een zwarte man vinden. Ik zei: 'Doe niet zo dom. Als je daar een zwarte man versiert, ga je de gevangenis in.' Ze is er toch heen gegaan, het was er zoals ik had gezegd, en ze reisde noordwaarts door Afrika tot ze midden in de oorlogen in de Kongo terechtkwam. Gruwelijke oorlogen: de hele wereld was geschokt, verbijsterd.

En weer zaten we thee te drinken en deelden we sigarettenrook en haar nieuws. 'Brazzaville is leuk,' zegt ze. 'Er waren veel zwarte mannen. Ik heb me prima vermaakt.'

'Maar er is daar een vreselijke oorlog aan de gang,' zeg ik.

'Waar ik was, heb ik niks van de oorlog gemerkt.'

'Hoe gaat het nu?'

'Ik ben nu getrouwd, en papa vindt het prachtig.' Ze had aan de oever van het Victoriameer een krokodillenjager ontmoet, en die was voor haar gevallen. 'Je zou toch denken dat hij liever een zwart meisje had? Er waren er daar genoeg. Maar hij viel op mij.'

Het huwelijk was geen succes geworden. Ze was terug bij ons, en droomde nog steeds dat Mahmoud – die nu in grote moeilijkheden verkeerde als een van degenen die ervan beschuldigd waren hun leider te hebben vermoord – terug zou komen om haar op te eisen.

John Dexter was toen een vriend van mij. Het was voor de wijziging van de wet op de homoseksualiteit, en hij was met een jongen betrapt. De details ben ik vergeten. Hij kreeg een half jaar en werd naar Wormwood Scrubs gestuurd. Al zijn vrienden zijn hem daar gaan opzoeken. Ik ben er twee keer geweest. De eerste keer was angstaanjagend, niet omdat de gevangenis zo akelig luguber was, want dat had ik verwacht, maar omdat John in zijn eigen tegendeel leek veranderd; hij bleef maar zeggen dat hij straf verdiend had, de politie had volkomen gelijk, het was verkeerd wat hij gedaan had. Bij het volgende bezoek was hij weer gewoon, maar ondertussen had ik al wel bedacht hoe fragiel wij allemaal zijn, hoe wankel wij balanceren op onze overtuigingen, onze principes – op wat wij denken te zijn. John was niet lichamelijk mishandeld, maar was wel mikpunt geweest in de pers, hij had in de rechtszaal gestaan, was geminacht, veroordeeld als boosdoener, en belandde toen voor straf in dat lugubere oord. Geen wonder dat mensen valse bekentenissen gaan afleggen en roepen dat ze schuldig zijn. Maar ik had dit nog nooit meegemaakt; ik begreep het niet en ik was bang toen ik zag wat een dun laagje de beschaving over onze veinzerij verft.

Lange tijd later hield ik een lezing over blokkades in onze waarneming – de dingen waardoor we niet duidelijk zien – en een daarvan was schuldgevoel. Toen het tijd was voor de vragen, veerde de een na de ander op om vragen te stellen over schuldgevoel. Schuldgevoel, alleen schuldgevoel, alsof er verder niets aan de orde was geweest. Ik geloof dat dit heel gecompliceerd ligt.

Het volgende heb ik net in het boek *The Prospect Before Her* van Olwen Huston gevonden. Het is 1707. Een jezuïet staat te preken.

> Hij legde hun (vrouwen en meisjes) de verschrikking van hun zonden voor en het misbruik dat ze zo vaak van het bloed van Jezus Christus hadden gemaakt (door in staat van zonde aan de communie deel te nemen). Hij schilderde ze het beeld van Christus, hangende aan het kruis, die ze hun ondankbaarheid en verdorvenheid verweet. Ik zou het effect van die preek nooit voor mogelijk hebben gehouden als ik er niet zelf getuige van was geweest. Ze wierpen zich plat voorover op de grond. Sommigen sloegen zich op de borst, anderen beukten hun hoofd op de stenen en allen riepen om vergiffenis en genade van God. In hun extreme verdriet bekenden ze schuld. Ze dreven dit zo ver door dat de priester bang werd dat ze zich zouden bezeren en ze gebood om op te houden met kermen zodat hij zijn vermaningen kon beëindigen. Maar het lukte hem niet ze stil te krijgen. Hij kon zelf zijn tranen niet bedwingen en moest zijn preek afbreken.

Korte tafereeltjes, niet meer dan flitsen eigenlijk:

Het is middag. John Wain is er. En Robert Conquest. Een vriend van ons gaat trouwen. 'Memento mori,' zegt Robert Conquest op tragische toon. En John Wain: 'Een huwelijk valt weer te ontbinden, het is niet hetzelfde als een doodskist bestellen.'

'O jawel,' zegt de knappe Robert terwijl hij naar ons vrouwen kijkt die daar in groepjes staan.

Ik heb een aardewerken bak met hyacinten staan; ze bloeien nog niet maar zijn duidelijk afkomstig uit een wereld die ver verwijderd is van de lawaaierige flat en de voorbijdenderende vrachtwagens. Clancy staat er met afgrijzen naar te staren. 'Wat is er?' wil ik weten. Hij ziet bleek van walging. Ik probeer ze te zien door zijn ogen, want hij ziet het alledaagse vaak als monsterlijk of verbijsterend, en het lukt me om een glimp op te vangen van een soort groen alruinmannetje dat op het punt staat om op te springen of te schreeuwen. 'Het zijn hyacinten,' zeg ik gedecideerd.

'Zet ze ergens waar ik ze niet kan zien,' zegt hij. Ik had nog nooit iemand meegemaakt die zozeer een product was van straten en gebouwen. (Later is hij zich op het platteland ook op zijn gemak gaan voelen.) Daarna ben ik nog meer van die mensen tegengekomen. Die worden al niet goed als ze in een park van het asfaltpad op het gras stappen. Soms dwing ik mezelf tot stoppen, probeer ik mijn gewone manier van kijken stil te zetten en kijk ik met neutrale ogen naar vormen in een wolk, een harige plooi van een gordijn, naar de manier waarop het licht op een hek valt, regendroppels die als diamanten op de ruit samenklonteren. Ik zie zoals een gek kan zien, alles zo bedreigend of zo onbegrijpelijk dat je af moet haken en je alledaagse brein weer in werking moet zetten – en toch zijn er heel veel mensen die zo leven, met een sfeer van dreiging in hun hoofd, die zich als een zoeklicht richt op wolk of plooi of de glans van kristallen druppels, en nooit kunnen ze ontsnappen aan die vijanden die in hen zitten en die overal met ze meegaan, al doorkruisen ze werelddelen en oceanen om aan ze te ontkomen. Mijn verhaal *Dialogue* is een poging dit weer te geven.

Ik heb ergens een Indiër ontmoet die het in zijn hoofd heeft gezet dat ik niet zonder hem kan leven. Hij staat bij mij op de stoep en wil per se naar binnen. Ik gooi hem eruit. Achteraf besef ik dat het niet bij me is opgekomen om 'aardig' tegen hem te doen omdat hij iemand met een donkere huidskleur is, terwijl ik toen ik pas in Londen zat waarschijnlijk een en al koloniaal schuldgevoel was geweest. Ik besef dat ik ben genezen van de sentimentaliteiten van de rassendiscriminatie, de *Colour Bar*, en ik ben tevreden over mezelf (de 'Colour Bar' – bij uitstek zo'n uitdrukking die volkomen is verdwenen).

Op een avond stond ik bij het keukenraam naar beneden te kijken, en zag ik een man over de hoge houten schutting springen, waarna hij naar mij op bleef staren. Ik liep achteruit, uit het zicht. Ik had hem zien rondhangen en op me zien letten als ik boodschappen ging doen. Hij legde een plank die de bouwvakkers hadden laten liggen schuin op een paar bakstenen en ging erop liggen masturberen. Ik belde de politie en zei: er is een man in mijn tuin die mij lastigvalt. Ze kwamen meteen en vonden een deur in de schutting. Een van hen zei: 'Zeg vriend, waar ben jij nou mee bezig? Zoiets kun je hier niet doen.' Ze stonden met zijn vieren op de stoep, uit het zicht, maar ik hoorde een politieman zeggen: 'Ga nu maar gauw en zorg dat je dat niet weer doet.' Ik vond dat ze dat uitstekend hadden opgelost.

Er was een Groot-Brittannië dat volgens sommigen voor altijd is verdwenen, nergens meer te vinden is – zoals de lezers van *John O'London's Weekly*, die een literaire cultuur in de provincie vormden. Niet moeilijk te geloven dat dat weg is.

Reynolds News, een socialistisch zondagsblad dat werd gelezen door Labour-aanhangers, vakbondsmensen, socialisten van allerlei slag (niet door communisten, zover ik weet) was een degelijke, fatsoenlijke, nuchtere krant, wars van sensatie, met een lezerspubliek dat onze huidige liegende roddelpers veracht had. De krant organiseerde een korte-verhalenwedstrijd, en ik werd in de jury gevraagd. Er waren honderden inzendingen. Ik kreeg de veertig geselecteerde verhalen te lezen. Ze waren van hoog niveau, van het realistische soort, geschoeid op de leest van Dickens, Hardy, A. E. Coppard, Somerset Maugham, Tsjechov en Gorki.

Bij de meeste verhalen zat een begeleidende brief waarin de problemen van de inzender werden uitgemeten. Het was een tijd waarin veel mensen werk hadden, en de cultuur van de vrije tijd bestond nog niet. Niet zo makkelijk dus voor mensen die misschien weinig meelevende gezinnen hadden, kleine kinderen, lange werktijden, om de tijd en de ruimte te vinden om te schrijven. Sommige zeiden dat ze ook een roman hadden geschreven, wilde ik die niet bekijken? Ik heb er zo'n dertig gelezen. Ik had zoiets nog nooit op zo'n grote schaal gedaan en was verbaasd door iets waarvan ik nu weet dat het heel gewoon is. Allereerst waren die romans allemaal *bijna* goed. Wij schrijvers (ik moet de eerste uitzondering nog tegenkomen) gaan allemaal door een stadium heen waarin hetgeen we schrijven bijna goed is: er ontbreekt alleen nog een soort innerlijke samenballing, de stroom kan nog niet onbelemmerd vloeien. We blijven schrijven, lezen, werk weggooien dat net niet goed genoeg is, en dan op een dag is er iets gebeurd, er is een proces afgerond, er is een stap in de goede richting gezet: die clichés staan hier omdat het zo moeilijk uit te drukken valt wat er dan gebeurd is. Maar dat proces van schrijven en herschrijven, en van kwaliteit lezen, heeft dan eindelijk vrucht afgeworpen. Alle beroepsschrijvers maken zo'n leerperiode door. Amateurschrijvers blijven aan hun eerste, onevenwichtige opzet hangen, kunnen die niet loslaten. De romans die ik kreeg toegestuurd waren stuk voor stuk het werk van iemand met talent. En stuk voor stuk moesten ze herschreven worden, of weggelegd om plaats te maken voor een volgende poging. Je hebt iets wat ik het 'mijn-roman-syndroom' noem. De schrijver heeft er veel van zichzelf ingelegd, heeft vaak veel offers moeten brengen om de tijd en de ruimte te vinden voor het schrijven, en vervolgens wordt het product van die investering van tijd en energie heilig: de schrijver wil het boek niet loslaten en blijft er soms wel tien jaar bij uitgevers mee rondleuren.

Aan ieder van die dertig schrijvers heb ik zorgvuldig teruggeschreven, met advies en de vraag: als u dit hebt herschreven of een andere roman hebt geschreven, stuur hem dan aan mij op. Van geen van allen heb ik meer iets gehoord. Treurig hoeveel talent er verloren gaat. Maar nu gaat het beter; je hebt schrijfcursussen en -opleidingen, en bovendien is het nu makkelijker om er tijd voor vrij te maken.

Ik vermeld dit vanwege de droeve vraag die tegenwoordig leeft: waar is dat Engeland, dat Groot-Brittannië gebleven? Al die verhalen en al die romans gingen over kleine, verstandige, fatsoenlijke, hoopvolle levens, zonder pogingen om modieus of opzienbarend te doen. Toen Richard Hoggart, vertegenwoordiger bij uitstek van dát Engeland, bij *Desert Island Discs** te gast was geweest, zei hij dat hij drieënzeventig brieven had gekregen van mensen die diezelfde vraag stelden. Ergens in dit land bestaat nog steeds die eerlijkheid, die integriteit – dat geloof ik tenminste – en een kleine verschuiving in ons politieke lot zou dat gezicht van Engeland weer naar voren halen. Tenminste, dat hoop ik.

Nu zie ik dat uit zijn krachten gegroeide appartement waar altijd mensen in- en uitliepen als een voortzetting van de losse levenswijze in de huizen waar ik met Gottfried had gewoond: iemand die een nachtje of het weekend bleef slapen, vrienden, vrienden van vrienden. De 'bohème' van de kameraden (inmiddels grotendeels ex-kameraden) was oneindig gastvrij en stelde geen eisen, een soort voorbode van de jeugdcultuur van de jaren zestig. Talloze jonge dichters, veelbelovende toneelschrijvers, romanschrijvers, kwamen en gingen, allen zonder geld, en werden doorgegeven van huis tot huis, stad tot stad, en soms van land tot land.

Bijvoorbeeld het typerende geval van Balwant, een jonge Indiër, die via de British Council naar Londen was gekomen. Hij had geen geld, kwam uit een arm dorp, had een paar goede toneelstukken geschreven over tijdloze dorpsthema's: de slechte woekeraar, de wrede ouders, de moedige geliefden, de strijd van de dorpelingen tegen de armoede. Ze waren in India opgevoerd. Joan Rodker, de ex-vrouw van Reuben Tana Ship en ik zorgden voor hem. 'Mijn drie gratiën,' noemde hij ons, terwijl hij daar als een zoet ventje zat te lachen, en met serene aandacht onze pogingen hem te helpen volgde. Tana typte zijn werk uit, Joan en ik vertroetelden hem, gaven hem te eten en zorgden voor onderdak. Dat is een paar jaar zo gegaan, totdat hij er plots vandoor ging, gestrikt door een Poolse die met hem wilde trouwen en wist wat ze wou... maar dat is weer een ander verhaal. Dat is het probleem als je romanschrijfster bent, je schrijfmachine wil altijd verder ratelen met het volgende verhaal.

Nu een treurige gebeurtenis, een treurig bezoek, een zwart meisje dat kwam logeren door dat inmiddels zo vertrouwde telefoontje: 'Ik heb gehoord dat u een kamer vrij hebt.'

'Ik verhuur niet meer, echt niet. Het spijt me.'

'U kunt zelf de mate van omgang bepalen. Ze studeert, dus is ze de hele dag weg.'

Lucy was een jaar of twintig, zo slim dat ze op de een of andere arme missieschool in Zuid-Rhodesië was opgevallen, een beurs had gekregen voor een betere school en nu in het Londen van de gouden bergen was beland, op een piepklein kamertje waar de grauwe regen de ruiten geselde, in een lelijke straat waar dag en nacht grote vrachtwagens langsdenderden. Ze kwam uit een grote familie, zonlicht, warmte en een cultuur die de behoefte aan alleen-zijn niet begreep. Ze was wanhopig van eenzaamheid en heimwee. Ik verkeerde in de situatie dat

* Een al jaren lopend radioprogramma met in elke aflevering een andere gast.

Peter net naar kostschool was vertrokken en dat ik voor de eerste keer, in plaats van hapsnap te werken tijdens de gaatjes die overbleven, een paar weken tijd aan één stuk voor me had, waarin ik *A Ripple from the Storm* [vertaald als *Een echo van de storm*] af wilde maken. Dan had ik mezelf geleidelijk aan naar die trage onderwatertoestand toegewerkt waarin de gebeurtenissen in de buitenwereld heel veraf klinken, en wilde ik net beginnen – of daar hing dat ongelukkige kind weer over de balustrade om te luisteren of mijn schrijfmachine nog ratelde. Verbazend hoe weinig tijd studenten nodig hebben om colleges te lopen of werkgroepen bij te wonen. Ze leek nooit meer dan vijf, zes uur per dag aan haar colleges te besteden. Op sommige dagen ging ze helemaal niet, en dan had je nog de weekends. Vrienden had ze niet. 'Luister, Lucy, een groot deel van de tijd loop ik gewoon rond, kijk ik uit het raam, slaap ik een paar minuutjes, snap je? Zo schrijf ik nu eenmaal.' Haar grote, angstige ogen fixeerden zich op mijn gezicht: is dit nu de rassendiscriminatie waarvoor ze me hebben gewaarschuwd? Probeert die blanke vrouw me te kleineren? dacht ze. En ik dacht: o God, als ze dat maar niet denkt...

Normaal gesproken zou ik van mijn grote kamer naar de keuken lopen, uit het keukenraam kijken, weer teruglopen – de hele benedenverdieping van het appartement was mijn concentratieterrein – maar nu ging ik in de grote kamer zitten met de deur dicht, en nam ik zelfs thermossen met thee mee naar binnen. En de hele tijd moest ik maar denken aan haar daarboven, hoe ze op haar bed zat te luisteren of ik al stopte. Als het te lang stil bleef, was ze daar weer, en hoorde ik het klopje op de deur. 'Doris? Doris? Ben je klaar met je werk?' en dan gingen we in de keuken zitten theedrinken, en kreeg ik alles te horen over haar dorp, haar familie, haar moeder, die ze zo miste dat ze moest huilen als ze aan haar dacht, en haar zusjes en haar kleine broertje en haar neefjes en nichtjes... ik leerde haar familie beter kennen dan die van mij toen. Binnen een week had ik alle hoop op echt werk laten varen, deed ik praktische klussen in de korte tijd dat ze weg was en probeerde ik de golf van wanhoop en ongeduld die me vergiftigde in te dammen. 'Zullen we bij je vrienden op bezoek gaan?' vroeg ze hoopvol als ze terugkwam. 'Hou je van winkelen?'

Schrijvers, en vooral vrouwelijke, moeten vechten voor de omstandigheden waarin ze kunnen werken, maar dit was erger dan ooit, omdat ik me zo schuldig voelde over haar eenzaamheid.

'Heb je geen vrienden op de universiteit? Heb je er niemand ontmoet die je aardig vindt?'

'Jij bent mijn vriendin,' zei ze dan terwijl ze haar beide handen om mijn bovenarm klemde en me aankeek. 'Jij bent mijn beste vriendin in Londen.'

Uiteindelijk belde ik haar sponsors op, en kreeg de kille stem van afkeuring te horen. 'U kunt toch wel wat tijd voor haar vrijmaken?'

'Het is geen kwestie van "wat tijd", het gaat om de hele tijd dat ze geen colleges loopt.'

'Ik moet zeggen dat ik verbaasd ben dit van u te horen.'

'Luister, ik moet werken, ik kan niet werken...'

'U kunt toch werken als ze naar college is?'

'Het spijt me, u moet een plek voor haar zoeken waar ze veel mensen om zich heen heeft – een groot gezin.'

'Een zwart gezin, bedoelt u?' Het was een koude, hautaine, zelfvoldane stem.

'Dat heb ik niet gezegd. Een gróót gezin, maakt verder niet uit. Ze is eraan gewend om voortdurend veel mensen om zich heen te hebben.'

'Ik geloof niet dat ik er op het ogenblik iets aan kan doen.'

'Ik moet werken, er moet brood op de plank komen – ik moet een kind onderhouden.'

Uiteindelijk werd er een gezin gevonden met een meisje van haar leeftijd, en daar vertrok die arme balling met haar schamele bezittingen, met het gevoel dat ze in Londen gefaald had en mij achterlatend met het gevoel dat ik een misdadigster was – en ik telde de dagen van vrijheid die mij nog restten voor de schoolvakantie begon.

Rond die tijd kwam mijn zoon John Wisdom even naar Londen.* Hij wilde in de bosbouw en was naar de universiteit van Stellenbosch gegaan, maar daar bepaalden toen de Afrikaners de sfeer, heel anti-Brits, en had men weinig op met Zuid-Rhodesië, dat zijn Britse identiteit altijd hoog had gehouden. John, die als Brit was grootgebracht, kon daar niet tegen en was er zo weer vertrokken. In Canada had je in Vancouver goede bosbouwopleidingen, en hij besloot daarheen te gaan. Hij was nog geen achttien toen ik hem terugzag (de laatste keer dat ik hem gezien had was hij een jaar of acht); ondanks het feit dat ik hem verwachtte, had ik nog bijna 'Hallo, Harry,' gezegd toen hij bij me kwam binnenstappen, want hij liep, stond, lachte en hield zijn schouders net als mijn broer. Hij kwam voor drie dagen naar Londen. Hij had een flitsend uitgaansleven verwacht, en ik heb mijn best gedaan, maar hij was teleurgesteld dat ik niet mooier woonde. Een bekende schrijfster hoort toch in... wat hij verwacht had, weet ik niet. We zijn naar verschillende goede restaurants en naar het theater geweest, en daar genoot hij van. John is altijd een echte genieter geweest, zijn hele leven. We konden het uitstekend samen vinden. Dat was tenslotte altijd al zo geweest. Is het niet raar dat sommige mensen instinctief makkelijk met elkaar op kunnen schieten terwijl ze het nergens over eens zijn en er totaal verschillende levensopvattingen op nahouden? John was grootgebracht met het idee dat ik een helleveeg was, een kaffervriendin, een communiste. Hij had nooit iets goeds over me gehoord, en een tijd lang had hij me niet mogen schrijven. De brieven en boeken die ik hem stuurde, de brieven die zij me stuurden, dat moest afgelopen zijn. De beslissing om die problematische moeder te gaan opzoeken kan niet eenvoudig voor hem geweest zijn, maar het is prima verlopen. Hij vertrok naar de universiteit van Vancouver, waar hij zijn plaats onder de studenten innam –

* Zie *Onder mijn huid.*

om twee weken later weer uit die studie, de universiteit en Vancouver te vertrekken. In die tijd – en misschien nog steeds wel – waren er mannen die een ruig leven leidden en 's winters veel geld verdienden met gevaarlijk werk, maar 's zomers van het leven genoten in de bars en op het water van Vancouver. Zo heeft John ook zeven jaar lang geleefd. Zijn eerste baan was als brandwacht ergens in het verre noorden. Je moest boven in een uitkijktoren blijven zitten waar je een groot terrein kunt overzien, opletten of je de rook van een bosbrand ziet en dan over de radio de brandweer waarschuwen. John luisterde naar jazz over de Voice of America en de klassieke muziek uit Moskou. Hij zag de wolven in de sneeuw onder de toren lopen, want die waren even nieuwsgierig naar hem als hij naar hen. Hij bewonderde ze en beweerde dat het allemaal vrienden van hem werden. Zo heeft hij een half jaar geleefd, helemaal alleen; hij was net achttien. Later heeft hij verteld dat dit een van de mooiste perioden in zijn leven is geweest. Daarna heeft hij allerlei baantjes gehad. Hij heeft gewerkt als landmeter, al had hij daar niet voor geleerd; hij had een weekend lang het werk van een vriend van hem die landmeter was afgekeken en toen zijn baas bewezen dat hij het aankon. Hij had in houtzagerijen gewerkt. 's Zomers genoot hij met volle teugen. Brieven schrijven was niet zijn sterkste kant, maar ik heb een paar lange brieven gekregen, vol met de kleine details van zijn leven (die immers altijd het interessantste zijn) en twee keer een cassettebandje. De afgelopen zomer had hij met twee Australiërs in een klein huisje gewoond, ze hadden dit gekookt en dat gekookt (John kon geweldig koken), iedere avond was het feest, zo vaak als ze konden gingen ze zeilen in de baai; het ijs was net gebroken, en toen was hij het woeste, kolkende water ingerend, balancerend op de ijsblokken; iedereen noemde hem 'Mad Wisdom' maar hij leefde nog, gek of niet. De afgelopen winter had hij in een houtzagerij gewerkt, zijn linkerhand was in de machine terechtgekomen, de dokters hadden zijn arm willen amputeren maar daar had hij niet in toegestemd. Hij had ze hem laten opereren om zijn arm heel te houden, al zeiden zij dat dat geen zin had. Maar hij had gelijk gekregen, hij kon zijn hand bijna overal voor gebruiken. 'Ik heb... gelezen.' Hij had veel avonturen en zeeverhalen gelezen, oorlogsboeken. Hij was gek op de zee, maar binnen niet al te lange tijd zou hij hoog en droog honderden kilometers van zee wonen. Hij had mijn korte verhalen gelezen. De stukjes over de bush vond hij goed, hij begreep wat ik bedoelde, maar hij vond wel dat ik onredelijk was over de blanken. 'Daar moeten we het maar eens een keer over hebben.' Zeven jaar ging voorbij. En toen dook hij op de terugweg weer in Londen op. Hij zei dat hij in een bar had gezeten, en eens goed naar de mannen had gekeken die tien jaar ouder waren dan hij maar nog steeds hetzelfde leven leidden, nog steeds het ruige leven van een jonge man, en zij waren geen vijfentwintig, zoals hij, maar vijfendertig en veertig, dikke, vadsige zuiplappen werden het, en dat had hem zo afgeschrikt dat hij had besloten uit Canada weg te gaan, weer naar huis, al vond hij dat heel triest want het was een heerlijk leven. En toen is hij teruggegaan naar Zuid-Rhodesië, om daar zijn geluk te beproeven.

En terwijl ik dit schrijf, stuit ik weer op: 'maar dit is alleen maar buitenkant'; je zou denken dat mijn leven uitsluitend uit politiek en bekende personen heeft bestaan, terwijl ik in werkelijkheid het grootste deel van de tijd alleen thuis zat te werken. Het ruime appartement in Warwick Road viel niet te vergelijken met het compacte, gezellige huisje met het lage plafond in Church Street. Maar op één punt was er geen verschil: het lawaai. Door Church Street raasden bussen en over Warwick Road rammelden en ratelden de hele dag en het grootste deel van de nacht vrachtwagens. Tegenwoordig woon ik in een huis dat net zo goed op het platteland zou kunnen staan, overal bomen, zelfs een weiland, en toch is het Londen, en het is er heel rustig, op de vogels na en de wind in de bomen en rond de schoorsteen – en 's nachts is het er doodstil. Ik vraag me nu af hoe ik die acht jaar herrie overleefd heb. Ik geloof waarachtig dat je trommelvliezen bij het ouder worden geleidelijk aan laagjes geluidwerend spul verliezen.

Het appartement was met zijn twee verdiepingen bijna een huis. Boven, in de ene grote kamer, woonde Peter in de vakantie; zijn spullen barstten uit zijn kamer tot in het kleine kamertje ernaast. In de andere grote kamer woonde Clancy, als hij er was, en in het kleine kamertje had ik mijn kleren. De hele dag rende ik die trappen op en af – niet moeizaam, zoals nu, terwijl ik me aan de leuning vasthoud – en liep ik de grote kamer rond, en tussen de grote kamer naar de keuken heen en weer, want om te kunnen schrijven moet ik in beweging zijn. Net zoals ik, terugkijkend op Church Street, Joan en mij aan haar keukentafeltje zie zitten kletsen (wij zouden het leven, de liefde, de mannen en de politiek weleens even in orde brengen), het beste deel van mijn tijd daar, een van de fijnste perioden in Londen – zie ik als ik terugkijk op Warwick Road hoe Clancy, of een ander die langskwam, met mij aan de keukentafel zat te praten, eindeloos. Politiek en literatuur, maar vooral politiek in die moeilijke tijd toen 'alles' ineenstortte. Nu zijn er al een paar generaties geweest die het nergens over hebben, alleen over winkelen en hoe het met die-en-die gaat, en als ik daar bij zit, begrijp ik niet hoe ze het uithouden in dat benauwde, besloten wereldje van ze.

Maar meestal was ik in de grote kamer. Ik had drie grote ramen, het bed stond in een soort alkoof in de hoek, dan het bureau met de schrijfmachine, het kleine, glimmend zwart geverfde tafeltje, met de asbakken, de sigaretten, de rotzooi en de stank van iemand die rookt – ik kan me niet meer voorstellen dat ik toen zoveel heb kunnen roken. Ik ijsbeerde rond, tikte een zin, liep weer wat, tikte dan zelfs een hele alinea, streepte die door, herschreef hem, en tikte dan een hele bladzijde die ermee door kon, voorlopig tenminste. Dat proces, dat lopen en denken, terwijl je iets oppakt uit een stoel en ernaar staart, terwijl je nauwelijks ziet wat het is, en het dan weer laat vallen, iets in een la opbergt, onwillekeurig een stoel begint af te stoffen of een stapel boeken recht tegen de muur zet, of voor het raam staat neer te kijken op de voorbijrazende vrachtauto's – dat proces is het tegenovergestelde van dagdromen, want het is pure concentratie, je zit diep van binnen, en de buitenwereld is slechts materiaal. En het is heel vermoeiend, want plotseling, na een uur of twee, en hoogstens twee bladzijden verder, merk je dat je zo loom bent dat je op bed neervalt en slaapt zolang het nodig is, een half uur, een kwartier, tien minuten – om dan uitgerust weer op te springen, de spanning is gebroken, en dan begin je opnieuw met het ijsberen, het aanraken, het doelloze opruimen, het staren, terwijl je naar de schrijfmachine toegaat, en dan zit je, je vingers vliegen over de toetsen voor zolang als het duurt – en dan sta je weer op, je moet bewegen. Wat leerde ik die kamer goed kennen, elk vezeltje, met de oppervlakken die ik zelf gemaakt had: het simpele wit van de muren, het tapijt dat ik groen had geverfd, de vloerplanken die ik glanzend zwart had gelakt, de groen-met-witte gordijnen die ik op mijn Singer naaimachine had gemaakt die ik helemaal uit Afrika had meegenomen.

Terwijl ik zo rondscharrelde, aarzelde, te hooi en te gras sliep, naar de keuken liep en weer terug, hoorde ik soms de schrijfmachine van Clancy boven ratelen als een machinegeweer, urenlang, zonder een ogenblik pauze. En dan lange stiltes, vervolgens weer gehamer, dan weer stiltes.

In Warwick Road heb ik veel korte verhalen geschreven, die zich afspelen in Afrika, Frankrijk, Duitsland. Sommige vind ik goed. Andere stellen niet veel voor. Als je het soort schrijver bent als ik, dat wil zeggen, als je het schrijfproces gebruikt om uit te vinden wat je denkt, zelfs wie je bent, dan is het natuurlijk niet eerlijk om de ladder waarlangs je omhoog bent geklommen een schop te verkopen, maar feit blijft dat ik heel blij zou zijn als een paar van mijn verhalen in rook opgingen. Toch zijn er mensen die de verhalen waar ik niet veel aan vind, waarderen. Is het geen minachting om iets wat anderen bewonderen te willen laten verdwijnen? Ik zou best zo'n dichter willen zijn die aan het eind van zijn leven zijn fiat geeft aan een paar echt goede dingen en de rest afwijst.

Ik schreef *Een echo van de storm*, en dat hielp die jachtige tijd waarin 'iedereen' communist was te relativeren. Toen het boek uitkwam, werd het door veel van de kameraden als opruiend gezien, 'nestbevuilerij' was het, maar in werkelijkheid is het precies anders gelopen. Ik krijg nog steeds brieven van mensen die zeggen dat ze het in eerste instantie verraad aan de 'goede zaak' vonden maar het later konden waarderen. Dit boek, dat de grillen en dynamiek van het groepsgedrag – en niet alleen politieke groeperingen – in kaart brengt, is er in het begin van de jaren negentig nog de oorzaak van geweest dat een stel jonge Amerikanen zich bij een extreem linkse groepering heeft aangesloten. Ik vond het onbegrijpelijk toen ik het hoorde, maar het schijnt dat ze werden aangetrokken door de intriges en de opwinding. Ik ben ervan overtuigd dat veel mensen zich om die reden bij een politieke of religieuze groepering aansluiten. Ze hebben behoefte aan opwinding. De afgelopen dertig jaar zijn er met grote regelmaat mensen geweest die tegen me gezegd hebben dat ze in groep zus of beweging zo hebben gezeten en dat *Een echo van de storm* ook hún ervaring beschreef – en dat ze er daarom, een illusie armer, ook zijn uitgestapt. Later kreeg ik op *The Good Terrorist* [vertaald als *De barmhartige terroriste*] soortgelijk commentaar: 'Het was net als bij...' een feministische groep, een groep van zwarte activisten, Greenpeace, het dierenbevrijdingsfront. Alle groepen lijken op elkaar – net als alle mensenmassa's. De mechanismen die ze aandrijven zijn hetzelfde, ongeacht waar het de groep om begonnen is. Ken je één groep, dan ken je ze allemaal. Ik vind het heel raar dat er, nu er toch zoveel bekend is over de mechanismen en dynamiek van het groepsgedrag, bij de oprichting van een nieuwe groep nooit gebruik wordt gemaakt van wat er bekend is over wat er zeker gaat gebeuren. Als er ooit een blokkade – een barrière, een kloof – in het hoofd van de mens heeft gezeten is het deze wel; over ons gedrag willen we echt van niks weten. Maar wacht, er is één voorbeeld van mensen die aan iets begonnen, terugkeken op voorgangers en besloten het beter te doen. De bolsjewieken kwamen overeen dat ze het anders gingen doen dan de revolutionairen van de Franse Revolutie: hun eigen revolutie zou niet haar kinderen verslinden, zíj zouden elkaar niet uitmoorden. Dat nobele streven is, zoals wij weten, op niets uitgelopen, en ze hebben elkaar met overtuigend enthousiasme afgemaakt. Daarom is er misschien meer nodig dan het streven alleen om het beter te doen.

Wat ik van de ontvangst van *Een echo van de storm* vond staat in een brief aan Edward Thompson. Hier volgt een gedeelte:

> Lieve Edward,
>
> Maar Edward, ik heb nooit een woord over beleid gezegd, omdat mijn houding honderd procent pragmatisch is, ofte wel En Ik Dan?
> Maar serieus – ik heb een boek geschreven dat helemaal aan het soort politiek is gewijd waarover *The New Reasoner* de afgelopen twee jaar heeft getheoretiseerd.
> Toen de recensies verschenen, raakte ik steeds kwader (al was ik niet verbaasd), omdat niemand zei waar het in dit boek om ging – óf het ging over dat ongrijpbare meisje, Martha Quest, dat weer allerlei toeren bouwde, óf het was een uithaal naar de rassenscheiding. Maar uit die recensies had niemand kunnen opmaken dat dit een boek was over stalinistische opvattingen enz.
> En daarom, aangezien het soort mensen dat ik wilde bereiken uiteraard de lezers van *The New Reasoner* en *The New Left Review* zijn, hoopte ik natuurlijk dat die tijdschriften toch wel minstens een alinea zouden besteden aan het feit dat deze roman over actuele vraagstukken gaat.
> Maar geen woord. Geen letter verdorie.
> En ondertussen drukken allebei die tijdschriften, en vooral de *Reasoner* wel ellenlange analytische artikelen af over het Eigentijdse Dilemma. En van beide tijdschriften krijg ik het verzoek om artikelen en uitspraken over dat E. Dil. te doen. Dat ik het passend heb gevonden om er 140.000 woorden over te schrijven, vinden ze kennelijk volkomen irrelevant.
> Kortom, de linkse tijdschriften zijn er net als de andere tijdschriften niet in geïnteresseerd wat een schrijver in zijn of haar echte werk te zeggen heeft, ze zijn alleen op vluchtige verklaringen en artikelen uit, zodat De Naam lezers trekt.

Ik heb in Warwick Road nog een boek geschreven, dat *Retreat to Innocence* heette. De wensen van een auteur doen er kennelijk zo weinig toe dat ik nog vaak mensen tegenkom die triomfantelijk zeggen: 'Ik heb een exemplaar van het boek dat u uit de handel hebt proberen te nemen.' Net kindertjes in de speeltuin: Lekker puh!

Die roman was ontstaan uit het samenzijn met de Tsjech Jack, Jack uit het bloedende en omstreden hart van Europa, en wat voelde ik me akelig onervaren en onschuldig bij hem vergeleken. Niet dat hij het daarop aanlegde. Maar wie zoveel meegemaakt heeft van het gedrag van de mens als hij, moet het merendeel van wat mensen zonder dergelijke ervaringen zeggen, wel kinderpraat vinden. Terwijl ik dit schrijf, woedt de oorlog in Bosnië, en wie dat nu meemaakt, zal zijn hele leven blijven denken: je hoeft bij ons niet met gepraat over beschaving aan te komen. De twee hoofdpersonen uit de roman zijn de oudere man Jan en het meisje Julia. Het is een prachtig thema voor een boek, maar het is mislukt. Ik heb het verknald. Het is oppervlakkig. Maar er waren mensen die het goed vonden, nog steeds, en als ze dat zeggen krijg ik het schrijnende gevoel van een gemiste kans. Wat ik had kunnen uitdiepen is hoe de geest van de mens – onze geest – voortdurend probeert om nare ervaringen te verdoezelen en weg te stoppen, door ze opzettelijk te vergeten of te verdraaien. Hoe niet alleen de geest van het individu, maar ook de collectieve geest – van een land, een continent – gruwelen vergeet. Het bekendste voorbeeld is de Spaanse-griepepidemie van 1919 en 1920, die over de gehele wereld aan negenentwintig miljoen mensen het leven heeft gekost, maar niet in de geschiedenisboeken voorkomt en niet in het collectief bewuste is opgenomen. De geest van de mensheid is erop gericht om rampen te vergeten. Dat was ook de opvatting van Velikovsky, wiens verhaal over de mogelijke geschiedenis van ons zonnestelsel door de wetenschappelijke wereld van de hand is gewezen, al is een gedeelte van wat hij gezegd heeft zeker juist gebleken. Er is in ieder geval in het bewustzijn van de mens niets aanwezig over de diverse rampzalige ijstijden, terwijl we er als mensheid toch meerdere hebben meegemaakt. In oude verhalen vang je af en toe een glimp op van een grote overstroming, maar daar blijft het bij. In het boek dat ik niet heb geschreven zou de impliciete vraag gezeten hebben: moeten we het als positief beschouwen dat iedere generatie de slechte of wrede ervaringen van de voorgaande besluit te vergeten? Dat de Eerste Wereldoorlog (bijvoorbeeld), die voor Europa zo'n beproeving is geweest, taboe is geworden, de *Great Unmentionable*, zodat mijn vader en andere soldaten, uit Frankrijk en Duitsland, het gevoel kregen dat ze werden uitgevlakt, weggegooid, alsof ze menselijk vuilnis waren? Is het positief te noemen dat vijf, zes jaar na die vreselijke burgeroorlog in Zuid-Rhodesië, de nieuwe jonge generatie die al vergeten was en er niets meer van wilde horen? Tja... het had een goed boek kunnen zijn.

Wat verder? Ik begon over de opzet voor *Het gouden boek* na te denken, en schreef *Play with a Tiger.*

Voor dat toneelstuk heb ik Warwick Road als decor gebruikt, zoals ik het er heb ervaren, de kamer met zijn schrijfmachine, en het bed, verborgen achter de dunne gordijnen, de kamer die vaak zijn muren leek te verliezen aan de herrie en stank van de voorbijdenderende vrachtauto's, de luidruchtige groepen jongens die 's avonds laat hopeloos dronken waren (een echo van de verhalen van Clancy over zijn straatjongenstijd in een achterbuurt van Chicago), de hoerenkast die een diagonale blik verderop stond en waar de dames soms op de stoep stonden om klanten te werven of te ruziën.

Oscar Lowenstein was in die tijd al een eind op streek als succesvol impresario.* Hij heeft de Britse toneelwereld en de film niets dan goeds gebracht en nooit de lof gekregen die hij verdiende, maar voor mij persoonlijk had hij het beter kunnen doen. Hij vond *Play with a Tiger* goed maar wilde per se Siobhan McKenna in de hoofdrol. Die was al vier jaar volgeboekt, dus hebben we al die tijd moeten wachten tot we het op de planken konden brengen. Ik bleef maar zeggen dat er ook nog andere goede actrices waren. Maar impresario's lijden soms aan een tikkeltje machtswellust, en het was Siobhan McKenna of niets. We maken dus een sprong naar 1962; Ted Kotcheff regisseerde het fantastisch, met zo'n gevoel voor de stroming, de beweging, van het stuk dat het er vanaf het balkon uitzag als een langzame dans. Ook de mannelijke hoofdrolspeler was slecht gekozen. Ik had gezegd dat ik iemand in de stijl van Sam Wanamaker wilde, maar dan jonger. Over mijn lijk, zei Oscar. Hij vloog met Ted naar New York voor audities en kwam terug met een mannenidee van wat vrouwen aantrekkelijk vinden: een cowboy, een dekhengst. Acteren kon hij, maar hij miste gevoel voor dubbelzinnigheid. Hij en Siobhan hadden op slag een hekel aan elkaar, en dat was te zien.

Siobhan was een soort genie. Ze had die eigenschap die we 'charisma' noemen, maar wat dat is? Ze kwam uit Dublin overvliegen om de audities wat meer gewicht te geven. Het was een gure dag en het was ijskoud in het theater. Ze was aangeschoten. Verkouden. In lagen kledij gehuld. Om de kandidaten niet in de schaduw te stellen, ging ze ter zijde van het podium in de zaal zitten, met haar rug naar ons toe; ze was een ruimhartig actrice en een vriendelijke vrouw. En toch konden we onze ogen niet van haar afhouden, van die bultige rug met het warrige donkerrode haar erover. Ze was iemand naar wie je móest kijken; je moest met geweld je blik van haar lostrekken naar de spelers die auditie deden.

Ze speelde heel goed, maar had geen discipline, want iemand had haar aan het begin van haar carrière eens als een 'wild Iers kind' omschreven en daar wilde ze best aan voldoen, een en al Ierse impulsiviteit en grilligheid; bovendien dronk ze veel te veel. Dat ze nooit discipline had leren opbrengen was diep treurig. De ene avond was ze schitterend, onvergetelijk (en kon je goed begrijpen waarom Oscar haar had willen hebben), maar de volgende was het een zielige vertoning, vergat ze haar tekst en haar plaats, en was ze overduidelijk dronken.

We hadden voor de rest een geweldige bezetting. Maureen Prior kreeg het

* Oscar Lowenstein is in 1996 overleden.

stuk toegezonden en vond het zo goed dat ze wankelend opstond (ze lag ziek op bed) en door de gure wind naar het koude theater kwam om auditie te doen. 'Ik moet deze rol hebben,' zei ze, 'al wordt het m'n dood.' Ze was perfect. Godfrey Quigley was ook goed. Ze waren allemaal goed. Het stuk heeft twee maanden in het Comedy Theatre gespeeld, net niet lang genoeg om de kosten te dekken. Harold Hobson, de invloedrijkste criticus uit die tijd, vond het goed en noemde het 'het meest verontrustende poëtische stuk in Londen'. T. C. Worsley schreef dat het gezien moest worden door 'iedereen die interesse heeft voor het hedendaagse toneel, ja voor het hedendaagse leven'. Milton Shulman vond het gevoelig, sympathiek en ontroerend. Robert Muller zei dat het was 'geschreven met schrijnende hartstocht en eerlijkheid'. Maar die opmerkingen zijn uit recensies geplukt die vrij nietszeggend waren, behalve die van Harold Hobson. Graham Greene vond het erg goed en was zo lief me dat te schrijven. Maar die was geen recensent.

Dat het stuk zo briljant geregisseerd was, is nauwelijks opgemerkt. Maar goed, ik ben niet de enige die vindt dat Ted Kotcheff de toneelwereld met zijn vertrek naar Hollywood heeft beroofd van de beste regisseur die we toen hadden.

Wat vind ik nu van het stuk? Het is goed, maar niet briljant. De vorm en structuur zijn deugdelijk, maar het heeft de juiste regisseur nodig. Het was echt een stuk van zijn tijd – maar waarom? Die opmerking over 'schrijnende hartstocht' wijst naar het antwoord. Schrijnende hartstocht is nu danig uit de mode. Hét eigentijdse stuk was toen Albees *Who's afraid of Virginia Woolf*, de oorlog tussen de seksen, rauw en bloedig. *Play with a Tiger* is sindsdien hier en daar nog gespeeld, meestal door feministische gezelschappen, waarbij het een veroordeling van mannen wordt en zijn evenwicht en humor kwijtraakt. Want als het goed gespeeld wordt, valt er veel te lachen.

De ontvangst van het stuk heeft me pijn gedaan. Ik vond dat het beter verdiende. Er zat een zuur, akelig ondertoontje in het commentaar waarvan ik de volle laag zou krijgen toen *Het gouden boek* verscheen. Ik was ervan overtuigd dat dat voortkwam uit een anti-vrouwhouding, die vele vormen kan aannemen, en niet altijd even duidelijk is. Bekende en onbekende mensen kwamen op me af met: 'Je hebt je eigen leven in dat stuk gestopt.' Alsof John Osborne's *Look Back in Anger* níet zo uit het leven kwam, en of de stukken van Arnold Wesker niet naar het leven waren. Tegen John of Arnold had niemand zulke onaardige dingen gezegd als tegen mij. Waarschijnlijk was ik overgevoelig, want er zijn veel meer mensen geweest die het stuk wel goed vonden dan niet, en die dat ook aan me schreven. En er zijn nu nog steeds mensen die zeggen dat ze het zich nog herinneren en dat ze het zo goed vonden.

Maar het leed geen twijfel dat het stuk door de bank genomen een flop was, en ik begon gedachten over mijn carrière als toneelschrijfster te koesteren die ik alleen maar als 'onwetenschappelijk' kan omschrijven.

In het Salisbury Playhouse trok *The Truth About Billy Newton* volle zalen, maar het maakte niet de sprong naar Londen en het werd achtervolgd door ongeluk en pech. En kijk eens wat er met *Each His Own Wilderness* gebeurd was. En toen weer *Play With a Tiger.* Vier jaar op een actrice wachten die maar af en toe voldeed, opgescheept worden met de verkeerde mannelijke hoofdrolspeler, en dan alle spanning en paniek en de gekwetste trots – was het dat waard? Later heb ik nog twee toneelstukken geschreven. Een ervan heb ik pas herlezen en ik vond – net als toen – dat het in het Court goed gelopen zou hebben, omdat het een klucht was over de botsing tussen de maatschappelijke klassen, maar ze wezen het af. Joan Littlewood vond het goed, dat zei ze tenminste toen ze kwam lunchen, maar Raffles, haar manager, was het daar niet mee eens. Vervolgens heb ik een moderne versie van de *Medea* geschreven, waar een paar jaar lang telkens een bezetting van hoog niveau voor werd gevonden, maar telkens wanneer er een ster in de wacht was gesleept, gebeurde er iets ergs, totdat er tenslotte zelfs eentje overleed precies op het moment dat de contracten werden getekend. Toen was ik tot de slotsom gekomen dat ik geen geluk had met toneel, en dat ik dat moest inzien en er gewoon mee moest ophouden. Maar het doek viel definitief toen het National Theatre me vroeg om een versie van Ostrovski's *De storm* te schrijven. Ze vroegen me omdat ik een vrouw was en John Dexter het als een stuk beschouwde over het lijden van de vrouw. Ik had nee moeten zeggen, maar mijn ijdelheid was in het geding. Er waren talloze stukken die ik interessanter had gevonden dan *De storm.* Het werd prachtig gespeeld door Jill Bennett en Anthony Hopkins, met meeslepende passie en lijden, maar eigenlijk is het een stuk over pubers van twaalf en dertien die door wrede, hebzuchtige ouders worden uitgehuwelijkt om hun geld en bezittingen veilig te stellen. Het gaat over de onuitstaanbare domheid en onwetendheid van het toenmalige provinciaalse Rusland. De uitvoering van de doublures trof precies de juiste toon, hartverscheurend was die, arme kinderen die een kortstondige opflakkering van het leven mochten genieten voor de domper op ze neerdaalde. Maar die uitvoering heeft niemand gezien.

Ik zou nog wel verder kunnen uitweiden over wat er aan John Dexters productie niet deugde – ook al was hij doorgaans briljant – en in die tijd heb ik dat ook gedaan; vlak voor de première was ik een avondje bij Laurence Olivier en toen heb ik mijn hart uitgestort over wat ik er allemaal van vond, veel te fel, denk ik, want ik was dronken van wanhoop. Hij was heel aardig. Ik herinner me hem als intens vitaal, energiek, meelevend – vooral die vitale energie (datzelfde had Charlie Chaplin ook, die ik eens met Miles Malleson tien minuutjes heb gesproken op een stoep in Leicester Square: hij heeft bij mij voor altijd een indruk achtergelaten van snelle, krachtige bewegingen, intelligente donkere ogen, humor, charme).

En toen heb ik tegen mezelf gezegd dat ik eens goed moest gaan nadenken. Geen enkele poging bij het toneel was gelopen zoals ik het wilde. Ik had heel veel tijd en energie in het schrijven van stukken gestoken. Als ik een roman schreef, werd die tenminste gedrukt zoals ik het wilde. De zorg, de spanning, de slapeloze nachten, al die buitenproportionele emoties, waarvoor? Ik heb nooit meer voor het toneel geschreven, maar wel voor de televisie, en met succes, zonder rampen of tegenslagen.

En zo is mijn hartstocht voor het toneel, mijn vurige wens om toneelstukken te schrijven, gesublimeerd tot het intense genoegen van het theaterbezoek, in die hoorn des overvloeds van prachtig toneel, Londen; en als ik soms nog weleens denk: oh, áls ik nu..., dan kap ik dat moment van zwakte haastig af.

Mijn ervaringen met het toneel en later met opera zijn verwerkt in *Love, again* [vertaald als *Terug naar de liefde*], mijn roman die een toneelgroep aan het werk beschrijft.

En nu een treffen met de ex-kameraden, dat in niets verschilde van de confrontaties met de kameraden. Clancy Sigal was naar een mijnwerkersdorp geweest, in dezelfde geest als ik vijf jaar daarvoor, maar hij was als man meteen opgenomen in de flink met alcohol besproeide pub- en clubcultuur van de kompels in hun vrije tijd. Hij raakte bevriend met een jonge mijnwerker, Len Doherty, en heeft een paar weekends bij hem doorgebracht. Hij heeft *Weekend in Dimlock* geschreven in drie dagen, boven mijn hoofd, in Warwick Road, terwijl ik zijn schrijfmachine maar hoorde hameren. Het is een briljant boekje. Niemand die ik ken, kan tippen aan Clancy's talent voor treffende, gedetailleerde sociale portrettering. Bij verschijning barstten meteen die kolderieke, beschamende reacties los die mensen van links helaas al zo vaak hebben meegemaakt. De mensen van wie je dacht dat ze dat boek het meest zouden verwelkomen, waren precies degenen die het de grond in boorden.

Waarom toch? Dit is niet de juiste plaats voor een beschouwing over literatuurkritiek en de geschiedenis daarvan bij links, maar die Pavlov-vijandigheden hebben al een lange geschiedenis, en zijn minstens terug te voeren op de methodes van de Inquisitie, later aangepast aan communistisch gebruik. Iedere nieuwe schrijver, elk nieuw boek, moet om succes te hebben op de een of andere manier de pijlen der afgunst overleven, maar het communisme gaf afgunst en jaloezie een kleed van fatsoen dat de akelige waarheid verhulde. Onder namen als 'socialistisch realisme' was de communistische stellingname ten opzichte van kunst en literatuur vroeger (en in sommige landen nog steeds) de doodsvijand van de kunst en de literatuur. Telkens weer, in het ene na het andere land, hebben we het 'socialistisch realisme' zien opduiken om gerespecteerde schrijvers af te kraken, en dat nog toen iedere kunstenaar en schrijver het allang had afgeschreven, en de lezers in het land dat de bakermat van het socialistisch realisme was het waren gaan haten. Wat er in de jaren zeventig in Scandinavië is gebeurd is heel leerzaam: daar werd het socialistisch realisme gebruikt om bekende schrijvers in diskrediet te brengen. En op het ogenblik worden er in de Derde Wereld in het ene na het andere land diezelfde primitieve emoties tegen geslaagde schrijvers ingezet.

Het boekje van Clancy ontketende een vloedgolf van beschuldigingen. Een daarvan luidde dat hij misbruik had gemaakt van de goedhartigheid van de mijnwerkers uit het dorpje in kwestie. Maar hij had het aan Len Doherty laten lezen, en die had tegen publicatie geen bezwaar.

Toen vroeg *The New Reasoner* aan Len Doherty of hij het wilde recenseren.

Er volgde een verhitte briefwisseling tussen mij en *The New Reasoner*, mij en Edward Thompson. Ik kon in ieder geval goed gemeen schelden. Maar dat konden we allemaal – we waren immers opgeleid met dezelfde gemene methoden. Ik citeer hier maar twee kleine stukjes, die mijn hoofdpunten illustreren:

'Ik ben socialisten die elkaar een mes in de rug steken spuugzat,' roep ik uit.

'... een herleving van de destructiviteit die iedereen die in de CP heeft gezeten zo vertrouwd is – als links dan per ongeluk eens een echt creatief talent voortbrengt, is de eerste impuls om het de grond in te trappen.'

Ik laat de erge stukjes maar weg, maar liet Edward weten dat hij een klootzak was. Hij was even oncomplimenteus. Dit soort onverbloemd gekijf was helemaal in de stijl van de kameraden toen. Als de bui, of het buitje, was overgedreven, waren we weer even goede vrienden.

Weekend in Dimlock wekt nog steeds irrationele vijandigheid bij mensen van wie je juist verwacht dat ze het zouden waarderen. 'Geschreven door een Amerikaan,' hoor je dan. 'Wat weet hij nu over onze arbeidersklasse?' 'Eén bezoekje en hij weet er al alles van.' 'Hij heeft de mijnwerkers misbruikt.' En zo gaat het maar door, jaar in, jaar uit, tientallen jaren lang. Ooit ben ik van plan geweest een lijst te maken van het goede, originele werk dat de slachting door de kameraden heeft moeten doorstaan, want dat is misschien best leerzaam. Maar toen bedacht ik dat dat verschrikkelijk veel werk en tijd zou kosten en niets zou veranderen, want mensen die er behoefte aan hebben om nieuw, goed werk onderuit te halen, kennen hun eigen echte motieven niet. Afgunst verschuilt zich altijd achter morele verontwaardiging.*

Clancy is nog een paar keer naar 'Dimlock' terug geweest en is een goede vriend van Len Doherty geworden, die toen in de problemen zat. Hij was een man van in de twintig met een vrouw en drie (dacht ik) kleine kinderen, maar het huwelijk was geen succes. Clancy haalde hem naar Londen, en hij logeerde

* Drie schrijvers zijn met name memorabel vanwege de manier waarop ze door de kameraden zijn behandeld. De eerste is George Orwell, die in *Homage to Catalonia* schreef over wat hij in de Spaanse Burgeroorlog heeft meegemaakt, de smerige daden van de communisten, en in ruimere zin, van de Sovjetunie. Nog in 1996 is hij beschuldigd en moest hij verdedigd worden toen bekend werd dat hij met de Britse veiligheidsdienst heeft samengewerkt tegen de Sovjetunie – wat toch erg logisch was gezien het feit dat hij de ware aard van het sovjetcommunisme en de blinde steun van links voor alles wat het deed op zo'n akelige wijze heeft leren kennen. De invloed van de kameraden strekte zich uit tot ver buiten de partij: Victor Gollancz heeft zich nota bene publiekelijk voor het uitgeven van *Animal Farm* verontschuldigd. George Orwell is tot aan zijn dood systematisch door de kameraden zwartgemaakt. Solzjenitsyn daarentegen konden ze niet afschilderen al iemand die niet uit eigen ervaring wist waarover hij het had, dus in plaats daarvan zeiden ze maar dat hij niet kon schrijven – geen talent. De derde, Proust, is nog maar pasgeleden bevrijd van: 'Ach, dat was zo'n snob!' Niemand die geestiger heeft geschreven over snobisme, streberigheid, kruiperij om aanzien te verwerven en de mate waarin iemands opvattingen onder druk van de publieke opinie kunnen veranderen. Maar hij verkeerde in het wereldje van de aristocraten en hun parasieten, en daarom was het 'Wat was dat toch een snob' – de laaghartigste tactiek van de criticus, namelijk de schrijver met zijn materiaal identificeren.

bij mij, terwijl Clancy en Alex hem Londen lieten zien, wat uiteraard ook de New Left en omstreken inhield, alsmede Soho en dergelijke leerzame oorden. Toen Len de volgende keer kwam nam hij een vriend mee, een mijnwerker, en de daaropvolgende keer kwam hij met twee of drie vrienden. Ik vond dat ze nogal vaderlijk tegen Len deden, ze maakten zich zorgen om hem. Het was een donkere, veel te magere, gespannen jongen, die plots voor het voetlicht was gehaald. Hij straalde die morele uitputting uit (net muffe lucht) die zo vaak een teken is van lichamelijke ziekte. Ik herinner me nog een avond toen hij boven op bed lag; het was hem die dag niet gelukt om op te staan, omdat hij zich de avond daarvoor had bezopen; hij had koorts, en ik probeerde hem samen met een van de mijnwerkers te kalmeren, want hij lag met zijn armen en benen te slaan en wierp zijn hoofd heen en weer. 'Het is te laat,' kreunde hij maar, 'te laat.'

Hij is journalist geworden bij een plaatselijke krant en op nog jonge leeftijd gestorven.

Deze anekdote illustreert de dilemma's van de journalistiek, van 'de media' – wat er met een gemeenschap gebeurt die zich van zichzelf bewust is gemaakt en wordt gedwongen zichzelf door andermans ogen te bezien. Ik geloof niet dat het Len zonder *Weekend in Dimlock* heel anders was vergaan, al is hij misschien ongelukkiger gemaakt doordat hij de glamour (in zijn ogen) van het literaire Londen te zien heeft gekregen – want hij had schrijversambities.

Ik heb Clancy meegenomen naar Carradale, omdat Naomi dat gevraagd had. 'Ik heb gehoord dat je zo'n *fascinerende* Amerikaan hebt.' De busreis naar Schotland zal me altijd bijblijven als een van mijn naarste ervaringen. Clancy was toen ziek, een beetje gek. Ik was misselijk, wagenziek, maar wat hij gevoeld moet hebben... Hij was bleek, zweette, zat met zijn ogen dicht en zijn tanden op elkaar geklemd. Ik heb heel wat mensen gekend die het hoofd bieden aan periodieke aanvallen van onevenwichtigheid, en die zijn bijzonder dapper.

Ik had tegen Naomi gezegd dat ze Clancy in het huis zelf moest onderbrengen, want als hij zich geïsoleerd voelde, ging het minder, maar ze stopte hem in een kamer in een bijgebouw, ver van het huis. Ook interessant dat wij zo volledig van elkaar werden gescheiden. De hele clan haatte hem op het eerste gezicht, en dat was wederzijds. Dat buitenbeentje, die buitenstaander, die dodelijke observator, had iets wat ze niet konden uitstaan. Tijdens de drie dagen van ons verblijf heeft hij overal stilletjes in een hoek zitten toekijken, terwijl zij hem betuttelden of grof tegen hem waren. O, wat heb ik toch een hekel aan groepen, klieken, families, het 'wij' van de mens. Want vind ik ze toch angstaanjagend, eng – ik probeer ze altijd op afstand te houden. Daarbij vergeleken zijn een troep leeuwen of een meute wilde honden aardige vijanden. We gingen terug naar Londen, weer met de bus, de kille regen stroomde langs de ruiten; Clancy ging linea recta naar boven, naar de schrijfmachine, bleef een dag weg en kwam toen naar beneden met een stuk of vijftig vellen, die hij aan me overhandigde.

Hij ging aan de keukentafel naar mijn gezicht zitten kijken terwijl ik las. Nooit van mijn leven heb ik iets gelezen wat zo slim was, zo scherp en gedetailleerd waargenomen – of zo vreselijk. Want zijn haat had dat stuk geschreven, en het was puur vergif. Vergelijk het met zijn stuk over het mijnwerkersdorp: dat was geschreven uit liefde en respect, dit uit afkeer. Clancy werd al niet goed van het woord '*middle class*', maar de Mitchisons hadden helemaal iets... Het was die veiligheid van ze, die zekerheid, die zelfvoldaanheid omdat ze onkwetsbaar waren – zo moest de buitenstaander dat wel zien – en de wijze waarop die clan zo hecht met de maatschappij was verweven, iets wat die buitenstaander niet verdragen kon. Dat heeft me duidelijk een lesje geleerd. Namelijk dat niets ter wereld makkelijker is dan venijn. Nee, niet dat er iets makkelijk was aan het geniale van zijn waarnemingsvermogen, maar dat je jezelf in een fractie van een seconde kunt omschakelen naar de bewustzijnstoestand Haat. Ik weet niet waarom we venijn zo bewonderen. Het wordt vaak gevatheid, geestigheid genoemd, *wit*. In de jaren twintig vierde het verschijnsel hoogtij – misschien als uitvloeisel van die beroemde tafel in het Algonkin – en de invloed is doorgesijpeld in de jaren daarop, totdat er een oude dame uitbarst in een kakelend lachje en zegt: 'Ze heeft een gezicht als een aardappel'... en zelfvoldaan rondblikt om zeker te weten dat deze steek de bewondering oogst die hij verdient. 'Hij is net een geconstipeerde kikker' – o, *wot wit*, zoals we op school zeiden. Hoe geestig.

Het is 1957, 1958... Ik zit tot over mijn oren in *Het gouden boek* en stilletjes te kreunen omdat elke keer als de telefoon gaat het iets is in de trant van: 'Heb jij het gehoord van die arme Bob? Hij is er kapot van.' 'Mary is uit de partij gestapt. Ze gaat nu een opleiding volgen voor maatschappelijk werkster.'

Zijn die verjaarde politieke hartstochten nu nog van belang? Wat ik in ieder geval belangrijk vind is wat je ervan leert. We zitten nog steeds met dat (nu) onbegrijpelijke en onvergeeflijke feit dat een aantal van de meest sociaal betrokken, toegewijde zielen met hoop voor de toekomst medeplichtig zijn aan de misdaden van de communistische wereld omdat ze eerst geweigerd hebben ze te zien en vervolgens geweigerd hebben ze openlijk te erkennen. Geen tien, geen honderd, geen duizend, maar vele duizenden, miljoenen over de hele wereld. En die houding – een onwil om de Sovjetunie, die grote alma mater, te bekritiseren – vind je heden ten dage nog, en dat blijkt uit het feit dat Hitler de rol van de grootste boef van onze eeuw krijgt toebedeeld, terwijl Stalin, die oneindig veel erger was (Hitler bewonderde Stalin, zag zichzelf terecht als een amateurtje in de misdaad bij zijn grote voorbeeld vergeleken) nog steeds door mensen van links in gedachten mild wordt bejegend.

Het interessante daarvan is uiteraard waarom dat zo is. En wel omdat een soortgelijke situatie zich ongetwijfeld in de geschiedenis opnieuw zal voordoen, in een andere context, met andere spelers. Want zo gaat het altijd. Zullen wij (de mensheid) dat die volgende keer inzien en het er beter van afbrengen?

Net als alle anderen van mijn generatie, die generatie waarvan 'iedereen' communist was, heb ik me suf gepiekerd, mijn hoofd gebroken, heb ik die pooier, het geheugen, toegestaan de dingen te verfraaien, maar ben ik jarenlang, decennialang, met een onbeantwoorde vraag blijven zitten. Het is overduidelijk een soort massawaan, een massapsychose geweest. Maar pas heel laat (kortgeleden pas, eigenlijk) begon ik te begrijpen wat volgens mij de reden voor dat alles zou kunnen zijn. Zou kunnen zijn – dat is alles wat ik zeg.

En weer gaan we terug naar de Eerste Wereldoorlog, omdat daar de bakermat ligt van de massale verschrikkingen van onze tijd.

Het is heel interessant om mensen die belang hebben bij de reputatie van hun natie die vreselijke oorlog te zien verdoezelen en rechtvaardigen. 'Maar wij hebben in de loopgraven niet meer verloren dan...' (zo veel honderdduizend man). *Wij* – Groot-Brittannië. Maar het is een Europese oorlog geweest, en niet alleen de Britse soldaten zijn met haat en minachting voor hun regering blijven zitten, of met, als die termen te sterk zijn, onrust, verdriet, maar op zijn minst toch met verlies in vertrouwen in de mannen die hen regeerden, omdat die zo incompetent zijn geweest. Mijn ouders waren niet de enige slachtoffers van die oorlog in het district Banket, in Zuid-Rhodesië. De vrouw die we om haar droeve waardigheid 'Lady Murray' noemden, had in de loopgraven haar man en vier zoons verloren. Kapitein Livingstone had net als mijn vader nog maar één been. McAuley uit de Ayreshire-mijn was ernstig gewond geweest. En je had er nog meer. Ze hielden allemaal van het Britse Rijk en van hun land, en ze waren stuk voor stuk verdrietig en kwaad over de manier waarop Haig en de Britse regering die oorlog gevoerd hadden. Een Duitse mijnwerker met wie mijn vader vaak herinneringen ophaalde, voelde over de Duitse loopgraven en zijn regering precies hetzelfde. De slachtpartij in de loopgraven heeft iets vitaals in Europa kapotgemaakt – respect voor de regering. En daaruit zijn het communisme, fascisme, nationaal-socialisme en later terrorisme, anarchie ontstaan, en de mentaliteit die nu overal gemeengoed is, het dodelijke 'ach, wat kun je ook anders verwachten?' Nihilisme, cynisme, ongeloof – ten aanzien van je eigen kant – en ondertussen wordt alle idealisme, liefde, hoop, elke droom van een betere wereld, elders in geïnvesteerd, in Lenin, Stalin, Hitler, Mussolini, en later in die andere boeven, Mao, Pol Pot... een schijnbaar eindeloze reeks.

Maar er ligt hier nog een diepere emotie, en daar gaat het mij om. De kinderen van de soldaten uit de Eerste Wereldoorlog zijn niet alleen grootgebracht met bittere desillusie, met verlies van respect voor hun eigen regering, maar óók met het gevoel dat ze deel hadden aan de kennis van iets waarvan een achteloze, onwetende meerderheid was uitgesloten. Het is het gevoel dat wordt uitgedrukt in het liedje uit de Eerste Wereldoorlog dat mijn vader zijn hele leven onthouden heeft:

And when they ask us,
We're going to tell them,
And they're certainly going to ask us...

Tell them: de burgerbevolking vertellen hoe het in werkelijkheid in de loopgraven is toegegaan. Want in Engeland, Duitsland, Frankrijk en de andere strijdende landen hebben de oorlogskabinetten uitermate primitieve nationale gevoelens opgehitst – wat een eer om voor je land te mogen sterven – en de waarheid over de gruwelen van de loopgraven verdoezeld. En daarom voelden de soldaten zich door hun eigen volk niet begrepen en niet gewaardeerd. De romans die de Eerste Wereldoorlog heeft voortgebracht getuigen van de verbittering van de soldaten. *Van het westelijk front geen nieuws* van de Duitser Remarque was misschien de wrangste en de beste. Je had een Bairnsfather-cartoon. Een romantisch meisje staat met loshangend haar in haar nachtjapon voor haar raam te zwijmelen naar de volle maan. 'Diezelfde goeie ouwe maan kijkt nu op hem neer.' Maar de soldaat van wie ze droomt, staat met een maat tot zijn middel in het water in een granaattrechter in niemandsland de maan te verwensen, omdat die hen zichtbaar maakt voor de vijand. Een korte samenvatting.

Them: zij, de domme meerderheid; *we*: wij, die de waarheid kennen – en die waarheid is hard, pijnlijk, gewelddadig, de realiteit is pijn en leed; de goeie mensen kennen die waarheid en de slechteriken zijn zelfvoldane stomkoppen die de realiteit weigeren te erkennen.

De waarheid was slechts voorbehouden aan een minderheid met kennis en ervaring. Ingewijden.

Identificatie met pijn, met lijden. Dat vertaalt zich al gauw in: 'Je moet wel vuile handen maken om iets te bereiken.' Op die reis door de Sovjetunie speelde de volgende emotie heel sterk: hier draait de motor der gebeurtenissen, hier ligt de pijnlijke kern van de waarheid.

Het lijkt mij waarschijnlijk dat de jonge mensen die eind jaren dertig communist werden en zich in de Spaanse Burgeroorlog stortten, dat deden omdat er een patroon werd herhaald. Zij gingen zich bij soldaten voegen die verraden werden. En wel omdat de democratische regeringen van Frankrijk en Engeland weigerden om de in het nauw gedreven democratische regering van Spanje te hulp te komen, zodat Hitler en Mussolini in Spanje hun gang konden gaan, de fascist Franco kon winnen, en Hitler en Stalin daaruit weer kracht konden putten. De Internationale Brigades herhaalden de ervaring van hun vaders. En toen de Tweede Wereldoorlog, waarin de Sovjetunie het grootste deel van het vechten heeft opgeknapt. De Sovjetunie heeft acht miljoen mensen in de oorlog verloren. (Niet twintig – dat is een aangedikt cijfer om de moorden van Stalin op zijn eigen mensen erbij te rekenen, en de zaak te bedriegen.)* Onafzienbare menigtes neergemaaide mensen; als je je identificeerde met de Sovjetunie, betekende dat dat je deel uitmaakte van de inmiddels sterk levende emotionele opvatting dat de waarheid in lijden valt te vinden. Hetgeen in feite niet meer was dan een voortzetting van de religieuze liefde voor lijden, die al lang voor de Eerste We-

* Het zijn omstreden cijfers, maar nu de sovjetarchieven geopend zijn, zal de waarheid over niet al te lange tijd wel aan het licht komen.

reldoorlog onderdeel van de Europese mentaliteit uitmaakte.

En ik geloof dat de mensen daarom zo makkelijk communist werden en het ook bleven. Het communisme was geboren uit uitbarstingen van bloed en vuur en kogels en geknal, beschenen door de lichtkogels van de Hoop.

'Knowing the score' betekende dat je als ingewijde de waarheid kende, dat jij wist hoe de dingen écht in elkaar zaten. En wat kon de waarheid anders zijn dan dat onbeschrijfelijk leed de tol is die 'het leven zelf' eist in zijn moeizame opwaartse voortgang (altijd opwaarts, dat spreekt vanzelf). Het leven zelf – de feiten, de realiteit, echte gebeurtenissen, die nu eenmaal bol staan van de gruwelen die de onzin en illusies omverblazen waaraan de onschuldigen zich vastklampen. De dommen.

Een latere generatie gebruikte daarvoor de uitdrukking '*where it's at*'. De waarheid, harde feiten, de echte ervaring – die bij gebrek aan oorlog of revolutie binnen niet al te lange tijd te vinden zou zijn in drugs, hallucinerende middelen, illusies.

Toen de mensen de werkelijke situatie in de Sovjetunie accepteerden, werd er iets bevestigd wat heel diep van binnen leefde, de kennis van gruwel en verraad. Er dient een zware tol te worden betaald: en die kennis gaat met een duistere, gretige behoefte aan pijn gepaard. De wortels van het communisme, de liefde voor revolutie, liggen naar mijn mening in masochisme, genieten van pijn, voldoening putten uit leed, identificatie met het bloed van de verlosser. Het kruis dus. Uit de partij stappen was de Grotere Waarheid opgeven, je staat van ingewijde, van het begrijpen van de echte processen van het leven opgeven.

Hier ligt volgens mij een analogie met de weigering van verliefde mensen om hun belachelijke hoop op te geven. Als je uit dat dromenland stapt, geef je de echte ervaring op, de kennis van goed en kwaad, verlies je je kans op 'het echte werk', op vruchtbare pijn.

Maar binnen in hem schreeuwde iets
Laat de tragedie maar beginnen,
De angst genadig nederdalen
Een droefenis nestelen in zijn zinnen.

Dat was de dichter Edwin Muir, die zoals zo veel van zijn tijdgenoten, een rooie was; ik heb dat citaat voor een van de delen geplakt van *Martha Quest*, de eerste roman uit de reeks 'Kinderen van het geweld'. En meteen aan het begin van *Een echo van de storm*, het derde boek uit die reeks, staat het volgende citaat:

> Passie voor het absolute bestaat niet zonder de daarmee gepaard gaande overdrijving. Zij gaat steeds samen met een zekere geëxalteerdheid waar zij in eerste instantie aan herkend kan worden en die zich altijd op het groeipunt, in het brandpunt van het destructieve beweegt, op gevaar af bij argelozen de indruk te wekken dat de passie voor het absolute hetzelfde is als een passie voor ongeluk.

Dat is van Louis Aragon, een Franse communist, die dat ook zonder wroeging is gebleven en die die gebruikelijke mengeling vertoonde: onzin verkopen over het communisme en de Sovjetunie, terwijl het gist van het geloof hem over andere onderwerpen originele denkbeelden gaf.

Als ik die citaten nu zie, sta ik verbaasd over mijn jongere ik – en ik huiver, want erom lachen gaat nog niet. Dat ik dat Edwin Muir-citaat koos, betekende dat ik inzag dat ik wilde dat droefenis zich in mijn zinnen nestelde – maar dat had me toch veel meer moeten verontrusten? En wat ik totaal niet zag, was dat je om het groeipunt gelijk te stellen met het brandpunt van het destructieve wel een zieke geest moest hebben. Ik zag het echt niet. Natuurlijk, voor een communist (en dat geldt ook voor veel niet-communisten) moest een groeipunt wel vernietiging betekenen, om iets te bereiken moet je nu eenmaal vuile handen maken, en revolutie is – dat spreekt immers vanzelf – het noodzakelijke voorstadium van het paradijs.

Het probleem is dat je wel iets duidelijk genoeg kunt zien om met verhelderende citaten een deel van je verhaal te benadrukken, maar niet duidelijk genoeg om bang te zijn voor wat je ziet. Je kunt iets pas volledig doorgronden als je naar dat volledige doorgronden hebt toegeleefd.

Deze mentaliteit, die aanleg voor lijden, de onbewuste overtuiging dat je je om het leven te begrijpen – *to know the score* – moet onderdompelen in pijnlijke ervaring, manifesteert zich ook op andere terreinen dan de politiek. Het heeft veel te lang geduurd voor ik zag hoe het zat met mensen die communist werden, maar kort daarop is de gedachte gevolgd: Wacht 'es even, kijk nog eens goed naar wat je hebt geschreven, en daarna naar wat anderen schrijven, want hoe vaak gebeurt het eigenlijk niet dat een roman of een verhaal verslag doet van een bewuste afdaling in een extreme ervaring? Neem nu bijvoorbeeld mijn roman *The Summer Before the Dark* [vertaald als *De zomer voor het donker*]. Daarin wordt de hoofdpersoon, Kate Brown, een vrouw van middelbare leeftijd, getoond op een punt van crisis: de kinderen het huis uit, onverschillige echtgenoot, haar leven dat aan een nieuwe richting of minstens aan een nieuw begrip toe is – en ze staat zich toe om van haar eigen hoge normen af te zakken tot een slonzige, voortijdige (tijdelijke) ouderdom, staat zichzelf een soort inzinking toe... Maar is dit woord, dat we zo makkelijk gebruiken, wel toepasselijk wanneer Kate zo vaardig haar eigen innerlijke lijn van groei volgt, ook al is ze van buitenaf gezien een wrak? Door toe te laten dat de structuur van het maatschappelijk verkeer uiteenvalt, komt Kate tot zelfbegrip. Dat kan: om interessant te zijn, heeft een roman een zeker brandpunt nodig, en de meeste romans doen dan ook verslag van een soort ingedikte ervaring. Rond de tijd dat het boek is geschreven, in 1971 en 1972, had je nog de nasleep van de overtuiging uit de jaren zestig dat gek worden een ultieme vorm van inzicht is. Nu, dat heb ik nooit geloofd, al heb ik er misschien wel toe bijgedragen met *Het gouden boek*, dat in ieder geval door zijn structuur zegt dat iets wat te dor en schraal geworden is door een 'inzinking' verholpen kan worden. Zoals ik in die periode waarin het communisme van top tot teen barstte, uitgebreid heb kunnen waarnemen. Juist de steilste en meest dogmatische lieden stortten toen in, en die ervaring deed ze opmerkelijk goed, want ze kwamen erdoor in het normale daglicht te staan, waarin wij doorsneestervelingen ook verkeren. Kate die haar persoonlijkheid aflegde, vertoonde parallellen met een echte ervaring van mij, toen ik mezelf uit nieuwsgierigheid opzettelijk gek maakte door niet te eten en te slapen. Daar heb ik best veel van opgestoken, al zou ik het niemand aanbevelen, want het is een gevaarlijk experiment. De relevantie in deze context is dat het een bewuste onderwerping aan iets extreems was. Ik heb zelf niet de ervaring gehad die ik Kate Brown heb toegedicht, maar dat snijdt een interessant vraagstuk aan, want ik voel dat wel zo. Telkens weer heb ik geschreven over mensen die gek waren, of halfgek, en mensen die instortten. Zelf heb ik nooit een gekte of inzinking meegemaakt, maar ik heb wel het gevoel dat het zo is. Dat ik persoonlijk nooit gek ben geworden of ben ingestort, komt denk ik deels doordat iedere neiging daartoe de kop is ingedrukt door erover te schrijven. En deels omdat ik in mijn leven altijd te maken heb gehad met ernstig zieke mensen – zoals mijn vader; mensen met een verschrikkelijke jeugd, mensen die het niet meer zagen zitten; of mensen die – zoals we zeggen – niet honderd procent waren. Maar ik ben níet van mening dat gek zijn ultieme waarheden oplevert. Daarvoor heb ik te veel gekte gezien. Schizofrenen hebben flitsen van inzicht die in minder verlichte tijden voor goddelijke inspiratie werden versleten, en verbijsterende inzichten zijn het zeker. Intens depressieve mensen kampen met een kijk op het leven die zo grauw, zo lelijk, zo vreselijk is, dat het geen wonder is dat ze soms zelfmoord plegen. Toch zitten er ook mensen onder die zeggen dat die kijk de echte is, en dat degenen die hem niet delen, dom of oppervlakkig zijn. Net als de mannen die uit de loopgraven terugkwamen, de ingewijden in het extreme lijden, tot de ontdekking kwamen dat de burgers geen benul hadden van wat zij hadden meegemaakt.

Voor mijn stelling zijn hier niet de egale, grijze vlakten van het 'pessimisme' of de uniforme perspectieven van lichte depressie van belang (de meeste schrijvers werken trouwens het beste in een sombere, koele, licht depressieve toestand). Lynda Coldstream uit *The Four-gated City* [vertaald als *De stad met vier poorten*], haar hele leven gek – schizofreen; professor Watkins uit *A Briefing for a Descent into Hell* [*Instructie voor een hellevaart*] krijgt door zijn tijdelijk geheugenverlies de kans om zichzelf beter te leren kennen, maar grijpt hem niet aan; *The Fifth Child* [*Het vijfde kind*]; *De barmhartige terroriste*, met zijn lading destructieve mensen – die interesseren me hier.

In deze portrettengalerij hoort ook Kate Rawlings (weer een Kate) thuis, die een geslaagd huwelijk heeft met een fantastische man, vier kinderen, en een comfortabel leven, maar de inhoud van haar geloof in het leven sijpelt weg en uiteindelijk gaat ze aan het gas in een huurkamer in Paddington. *To Room Nineteen* is een verschrikkelijk verhaal, niet op de laatste plaats omdat ik het niet snap, of liever gezegd, het domein in mezelf waar het uit voortkomt. En kortgeleden nog heb ik in *Terug naar de liefde* geschreven over een man, Stephen, die het gevoel heeft dat het leven hem tussen de vingers wegglipt. Als een dergelijk thema voortdurend de kop opsteekt, moet je erkennen – moet ík erkennen – dat er vlak onder de oppervlakte iets op me ligt te wachten, als ik niet oppas, net als mierenleeuwen, die kleine insectjes die onder in een klein putje in het zand ternauwernood begraven op de loer liggen tot ze een worstelende mier het losse zand in kunnen slepen. Geloof ik dat dit mij gaat overkomen? Nee, want door schrijven ontsnap ik aan ik die potentieel rampzalige toestanden.

Er zit een patroon in mijn hoofd, dat kan niet anders, waarin orde tot chaos en extremiteiten verwordt. Dat komt door de Eerste Wereldoorlog en mijn ouders die erdoor kapot zijn gemaakt. Dat patroon moet ook bij andere mensen in het hoofd zitten, want wij zijn geen eilandjes.

Lang na de tijd waar ik nu over schrijf, de jaren vijftig, heb ik de volgende ervaring gehad: soms is het nuttig om een verhaal, een sprookje, een voorval dat je aanspreekt, te visualiseren. In dit specifieke verhaal moet een oude man, een houthakker, heel vroeg in de ochtend zijn huis verlaten om een Stem te volgen die hem roept. Ik had me de berg voorgesteld, de beboste hellingen, en laag op die hellingen, het hutje van de houthakker. Ik kon het maanlicht op de bomen en de grond zien, dat al verbleekte in de dageraad. De oude man liep over het ruige terrein het bos in, maar toen... kon hij niet verder, want zijn weg werd versperd door een kloof. Ik gooide een brug over de kloof, en de oude man liep erover verder, maar voor hij de overkant bereikt had begon de aarde weg te schuiven, dus maakte ik de brug langer, en hij klauterde in veiligheid en bevond zich op de ronde helling van een uitloper van de bergen, waarvan hij iedere centimeter kende omdat hij er al zijn hele leven woonde, maar nu verpulverde die tijdens het lopen onder zijn voeten. Om die oude man van de achterdeur van zijn huis naar de plek een paar kilometer verderop te krijgen waar hij eindelijk uitgeput kon gaan zitten wachten op de Stem, was een geduldige constructie en reconstructie van de hele route nodig, moesten er bruggen en duikers gebouwd, en de hele tijd was de aarde maar aan het verschuiven en verzakken.

Dit moet een patroon zijn in mijn hoofd; wat kan het anders zijn? Soms kan iets kleins – het kon heel klein lijken – als het simpelweg niet voor elkaar kunnen krijgen om een oude man over een denkbeeldig pad over de uitloper van een berg te laten lopen, je zoveel vertellen over de wijze waarop je het leven ziet, dat je hele verleden in twijfel wordt getrokken.

Als het maar over één persoon ging, mij, een klein individu voorbestemd voor tranen, wie zou er dan om malen?

Een paar maanden voor ik uit Warwick Road wegging, kwam er een oude vrouw om op te ruimen en schoon te maken, maar vooral, mij op mijn plaats zetten, want ze hoorde bij de aristocratie van Engeland. Ze heette Miss Ball, was al in de zeventig en werkte nog steeds, want dat deed ze haar hele leven al en met luieren had ze niets op. De eerste keer dat ze kwam, om te kijken of ik haar beviel, nodigde ik haar uit om te gaan zitten. 'Nee dank u, ik weet hoe het hoort,' zei ze, terwijl ze daar midden in de keuken stond met de hemelsblauwe vloer, het rode behang, wit hout en plafond en op tafel de witte bekers met de blauwe ringen die iedereen toen had. Miss Ball was lang, vel over been, had grote, rode, knokige handen en droeg een grijze Utility-jas, een vilthoed met vlekken met een grijze voile eroverheen, en aan haar voeten ooit elegante grijs suède schoenen, elk met een groot gat om plaats te maken voor haar eksterogen. Ze zei dat ze op haar zeventiende uit het zuidwesten was gekomen om in een huis in Londen te gaan werken. Een goed huis, zei ze terwijl ze minachtend mijn keuken rondkeek. Ze had nog bij een hertog gewerkt. Ze had in huizen gewerkt met dertig man personeel. Vroeger had ze niet gepeinsd over het werk dat ze nu moest doen. Dat vertelde ze me allemaal met een vriendelijk braaf-personeelslachje en kille, boosaardig observerende ogen. Wat haatte ze me, wat haatte ze al haar werkgevers tegenwoordig.

Ze kwam twee ochtenden in de week en ik gaf haar het maximumloon voor haar werk, dat toen al even slecht betaald werd als nu; ze nam de munten zorgvuldig in ontvangst en stopte ze in een leren beursje dat vroeger egaal zwart was geweest maar nu slap en zilverig van ouderdom was.

'Hello dear,' groette ze me altijd, terwijl ze haar giftige lachje ten beste gaf, maar zodra ik in een ander vertrek was, of haar mijn rug had toegedraaid, begon ze te klagen en mopperen: 'Smerige varkens, en ik moet achter ze opruimen, nee, varkens zijn nog te goed voor ze, varkens laten geen vieze borden in de gootsteen staan, en maar sjouwen en ploeteren voor die varkens, mijn hele leven lang, toen ik een meisje was had ik nooit gedacht...' En zo maar door. Dat gemompel ging maar door, de hele tijd dat ze veegde en boende en poetste, maar als ik toevallig een kamer binnenkwam waar zij bezig was, schoot haar hoofd omhoog en: 'Ah, ben je daar, dear.' Miss Ball had aan haar jaren in goede dienst een beschaafde stem en beschaafde klinkers overgehouden. En met die stem ging het boze gemompel verder: 'Op hun rug met hun benen omhoog, die mooie dames, geloof maar, stuk voor stuk even erg, allemaal, hertogin en dienstmeid, kokkin en keukenhulp.' Ze had bijna altijd in de keuken gewerkt, maar ook 's ochtend warm water naar koude slaapkamers gebracht, de open haarden aangemaakt, kamers opgeruimd voor het gezin beneden kwam ontbijten. Maar de keuken was het beste, zei ze, want ze hield van leven in de brouwerij. Heel gezellig altijd, zei ze, beneden in de keukens, en het mooiste waren de maaltijden, met al het personeel aan een lange tafel, met de kokkin en de butler aan het hoofd. Zo gezellig, en zulk lekker eten, en altijd genoeg, iedereen kende toen zijn plaats, niet zoals nu, met allerlei parvenu's die denken dat ze even goed zijn als hun meerderen.

Hoe kwam ze aan die voet van haar? vroeg ik Miss Ball. Want ze hinkte rond, en hield zich vast aan een stoelleuning of tafel als ze dacht dat ik keek. Die voet had ze aan de dood van koning Edward de Zevende te danken, zei ze. Ze was het haardrooster in de keuken aan het uitvegen en de kokkin was de groenten aan het schrappen, toen het kamermeisje de trap kwam afstormen, helemaal overstuur, klaar om in tranen uit te barsten. 'Kokkie, kokkie, die ouwe zak is dood,' schreeuwde ze en Miss Ball was zo geschrokken dat ze het rooster op haar voet liet vallen en die was toen gebroken.

En waarom was Miss Ball nooit getrouwd? durfde ik eindelijk te vragen. Mannen waren smeerlappen, zei ze, ze zijn maar goed voor één ding, als je daar tenminste van houdt, maar ze had geleerd wat er te koop was op een dansavond in Tiverton, toen ze zestien was. Ze had nieuwe schoenen die ze van haar nichtje Betty had geleend, witte kalfsleren schoenen waren het, je moest ze schoonmaken met melk. En toen was er die jongen die haar niet met rust had willen laten, en hij nam haar mee naar buiten in het donker – een prachtige avond was het – en trok en duwde en rotzooide met haar en toen bedierf hij haar schoenen. Hoe dan? Kunt u dat niet raden? Smerige varkens... Die troep, mijn schoenen zaten helemaal onder... Ik heb ze moeten betalen, en ik heb er een jaar lang mijn zakgeld voor moeten opsparen, en toen had ik het gehad, ik heb daarna nooit meer iets met mannen te maken willen hebben.'

Wij werkgevers van Miss Ball belden elkaar op als we het niet meer tegen dat obscene gemopper konden, en dan vroegen we elkaar of we voor altijd gedoemd waren dit aan te horen, maar we konden haar toch onmogelijk ontslaan; nee alleen haar dood zou ons bevrijden... maar toen ben ik verhuisd.

De tijdgeest: hoe wij dachten

Vrouwen kunnen geen komiek zijn; er zijn nooit vrouwelijke komieken geweest. Dat komt omdat ze geen gevoel voor humor hebben.

De kapitalistische pers is altijd tegen de Labourpartij en geeft nooit een eerlijk verslag van een bijeenkomst, demonstratie of agendapunt van Labour.

Dat iedereen werk heeft, spreekt vanzelf en Kurt Vonneguts roman Player Piano *(in 1953 in Engeland gepubliceerd), waarin werk zo schaars is dat het als beloning aan bevoorrechte of bijzonder goede werkers wordt gegeven, lijkt alleen maar raar.*

Er is veel beroering over de intrekking van de wet die homoseksualiteit strafbaar stelt, zowel bij voor- als tegenstanders.

Colin Wilson wordt in de pers als een soort moderne Byron afgeschilderd: humeurig, gevaarlijk, gezagsondermijnend. Hij heeft net verkondigd dat Shakespeare geen talent had. Op een avond verschijnt hij op de Arts Club met een schedel op zijn hoog geheven hand. Hij blijft met een verlegen en innemend lachje in de deuropening staan wachten tot wij beginnen te lachen.

Een verbazingwekkend aantal vaders uit de hogere stand stormt met zwepen door het land, tierend dat ze de jongemannen die met hun dochters hebben geslapen gaan aftuigen – net als in John Osborne's Look Back in Anger.

Je kunt geen krant opslaan of er staat iets over een angry young man *in.*

Een hypotheek nemen en huiseigenaar worden was een knieval voor het kapitalisme en betekende dat je zielenheil ernstig gevaar liep.

Een sterk anti-Amerikaans gevoel: de Verenigde Staten waren wereldvijand nummer één, een fascistisch-imperialistische mogendheid, veel erger dan de Sovjetunie. Alle Amerikanen waren rijk. Clancy en andere Amerikanen hamerden er voortdurend op dat je in Amerika gruwelijke armoede had, en ik zag hoe ze door hun Britse gastheren werden betutteld en uitgelachen: als communist moest je dat natuurlijk wel zeggen.

Alles wat Brits was, was nog steeds best. *Behalve eten en koffie, daar werd andere landen genadiglijk het patent op gelaten.*

De sociologie, die discipline waarbij de mens zichzelf onder de loep neemt, nog geen twintig jaar oud als je de studie van het massagedrag als beginpunt rekent, wordt – grotendeels door Links – als ongeloofwaardig afgedaan.

Waarom hebben we geen nationaal theater, net als andere landen in Europa? Waarom worden de schone kunsten door de regering stelselmatig geminacht en met een fooi afgescheept?

Vivian Leigh speelde Blanche Dubois in A Streetcar Named Desire. *Het was de première van dit stuk in Engeland, en we waren die rauwe emoties van Amerikaanse toneelstukken hier niet gewend. Een heel grote zaal – te groot. Halfvol. Middagvoorstelling. Er waren wat groepen relschoppers omdat ze gehoord hadden dat het een schunnig stuk was. Ze gooiden rommel op het podium, riepen beledigingen naar Vivien en leverden luidkeels commentaar. Het publiek was zo rumoerig dat het stuk moeilijk te verstaan was. Het huwelijk van Vivien Leigh met Laurence Olivier was net stukgelopen, zij was ziek, en haar rol had een realiteitsgehalte dat voor haar sympathisanten heel pijnlijk was, maar ze was een onvergetelijke Blanche. Het moet iets gehad hebben van een toneelvoorstelling uit meer bandeloze tijden, waarbij het publiek luidkeels blijk van afkeuring gaf en dingen naar de spelers smeet.*

Op het Plein van de Hemelse Vrede staan een miljoen mensen naar Mao te luisteren. Ted Allan is er ook. Mao zegt dat de Verenigde Staten van plan zijn om China met kernbommen te bestoken om de glorieuze nieuwe communistische dageraad te vernietigen, maar 'we hebben in China mensen genoeg', en ook al vermoorden de Amerikanen de helft van de bevolking en wordt de helft van China verwoest, dan nog geeft het niet:

communistisch China zal terugvechten met de andere helft. Stormachtig applaus, dat vele minuten aanhoudt.

Ik zat met vrienden van mijn leeftijd naar de musical South Pacific *te kijken. Eerst voelde ik me in toenemende mate ongemakkelijk, toen werd ik verdrietig en ten slotte woedend. Ja, dat gold ook voor mijn vrienden. We waren grootgebracht met boeken en toneelstukken die de oorlogsgruwelen aan de kaak stelden. En nu zaten we naar een zouteloos verhaaltje te kijken dat de Tweede Wereldoorlog als achtergrond gebruikte – de oorlog in de Stille Zuidzee, die vreselijke, bloedige oorlog, maar hier vertoond als iets wat er nu eenmaal bijhoorde, en dat bij dit paradijselijke eiland in het niet zonk, sexy Amerikaanse soldaten, een liefdesaffaire, een milde boodschap over ras. Verder leek niemand in het publiek zich eraan te storen. Het was zo'n gelegenheid waarbij je beseft dat er, eigenlijk zonder dat je het in de gaten hebt gehad, iets is veranderd in de moraal, en dat jij een achtergebleven gebied bent in een tamelijk belachelijke positie. Hetzelfde had ik bij* Hiroshima, Mon Amour, *met zijn beelden van dood en gemartelde lichamen vermengd met lijven kronkelend in seks. Een nieuwe mentaliteit, die ik volkomen ziekelijk en gestoord vind.*

Niets is zo sterk veranderd als de houding tegenover liefde, seks, huwelijk – die hele hoek. In de jaren vijftig ademden de Verenigde Staten een sfeer van moedeloosheid, verdriet en verbijstering over wat er tussen mannen en vrouwen gaande was. Wanhoop, een stil, geduldig soort wanhoop. Er was een film, de titel ben ik vergeten, over een man en een vrouw die allebei op zoek waren naar liefde – échte liefde, en daar ging het om. Het speelde zich af in New York. Die twee zwierven doelloos door de stad, die hun koud en vijandig voorkwam, en hoewel ze vaak in dezelfde straat, bar of hetzelfde restaurant aanwezig waren, ontmoetten ze elkaar nooit. Ze waren voor elkaar gemaakt, geboren om elkaar in de armen te vallen ('eindelijk ben je daar') maar die grote jungle, de stad, hield ze gescheiden. Nooit heb ik zo'n sterk beeld van eenzaamheid gezien als in die film. Dat is nu allemaal veranderd: de jaren zestig hebben die grauwe, treurige sfeer verjaagd.

Een voedingsdeskundige, ene dokter Gelfand, verkondigde met steun van de overheid en medische experts dat een goede dagelijkse voeding diende te bestaan uit eiwitten en vetten, met een minimum aan koolhydraten. Met vlees, boter, melk, kaas en eieren zouden we allemaal tot de dood gezond blijven. Mannen hadden 3500 tot 4000 calorieën per dag nodig, vrouwen 2500 tot 3000. Je had twee soorten eiwit: eersteklas eiwit, grotendeels vlees, waar de wereldbevolking zich op moest richten, en eiwit van het mindere soort: peulvruchten en plantaardige eiwitten – die trouwens alleen werden gegeten door mensen van het mindere soort, als je het goed bekeek. Deze doctrine heeft minstens tien jaar standgehouden.

Blanke Amerikaanse mannen zeiden denigrerend over hun eigen vrouwen en blanke vrouwen in het algemeen dat ze niet sexy waren, geen echte vrouwen eigenlijk: echte vrouwen waren zwart en wisten hoe ze zich moesten bewegen – vooral hun achterwerk.

Koffiebars, die nog maar zo kort bestonden, het enige toevluchtsoord voor jongeren, tenzij ze naar de pub wilden, deden het prima in het hele land maar moesten weer dicht en kregen vaak last met de politie, die nog niet had begrepen dat er een jongerencultuur was ontstaan. Ze hadden allemaal veel te veel lol en dat kon echt niet, hoor.

Toen ik over Trafalgar Square liep, stuitte ik op een kluitje demonstranten voor de Zuid-Afrikaanse ambassade. Een meisje stopte me een paar pamfletten toe. Ik vond dat ik over Zuid-Afrika geen informatie nodig had, dus schudde ik mijn hoofd. Ze schold me de huid vol, 'fascist' was nog het minst erge woord.

Er werd een expositie gehouden van kunst uit het Britse Gemenebest, die door alle recensenten genegeerd werd. West-Indische vrienden vroegen of ik ze wilde overhalen om minstens te gaan kijken. Ik belde de ene krant na de andere, schreef brieven. Het probleem was dat die zalen vol grote, kleurige schilderijen, een en al zwier en vitaliteit, niet pasten in het begrip 'kunst' dat de critici hanteerden. Zelfs de paar die wel gingen, wezen ze van de hand. Het publiek werd niet op de hoogte gebracht en zo is er niemand gaan kijken.

In de jaren zestig is er onder de titel The Fifties *een boek over de jaren vijftig verschenen, waarin dingen over mij stonden die niet klopten, dus nam ik aan dat er over andere mensen ook foute dingen in stonden. De schrijver had niet de moeite genomen om met iemand van ons te gaan praten en was zo onervaren dat hij leek te denken dat de 'beroemde namen' op het briefhoofd van organisaties van de mensen waren die het eigenlijke werk deden. Ik schreef een brief om daarover te klagen, en zijn antwoord was: 'Ik begrijp dat u me niet zo mag,' niet: 'Sorry dat ik zo'n waardeloos boek heb geschreven.' Ik stond paf, want ik besefte niet – trouwens, wie van ons wel – dat die onverschilligheid voor de feiten in de verslaggeverij binnen de kortste keren gemeengoed zou zijn.*

Je had in Kent een groep, een commune, die in de jaren dertig was opgezet door architecten, allemaal communisten of in ieder geval mensen met socialistisch vuur. De opzet was om een ideale levenswijze te scheppen. De mannen werkten in Londen, waar ze een pied-à-terre hadden, en reisden dagelijks heen en weer of kwamen in het weekend naar huis. Iedereen die dit leest, beseft inmiddels wat er komen gaat, maar de poging liep stuk op iets wat niemand toen voorzien had. De mannen waren gelukkig, de kinderen vonden het prachtig, één grote familie op het platteland, maar de vrouwen waren onvoldaan. Dat was voor iedereen een onverwachte teleurstelling. Ik kreeg het verhaal met droeve humor te horen van een van die mannen, die zich afvroeg hoe het kwam dat zo'n hemel op aarde voor de mannen en kinderen voor de vrouwen zo'n lijdensweg kon zijn.

Televisie- en radio-omroepers spraken nog steeds buitenlandse namen consequent verkeerd uit, waarschijnlijk om onze onafhankelijkheid te benadrukken. Sommigen van ons, die het vreselijk vonden dat ons land zich liet kennen als een pummel onder de naties, geneerden zich ervoor.

Bezoekers zagen ons land nog steeds als aardig, beleefd en beschaafd bij andere landen vergeleken.

LANGHAM STREET
WI

VIER JAAR NADAT ZE MIJ HADDEN VERZEKERD DAT DE WET ONDER GEEN beding zou veranderen, veranderde hij toch, en was ik mijn huurgarantie kwijt. Toen ik de jurist vroeg hoe dat zat, was z'n antwoord: 'Ach, die dingen gebeuren nu eenmaal.' En prompt stond er een projectontwikkelaar op de stoep om mijn appartement te bekijken. Eén heel grote kamer, twee kamers van gemiddelde grootte en twee kleine, en een keuken van het goede formaat voor koffiedrinken en kletsen, moesten samen twaalf kamers worden: van mijn grote kamer alleen zouden er vier worden gemaakt. Kort daarop zou ik er al uit zijn, denkend aan jonge Australiërs in hun zwerversstadium die in die kippenhokjes zaten opgesloten, want deze hele wijk (Earls Court) zou 'Little Australia' worden.

Waar moest ik dan heen? In 1958, negen jaar na mijn aankomst in Londen, verdiende ik gemiddeld genomen evenveel als een doorsneearbeider; ik geloof dat dat toen twintig pond in de week was. Mijn zorgeloze, het-zal-wel-goedkomen-houding ten opzichte van geld heeft altijd goed bij mijn manier van leven gepast, maar is een handicap gebleken op het moment dat ik ergens een plek moest vinden om te wonen. Iedereen weet dat het inkomen van een schrijver niet zeker is, het ligt nooit vast wat je het volgend jaar binnenkrijgt. Ik weet nog hoe ik in het huis van Joan een belastingambtenaar op bezoek kreeg die kwam informeren waarom ik niet betaald had. Ik legde hem uit dat ik het vorige jaar genoeg verdiend had om belasting te betalen, maar dat jaar niet – driehonderd pond. Hij was heel geschikt en kwam met trucjes zodat ik het kon uitzingen, maar zoals bij alle uitvoerders en controleurs van regeltjes en wetten, maakte mijn wisselvallige bestaan hem onrustig, en hij vond dat ik naar een geregeld inkomen moest streven. Secretaresse misschien?

Inmiddels had ik de gelegenheid om met andere dingen dan verhalen en romans schrijven geld te verdienen: radio en televisie lokten. Doorgaans wist ik de verleiding te weerstaan. In die tijd waren we van mening dat je met schrijven om het geld je ziel aan de duivel verkocht, je kostbare honing verdunde en je muze beledigde, die je zou straffen door je te verblinden voor het onderscheid tussen goed en slecht werk, zodat je als broodschrijver zou eindigen. En gelijk hadden we, maar het huidige klimaat maakt het uitermate moeilijk om nog met die aandoenlijk ouderwetse denkbeelden aan te komen. En ook vonden we nog steeds dat een schrijver recht had op een eigen leven, wars van publiciteit.

Mijn moeder had me duizend pond nagelaten. Ook was er een huis in een buitenwijk van Salisbury, dat ze verhuurd had. Ik liet mijn broer weten dat ik mijn aandeel in het huis niet wilde, dat mocht hij houden. Ik wist dat het verdelen van het huis en het meubilair problemen en onaangename toestanden zou opleveren. Ook zei ik dat ik niets hoefde van de foto's, de zilveren bestekcassettes, de zilveren dienbladen. En dat was een grote fout, niet op de laatste plaats omdat mijn broer er zo weinig waarde aan hechtte dat hij niet eens wist waar ze waren toen ik er hem jaren later naar vroeg; hij was vergeten hoe het grote zilveren blad in het oude boerenhuis op de (van benzinekisten gemaakte) schrijftafel had gestaan, om het Engelse ervan te benadrukken, of hoe de foto's in hun zilveren lijstjes bij de zilveren lathyrusvazen stonden, naast ploegonderdelen en stukken steen waar misschien wel goud in zat.

Ik zou me een bescheiden huur of hypotheek kunnen veroorloven. Ik begon aan een van die intensieve perioden van huizenjacht die me dag in dag uit naar zo veel hoekjes van Londen voerden dat ik nu bijna geen straat meer in kan komen zonder te denken: o ja, kijk, daar heb je dat huis, daar had ik nu al die tijd kunnen wonen.

Twee huizen uit die tijd herinner ik me nog het scherpst. Het ene was een huis van twee verdiepingen in Flood Street, Chelsea, met sjofele, krakkemikkige, smerige, stoffige kamers. Het was niet duur, maar ondanks alle beroemdheden die in Flood Street hadden gewoond, deprimeerde het huis me. Ik zou weer weken zoet zijn met schilderen, repareren, verven en bovendien, die náám, Flood – en dat met de Thames die je aan het eind van de straat zag stromen. Het andere huis stond in Royal Crescent in Holland Park, bij lange na niet de gewilde buurt van nu. Allereerst was het door bommen getroffen – of het oogde zo. Het huis was schoon en geschilderd. Maar waarom was het zo goedkoop? Ik kwam in de verleiding, zei dat ik weer terug zou komen, maar toen ik bij het hek kwam, wenkte de vrouw uit het huis ernaast me om me op gedempte toon te vertellen (met een schuin oog op de makelaar, die nors ter zijde stond) dat ik binnen een jaar in een bouwval zou zitten als ik het kocht: de schimmel en bruine rot hadden op de muren en plafonds gewoekerd als rotte paddestoelen, en de werklui hadden de troep er alleen maar afgeschraapt en alles wit geschilderd.

Ik werd gered door mijn uitgever. Ik had er al twee, wat toen nog niet zo gebruikelijk was als later. Omdat ik geld nodig had, had ik ze om een voorschot op een bundel korte verhalen gevraagd, *The Habit of Loving*, maar bij Michael Joseph wilden ze dat niet geven. Dat was stom van ze, want mijn vorige bundel, *This Was the Old Chief's Country*, had goed verkocht en liep nog steeds. Tom Maschler, die toen nog bij MacGibbon and Kee zat, zat juist op zo'n kans te wachten en gaf me het geld, al neem ik aan dat ook de eigenaar Howard Samuels is geraadpleegd. Howard Samuels was miljonair, maar geen gewone, want hij was socialist, een goede vriend van Aneurin Bevan; hij steunde de *Tribune*, het orgaan van de linkervleugel van Labour. Hij had zich uit het niets omhooggewerkt, en uitgeven was na de politiek zijn grote liefde. Hij was eigenaar van Holbein Mansions in Langham Street, in de buurt van de BBC. Hij bood me er een appartement aan voor vijf pond per week. Dat was een heel lage huur, niet alleen voor die buurt (op loopafstand van het toneelmekka, Soho, Oxford Street, Mayfair, de rivier) maar voor overal in Londen toen. Het was klein, zes krappe kamertjes, en het gebouw was afzichtelijk, met een grijze, kale betonnen trap. Op de vierde verdieping opende je de deur naar een smalle gang die het appartement in tweeën deelde. Tegenover de deur lag een piepklein keukentje, dan de badkamer, met zijn sissende, bonkende geiser, en twee kleine kamertjes. Aan de straatkant had je mijn slaapkamertje en een grotere kamer, de woonkamer. Het kon er net mee door: méér viel er van dit appartement met geen mogelijkheid te maken. Clancy en Tom Maschler hielpen me verhuizen. Er waren veel te veel meubelen van het huis op Warwick Road, en die gaf ik weg aan iedereen die krap genoeg zat om ze te willen hebben; zelf nam ik een stel bedden, een tafel en een paar stoelen mee. En de boekenkasten. Mijn slaapkamertje was niet meer dan een hok. Drie van de muren waren felroze, met platen met fantasievogels op de muur van de open haard. Ik verfde het kamertje wit, iets wat in een ochtend gepiept was, zo klein was het, maar de open haard was zo lelijk dat ik er mijn ogen niet van af kon houden, en die muur verfde ik donkerpaars, om hem te laten verdwijnen. Tot op de dag van vandaag zeggen er nog mensen: weet je nog dat je je slaapkamer zwart schilderde? Dat zal wel net zoiets zijn als een schilder die net als je kijkt een beetje rood op zijn doek aanbrengt, jij hebt niet zo goed opgelet, en later denk je: dat schilderij met al dat rood erin. Het enige leuke aan de kamer was het grote raam, met prachtige donkerblauwe katoenen gordijnen, die een mooi, rustgevend licht gaven. Ik naaide alle gordijnen op mijn oude Singer.

Ik vond zelf dat de lage huur en de omgeving wel tegen de lelijkheid opwogen, maar Peter vond het er vreselijk. Hij had Warwick Road al vreselijk gevonden, maar daar was tenminste nog ruimte geweest. Zodra we deze nieuwe flat betrokken, begon hij me te smeken om een nieuw huis te kopen. Hij wilde zekerheid. Een huis betekende zekerheid. De bank zette me ook onder druk om een huis of appartement te kopen. Wonderlijk eigenlijk, want in andere landen van Europa maak je dat niet mee. Als je in Engeland een hypotheek hebt, ben je een rechtschapen burger, en lacht de bank je toe. Ik was bang om me vast te leggen, en bovendien moest ik schoolgeld voor Peter bij elkaar zien te scharrelen. Peter zat nu op kostschool. Hij is er op zijn twaalfde heen gegaan. Ik vond het niet prettig, want ik wist nog hoe ik me er had gevoeld, maar twaalf is iets anders dan zeven. En het is trouwens een goed besluit geweest. Veel kinderen die zich ellendig voelen als ze op hun zesde of zevende naar kostschool gestuurd worden, vinden het er op latere leeftijd fijn.

Er woonden ook twee hoeren in die flat, maar dat had ik pas in de gaten toen Clancy me erop wees. Ze voldeden allebei aan het cliché, al was het voor elk een ander cliché. De ene was een kleine, opgedirkte, zoetige blondine, en haar huis zat vol knusse hoekjes, roze gordijnen, roze poefs, roze spreien, kokette poppen en zachte knuffelbeesten. Ze stond me altijd in haar deuropening op te wachten, zodat ze een praatje met me kon aanknopen en over Helen kon klagen. Verder zag ik haar nooit, want ze werkte kennelijk elders, in Soho. Ze komt voor in het verhaal *Mrs. Fortescue.* Helen was donker van huid, met zwart Gauguin-haar en donkere ogen vol van het levenswijze 'scepticisme' dat Clancy en de andere Amerikanen die ik kende zo op prijs stelden. Zulke 'scepsis' bij een vrouw gaf aan dat ze wist wat er in de wereld te koop was en voor zichzelf kon zorgen, en dat betekende bij beide partners een geringere kans op averij. Ik hoefde alleen maar tegen een Amerikaanse bezoeker te zeggen dat er twee dames van lichte zeden in het gebouw woonden of ze hadden meteen het gevoel dat ze volop in het bruisende leven zaten. Ik mocht Helen graag, en we hielden vriendelijke kletspraatjes. Ik kreeg te horen dat ze een goede vriendin van Howard Samuels was geweest toen die eenzaam en ontheemd in Londen zat, en dat ze daarom het beste appartement van de hele flat had en dat hij altijd voor haar zou zorgen. Soms zag je beneden op straat voor het gebouw een opgedirkte oude hoer, net een terriër met een strik om, en een languissante, elegante, donkere, wereldse hoer elkaar met koele, afkeurende blikken passeren.

De straten rond Langham Street nodigden uit om er een kijkje te gaan nemen en rond te wandelen. Het was het hart van de kledinghandel. Als je tussen de tralies door gluurde, zag je inderdaad nog souterrains vol slecht betaalde meisjes achter hun naaimachine jurken en blouses zitten maken, maar het merendeel van dat werk was naar elders verhuisd. De winkels waren groothandels, bedoeld voor afnemers, en als je naar binnen keek, zag je drukke onderhandelingen gaande. Ze waren grotendeels in joodse handen, en er was een restaurant om de handel te eten te geven. In Warwick Road was het goedkope, goede eten Indiaas geweest, hier was het joods. Vier jaar later, toen ik weer zou verhuizen, zouden de goede goedkope restaurantjes Grieks zijn. Dit joodse restaurant zat altijd vol. Ik heb er heel wat mensen mee naar toe genomen, maar degene die ik me het best herinner is Mordecai Richler, die me gevulde kippennekjes als delicatesse wilde aansmeren, al wierp ik tegen dat ze hem zo smaakten omdat hij ze als nostalgische jeugdherinneringen at. Clancy kwam er ook vaak. Bezoekers uit Amerika vonden het er prachtig omdat in die dagen mensen in de showbusiness en uitgeverij vaak joods waren, uit de Bronx, zodat de woorden 'Ik ben opgegroeid in de Bronx' wel een soort refrein ging lijken van een liedje, of een van die romans waarin een grote, arme familie met moeite de eindjes aan elkaar knoopt, maar de slimme kindertjes, stuk voor stuk volgestouwd met literatuur en literaire ambitie, zijn dan voorbestemd om aan hun milieu te ontstijgen en de wereld verbaasd te doen staan. En het Amerikaans bezoek dat niet joods was, zei dat dit gezellige restaurant met zijn familiesfeer in New York ooit gemeengoed was maar nu begon te verdwijnen, zodat ze het gevoel hadden in hun eigen verleden op bezoek te zijn.

De buurt was overdag druk en lawaaierig, maar 's nachts uitgestorven, met uitzondering van een paar pubs en een restaurant dat dankbaar gebruikmaakte van de wet die zei dat naaktheid zedeloos was als de ontkleden in beweging waren, maar deugdzaam als er geen beweging plaatsvond. De klanten werden voorzien van potlood en papier en aangemoedigd hun artistieke talenten te botvieren. Er werd een naakt meisje naar binnen gereden dat haar pose twintig minuten volhield, en dan werd ze weer weggereden terwijl de klanten applaudisseerden en elkaar hun schetsen lieten zien, waarop er een volgend meisje arriveerde, vaak met kippenvel van de kou. De gasten werden aangemoedigd om te blijven tekenen, want als de politie binnenviel om te controleren of het meisje geen spier bewoog, bewezen al die druk bewegende of aarzelende potloden de artistieke intentie. De politie kwam er vaak. Dit restaurant was bij alle Amerikanen een groot succes. Verbazend dat in de jaren vijftig en zestig de Amerikanen die Londen bezochten meteen koers zetten naar Soho, de hoeren en de naaktshows. Als je dan zei: goeie help, jullie hebben toch zeker zelf in iedere grote stad hoeren genoeg, beweerden ze dat dat niet hetzelfde was. De Russen idem dito. Elke delegatie Russen – dit was het tijdperk van de Delegaties, onder hoede van een gids die in werkelijkheid van de KGB was – werd meteen naar Soho gedirigeerd om de kapitalistische verwording te aanschouwen, in dezelfde sfeer als waarin het ballet *De rode papaver* in Moskou een langdurig, sexy tafereel in een kapitalistische nachtclub had bevat om de verdorvenheid van het Westen te laten zien. In het communistische Rusland waren deze verrukkingen verboden; hoeren en seksshows waren alleen in het kapitalisme mogelijk, dus dat er horden Russen naar Soho togen was begrijpelijk.

De seksclubs van Soho hadden nog een attractie. Volgens de wet op de drankvergunning moesten drankgelegenheden iedere middag een paar uur dicht, maar in de clubs was alcohol legaal. Drinkers die de middagonthouding niet aankonden, sloten zich bij zo'n club aan. Reuben Ship heeft er me eens mee naar toe genomen; ik was de enige vrouw in het publiek. Ik heb naar de voorstelling zitten kijken, maar Reuben ging met zijn rug naar het podium aan de bar zitten. Eén meisje staat me nog bij: ze was Iers, groot en mooi, en nieuw in het vak. Ze werd geacht zwoel te kronkelen en dan met haar borsten te schudden zodat de kwastjes aan haar tepels heen en weer zwaaiden, maar ze vond het allemaal zo komisch dat ze de verleiding niet kon weerstaan er een grap van te maken, en uiteindelijk offreerde ze haar grote, bekwaste tieten als twee op haar handen rustende puddingen aan het publiek, en ze schudden van de lach, om zichzelf, de mannen, en de hele toestand. De mannen konden het niet waarderen: doodernstige, broeierige concentratie, vol latente vijandigheid, dat was hun stijl; zij doorbrak die sfeer en maakte ze belachelijk. De baas haalde haar van het podium en gaf haar de wind van voren terwijl ze giechelend werd afgevoerd. Ze is dat baantje kwijtgeraakt, maar toen is ze in de plaatselijke pub achter de bar gaan werken, waar haar gevoel voor humor een pre was.

Er was nog een buurtrestaurant, maar dat kon ik me toen met geen mogelijkheid veroorloven; Howard Samuels nam er zijn schrijvers mee naar toe. Dat was de Spanish Club, een en al donkerbruin glanzend houtwerk en rood leer, heel mannelijk, een loodzware stijl. Daar zat Howard Samuels met Aneurin Bevan, Howard Samuels met Jenny Lee*, Howard Samuels en de Labour Party Left (niet de New Left) uren aan de stevige Spaanse kost met perzikbrandewijn toe. Howard speelde graag gastheer. Het was een knappe, emotionele, beweeglijke man; zo iemand heeft zijn Sancho Panza nodig – en ziedaar: Reginald Davis-Poynter, zijn rechterhand bij MacGibbon and Kee. Reggie was kalm, verstandig, groot en aardig en zorgde voor Howard. En ook voor mij, als zijn auteur, zolang ik dat nog bleef toen Tom Maschler was vertrokken.

En toen ben ik een tijdje dat schandelijke verschijnsel geweest van een vrouw van middelbare leeftijd die bij de slijterij halfjes whisky gaat halen.

De verhuizing naar Langham Street viel niet te vergelijken met die naar Warwick Road, toen ik stom genoeg was om te geloven dat ik er met Jack zou gaan wonen. Clancy en ik gingen uit elkaar – daar waren we al maanden mee bezig, je zou zelfs kunnen zeggen, vanaf het begin. Allereerst hadden we bijzonder weinig gemeen. En bovendien had hij nooit onder stoelen of banken gestoken dat hij alleen wilde wonen en met meisjes naar bed wilde. Mijn brein wist wat er gaande was, verstandelijk, maar dat was op heel ander niveau dan die diepten waar mijn emoties – nee, het was dieper dan emoties en gevoel – zich bevonden. Weer werd ik voortgesleurd als een vis aan de lijn. Met Clancy had ik bij mezelf de uitersten verkend, gelijk vanaf het begin, en dat had weinig te maken met hem als persoon. Dat kwam deels omdat hij gestoord was, een inzinking had, een *breakdown*, dat nuttige woord dat ik hier niet ga definiëren. Bovendien wordt het beschreven (niet gedefinieerd) in *Het gouden boek*. Je kunt niet met iemand samenwonen die gestoord is, ook al is dat samenwonen nog zo losjes en vrij, zonder erbij betrokken te raken, al is het maar in je verbeelding. Het was weer datzelfde liedje van meegesleurd worden tegen wil en dank. Het leek op het gevoel dat ik had gehad toen ik voor het eerst trouwde, toen in 1939 de oorlogstrommels roffelden. Het leek wel of ik geen wil meer had; mijn verstand zag wel wat ik deed, maar stond machteloos. Mijn gedrag aan de buitenkant zei: 'O nee, Clancy en ik zijn goede vrienden, meer niet.' En dat waren we ook. Maar vanbinnen was ik op en top de bedrogen vrouw, in de steek gelaten, ik leed en treurde en sleepte mezelf rond, met net genoeg wilskracht om me op de been te houden, en het feit dat ik mezelf erom verachtte, maakte het alleen nog maar erger.

En dan was Peter er nog; hij kwam en ging niet meer zoals hij gedaan had toen hij in Londen naar school ging, en was er ook niet meer lange tijd achter elkaar, want hij zat nu op kostschool en kwam voor afgebakende vakantieperioden thuis. Maar ik had het gevoel dat dit het begin van het einde was. Peter was de enige constante in mijn leven geweest, hij hield me in evenwicht, iets waar

* Minister van Kunstzaken, getrouwd met Bevan.

ik me door dik en dun aan vasthield – en dat was natuurlijk ook de reden waarom hij bij me weg moest, want voor hem was dat niet goed – maar nu was hij er niet.

Ik was hard aan het werk (met *Het gouden boek*), want er is geen tijd geweest dat dat niet zo was, en ik ging gewoon met vrienden en kennissen om. Maar de hele tijd werd er door iets donkers en onzichtbaars aan me getrokken.

En er was nog iets. Clancy had het besluit genomen om vertrouwen te stellen in een arts die grote doses LSD voorschreef. Hij behandelde zijn patiënten niet in het ziekenhuis; ze arriveerden 's ochtend bij hem aan huis, kregen hun dosis, en werden 's avonds rond een uur of zes weer op straat gezet. Op dat moment waren ze dan nog high, gek, zonder zelfbeheersing. Ik vond dat toen misdadig, en zo denk ik er nog steeds over. Dat gebeurde een paar keer in de week, en ik was ziek van bezorgdheid. Ook Joan maakte zich zorgen. We belden elkaar op:

'Is Clancy bij jou?'

'Nee, ik dacht dat hij bij jou zat.'

Als hij dan bij een van ons kwam opdagen, zei hij soms: 'Ik moet even gaan liggen.' Of we wisten niet waar hij was. Tja, hij heeft het allemaal overleefd, en ik neem aan dat die arts kan zeggen: 'Waar maak je je zo druk om? Het is toch goed met hem afgelopen?' Maar het had heel makkelijk mis kunnen gaan. Ik wist dat de paniek die ik voelde, de bezorgdheid, er was omdat ik weer mijn vader beleefde, die wegdreef naar de dood maar tot het eind in leven bleef met insuline-injecties en god mag weten welke medicijnen nog meer. Maar wat heb je eraan om iets te weten als het je gedrag niet verandert? Ik heb geloof ik te veel perioden meegemaakt waarin ik mijn gedrag, of gevoelens, gadesloeg met mijn verstand – spottend, afkeurend, bezorgd – maar niet in staat was te stoppen.

Ik ging weer naar mevrouw Sussman, na een pauze van drie of vier jaar. Ze zat naar me te luisteren, met haar wang in haar hand geleund. De band tussen ons was doorgeknipt, dat was duidelijk. Ze leek ver weg. Ze zei: 'Het spijt me dat ik je niets verstandigers heb kunnen leren.' Vervolgens zei ze: 'Ik ben een heel oude vrouw. Ik ga binnenkort dood. Ik bereid me nu voor op mijn dood. Goeiendag.' Dat was bijzonder heilzaam, leren dat er een stadium zou komen waarin al die emoties eenvoudig irrelevant zouden worden.

Dit keer was het drinken een ernstige zaak. Ik had het drinken uit mijn eerste huwelijk nooit als ernstig beschouwd. Wel als stom, onverstandig; je zou denken dat het opzettelijk bedoeld was geweest om maximale schade aan te richten: soms urenlang doordrinken zonder te eten. Maar dát drinken deed ik omdat ik in het gezelschap van drinkers verkeerde, in een cultuur die stevig innemen niet alleen tolereerde maar bewonderde. En toen ik uit dat huwelijk stapte, ben ik ermee opgehouden. Ik zat al twee jaar in Londen toen ik besefte: hé, sinds mijn aankomst heb ik bijna geen druppel meer gedronken. Ik had geen geld, en niemand in mijn omgeving dronk. Toen leerde ik de Canadezen kennen en begon ik opnieuw, maar nooit meer zoveel als in het oude Zuid-Rhodesië, met Frank Wisdom.

Het is waarschijnlijk een erkend ziektebeeld: de vrouw van middelbare leeftijd die afglijdt in de drank omdat ze zich in de steek gelaten voelt, niet geliefd, overbodig. Dat was er van mij geworden. Ik ging naar de slijter, kocht een halveliterfles whisky, en dronk die leeg voor ik ging slapen. Niet elke avond. En ik deed dat vooral nadat ik Peter op zijn school was gaan opzoeken. Maar ditmaal was het pure drankzucht, geen gezelligheidsdrinken. Op een ochtend ben ik uit bed gerold en op handen en knieën naar de badkamer gekropen om over te geven. Dat ontnuchterde me op slag. Ik dacht: deze keer ben ik echt alcoholiste. Ophouden nu. En dat heb ik gedaan. Ik ben niet meer naar de slijter om whisky gegaan. Ik ben niet meer alleen dronken geworden. Maar die tijd dat het duurde, zo'n drie, vier maanden, ben ik alcoholiste geweest.

Bedoel ik dat mannen niet tot alcoholisme afglijden? In ieder geval niet op diezelfde manier. Het komt vaak voor dat een vrouw met een stukgelopen huwelijk of verhouding, of van wie de kinderen het huis uit zijn, begint te drinken, en de mensen die dat zien, denken dan: ach, daar komt ze wel overheen. En meestal is dat ook zo.

Ik besef dat het vragen om moeilijkheden is, schrijven dat Doris Lessing op handen en knieën naar de wc is gekropen om over te geven. Dat is voor schrijvers een probleem: bepaalde denkbeelden, woorden, uitdrukkingen die van de bladzijde afknallen omdat we er overgevoelig voor zijn. Soms heb je de keus tussen ergens het zwijgen over doen, omdat je weet dat anderen het gaan overdrijven, of het toch vermelden, omwille van de waarheid.

Ik heb dat probleem aangesneden in *Het gouden boek*. Menstruatie, bijvoorbeeld. Ik geloof niet dat er voor dat boek in romans ooit over menstruatie was geschreven, en bij *Het gouden boek* heeft het van de recensenten buitensporige aandacht gekregen. Maar later had 'menstruatie' geen schokeffect meer, nam het woord (en het idee) zijn plaats in tussen de drukletters op het papier, en werd het niet meer zo opgemerkt. 'Masturbatie' is ook zo'n woord dat geen schokeffect meer heeft. Bijna niet meer tenminste. Het hangt van de context af. Nabokov beschrijft in *Ada* hoe zijn hoofdpersoon masturbeert omdat hij een meisje dat naar hem verlangt niet wil verleiden, en hij zich zo veiligstelt. Dat is schokkend omdat het wreed is jegens het meisje. Niet vanwege de daad zelf. Maar nog niet zo lang geleden had het geschokt om de daad zelf.

Drie, vier maanden lang te veel drinken lijkt nu de minst interessante van mijn herinneringen aan die tijd, want wat ik in mijn hoofd heb, is een jaar dat glanzend oplicht, met veel glamour, want 1958 was het Internationale Jaar van de Geofysica, en wat verrukkelijke opwinding en verrassing aangaat, kent het zijn weerga niet. Met ieder stukje nieuws kwam er weer nieuwe informatie, over de ruimte, de ruimtevaart, en ook over de zuidpool, voor mij altijd een ultima Thule, een lokkend oord. Dat was het jaar waarin de wereld besloot om het zuidpoolgebied voor de hele mensheid in gezamenlijk beheer te nemen, en om op het terrein van onderzoek en verkenning te gaan samenwerken (niet alleen aan de zuidpool) om kennis te delen. Soms duikt in gezelschap dat jaar 1958 nog weleens op. 'Mijn god, dat was me een jaar! Zoiets opwindends maken we nooit meer mee.'

In Langham Street zat ik op korte loopafstand van de New Left en hun trefpunten, aan de andere kant van Oxford Street, en ze kwamen weleens binnenvallen. Ik was een soort tantefiguur geworden, onmiskenbaar iemand van de oude garde.

Ze hadden inmiddels *The New Left Review* opgericht; ik moet bekennen dat ik die onleesbaar vond, al steunde ik het tijdschrift officieel en zat ik in ieder geval in het bestuur. Je hebt een bepaalde vorm van academisch polemisch geschrijf die dor is: een makkelijk woord om te gebruiken maar moeilijk te definiëren. Het schrijven komt voort uit logisch redeneren, als een machine die denkbeelden produceert die door andere denkbeelden gevoed zijn, en die zelden iets te maken hebben met wat er eigenlijk in 'het echte leven' omgaat. Maar dat feit zien de polemisten doorgaans over het hoofd. Welk effect hebben die meters, die kilometers analyse, betoog en discussie eigenlijk gehad? Wat hebben ze veranderd? Hebben ze het Britse socialisme beïnvloed? Een nieuwe natie geschapen? Zijn ze onderdeel van het beleid van politieke partijen geworden? Het wordt als vanzelfsprekend beschouwd dat een 'nieuwe' beweging meteen een eigen tijdschrift moet hebben; zo'n nieuwe generatie slaat aan het argumenteren en opiniëren, maar voor het grootste deel gebeurt dat in een vacuüm. Als tegenargument hoor je meestal: 'Maar het schept een nieuw denkklimaat en het is indirect van invloed op de mentaliteit.' Het heeft in ieder geval mensen voortgebracht die later boeken hebben geschreven met denkbeelden die niet in *The New Left Review* kwamen, want die schrijvers hadden zich verder ontwikkeld, en je zou misschien kunnen stellen dat hun boeken inderdaad indirect zijn voortgekomen uit dat utopisch geschrijf in *The New Left Review.* Als zo'n nieuwe beweging langsgehuppeld of -gedenderd is, en je vraagt de mensen die er deel van uitmaakten: 'Nou, wat hebben jullie eigenlijk bereikt?' luidt het antwoord vrijwel onveranderlijk: 'Ik heb er zoveel van geleerd.' En als ze mij in verband met de communistische groep in Zuid-Rhodesië vragen: 'Wat hebben jullie met dat drukke gedoe en die toespraken en tijdschriften en dat beleid uitstippelen nu eigenlijk bereikt?' zeg ik ook: 'Ik heb er veel van geleerd.' Ik ben van mening dat de behoefte om te leren de krachtigste en diepste drijfveer is die wij hebben, en dat jonge mensen die tijdschriften, nieuwe bewegingen of communes beginnen, eigenlijk situaties scheppen waarin ze in korte tijd heel veel kunnen leren. Bijna al die jongeren zijn op de universiteit terechtgekomen, ze zijn nu professoren en schrijven boeken en artikelen, komen op radio en televisie. Van hun oude, hartstochtelijke zekerheden is niets meer over.

Een van degenen die bij me aanbelden om geld los te peuteren voor het Goede Doel, net als ik vijftien jaar daarvoor had gedaan, was Ralph Samuels;* daar zat hij, in de roes van zijn eigen overtuigingskracht, terwijl de feiten en cijfers

* Ralph Samuels is in 1996 overleden.

die duizelingwekkende mogelijkheden schetsten ons om de oren vlogen. Het was een innemende jongen, wiens uitzinnige beschrijvingen van het Engeland dat mijn geld zou helpen scheppen hem plots midden in zijn fantasieën in lachen deden uitbarsten. Hij lachte om zichzelf. Nou, dacht ik, dat had ik ons groepje op het hoogtepunt van onze bevlogenheid nooit zien doen. Wij hadden nooit zo welgemeend om onszelf kunnen lachen. Déze jongeren waren veel minder dogmatisch en fanatiek dan wij toen, ook al was Trotski voor hen minstens zo'n lichtend voorbeeld voor de hele mensheid als Stalin voor ons toen. Zij waren evenwichtiger, zij waren niet gek, en ik denk dat wij dat toen wel waren. Dat kwam omdat er om hen heen geen oorlog woedde, voor hen was het niet een en al moord en ramp en propaganda. Want zo zie ik ons groepje van toen nu: in een oorlogsroes, al zaten we honderdduizenden mijlen van het front.

Los van de New Left-groep had je de activiteiten die zouden leiden tot de Aldermaston Ban-de-Bom-paasmarsen en later tot de Commissie van Honderd. Ik werd uitgenodigd voor een bijeenkomst in het huis van kanunnik Collins, in de buurt van St. Paul's Cathedral, waar de Campaign for Nuclear Disarmament (CND) tegen de kernbewapening is begonnen. Er waren die avond veel mensen aanwezig, bijna allemaal kopstukken van links en linkser dan links. Ik zat daar te denken: o God, niet wéér! – iets wat ik toen bij bijeenkomsten altijd had. Geen enkele nieuwe organisatie, hoe goed bedoeld ook, hoe indrukwekkend de status van de oprichters ook, ontwikkelt zich naar verwachting. Ik vond het vreemd dat ze dit voor mij zo fundamentele gegeven niet inzagen. En naarmate ik ouder word, vind ik het steeds vreemder. Ik deed niet mee aan de discussie; ik luisterde, was supporter. Toen ik wegging, stond Bertrand Russell bij de deur; hij hield me staande en zei met een autoritair knikje (net een gouvernante): 'Ik hoop dat je naar huis en met je minnaar naar bed gaat.' Ik had hem nog nooit ontmoet. Ik vond hem onbeschaamd en raar. Ik begreep niet waarom hij dat zei. Later wel. Hij had in de Bloomsbury-groep gezeten, of er in ieder geval bij rondgehangen. Dat waren bewonderenswaardige, uitstekende figuren, vooral in hun niet aflatende, levenslange onderlinge loyaliteit, maar ze hadden een mallotig trekje. In reactie op de houding van de Victorianen tegenover seks, hun hypocrisie, hun doodzwijgen, barstten de leden van de Bloomsbury-groep te pas en te onpas los in schuttingtaal om te laten zien dat zij boven gehuichel stonden. Dat was in de juiste context wel begrijpelijk, maar op plaatsen die zich er niet voor leenden maakten ze zich er belachelijk mee. Stomme ouwe filosoof, dacht ik.

Algauw volgde de eerste Aldermaston-mars, en die ging van Londen naar Aldermaston en niet andersom, zoals de latere Ban-de-Bom-marsen. Er werden al jaren bijna ieder weekend protestmarsen en demonstraties gehouden, en ik verkeerde in een permanente toestand van neurotisch schuldgevoel omdat ik er zelden aan deelnam. Maar dit was andere koek, dit ging om De Bom, en ik was niet de enige die het zo voelde. Die dag waren er bij het vertrekpunt in Londen niet zo veel demonstranten, een paar honderd maar, zoals het meestal ging – de harde kern getrouwen met hun kinderen. Maar déze mars had iets, en langs de hele route kwamen er mensen bij. Bij ieder metrostation kwamen er meer, mensen sprongen uit de bus om zich aan te sluiten, en aan de rand van Londen waren er al duizenden. Het nieuws over de mars bereikte de krant en het journaal. En zo bleef hij groeien; de organisatoren waren volkomen verrast. Aan het eind, toen we Aldermaston binnenliepen, stond het hele centrale comité van de communistische partij aan weerskanten van de weg toe te kijken. Zij hadden zich misrekend; nucleaire ontwapening was voor hen geen agendapunt, maar hier liep de massa. Er vielen die dag heel wat schimpscheuten aan het adres van de kameraden te horen; volgens ons stonden ze op het punt om 'de lijn' aan de gebeurtenissen aan te passen, hetgeen definitief hun zwakte aantoonde.

Die eerste mars trok mensen uit het hele land aan, de marsen in de daaropvolgende jaren ook uit de rest van Europa en Amerika. Het hele spectrum van links en verre omstreken voegde zich bij de marsen aaneen. Als je ze een uurtje aan je voorbij liet trekken, vormden hun spandoeken een staalkaart van de Britse socialisten. Er waren zelfs groepen conservatieven. Pluriformiteit, dat was de trend van die marsen. En velen liepen niet in de eerste plaats mee vanwege De Bom, maar uit een algemene zorg om het land. Elk jaar werden de demonstranten jonger, op het laatst leek het wel een moderne kinderkruistocht. Meelopen met de Aldermaston-mars werd een soort initiatierite; pasgeleden nog kwam ik een vrouw tegen die zei: 'Ik mocht niet van mijn moeder, en dat vergeef ik haar nooit.' Maar in die eerste paar marsen liepen mensen van alle leeftijden, van elke kleur, elk soort en formaat; het was een vrolijke, optimistische en vaak heel geestige, om niet te zeggen oneerbiedige, menigte. De liedjes van Tom Lehrer vormden net zozeer de volksliederen van de mars als 'We Shall Overcome', 'Down by the River Side', en 'Jerusalem'. Christopher Logue maakte een eigen spandoek met 'Eat More Food', wat hem spottende bijval opleverde. John Wain, die niets van de mars moest hebben, ging op een brug staan waar de route onderdoor liep, keek neer op zijn vrienden die naar hem zwaaiden en riepen: 'Kom erbij,' en schudde op tragische wijze zijn hoofd. Ken Tynan hobbelde mee, met de nodige volgelingen, en als we rond lunchtijd stopten om te eten, trok hij groepjes theatermensen aan die van zijn geestigheden wilden meegenieten. Vaak zag je een ouder iemand omgeven door jongeren een soort cursus geven, over politiek, maatschappijleer, geschiedenis, literatuur, film. Ik zag die marsen als een soort reizende universiteit of school.

Het ontroerendste, mooiste spandoek van allemaal was het kleintje dat was vastgemaakt op een wankel wandelwagentje dat werd voortgeduwd door een knappe jonge vrouw, een dappere amateurpoging, heel laag te midden van de grote vakbondsspandoeken, de banieren van de Labourpartij, en die van de CND: 'Clydeside zegt NEE'... 'Cornwall zegt NEE'... Greenwich zegt NEE'... 'Ban de Bom', allemaal in zwart op wit, en op het kleintje van haar stond: 'Caroline zegt NEE'. Als ik één beeld moest kiezen om die jaren van protestmarsen in samen te vatten, zou het dat zijn. Of misschien Wayland Young en zijn vrouw in hun zee van kindertjes, in wandel- en kinderwagens, op zijn rug en in hun armen.

Op één van de marsen begroette Randolph Churchill de demonstranten met een opwindgrammofoon waarmee hij vaderlandslievende muziek ten gehore bracht, maar het was zo'n lawaai dat ze hem voor een supporter aanzagen en toen zijn furieuze gebaren duidelijk maakten bij welk kamp hij hoorde, kreeg hij de uitnodiging om mee te lopen zodat hij van gedachten kon veranderen.

Journalisten voegden zich tussen de demonstranten om ze citaten te ontlokken waarmee ze de hele zaak belachelijk konden maken.

Toen na het eerste jaar de marsen eindigden op Trafalgar Square, werd het aantal mensen op een half miljoen geschat. Zwakkere zielen gaven het op in Hyde Park, dat een zee van picknicks was, maar soms werden er feestmaaltijden aangericht in gastvrije huizen. Het huis van Peter (eigenlijk David, maar zijn vrienden noemden hem Peter) en Anne Piper aan de rivier leverde enorme pannen soep en sandwiches aan voor mijn gevoel tientallen mensen, van wie sommigen langs de route in scholen en gemeentehuizen ongemakkelijk de nacht hadden doorgebracht. De meeste ouderen zoals wij gingen thuis slapen om dan met de trein terug te reizen naar de plek waar de mars de avond daarvoor geëindigd was. Ik heb in *De stad met vier poorten* meer over het Aldermaston-fenomeen geschreven.

ONDERTUSSEN WAS HET COMITÉ VAN HONDERD OPGERICHT, DAT TOT doel had om die enorme, als los zand aan elkaar hangende beweging om te smeden tot een wapen (hun woord) waarmee men kerninstallaties, daarvoor in aanmerking komende ambassades en politieagenten die hen probeerden tegen te houden wilden aanvallen en zoveel mogelijk beschadigen. Het was zonneklaar dat die honderdduizenden mensen, van wie er veel niet echt sterk in politiek geïnteresseerd waren, zich nooit achter zulke 'directe actie' zouden scharen, en dus had het even zonneklaar moeten zijn dat dit plan de beweging voor nucleaire ontwapening onherroepelijk uiteen zou drijven. Kortom, we zaten weer met erfgenamen van Lenin opgezadeld. Je hoeft niet van Lenin gehoord, laat staan hem gelezen te hebben om zijn erfgenaam te zijn.

Het lag voor de hand dat de CND binnen de kortste keren in diskrediet gebracht zou worden door berichten en geruchten over geweld, en er waren journalisten genoeg die hun kans afwachtten.

De eerste bijeenkomst van het Comité van Honderd was cruciaal. Er waren drie soorten mensen aanwezig. Allereerst een paar zoals ik, ex-communisten die uit wilden vinden of hun ergste verwachtingen inderdaad bewaarheid zouden worden. Dan mensen die weliswaar niet veel meer van het communisme moesten hebben, maar revolutie en geweld nog steeds als 'wapen' zagen. En dan nog wat naïevelingen, voor wie dit hun inwijding was. Een van hen – die jarenlang een prominent lid van het Comité van Honderd is geweest – heb ik onlangs nog gevraagd wat hij nu van al dat geraas en gebral dacht, en wat er naar zijn mening mee bereikt was. Zijn antwoord: we hebben een hele generatie gepolitiseerd. Met andere woorden, hij vond dat het uiteindelijke succes op lange termijn van het Comité van Honderd erin lag dat het nog meer mensen zoals hij had voortgebracht.

Het was een groot vertrek, stampvol, en de samenzweerderige sfeer was me maar al te vertrouwd. En daar was-ie weer, de krachtige, charismatische leider; ditmaal was het Ralph Schoenman, een jonge Amerikaan. Hij nam het woord, in de stijl die geperfectioneerd was door de Geschiedenis zelf, een combinatie van idealisme en een kille, afgemeten precisie, vol minachting voor de tegenstanders, die per definitie moreel minderwaardige laffe honden waren, immers, de aanwezigen hadden de verantwoordelijkheid voor de toekomst der mensheid op hun schouders genomen.

De oude garde luisterde toe en was snel vertrokken. Ik was er toevallig met Michael Ayrton, de beeldhouwer. Dat was de eerste en de laatste keer dat ik hem zag, maar we hadden een soort verstandhouding als die van cynische veteranen. Toen we buiten ieder ons weegs gingen, zei hij: 'We kunnen denk ik wel zeggen dat we dit al eerder hebben meegemaakt. Doodzonde.'

Het Comité van Honderd, dat als gevolg van die bijeenkomst is opgericht, prees zichzelf fanatiek aan als het gezonde, eerlijke, *goede* deel van de CND, met als leidsman – om propagandistische redenen – Bertrand Russell.

Er werd driftig geworven in de verschillende afdelingen en groeperingen; ook werden er pogingen ondernomen om steun te krijgen van mensen zoals ik, omdat een oude garde nuttig is voor namen op briefhoofden en (niet op de laatste plaats) voor geld.

In een boek getiteld *The Protest Makers*, een soort officiële geschiedschrijving van deze bewegingen, word ik beschreven als een spreekbuis voor de CND en het Comité van Honderd. Dat klopt niet. Ik word als een actieve demonstrant omschreven. Klopt niet. Tenzij meelopen met de Ban-de-Bom-marsen als actief demonstreren geldt. Uiteraard heeft Ralph Schoenman voor het Comité van Honderd proberen te werven.

Ralph speelde een dominante rol binnen het comité. Hij had geen formele functie, maar die waren er ook niet, deels omdat dat 'achterhaalde politiek' was, en deels omdat de politie zo niet wist wie ze moesten arresteren.

Hij kwam me opzoeken. Dat klinkt eenvoudig, maar er gingen verslagen aan vooraf van mensen bij wie hij informatie had ingewonnen over de beste manier om me te benaderen. Daar zaten we dan in dat lelijke kamertje, waar we het raam moesten dichtdoen omdat we onszelf door het geroep op de markt en het verkeerslawaai niet konden horen. Of eigenlijk, Ralph zei met een streng knikje en militaire houding: 'Het lijkt me raadzaam...,' en stond kordaat op om het raam dicht te doen. Hij ging zitten en leunde voorover om mijn ogen gevangen te houden met een strakke blik die me aan vorige reïncarnaties van Lenin deed denken, leugenaars uit principe, maar dat gaf aanleiding tot interessante vragen, die ik met mezelf overlegde terwijl ik vriendelijk naar zijn uiteenzettingen luisterde. Let wel, hij besefte dat ik precies wist wat er gaande was. Hij liep immers in heel Londen rond te bazuinen dat hij niet alleen de brieven van Bertrand Russell ondertekende maar ze ook vaak dicteerde. 'Hij doet wat ik hem zeg.' (Er zijn nog heel wat mensen die zich dat herinneren.) We wisten toch dat als je aan Russell vroeg: 'Zal ik dat dossier voor u pakken... een glas water voor u halen... de telefoon opnemen?' dat hij dan zei: 'Nee, dat doet Ralph wel voor me.' Ralph had Russell in zijn macht en daar ging hij prat op. En toch zat Ralph hier voor me een gruwelijk beeld op te hangen van kanunnik Collins, de voorzitter van de CND, die volgens hem probeerde om Russell met gekonkel, smerige trucjes en bedrog kapot te maken, precies de tactiek eigenlijk van het communistisch arsenaal – Leninistische tactieken. Ralph besefte donders goed dat ik wist dat het niet waar was wat hij zei, en toch zat hij daar al liegend oprechtheid uit te stralen.

Hetgeen me (nu, en ook toen) op de vraag brengt: telt het als liegen als de leugenaar weet dat zijn toehoorder weet dat hij liegt? Als zowel spreker als toehoorder bekend is met 'de leninistische aanpak', die leugens en allerlei smerige trucjes vereist?

Ik zat glimlachend te luisteren terwijl Ralph verder oreerde, en dacht na over deze en verwante vragen.

Van echt liegen, onvervalst en puur liegen, lijkt mij sprake in het volgende verhaal: in de jaren zeventig besluit een zekere succesvolle televisieproducer te gaan trouwen, omdat ze op de leeftijd is gekomen van nu-of-nooit als ze nog kinderen wil. Ze ontmoet – eindelijk – de ware, een goeie vent. Ze kan haar geluk niet op, loopt te stralen. Ook kan ze er maar niet over uit dat dat schijnbaar onmogelijke haar zomaar in de schoot is geworpen. Plots belt ze me in tranen op, volkomen van de kaart. Tijdens de hele periode van hofmakerij, die een paar maanden heeft geduurd, gold de afspraak dat ze hem nooit op zijn werk of thuis op zou bellen. Hij zou haar bellen. Maar er is sprake van een crisis, ze belt zijn werk en krijgt te horen dat ze hem daar niet kennen. Ze belt het flatgebouw waar hij woont, en ook daar heeft niemand van hem gehoord. Ze spreekt hem erop aan. Hij wordt woedend. 'We hadden afgesproken dat jij me nooit zou bellen.' *Zij* heeft het fout gedaan. Hij blijkt inderdaad een baan te hebben, even prestigieus en goedbetaald als hij heeft verteld, maar bij een ander bedrijf. Ook woont hij zoals gezegd in een prima appartement in een van de betere buurten van Londen, alleen op een andere plek. Zijn leven, zijn prestaties, zijn precies zoals hij het verteld heeft, maar dan op een parallel spoor. Ze is overstuur, begrijpt het niet, voelt zich bedrogen. 'Maar waarom, *waarom*?'

'Ik wil niet dat jij weet wat ik doe en waar ik woon,' zegt die man, die op punt van trouwen staat (met plannen voor een gezamenlijk leven, mag je toch aannemen), en hij gaat zelfs zover dat hij dreigt haar aan te klagen wegens schending van belofte. Dit is toch wel het volmaaktste voorbeeld van een pure leugen dat je kunt vinden.

Maandenlang bleef de anti-Collins campagne voortsudderen, een kwalijk brouwseltje; de geruchtenstroom groeide en de laster vierde hoogtij. Het Comité van Honderd werd berucht, en daar was het precies om begonnen.

Ik woonde een vergadering bij in het huis van kanunnik Collins waarop de tactiek van het comité werd besproken. Ik wil niet zeggen dat niemand van de aanwezigen doorhad dat ze hier moesten opboksen tegen stalinistische tactieken onder een andere naam, want bij iedere bijeenkomst van politiek geïnteresseerden zaten altijd wel mensen die in of bij de partij hadden gezeten, waarschijnlijk zelfs de meerderheid. Toch werd ik getroffen door de verbijsterde, hulpeloze naïviteit die er heerste. En misschien was die onschuld niet eens zo'n gekke reactie, want in feite konden ze ook niet veel uitrichten. Het team van kanunnik Collins speelde het spel fatsoenlijk, volgens de democratische regels, eerlijk, alles boven tafel, maar het Comité van Honderd kwam uit een totaal andere traditie en hanteerde andere spelregels. De oude garde was ontzet, want ondertussen had de grote massa van de CND geen idee van wat er aan de hand was, al kon dat natuurlijk niet lang meer zo blijven.

Ik kreeg een telefoontje van Mervyn Jones, die toen voor *The Observer* werkte. Ralph Schoenman had Bertrand Russell overgehaald om een door Ralph zelf opgestelde verklaring te tekenen die de zondag daarop in *The Observer* zou verschijnen en waarin kanunnik Collins van allerlei akeligs beticht werd. Mogelijk had Russell het stuk niet eens onder ogen gehad. Het was een publiek geheim dat veel dingen voor hem verborgen werden gehouden, en er waren vermoedens dat Lady Russell evenmin op de hoogte werd gesteld. Het was ook niet ondenkbaar dat Ralph Schoenman en Lady Russell samen Russell in het ongewisse lieten, want wonderlijk genoeg bewonderde zij Ralph ook.

Ondertussen stelden kanunnik Collins en zijn medestanders een verklaring op waarin de activiteiten van Bertrand Russell, of liever Ralph Schoenman, uiteengezet werden, maar op een veel koelere wijze, én gebaseerd op de feiten.

Wilde ik misschien naar Noord-Wales om Bertrand Russell ervan te weerhouden de verklaring te publiceren? Wat we tot elke prijs moesten zien te voorkomen was namelijk een publieke aanvaring tussen de beide kopstukken van de beweging, want (en daar ging het om) de mensen wie de nucleaire ontwapening zo ter harte ging, soms nog heel jonge mensen, hadden totaal geen boodschap aan die kopstukken, die beroemdheden, die prima donna's. Het was een democratische beweging, en ze zouden het afschuwelijk vinden dat hun leiders in een persoonlijk conflict waren verwikkeld. Een deel van hen – of hun ouders – had net de vreselijke persoonlijkheidsconflicten van het communisme achter de rug en zou ongetwijfeld uitroepen: 'O nee, niet wéér,' om vervolgens teleurgesteld af te haken. Want het heerlijke aan die nieuwe, grotendeels jeugdige honderdduizenden was juist de frisse, levendige belangstelling en het zelfvertrouwen waar voorheen cynisme en desillusie hadden geheerst. Die openbare ruzie móest worden voorkomen. Het probleem was echter dat de twee strijdende partijen en hun volgelingen allang die onschuldige honderdduizenden waren vergeten, want zo gaat dat nu eenmaal als je je dag in dag uit met de misdaden van je tegenstanders bezighoudt.

In die tijd viel ik makkelijker te vleien dan nu. En zelfs nu nog wordt mijn zelfverwijt getemperd, want ik was oprecht en hartstochtelijk bezorgd om al die jeugdige naïevelingen – die inmiddels uiteraard al allemaal van middelbare leeftijd zijn en geen illusies meer hebben wat de politiek betreft. Maar toen vond ik het van belang om hun onschuld zo lang mogelijk te behouden. Ik stemde toe. Een auto had ik niet – het zou nog vier jaar duren voor ik die kreeg. Janet Hase, een jonge vrouw uit Australië die bij de groep rond de *The New Left Review* hoorde, wilde me er wel heen brengen. Het is geen aangename reis geworden. Ze had een klein autootje, kende de weg niet, en het regende de hele tijd, die grijze, gestage, kille regen waarmee Engeland je gegarandeerd somber krijgt. De ruitenwissers schoven onophoudelijk ladingen vuil water heen en weer over de voorruit, en wij kolonialen waren in de stemming waarin je met geen mogelijkheid snapt waarom je hier ooit bent komen wonen. De grote snelwegen waren nog niet aangelegd. Janet klaagde de hele weg dat de mannen van deze nieuwe revolutionaire beweging de vrouwen als sloof gebruikten, ze had er genoeg van. Ze had *Het gouden boek* voor ze willen recenseren, maar dat mocht niet. Ze hadden alleen belangstelling voor theorieën en academische denkbeelden.

We reden telkens verkeerd. Het was laat toen we in Noord-Wales en Plas Penrhyn aankwamen – uren later dan afgesproken. Bertrand en Lady Russell begroetten ons met kille formaliteit. Ze hadden natuurlijk Schoenman geraadpleegd en te horen gekregen dat wij niet te vertrouwen waren. Russell begon meteen hatelijk op te merken dat hij die reis van Londen in een paar uur deed, en dat het hem verbaasde dat wij zo onhandig waren. We gingen naar de zitkamer. Lady Russell hield ons in de gaten alsof we dood en verderf wilden zaaien. Russell was net een energieke oude kabouter. Als oude veteraan van talloze politieke gevechten herkende hij me op dat punt, en dat zette meteen een schertsende, polemische toon. Ik kwam per slot van rekening met een onmogelijke opdracht. Het enige wat ik niet zeggen kon, was: 'Er wordt misbruik van u gemaakt door een gewetenloze jonge politicus die in Londen rondbazuint dat u naar zijn pijpen danst.' Ik kon niet zeggen: 'U krijgt niet de ware toedracht te horen.' En ik wist niet of Lady Russell in het complot zat. Ik kon moeilijk zeggen: 'Er zijn mensen die denken dat uw vrouw 'die daar zo boos zit te glimlachen' met Schoenman samenspant om u overal buiten te houden, hoewel anderen weer denken dat zijzelf gemanipuleerd wordt. Er zijn ook mensen die geloven dat ze zo'n jonge echtgenote is die haar oude man probeert te beschermen.' Ik probeerde er maar een grap van te maken, en zei dat al die onwetende jonge neofieten in de afdelingen van de beweging voor eenzijdige kernontwapening nauwelijks weet hadden van kanunnik Collins of hemzelf, en dat ze vol dwaas idealisme zaten, net als wij vroeger toen we jong waren en nog niets van de politiek afwisten, en dat het ze geen goed zou doen om over al die ruzies te horen die er tussen het Comité van Honderd en de moederorganisatie de CND gaande waren. Ik durfde zelfs te zeggen dat zowel hij als kanunnik Collins de sfeer, de toon of de stijl van de nieuwe beweging niet goed had gepeild, want het kon hun niet schelen wie er aan het hoofd stond, leiders lieten hen koud.

Toen was ik aan het hoofdpunt toe: als zijn verklaring waarin hij kanunnik Collins beschuldigde in *The Observer* van de zondag daarop geplaatst zou worden, zou dat veel schade aanrichten, het zou een desillusie betekenen voor honderdduizenden CND-aanhangers, van wie de meeste nog heel jong waren. Ik was naar hem toe gereden om hem te smeken de verklaring in te trekken en ervoor te zorgen dat die niet in *The Observer* terecht zou komen. Russell werd meteen bijzonder grof en zei dat ik verkeerd was voorgelicht en dat er geen verklaring was, hij wist van niets. Lady Russell voegde daaraan toe dat er geen verklaring was opgesteld of in de pen zat, maar dat zij wel van mening was dat Collins ooit publiekelijk ontmaskerd moest worden.

Ondertussen hadden we sandwiches en koffie gekregen. Russell zei dat het geen zin had de discussie voort te zetten en dat we wel moe zouden zijn. Hij ons de volgende ochtend niet meer zien, maar zou tegen zijn huishoudster zeggen dat ze een ontbijt voor ons moest klaarmaken. Lady Russell en hij begeleidden ons naar de slaapkamer, en de sfeer was zodanig dat het ons niet had verwonderd als ze ons hadden opgesloten. Het was negen uur.

Die arme Janet Hase had die onaangename toestand niet verdiend; ze had tenslotte uit pure vriendelijkheid aangeboden mij erheen te rijden. Ik weet zeker dat het haar allemaal niet in haar koude kleren was gaan zitten, en als die vervelende tocht heeft bijgedragen tot haar beslissing zo gauw mogelijk uit Engeland te vertrekken, kan ik haar dat niet kwalijk nemen.

De volgende dag kropen we terug naar Londen, en liet ik Mervyn Jones weten dat mijn poging mislukt was. Inmiddels was ik kwaad op mezelf dat ik eraan begonnen was, want het was volkomen zinloos geweest.

De zondag daarop zou *The Observer* dus uitkomen met de twee verklaringen, Bertrand Russell die kanunnik Collins beschuldigde, Collins die Russell beschuldigde. Zo zou de naïeve massa het tenminste opvatten. Maar het is niet gebeurd. De verklaringen zijn zoek geraakt, verdwenen. En zo hebben de onschuldigen nooit iets van dit vuile zaakje en de concurrentie van hun leiders afgeweten. Ik heb er zo'n nare smaak in mijn mond aan overgehouden dat ik me zelfs nu nog zenuwachtig maak uit angst oude slapende honden wakker te maken als ik zeg dat naar mijn mening kanunnik Collins meer zonde ondervond dan deed, en dat hij zich niet schuldig heeft gemaakt aan bedriegerij en gemene streken, maar doodeenvoudig niet heeft ingezien hoe weinig de gewone man zich voor leiders en leiderschap interesseerde. Ik had medelijden met hem.

Het Comité van Honderd floreerde en trok mensen aan met een voorkeur voor 'directe actie', ofte wel confrontaties met de politie; de moederorganisatie, de CND, werd zwakker. De Ban-de-Bom-marsen gingen verder, groeiden uit hun krachten en gaven ten slotte de geest. Maar al kun je makkelijk zeggen dat een grote volksbeweging afneemt en verdwijnt vanwege dit of dat, geloof ik niet dat we werkelijk de dynamiek ervan begrijpen of weten waarom een massabeweging groeit, bloeit en sterft. Als je tegenwoordig tegen mensen die het Comité van Honderd gesteund hebben zegt dat je vindt dat het een slechte invloed heeft gehad, krijg je vaak als antwoord: 'Maar het heeft de anti-Vietnamrellen en -demonstraties in Amerika voortgebracht.' Het valt niet te ontkennen dat het een het ander heeft beïnvloed, maar de suggestie dat de Amerikanen niet in staat waren hun eigen anti-oorlogsbewegingen te beginnen lijkt me ronduit belachelijk.

Soms kom ik mensen tegen uit de tijd van de directe actie en vraag ik hoe ze tegen Ralph Schoenman aankeken. Sommigen zeggen dat ze hem bewonderden, anderen dat hij hun een onbehaaglijk gevoel gaf. De bewonderaars zijn over het algemeen mensen wier eerste ervaring met politiek hij was. En toch was die man gek; en als hij het niet was, was zijn gedrag het. Dat is in de politiek een belangrijk onderscheid, aangezien daar zulke bezielende figuren in rondlopen.* Het punt is dat mensen die echt knettergek zijn niet als zodanig beschouwd worden als ze in een politieke of religieuze context opereren. Als diezelfde mensen zich in een andere context bevonden, zou iedereen het meteen zien. Maar sommige mensen die gek zijn sluiten zich aan bij politieke of religieuze bewegingen waar hun gekte niet wordt opgemerkt, en of ze dat al of niet bewust doen maakt niet uit. Sommige mensen weten precies wat ze doen – Hitler, Stalin. En ik denk dat anderen merken dat diepgewortelde neigingen en trekjes waarvan ze zich nauwelijks bewust waren, de kop opsteken als de omstandigheden zich ervoor lenen, zodat ze er doodsbang van worden: ik ben er vrij zeker van dat veel van de jongeren die zich uit idealistische motieven bij het Comité van Honderd aansloten later ontzet waren door wat ze ontdekten – zowel bij zichzelf als anderen. We zijn de vergiftigde sfeer van toen vergeten – net als het sterke idealisme. Het huidige tijdperk is toevallig een mild, tamelijk onpartijdig, relatief nuchter interim in de geschiedenis van de mens. Om de verhitte gemoederen en beschuldigingen die toen in en om het Comité van Honderd hoogtij vierden te beoordelen, moet je proberen die tijd opnieuw tot leven te wekken: onmogelijk.

Hoe valt het te verklaren dat Bertrand Russell, een man die zich zijn hele leven al met politiek bemoeide, te beginnen met zijn moedige stellingname tegen het militarisme van de Eerste Wereldoorlog, een man met ervaring, die politici in allerlei soorten en maten had meegemaakt, hoe valt het te verklaren dat hij iemand als Ralph Schoenman niet doorzag? En dat hij weigerde de waarheid onder ogen te zien, ook al werd hij door mensen gewaarschuwd, en wezen ze hem er haarfijn op hoe het zat, hoe hij gebruikt werd? Russell wilde eenvoudig niet luisteren; pas veel later, en toen was het te laat. En de hele tijd vroegen de mensen of Ralph Schoenman soms betaald werd door de CIA, of de KGB misschien, en wel omdat hij zo veel schade aanrichtte. Dat lijkt nu heel vergezocht, maar toen was het dat allesbehalve. Vrijwel iedereen kon ervan beschuldigd worden op de loonlijst van de CIA of de KGB te staan, en bij een aantal van de meest onwaarschijnlijke figuren is dat natuurlijk inderdaad het geval geweest.

De ouderdom heeft vele valkuilen en gevaren, maar de ergste daarvan wordt naar mijn mening nauwelijks opgemerkt, namelijk wanneer een ouder iemand geconfronteerd wordt met een schijnbeeld van een jeugdig ik, een spottende schaduw, een echo van verloren mogelijkheden – en al zijn morele onafhankelijkheid verliest.

Tolstoj is zijn trots en evenwicht kwijtgeraakt aan Tsjertkov, een tweederangsfiguur die zich de discipel van de oude man noemde en hem voorkauwde wat

* Er waren toen honderdduizenden – miljoenen? – van die politieke heiligen, streng, meedogenloos, met een militair aandoend optreden, en stuk voor stuk vergezeld door de geest van Lenin – die Volmaakte Mens – en elk van hen speelde een hoofdrol van heroïsch martelaarschap in drama's geschreven door de Revolutie zelf, drama's die zich dag en nacht afspeelden in hun hoofd, als bandjes die je niet kunt afzetten. Soms vraag ik me af hoe al die mensen nu tegen de dingen aankijken. Zeggen ze: 'Ik weet niet wat er toen in me gevaren was?'

hij moest vinden, wie hij in zijn leven moest toelaten en van wie hij afstand moest nemen.

Maxim Gorki heeft Pjotr Krytsjkov jarenlang de dienst laten uitmaken. Krytsjkov werd betaald door de KGB en was waarschijnlijk bij Gorki's dood betrokken. Het schijnt dat Gorki op het eind wel argwaan kreeg, maar de vraag blijft: waarom je überhaupt aan zo'n figuur onderwerpen?

Jean-Paul Sartre heeft zich aan het eind van zijn leven overgegeven aan Pierre Victor (of Benny Levy), een jongeman die al zijn eigenschappen zo karikaturiseerde dat zelfs de goede monsterlijk werden. En de Fransen maar zeggen: met onze grote Sartre gaat het dezelfde kant op als Bertrand Russell met Ralph Schoenman, we moeten er iets aan doen. Maar niemand deed iets.

Er is een uitzondering op die treurige regel, al komt dat misschien omdat het daarbij niet om twee mannen gaat, een oude en een jonge, maar om een oude vrouw en een jonge man. De actrice Louise Brooks kreeg op het eind van haar leven vaak bezoek van Kenneth Tynan, en dat is op een alleraardigste vriendschap uitgelopen, teder, bewust grillig, vol nostalgie om onmogelijke liefdes.

Oude vrienden, oude kameraden – oude mensen in het algemeen – moeten zich hoeden voor het moment waarop een jong iemand stralend komt vertellen: 'Ik heb u altijd zo bewonderd.' Daar kan bijna onmogelijk iets goed uit voortkomen.

Naast Ralph Schoenman had Bertrand Russell nog een ernstig probleem: hij werd verheerlijkt, gezien als die goede, lieve oude man, zo rijp, zo wijs. De honger naar heiligen van beiderlei kunne, naar goeroes en wijzen, is onstilbaar, en dat betekent dat het onwaarschijnlijkste materiaal wordt heilig verklaard. Ik heb zelf ook pogingen moeten weerstaan van mensen die een wijze oude vrouw van me wilden maken. Want dat leidt alleen maar tot desillusie bij fans en volgelingen die onrechtvaardig aanvallen wie ze eerst onbezonnen hebben vereerd. Zo is het ook Russell vergaan.

Aan de vier jaar in Langham Street bewaar ik levendige herinneringen (heel anders dan bij Warwick Road, waar ik liever niet meer aan terugdenk). Dat was niet alleen omdat mijn leven makkelijker was geworden, met meer geld, minder zorgen en het begin van emotionele vrijheid, maar ook omdat het leefklimaat in het algemeen was opgefleurd. Het door de oorlog beschadigde en versomberde Engeland lag in een andere tijd en je kon het je nog maar met moeite voorstellen. Daar waren maar tien jaar voor nodig geweest, en je had al een generatie die niet wist wat je bedoelde als je het over platgebombardeerde huizen en naargeestige, verveloze gebouwen had, over Utility-kleren, het vreselijke eten, koffie die niet te drinken was, en mensen die om tien uur in bed lagen. De nieuwe koffiebars zaten vol jonge mensen die de wereld aan het verbeteren waren, je had de eerste goede en goedkope restaurants en de mode was jeugdig en inventief. Er gebeurden allerhande, kleine plezierige dingen, die tien jaar daarvoor ondenkbaar waren. Je had bijvoorbeeld een band, The Happy Wanderers, die door Oxford Street trok en traditionele jazz speelde, zodat het winkelen een feest werd. Er verschenen bloembakken en hangmandjes en sierlijke kuipboompjes in de fris geschilderde straten. Men erkent nu dat het herstel van het ontredderde naoorlogse Europa een economisch wonder was, want het was niet alleen Engeland dat zich herstelde, ook de andere landen in Europa, waarvan sommige volledig in puin lagen. In nog geen vijftien jaar van puinhopen en honger naar welvaart; maar wij die dat beleefden, vonden het vanzelfsprekend, merkten het nauwelijks op, en moesten erop gewezen worden. Door Eric Hobsbawns *Age of Extremes* bijvoorbeeld, dat ik met verbazing heb gelezen, met de gedachte: waarom zagen we eigenlijk niet beter hoe goed het ons ging?

Weer gingen we een nieuw tijdperk in, en het meest dramatische teken daarvan was de Russische spoetnik (Russisch voor 'reisgezel, satelliet, kameraad'), de eerste van de nieuwe technische verschijningen in het luchtruim; veel mensen bleven de hele nacht op om er een glimp van op te vangen als hij hoog boven hen voorbijsuisde. Ik stond op het dak, en hoopte maar dat er geen wolken voor zouden komen. Gezien heb ik hem niet, maar wat een opgetogenheid, plezier, een gevoel dat er iets groots was bereikt: we hadden werkelijk het idee dat dit voor de hele mensheid een grote vooruitgang was. De merels zongen. De merels waren op de een of andere manier gek op die plek, en hun lied brengt meteen herinneringen terug aan de dageraad en de avonden in Langham Street.

Je kwam op het dak via een lastig laddertje. Ik lag er te zonnebaden, af en toe verkoeling zoekend in de schaduw van de schoorstenen. Het korte verhaal *A Woman on a Roof* stamt uit die tijd. Het was een andere wereld, want ik was niet de enige die het dak gebruikte: je had er planten, daktuintjes en ligstoelen. Bij de BBC een eindje verderop werd gebouwd; de grote gele machines slingerden halverwege de lucht, en de mannen die erin zaten zwaaiden naar ons en riepen uitnodigingen en complimenten.

De markt in de straat was niet meer dan een paar kraampjes groot, maar er kwamen mensen van de BBC groenten kopen. Die marktgeluiden – kreten waaruit de betekenis was weggesleten, zodat ze uit het verleden leken te komen, met straten vol venters en marskramers – hebben het verhaal *A Room* gebracht, een vederlicht vertelsel, dat geboren werd toen ik overdag op bed lag achter de donkerblauwe gordijnen van dikke, zachte katoen; als ik ze aanraakte, besefte ik dat we nu zulke stof konden kopen, terwijl die pas geleden nog niet eens bestond. Toen ik daar zo lag in het schemerduister, met de kreten van buiten in mijn oren, zeilde ik een droom binnen en bracht ik een bezoek aan die kamer zoals die geweest was in die vreselijk kale, koude armoede van de oorlog van 1914-1918.

Ik ging vaak naar het theater, trof daar mensen, en liep na afloop meestal alleen terug vanuit Shaftesbury Avenue, St. Martin's Lane, de Haymarket, zelfs van de Old Vic. Er waren mensen op straat, genoeg om het gezellig te maken, al was het nog niet als nu, nu de straten van het centrum tot lang na middernacht vol jonge mensen zijn op zoek naar vertier. Het kwam nog steeds niet in me op om bang te zijn, als ik zo 's avonds laat rondliep en af en toe een praatje maakte. 'Wat doe jij zo laat op straat, *dear*?'

'Ik heb Laurence Olivier gezien in...'

'O ja? Wat leuk. Vond je het mooi?'

Toentertijd was Joan Littlewood regisseuse in Stratford East. Ik heb daar voorstellingen meegemaakt die origineler en briljanter waren dan alles wat ik voorheen had gezien: het niveau van de producties is deels dankzij haar enorm gestegen. De zaal was bijna altijd zo goed als leeg, een stuk of tien, twintig mensen, allemaal linkse figuren uit de binnenstad. Joans opzet was toneel te brengen voor de arbeidersklasse uit de buurt, maar die bleef weg. Dat begreep ik niet. Toen ik naar dat mijnwerkersdorpje in Yorkshire ging, hadden de mijnwerkers het nog met tranen in hun ogen over Sybil Thorndike die met haar groep in de oorlog Shakespeare voor ze was komen spelen. Joan was in die dagen luidkeels communiste, of slaakte in ieder geval communistische kreten. Ik zie haar niet zo makkelijk in de partij zelf, die haar trouwens hooguit tolereerde.

Een paar jaar lang waren we maar met een handjevol mensen dat besefte dat we uniek toneel zagen; later heeft Kenneth Tynan een paar producties gezien en erover geschreven in *The Observer*, waarop de metro naar Stratford in het East End, een lange rit, voortaan boordevol chique Londenaars zat en je om een kaartje moest vechten.

Joan Littlewood heeft nooit de lof gekregen die haar toekwam. Deels omdat ze zo'n afkeer had van de middenklasse, waar ze het trouwens wel van moest hebben. Ze moest en zou de bourgeoisie op de hak nemen, het establishment, de BBC, het West End-toneel en het West End-publiek. Ze kon niet anders, het was haar stijl, haar handelsmerk. Toen ze op de televisie kwam, liet ze een zakdoek over de rugleuning van haar stoel vallen en draaide ze zich om om hem te pakken, zodat ze haar achterwerk als belediging naar de camera toekeerde. Kinderachtig. Maar dat soort dingen kon ze niet laten. En ze was een geweldige regisseuse, een enorme drijvende kracht in het theater. Zij en haar ploeg vormden in feite een voortzetting van de oude traditie van het rondtrekkende theater, en ze had in de provincie toneelvoorstellingen gegeven zonder geld, zonder middelen: politiek getint theater, satirisch-politieke moraliteiten, improvisatietoneel.

Ik kreeg Nelson Algren op bezoek. Volgens de krant en de roddels was hij nijdig omdat hij in *De mandarijnen*, de roman van Simone de Beauvoir over het naoorlogse Parijs, zou figureren als de ongrijpbare Amerikaanse minnaar – zo naar het leven. Maar daar geloofde ik niets van, want toen Nelson bij mij werd afgeleverd door Clancy, die zich gedroeg als een geslaagde huwelijksmakelaar, was zijn lach een en al verlegen seksuele bereidheid, net een piepjonge bruidegom. En ik was een schrijver, een vrouwelijke nog wel, en links – erger kon toch niet? Maar er is nog een ingrediënt in dit raadselachtige brouwsel. Amerikanen vonden Londen toen een stad van glitter en glamour, zoals het sinds het eind van de jaren zestig niet meer geweest is. Soms als ik door de ene Amerikaan aan de andere werd voorgesteld als iets bewonderenswaardigs ('*She's a real mensch, you know*') kreeg ik het gevoel dat ze me als een soort trofee zagen, een waardevol authentiek Engels exemplaar. In werkelijkheid viel hij niet op mij en omgekeerd, maar we mochten elkaar wel en hebben een paar aangename dagen met elkaar doorgebracht; hij heeft me verteld over zijn ervaringen waaruit *The Man with the Golden Arm* en *A Walk on the Wild Side* zijn voortgekomen. Hij vertelde het als een schelmenroman, met veel glamour ook. In Londen ging hij op zoek naar romantische armoede, als stof voor een boek. Waar zijn jullie achterbuurten? wilde hij weten. Hij ging met Clancy naar het East End, maar de oude, hechte arbeidersbuurten waren er toen niet meer. Ontevreden kwam hij bij mij terug. De sloppen van het Londen van Dickens, die wilde hij zien, zoals er tot op de dag van vandaag ook mensen zijn die hopen dat ze in zo'n echte vette, dikke, ouderwetse Londense smog terechtkomen, en teleurgesteld zijn als ze horen van de wet op de luchtvervuiling. Ik legde hem uit dat er overal in de straten van deze wijk doodarme mensen woonden, in armzalige appartementen, ook in huizen, maar dat in Londen de armoede vaak niet zichtbaar was: je kon een huis vol armelui hebben naast een huis waar welvaart heerste. Hij hoefde alleen maar een beetje rond te lopen. Dat deed hij, maar hij wist niet waar hij op moest letten, dus ben ik met hem meegegaan: 'Kijk, zie je dat huis daar? Dat steegje?' Maar de dagen dat er in Engeland mensen stierven van de honger, of leefden op thee, bakvet, goedkope jam en brood, en de kinderen geen schoenen hadden, waren voorbij. Hij zocht naar de dramatische, zichtbare ellende van sommige achterbuurten in Amerika. We waren elkaar goedgezind, maar moesten eerst een heel lastige hobbel nemen. Ik was inmiddels het romantiseren van armoede als stijl – want dat is het vaak – bijzonder ergerlijk en onvolwassen gaan vinden. Het gebeurt heel vaak. De middenklasse is altijd verzot geweest op morsige armoe, *La Bohème*, bijvoorbeeld. De romans van Nelson staken op de eerste plaats de loftrompet over de romantiek van de armoede, de drugscultuur, de prostitutie. In die tijd gaven de krotterige woonoorden van Zuid-Afrika, waar werkelijk gruwelijke armoede en gebrek heerste, bepaalde mensen aangename rillingen: was het niet vreselijk spannend om je de inwoners van een krottenwijk als het woonoord Alexandra voor te stellen als hoeren met een hart van goud, brutale, zorgeloze jonge boefjes, lekkere schoffies en straatjongens, zingende en dansende zwervers?

Ik kreeg het briljante idee om hem naar Glasgow te sturen, toen nog bij lange na niet de aantrekkelijke stad van nu, waar de Gorbals precies het soort wijk was waar hij al die tijd naar had gezocht. Toen was hij tevreden. Tegenwoordig zou hij de drugswereld opzoeken en zich daar meteen thuis voelen. Hij had dat stille, vage, ingetogene dat wij toen associeerden met een bepaald slag Amerikaan, en waarvan wij dachten dat het voortsproot uit een overdreven poging zich aan een te strakke samenleving te conformeren; in zijn geval waren het de drugs.

Ik zit met een probleem. In Warwick Road, en in Langham Street nog meer, ging ik met veel mensen om die bekend waren of dat zouden worden. Ik kan makkelijk een waslijst met namen maken. Met grote namen. Dat valt dan te vergelijken met de situatie waarin iemand tegen je zegt: 'Ik heb een goede vriend van je gesproken.'

'O, wie?' En dan blijk ik me hem absoluut niet te herinneren.

'Maar hij zegt dat hij je goed kent.' Dan blijkt die persoon ooit op een feestje vijf minuten met me gepraat te hebben of is hij eens in een groot gezelschap bij me thuis geweest en loopt hij – of zij – nu rond te bazuinen: 'O ja, dat is een goede vriendin van me.' Je wordt hun eigendom, ze weten alles van je af. 'Ze heeft me verteld dat...' (Dat zijn dezelfde mensen die zo graag met herinneringen op de proppen komen als er biografen op jacht zijn.)

Het punt dat hier naar mijn mening van belang is, is dat er meer onderling verkeer tussen de verschillende bevolkingslagen was dan nu. De sociale omgang was soepeler. Dat kwam deels door de Ban-de-Bom-marsen, waar de meest uiteenlopende mensen met elkaar omgingen. Als ik een lijst zou maken van de mensen die ik bij die protestmarsen ben tegengekomen, werd het een soort staalkaart van het progressieve volksdeel. Heb je tegenwoordig nog zoiets? Waarschijnlijk niet. Ook had je nog steeds die naoorlogse uitgelatenheid, het gevoel dat de onderdrukte energie naar buiten kwam bubbelen, verder de opkomst van talent uit de arbeidersklasse (of in ieder geval, uit de niet-middenklasse) in kunst en literatuur, en, bovenal, het politieke optimisme, dat nu volledig is vervlogen.

Dat de Ban-de-Bom-marsen zo'n uniek maatschappelijk verschijnsel waren, is in mijn ogen nooit voldoende benadrukt. Denk je eens in: zes jaar lang zijn elk voorjaar honderdduizenden mensen vanuit heel Groot-Brittannië, de rest van Europa, Amerika, en zelfs verre werelddelen samengekomen in Aldermaston, vanwaar ze in vier dagen naar Londen liepen, en de nacht doorbrachten in scholen en zalen, al of niet verwelkomd door de steden en dorpen waar ze doorheen trokken, hebben ze de internationale pers in beroering gebracht, met grotendeels vijandige reportages tot gevolg, hebben ze nieuwe vrienden gemaakt, van alles opgestoken, plezier gehad – mensen die elkaar anders nooit waren tegengekomen. De wetenschapper en de kunstenaar, de schrijver en de journalist, de leraar en de tuinman, de politicus, allerlei soorten mensen maakten kennis met elkaar, liepen samen op, raakten aan de praat en zijn vaak vrienden voor het leven gebleven. Welk ander maatschappelijk proces, oorlog misschien uitgezonderd, kan op zo'n schaal schijnbaar onverenigbare mensen bijeenbrengen? Tot op de dag van vandaag kom ik mensen tegen met wie ik lang geleden op een van die marsen ben opgetrokken, of die zeggen: 'Ik heb er professor zus-en-zo van een Amerikaanse universiteit leren kennen, en zo heb ik daar vier jaar doorgebracht.' Of: 'Ik heb mijn vrouw leren kennen bij de mars van 1959.'

Een tijdlang ben ik veel opgetrokken met Joshua Nkomo, nu in de regering van Zimbabwe. Hij bracht die voor aanstaande Afrikaanse leiders onvermijdelijke periode in Londen door van leven van hand-in-de-tand en zorg om de toekomst. Dat laatste was in zijn geval terecht, want hij zou in Zuid-Rhodesië voor tien jaar in een interneringskamp verdwijnen, zonder boek of krant, even somber en ellendig als een gevangenisstraf op de maan. Maar in die tijd in Londen was hij verbijsterd door een nieuw etiket: hij werd als verrader aangemerkt. Dat kwam omdat de Morele Herbewapening in die tijd potentiële leiders onder de Afrikanen probeerde te paaien, en hij een paar dagen in hun hoofdkwartier in het Zwitserse Caux had doorgebracht. Hij begreep niet wat er aan hen mankeerde. 'Het zijn toch goeie mensen? Ze waren aardig voor me. Ze hebben me goed behandeld. En ik ben ook gelovig.' Ik legde hem uit hoe het precies zat. Hij zei dat hij een hekel had aan politiek. Hij wou maar dat hij in zijn dorp een eigen winkel had en bij zijn familie kon zijn. Hij had heimwee en kou in Londen, voelde zich eenzaam. Joshua is niet de enige Afrikaanse leider geweest die me deze wens heeft toevertrouwd. Hij was een begenadigd redenaar. Zo was hij ook in de politiek beland. Ik had al lang geleden over hem gehoord, hoe hij in Bulawayo de massa vanaf zijn zeepkist in vervoering bracht.

Ik was bepaald niet de enige vrouw die Joshua steun en advies gaf. Wij belden elkaar op en hielden ruggenspraak over lastige kwesties; de belangrijkste was dat wij het niet in Joshua's aard vonden liggen om in de politiek te gaan. Ik heb in mijn leven perioden gekend waarin ik dat als negatieve kritiek heb gezien, maar die tijd is voorbij.

Joshua werd bijvoorbeeld achternagezeten door onze geheime dienst. Hij kwam een keer in paniek naar me toe met het verhaal dat hij bij een bijeenkomst door iemand was benaderd die hem had meegetroond naar een privé-vertrek en hem daar een koffer vol papiergeld had laten zien met de mededeling dat dat allemaal voor hem was als Joshua hem alles vertelde over de Arabieren – wéér die Arabieren, ditmaal even krankzinnig als daarvoor. Maar Joshua wist van geen Arabieren. Ik vertelde hem dat onze geheime dienst door die Arabieren geobsedeerd was. Ze hadden mij er ook van verdacht dat ik zaken met ze deed, en ik kende er ook geen. Het probleem was dat Joshua straatarm was. Het was gemeen om hem al dat geld te laten zien. Ik zei voor de grap dat hij het maar moest aannemen en later gewoon ontkennen dat hij het had gekregen. Uit die luchthartigheid blijkt wel hoe ver ik van zijn harde werkelijkheid af stond: hij was doodsbang. Die veiligheidsagent, van de MI6 waarschijnlijk, is daarna nog een aantal malen opgedoken, met beloftes van geld maar ook met dreigementen.

Nadat ik telefonisch overleg had gepleegd met andere mentoren, vroeg ik in een brief een vriend om uitleg. Nu volgt een relaas dat even leerzaam is als een hele lezing over het zedelijk gedrag der natie. De vader van mijn vriend – we zullen hem John noemen – was door de crisis van de jaren dertig in het slop geraakt, en John had daardoor een nogal onzekere jeugd gehad. Maar hij was uiteindelijk wel op een kostschool beland. Toen kwam de oorlog en werd hij quasi terloops benaderd door een schoolvriend die vroeg of John misschien echt nuttig wilde zijn voor zijn vaderland – in plaats van *slechts* in het leger te gaan, was de suggestie. Geloof het of niet, John moest rond lunchtijd met een opgerold exemplaar van *The Times* in zijn hand naar een bepaalde chique club. Zijn gesprekspartner vroeg niet naar zijn politieke overtuiging – hij was extreem links, al zou ik niet weten of hij officieel partijlid was. John heeft in de oorlog uitstekend werk als spion verricht. Veel mannen met een soortgelijke achtergrond werkten voor de geheime dienst, onder wie veel communisten of fellow-travellers. Na de oorlog had John veel kritiek op het Britse Rijk in al zijn uitingsvormen en is hij Afrikadeskundige geworden. Ik had hem als wapenbroeder leren kennen bij een actie voor de afschaffing van het kolonialisme. Nu wilde ik van hem weten waarom die arme Joshua zo het mikpunt was. Het was toch vreselijk dat een straatarme zwarte politieke vluchteling zo door de geheime dienst werd opgejaagd, en dat zijn leven vergald werd door omkoperij met koffers geld? En hoe zat het met die Arabieren?

John ging informatie inwinnen bij zijn ware superieuren, de spionnenbazen, en vroeg hun wat hij doen moest; de brief die ik toen kreeg, had opgesteld kunnen zijn door de topambtenaar van het ministerie van Wolligheid. Er stond niets, maar dan ook helemaal niets in; het was een parel van non-communicatie en ik heb hem jaren bewaard, om hem af en toe nog eens met ontzag voor de meesterhand te lezen. Bij een van mijn vele verhuizingen ben ik hem kwijtgeraakt. Een equivalent op parallel terrein zou ongeveer luiden als volgt:

'U zegt dat de politie het gezin in x Street heeft lastiggevallen, maar allereerst kunnen wij x Street niet op de kaart vinden, en ten tweede: wat is uw bewijs? We hebben geen informatie ter ondersteuning van uw beschuldiging, die trouwens incorrect geformuleerd is. Zoals u weet behandelen wij alle burgers van dit land gelijkwaardig, en omdat een zwarte staatsburger onmogelijk voor dit soort behandeling kan zijn uitgeselecteerd, missen uw vragen iedere grond.'

Wat wij met Arabieren zouden moeten is tot op heden een raadsel.

Joshua zat bij me te lunchen, en terwijl we de gebruiken van dat fantastische land van ons bespraken, zei hij: 'Jij kunt goed koken, meid. Ik wil dat je mijn vrouw wordt. En het is heel makkelijk dat ik niets hoef uit te leggen over Afrikaanse politiek.'

'Maar ik heb al een man,' zei ik.

Joshua lachte. Hij was een heel grote, beminnelijke man, met een prachtige, diepe lach die letterlijk zijn hele lijf deed schudden. 'Geef hem dan de bons en neem mij in zijn plaats,' zei hij.

Dit romantische aanbod heeft hij aan minstens twee andere raadsvrouwen – met wie ik overlegde – gedaan, in identieke bewoordingen en onder identieke omstandigheden, namelijk bij een lekkere maaltijd.

Algauw zag ik Joshua niet meer, want hij werd meegesleurd in de ballingenpolitiek. Wel ging ik naar hem luisteren als hij ergens sprak. Wat een begaafd redenaar! Wat een *magnifico*! Het prototype van een charismatisch spreker. En toen volgden de jaren van ballingschap, ballingschap in zijn eigen land, afgesneden van alles wat goed, vriendelijk, plezierig en fatsoenlijk was, in dat interneringskamp dat net zo goed op de maan had kunnen staan. Deze wrede behandeling komt voor rekening van Ian Smith.

Er is nog een bezoeker die bijzondere vermelding verdient. Dat was een heks uit Brighton, een stad die om de een of andere reden altijd al bij heksen in trek is geweest. Hij deed aan witte magie, zei hij met klem, ik moest goed begrijpen dat je goede en kwade heksen had, en hij was een mannelijke heks, geen tovenaar, want dat was weer iets heel anders. Hij zat met een ernstig probleem. Ten behoeve van zijn spirituele ontwikkeling moest hij met een maagd naar bed, maar hij kon nergens een meisje vinden dat echt maagd was, onbevlekt, met een ongerept maagdenvlies. Hij had er het hele land naar afgezocht. 'Maar hoe doe je dat dan?' wilde ik weten. 'Vraag je ieder meisje dat je tegenkomt of ze een intact maagdenvlies heeft?'

'Ze weten zo weinig van hun eigen lichaam dat ze niet eens zouden weten wat dat was. Nee, je begrijpt het niet. Als je open en eerlijk met iemand praat, doen ze dat ook met jou. Ik leg uit in welke situatie ik verkeer en zij luisteren, dan stel ik een paar vragen, en kom ik er algauw achter dat het geen echte maagden zijn.' Het was een schrale, vale man met vlassig kleurloos haar en groenige ogen die zich niet richtten op het gezicht van zijn gesprekspartner – een aantal malen was ik dat, verspreid over een paar maanden – maar schuin opzij, alsof hij ernstig over zijn lastige situatie peinsde. Een gekweld man. Lachen deed hij nooit. God verhoede dat ik moest lachen. Toen hij eraan begon te wanhopen dat hij in Engeland ooit nog een echte maagd zou vinden, toog hij naar Ierland, want hij zei dat de Ierse meisjes nog een frisse, natuurlijke kijk op seks hadden die in dit land allang verloren was gegaan. Daar vond hij een maagd van veertien, in County Clare. Hij wilde met haar trouwen en zei dat ze zich rein moest houden voor hem, want volgens de wet mocht ze pas op haar vijftiende trouwen. Hij zei tegen haar: 'Zorg dat je je daar van onderen niet bezoedelt. Handen thuishouden. Het is dieptreurig dat meisjes niet beseffen dat je daar een schat hebt zitten, een onschatbare parel, die jullie behandelen als het eerste het beste lichaamsdeel.' Wat moest hij toch lang wachten, klaagde hij als hij weer eens langskwam; dan zat hij daar in tobberig ongeduld met z'n benen te wippen, zijn vingers frummelend aan knopen, of das, want hij was altijd tot in de puntjes gekleed en verzorgd. Die stompzinnige wet ook. Meisjes zouden moeten mogen trouwen zodra hun menstruatie begon. Vroeger wisten ze wel beter. Toen trouwden de meisjes op hun twaalfde of dertiende, zoals de natuur het bedoeld had.

Hij had het heel druk, want hij leidde zijn eigen heksenkring, die hij raad gaf bij allerhande zaken van emotionele en magische aard. Hij kon niet zo vaak naar Ierland als hij zou willen. Omdat hij voor heksenzaken in Brighton moest blijven, stuurde hij zijn beste vriend naar County Clare om het meisje op haar hart te drukken dat ze vol moest houden, de tijd ging voorbij, al was het dan langzaam, en binnen niet al te lange tijd... Ja, toen volgde de klassieke geschiedenis, en hij kwam me opzoeken, en voelde zich bitter verraden. 'En hij is niet eens een heks, hij hoort niet bij ons, het maakt voor hem niet uit of hij met een maagd naar bed gaat. En serieus was het ook niet, gewoon een bevlieging, en nu gaat ze volgend jaar naar de universiteit.'

Dat was niet zijn enige obsessie. Hij wilde ook seks met kleine meisjes: dat hoorde niet bij zijn zoektocht naar een maagd, want aan kleine meisjes had hij voor zijn spirituele ontwikkeling niets. 'Iedereen ziet toch wat kleine meisjes willen?' vroeg hij. 'Zelfs een kind van een jaar of zes staat daar met haar poesje naar je te draaien en te wriemelen – ze vrágen erom. Als dat geen vragen is, wat dan wel?' wilde hij weten, maar zonder me recht aan te kijken, altijd ergens anders heen, misschien naar een muur waarop hij zijn fantasieën projecteerde, en ondertussen ging zijn verongelijkte stem maar door... en door: 'Het is toch duidelijk wat ze willen? Maar als je ook maar een vinger naar ze uitsteekt, ga je naar de gevangenis.'

Ik weet niet wat er gebeurd is. Ik heb hem nooit in de krant zien staan. Soms vraag ik me nog weleens af of die arme stakker, die nu toch minstens zeventig moet zijn, tussen de nachten dat hij bij maanlicht naakt door de velden danst door zijn droom nog najaagt, en nog steeds de Britse eilanden en Ierland afstroopt. 'Ben je nog maagd? Wil je jezelf rein houden voor mij?'... Heus, als je het ze recht voor hun raap vraagt, snappen ze het altijd.

Nu stuit ik op een echt probleem. Er wordt over het algemeen aangenomen dat de seksuele bevrijding uit de jaren zestig dateert. Om met de dichter Philip Larkin te spreken: de seks dateert uit 1963. Dat bedoelde hij sarcastisch, maar wie hem citeert, lijkt dat wel vergeten. Ik kom mensen tegen die zeggen dat ze in de jaren vijftig zo verschrikkelijk onderdrukt waren, bang voor seks, en als ik dan met mijn verhaaltje over de witte magiër op zoek naar een maagd op de proppen kom, vinden ze dat maar ongeloofwaardig. Maar ik herinner me echt geen tijden van ontbering, van mensen die schoorvoetend rond een bed schuifelen met 'verboden toegang' erop. In de oorlog bloeide de seks uiteraard als nooit tevoren, want dat gebeurt in oorlogstijd meestal, maar het was romantisch, vanwege het ophanden zijnde en wellicht definitieve vaarwel. En in de jaren vijftig leek het wel alsof iedereen het voortdurend deed. 'Maar dat was natuurlijk zo met jullie in Londen,' hoor ik dan als tegenwerping. 'O, had ik maar de goede leeftijd gehad in de jaren zestig, ik droomde de hele tijd van meisjes.' Of van mannen, al naar gelang.

De romans van die tijd uit de provincie – altijd een betrouwbare graadmeter – maken geen melding van seksuele schaarste.

De hele zaak is mij een raadsel. Soms moet iets een raadsel blijven. Ik kan slechts melden dat de mensen zich uitstekend leken te vermaken: het plezier kende geen grenzen – als plezier tenminste het juiste woord is, maar daarover later meer.

Het wonderlijkste bezoek dat ik kreeg was van Henry Kissinger. Dat kwam als volgt. Wayland Young*, nog lang geen Lord Kennet, was een soort contactpersoon geworden tussen links in Amerika en links in Engeland. Dat kwam waar-

* Wayland Young was toen een bekende journalist.

schijnlijk omdat hij zo vaak op krantenfoto's van de Ban-de-Bom-marsen stond, want niemand kon dat schattige gezin (de knappe Wayland, zijn mooie vrouw, al die leuke kindertjes) dat zo democratisch met de massa mee demonstreerde, weerstaan. Henry Kissinger wilde representatieve leden van de beweging voor eenzijdige kernontwapening, de CND, ontmoeten. De meeste mensen van links hadden hun handen vol aan de verkiezingen. Ik had voor eens en voor altijd duidelijk gemaakt: nee, ik ga niet voor Labour op pad, niet bedelen om geld voor goede doelen, niet colporteren met *The New Left Review*, geen toespraken houden ('Links waarheen?' of 'Groot-Brittannië tot welke prijs?'). Mijn taak in de wereld is schrijven, dat hebben jullie maar te pikken. Ik had die strijd al in Salisbury in Zuid-Rhodesië gestreden, met veel taaiere tegenstanders dan je hier in Londen kon vinden. Dus was ik degene die tijd had voor Kissinger. Ik was weliswaar geen representatieve vertegenwoordiger van de New Left maar wel van de CND (niet dat dergelijke nuances besteed waren aan een Amerikaan, voor wie we toch allemaal communisten waren). Henry Kissinger mocht dan wel Duits zijn – want het was een gezonde jonge Duitser die energiek die afschuwelijke betonnen trap naar mijn appartement besteeg – hij was ook een welvarende, kortgeknipte Amerikaan die te groot, te fris, te glimmend leek voor die onaantrekkelijke omgeving. De stemming van die ontmoeting valt moeilijk over te brengen, omdat de sfeer van toen zo spoorloos is verdwenen. Dat is altijd het probleem als je verslag probeert te doen van het verleden. Met feiten is er geen probleem: dit en dat is er gebeurd; maar uit het verband van de sfeer gerukt, wekken veel maatschappelijke en individuele gedragingen (feiten) een krankzinnige indruk. De Koude Oorlog was in Engeland weliswaar bedaard (deels omdat de nieuwe generatie jongeren die onzinnig vond en deels omdat hij er nooit zo moordend was geweest) maar in de Amerika woedde hij nog onverminderd voort. Amerikanen die om politieke redenen uit hun vaderland vertrokken, vertelden wat er gebeurde, en voor de Britse jongeren was dat nauwelijks voorstelbaar. De communistische partij was in Amerika nooit groot geweest, en de gedachten en gevoelens ervan vonden buiten de eigen kring nauwelijks weerklank, maar in Europa was 'iedereen' communist geweest, of had in communistische kringen verkeerd. Dat je ooit communist was geweest, werd als normaal beschouwd en gold voor het gros van de mensen met wie je omging. Maar dat hebben de Amerikanen nooit begrepen. Als je nu verslagen leest over Edgar Hoover van de FBI of Angleton van de CIA, is het overduidelijk dat die heren tegen windmolens vochten, want ze hadden er geen benul van wat gewone communisten dachten en deden. Dat is nu het meest in het oog lopende van die tijd. Dag en nacht, week in, week uit, bevochten Hoover en trawanten en Angleton en de zijnen de communistische vijand, maar als ze een communist waren tegengekomen, hadden ze hem niet eens als zodanig herkend. Je had in Europa ervaringen en denkbeelden in talloze nuances en schakeringen. Als je in Europa zei: ik ben uit de partij gestapt vanwege de stalinistische zuiveringen... het verdrag tussen Hitler en Stalin... de bezetting van Finland... de schijnprocessen in

Tsjechoslowakije... het neerslaan van de opstand in Berlijn... in Hongarije – dan was dat een hele lijdensweg geweest die iedereen begreep; maar voor de Amerikanen gold: eens een rooie, altijd een rooie.

Henry Kissinger deed me aan Eysenck denken van die toen al lang geleden lezing in Oxford. Hij had een zwaar Duits accent en straalde energie en daadkracht uit, maar ook achterdocht en afkeuring. Als je de Amerikaanse kranten mocht geloven was de hele beweging voor eenzijdige nucleaire ontwapening communistisch, en als je tegen hem zei dat maar een minieme fractie van die beweging daadwerkelijk communist was, vond hij dat haarkloverij.

Ons gesprek cirkelde alras om één woord. Hij zei dat er een kernwapen ontwikkeld was dat je zorgvuldig kon richten om in één klap honderdduizend man te doden. Een 'kitten bomb' noemde hij het. Hij bleef die uitdrukking maar herhalen. Ik was geschokt en zei dat iedereen die het woord 'kitten' gebruikte om dergelijk oorlogstuig te beschrijven het gebrek aan morele sensitiviteit vertoonde dat ook de hele Amerikaanse buitenlandpolitiek kenmerkte. Hij zei dat ik sentimenteel en onrealistisch was en niets van *Realpolitik* begreep. Niet dat we ruzie maakten: om ruzie met iemand te maken, moet je íets gemeen hebben. Ik heb hem ervaren als een hardvochtig, keihard, agressief mens, angstaanjagend om wat hij vertegenwoordigde, en hij vond mij een hypocriete, slappe idioot die de taal van het humanisme misbruikte voor het wereldcommunisme. Ons gesprek, dat ongeveer een uur duurde, heeft de ergste vooroordelen die we over elkaar hadden bevestigd.

Eigenlijk had ik bewondering voor de man omdat hij het tenminste nog probeerde. Geen enkele andere conservatieve Amerikaan probeerde de vijand (links) te begrijpen. En dapper was het ook. Kissinger had weliswaar nog niet het toppunt van zijn succes bereikt, maar had al veel te verliezen. Ik kon me de krantenkoppen in de Verenigde Staten al voorstellen: 'Kissinger onder de invloed van het Kremlin.' 'Kissinger besmet met communisme.' 'Het communistische paard van Troje en Kissinger.' Nee, ik overdrijf echt niet. Hoe moet ik de krankzinnigheid van die tijd weergeven? Wat dat tegenwoordig het dichtst benadert, is wat we uit de fanatieke kern van moslimbewegingen zien komen: inktzwarte onredelijkheid, een dodelijke haat tegen het onbekende. Zo keken de Amerikanen aan tegen het communisme, of dat nu binnen of buiten een communistisch land was. En zo zagen grote aantallen Europeanen, links of niet, de Verenigde Staten. Met een fanatieke, angstaanjagende onredelijkheid.

Nog een Amerikaan die Wayland Young me op mijn dak stuurde, was William Phillips, die in de jaren dertig *The Partisan Review* had opgericht en sindsdien hoofdredacteur was. Hij voelde een weemoedig soort bewondering voor de Britse New Left, die hij als een beweging zag die met succes een socialistisch Groot-Brittannië zou kunnen voortbrengen. Hij is een goede vriend geworden en gebleven. Het paradoxale was dat ik ooit stalinist was geweest, en hij meer een trotskist; hij had in de Verenigde Staten de stalinisten bestreden, een strijd die op buitenstaanders de indruk maakte van een door schijnwerpers belicht gevecht in een zéér kleine ring. Die oude verschillen leken toen niet meer van belang: de oude verschillen waren heel snel irrelevant geworden.

The Partisan Review was in wezen begonnen als orgaan van anti-stalinistisch links en er zijn altijd hartstochtelijke politieke debatten in gevoerd, maar vanaf het eerste begin had het nog een ander aspect. Een aantal van de beste en bekendste Amerikaanse schrijvers en dichters hebben er hun debuut in gemaakt, evenals schrijvers uit het buitenland. Daarom las ik het blad – en lees ik het nog steeds. En daarom lazen ook veel Britten het, linkse mensen en mensen die je bepaald geen socialist kon noemen. De polemieken keek ik vluchtig door – met het gevoel dat dat moest – om dan aan de literatuur te beginnen.

William Phillips was een droge, belezen, ironische figuur, heel Amerikaans, maar evenzeer gevoed door Europa. Toen ik vele jaren later bekende dat de politiek in *The Partisan Review* me nooit werkelijk geïnteresseerd had, was hij geloof ik teleurgesteld. Maar feit is dat telkens opnieuw in mijn leven het hatelijke hekelen, de polemiek, de dialectiek en de haarkloverijen van de politiek als rook zijn vervlogen; wat blijft is de kunst en de literatuur, die in die tijd misschien door de politiek geëngageerden ternauwernood getolereerd werd.

J. P. Donleavy zat in die tijd ook in Londen; Donleavy, de schrijver van het aanstootgevende *The Ginger Man*, de zoveelste incarnatie van het buitenbeentje dat op shockeren uit is, in de trant van *Lucky Jim* en de hoofdpersoon uit *Hurry on Down*; alleen presenteerde Donleavy zich met een magnifiek gevoel voor het onverwachte als een hertog in ballingschap, een ernstige, melancholieke, elegante man die met Murray Sayle onze dagen opfleurde met verhalen over de meest ongelooflijke avonturen. Ik herinner me hem nog het sterkst om één kortstondig, teder moment. Het is vroeg in de avond, de spreeuwen laten hun schrille kreten horen rond de daken, en Donleavy komt bij me langs. Hij is bij de BBC geweest, waar hij de drang heeft opgevat een muze te groeten, en wel in mijn persoon. 'O, ga zitten, en drink iets – mijn muze heeft het wel gehad voor vandaag.' Hij wees op een draagtas met vier grote flessen *milk stout* (een soort versterkend donker bier).

'Goeie God, jij bent toch niet aan de milk stout verslaafd?'

'Nee, ik ben op weg naar huis, en die zijn voor mijn vrouw. Een vrouw die de hele dag met de koters heeft doorgebracht kan wel wat milk stout gebruiken, en als er godenmelk te koop was, zou ik dat iedere dag voor haar meenemen, dat arme mens. En ze zal wel behoefte hebben aan een beschaafd gesprek als de kindertjes in bed liggen.'

Soms kwam Murray Sayle binnenvallen, want zoals bij alle geboren entertainers, had hij soms een publiek nodig. Op een keer belde hij op dat het dringend was, en toen hij kwam opdagen bleek hij net dertig te zijn geworden. We hebben bijna de hele dag ergens in een cafétuin gezeten, in ieder geval ergens buiten, terwijl hij me uitlegde dat vrouwen er geen idee van hadden hoe vreselijk het voor een man was om dertig te worden. Het was het eind van je jeugd. Ik weet zeker dat ik heb meegeleefd, want hij trok het zich erg aan, ook al was hij zoals altijd bijzonder geestig. Pas later bedacht ik dat ik net veertig was geworden, en dat het niet bij me was opgekomen om bij hem of wie dan ook zielig te gaan doen. Ik zei niet: 'Verdorie, Murray, wat stelt jouw verdriet voor bij het mijne?'

Kenneth Tynan had me eveneens ontboden om het verstrijken der tijd met hem te betreuren. We zaten het grootste deel van de dag in zijn appartement, terwijl zijn secretaresse allerhande versterkinkjes kwam brengen, en Kenneth zei dat hij dertig was maar al de piek van zijn succes had bereikt, nu hij toneelcriticus voor *The Observer* was. Eerst dacht ik dat hij zoals zo vaak de draak met zichzelf stak, maar nee, hij meende het. Ik heb nog wel tegengeworpen dat er toch nog wel andere pieken waren waar hij naar kon streven, terwijl wij woorden maar geen gevoelens uitwisselden, want soms brengt de benauwde horizon van de Britten je als toeschouwer tot doffe wanhoop. Hij meende het, hij meende ieder woord; hij zag zichzelf als een briljant projectiel dat tegen de bekrompenheid van het Britse theater beukte maar alweer terugviel, omdat het te snel te hoog had gemikt.

Was ik een speciale vriendin van Ken? Dat heb ik nooit gedacht, maar dat kwam omdat hij zo'n perfecte dekmantel had, het schitterend pantser van de geestigheid, en je nooit het gevoel had dat je hem nader kwam. Ik heb moeten beredeneren dat ik toch een speciaal plaatsje bij hem had, misschien als een soort oudere zus, want hij heeft me een paar keer uitgenodigd voor wat voor hem waarschijnlijk een openhartig gesprek was.

Ken woonde in Mayfair, in Mount Street, met zijn toenmalige vrouw Elaine Dundy. Het appartement was in mijn ogen ingericht met banale chic. Het behang was *De tuin der lusten* van Jeroen Bosch, en er stond een met neptijgervel beklede stoel. Zijn huis zat vaak vol met mensen die op dat moment 'in' waren. Op zijn feestjes was niemand aanwezig die niet in het nieuws was of niet een bepaalde roem uitstraalde. Mensen die de drang voelen om beroemdheden te verzamelen zijn in feite heel onzeker, al begreep ik dan toen nog niet.

Ik heb Ken altijd breekbaar, kwetsbaar gevonden, een elegante, grijze, zijdezachte nachtvlinder, met zijn grote, sprekende groenige ogen en knokige kop. Hij was lang en veel te mager. Ik had de neiging om mijn armen om hem heen te slaan: ''t Is goed, kom maar hier.' Niet zo toepasselijk voor een jonge theaterkoning. De mensen waren bang van hem, omdat hij zo veel macht had. Ik genoot van zijn gevatheid maar vond zijn oordeel te vaak scheefgetrokken door dogma. Hij paste in het archetype van de man die graag shockeert, bijvoorbeeld met de mededeling dat hij communist of marxist was, terwijl partijlid worden het laatste was waar hij aan dacht. Het zijn mensen die altijd een soort politieke onschuld of onwetendheid uitstralen, omdat ze met hun gedachten in de lucht zitten, ze hebben nooit met beide voeten op de grond hoeven staan. Athol Fugard bijvoorbeeld, een van de origineelste toneelschrijvers van onze tijd, paste niet in Kens politieke raam. En hij heeft nog wel meer vergissingen begaan. Maar wat Ken over toneel schreef was briljant, dat sprankelde, en hij is nooit geëvenaard.

Als je hem ergens tegenkwam, op een feestje of zo, trakteerde hij je op geestigheden, maar met moeite, vanwege zijn gestotter en zagende ademhaling, en ondertussen peilde hij je gezicht op je reactie. Hij zei weleens dat hij die snedige opmerkingen de hele dag aan het bijslijpen was geweest, 'want denk niet dat gevatte lieden als ik en Oscar Wilde ze zo maar uit onze mouw schudden'.

Kens huwelijk met Elaine Dundy liep in die tijd op de klippen, met veel kabaal, vaak in restaurants, waar je Ken dan verbitterd, met een wit gezicht maar vol strijdlust aan de ene tafel kon zien zitten vanwaar hij Elaine aan een andere tafel verwijten toeslingerde. Zij was uitstekend in staat zich te verweren.

Hij vond het heerlijk zich publiekelijk te etaleren, een soort extensie van het theater. Het was een publieksbeest. Vaak als hij me opbelde, wist ik dat ik een goede recensie had gehad of in ieder geval in de krant stond. Toen had ik daar kritiek op, maar tegenwoordig vinden we zoiets vanzelfsprekend, want we worden in toenemende mate gemanipuleerd van buitenaf. Fans kunnen schrijven: 'Ik heb van dat boek genoten,' of niet-vrienden: 'Ik vond dat boek vreselijk,' maar doorgaans is het: 'Ik heb die recensie gelezen.' De recensie vormt de prikkel, niet het boek.

Ken vertrok voor een tijdje naar New York, en zes weken lang ben ik toneelrecensent voor *The Observer* geweest, om daarna het stokje door te geven aan de volgende van de reeks vrienden die hij had uitgezocht om de honneurs voor hem waar te nemen. Ik vond het een leuke ervaring, vooral omdat ik toneelstukken heb gezien waar ik normaal niet heen zou gaan. Ik had geen idee dat er zo veel verschillende genres te zien waren. En dat was nog lang voor het alternatieve toneel, en het toneel en de shows in pubs. Sommige genres lijken te zijn verdwenen, een bepaald soort klucht bijvoorbeeld, als die in de Whitehall: vakkundig, briljant theater. Dat publiek stelt zich nu zeker tevreden met televisie. Musicals waren er nog niet zoveel als nu. Na die weken was ik tot de conclusie gekomen dat sommige recensenten toneelstukken niet naar hun klasse en soort beoordeelden, maar laatdunkend deden over stukken die uitstekend waren in hun soort, alleen niet voor een intellectueel publiek bedoeld. Het heeft toch weinig zin om een stuk als *Carry on, Nurse* te bespreken als een mislukte poging tot *Hedda Gabler*?

Ken was hartverscheurend. Toen hij veel te jong een gruwelijke dood stierf, aan emfyseem, bleken mijn voorgevoelens over die altijd onheilspellende brille van hem gegrond, maar dat was natuurlijk geen troost. Je hebt mensen wier dood een lege plek achterlaat die niemand vullen kan.

John Osborne. Hij werd net zo opgeslokt door een stuklopend huwelijk als Ken. Ik dineerde in een restaurant met John, Mary Ure, en... wie? Er was nog een vierde bij. John nam aan één stuk door de mooie Mary onder vuur, die in tranen was. Net Jimmy Porter en Alison, die Mary kort daarvoor nog gespeeld had.

Ik kende drie vrouwen van John, Penelope Gilliatt beter dan de anderen. Ik herinner me een etentje in het appartement van de Gilliatts in Mayfair, met John Osborne, zijn vriendin Jocelyn Rickards, Ken Tynan met een van zijn vriendinnen. Clancy was er ook: wij waren weliswaar uit elkaar, maar werden vaak nog samen gevraagd. Clancy is een tijdje tegen wil en dank mascotte van het modieuze Londen geweest. Het huwelijk van de Gilliatts liep op zijn laatste benen, dat van John was al stuk. Penelope was een schoonheid, de klassieke roodharige schoonheid: roomblanke huid, groene ogen, rank figuur. John was verliefd op haar op de manier die sommige mannen hebben: alsof ze zich schrap zetten voor een tandartsbezoek. Voor dokter Gilliatt had ik veel sympathie en bewondering: het was een rustige man, die toekeek hoe zijn vrouw van hem werd weggelokt, maar niet liet zien wat hij voelde.

Bij die gelegenheid feliciteerde Penelope mij met mijn geslaagde poging om 'materiaal te verzamelen' voor *In Pursuit of the English*, dat toen net uit was. Ik was niet op materiaal uit geweest, het was pure noodzaak. Ik had nauwelijks geld, een klein kind, en de enigen bij wie ik met een kleintje welkom was, was die hartelijke mediterrane familie. Penelope was altijd rijk geweest. Ik was kwaad; het voorval illustreerde een van de redenen waarom ik me soms in die kringen niet op mijn gemak voelde, en waarom ik me bijvoorbeeld wel thuisvoelde bij de nieuwe jonge mensen van het Royal Court: die had je het niet hoeven uitleggen.

Later heb ik ook Jill Bennett leren kennen. Ik vond en vind dat iedere vrouw die zichzelf verliefdheid op John Osborne toestaat gek moet zijn. Toch waren al zijn vrouwen opmerkelijk, en ze rouwden allemaal om hem als hij ze afdankte. Mijn oordeel is strikt onpartijdig. Tegen mij is hij onveranderlijk hoffelijk en vriendelijk geweest. Innemend is het goede woord. Grootmoedig in zijn oordeel. *Gentleman* John, dat was zijn ware aard – tot iets diepgewortelds en rancuneus hem weer tot boosaardigheid dwong.

Ik voelde verwantschap met John om die pijn van hem, net een gezwel diep vanbinnen. Ik begreep het schrijnen van het leed, dat je kortaangebonden maakt. Ik ben een keer of drie met John bij Jocelyn Rickards thuis wezen eten. Dat was na Mary Ure maar voor Penelope Gilliatt. Hetgeen me op de gedachte brengt dat minnaressen vaak steviger in het zadel zitten dan echtgenotes. Jocelyn was in ieder geval de enige van zijn vrouwen over wie hij zich gunstig uitliet nadat hij met haar had gebroken. Tony Richardson was er ook. Het was in de tijd van Woodfall Productions. Ze werkten aan hun films en waren vaak samen. Die twee waren lichtgeraakt, warm, elkaars rivalen, en in iedere groep vormden ze het middelpunt, door de energie die ze samen opwekten. In zijn memoires heeft John het een *mariage blanc* genoemd, maar ik vond ze meer op broers lijken; zoals bij kinderen uit hetzelfde gezin ging er achter alles wat werd gezegd en niet gezegd een suggestie schuil van lange, intense en met elkaar verweven ervaringen. En toch kenden ze elkaar nog niet zo lang. Wat waren die vriendschappen toch wankel, toevallig en kortstondig: nu ik terugkijk, zie ik hoe wij allemaal door de wind werden samengeblazen in snelle, intense kameraadschap, vol vertrouwen, als leden van een grote familie; dan een verschuiving van de caleidoscoop en – schijnbaar – zonder enige reden, weer een nieuwe rangschikking van mensen. Ik kwam John her en der tegen, met Penelope, met Jill Bennett. Hij hield van dubbelzinnige ansichtkaarten en heeft me er verscheidene gestuurd, na Penelope geloof ik, maar voor Jill, of misschien wel na Jill maar voor zijn laatste vrouw. Ze wenkten je en mepten je tegelijkertijd terug. Een foto van een saaie boulevard aan de kust met Bed & Breakfast-huizen met 'KAMER VRIJ' erop, of 'TE HUUR'. Hij schreef: 'Was je maar hier.' Een stel kusjes, die op het eerste gezicht grafkruizen leken. Zonder afzender. Of: 'J.' En toen: 'Waarom heb je niet gebeld?' Woorden na lange stilte. Ik heb er niets mee gedaan. Ik was erg op John gesteld. Maar als er ooit een man geweest is die je moest ontzien, die aandacht vergde, en bij wie je constant op eieren moest lopen uit angst dat je iets zei wat hij kwetsend vond, dan was het John wel, en ik had toen al zo veel lasten te torsen dat het te veel van het goede was geweest. Ik heb al gezegd dat ik met een te dunne huid geboren ben, maar John leek wel helemaal geen bescherming te hebben. Hij deed me denken aan een jonge hond die mishandeld is. Hij treedt de wereld dapper tegemoet, likt je hand, is dankbaar voor een aai, maar als er een hand te dicht nadert, rilt zijn vel en deinst hij terug voor een mogelijke klap. Ik heb jaren over John gedroomd. Dat waren nog eens interessante dromen. Onverholen seksuele dromen zijn niet zo interessant; als je daaruit wakker wordt, denk je: o ja, weer zo een. Maar je kunt ook over een man dromen op een warme, vriendelijke manier, met een vleugje erotiek, als voormalige minnaars die elkaar ontmoeten, met spijt, humor, bekoring. Bekoring – daar gaat het om, landschappen die lijken te glimlachen, ver van het leven van alledag.

Uit die tijd zijn twee verhalen voortgekomen: *Between Men*, waar later een briljante en bijzonder grappige televisiefilm van een half uur van gemaakt is die een prijs heeft gewonnen, en *The Side Benefits of an Honourable Profession.*

Al die modieuze linkse figuren vond ik irritant, hoezeer ik persoonlijk ook op ze gesteld was. Er bestaat zoiets als revolutionair snobisme. Met welk recht noem *jíj* je... enz. Ze hadden allemaal het marxisme aangetrokken als een modieus jasje, en vonden het prachtig om mensen te shockeren. Ze wisten niets van de geschiedenis van het communisme en wilden niet naar iemand luisteren die daadwerkelijk in de partij had gezeten.

Het waren sentimentele romantici. Ze huilden tranen met tuiten bij allerhande hartbrekende thema's. Je had een roman van Carlo Levi over armoede in Zuid-Italië: *Christus ging Eboli voorbij.* Die lag bij Tony Richardson altijd goed zichtbaar op zijn bureau. Ken Tynan was diep geroerd door Albert Schweitzer, zoals iedereen toen. Ik zei wel dat er in ziekenhuizen in heel Afrika mensen als Schweitzer werkten en hadden gewerkt zonder dat iemand ze opmerkte, maar we hebben een boegbeeld nodig, een archetype; een hele menigte bewonderenswaardige figuren kunnen we niet aan. Een bescheiden arts, non of missionaris, die jarenlang in een kaal, slecht uitgerust ziekenhuis in de jungle werkt, zonder subsidie, volkomen geïsoleerd – dat is niet spannend. We hebben dokter Schweitzer nodig die de Europese verrukkingen demonstratief de rug toekeert. Ze hebben mij verteld dat er overal in India mensen onder ondraaglijke omstandigheden aan het werk zijn om de armoede te verlichten, maar alleen van moeder Teresa krijgen we tranen in onze ogen.

Er is een voorval dat dat voor mij perfect illustreert. Een groep toneelbonzen, allemaal linkse figuren, werd naar Duitsland gehaald om kennis te maken met het Berliner Ensemble van Brecht. De Muur was toen al gebouwd. Ze werden begeleid door een vrouw die als kind uit Duitsland had moeten wegvluchten. Haar familieleden waren dood of hadden onder Hitler zwaar geleden; haar hele leven was eerst door Hitler en toen door Stalin in de war geschopt. Op een gegeven moment beseften ze dat deze voetveeg, dit onbeduidende pr-meisje, een authentiek slachtoffer van de rampen in Europa was. 'Je bent niet meer in Duitsland teruggeweest sinds je er bent weggevlucht?'

'Nee, dit is de eerste keer. Ik had er geen geld voor,' zei ze. Ze heeft me verteld dat hun gezichten verstrakten. Dat ze dat niet konden verwerken. Ze wisten niet wat ze aan moesten met de realiteit van een echt slachtoffer, een overlevende. En daarmee was de kous af; ze bleven haar behandelen zoals daarvoor: een nuttige ondergeschikte.

Met Lindsay Anderson is iets raars gebeurd. We hadden elkaar al een tijdje niet gezien, en op een gegeven moment belde hij dat hij met iets dringends zat. Hij had met David Storey al een jaar aan het filmscenario van *This Sporting Life* gewerkt, maar ze waren vastgelopen. Of ik de roman misschien wilde lezen om te kijken wat ik ervan vond. Ik heb het boek diezelfde nacht nog gelezen en belde 's ochtends om te zeggen dat het me heel erg aansprak. Toen kwam Lindsay met drie dikke mappen aanzetten – drie scenario's. Het was niet de bedoeling dat ikzelf een scenario schreef, ik moest die drie mislukte exemplaren lezen en daar dan een nieuw scenario van bakken. Ik kreeg er een week de tijd voor. Daar ben ik kwaad om geworden; onprofessioneler kon je zoiets niet aanpakken. Als hij me van tevoren had verteld dat ik drie verprutste scenario's in elkaar moest flansen tot één, had ik meteen nee gezegd. Ik was ook teleurgesteld, want het verhaal had me wel gegrepen. Maar op Lindsay kon niemand lang boos blijven. Beminnelijk, dat was hij, altijd, zelfs toen hij oud en ziek en onredelijk werd, want zoals bij zoveel van ons het geval is, versterkten de jaren zijn feilen. Een zwak hebben voor Lindsay was een hachelijke zaak. Weer zo iemand die in het verre verleden diep en onherstelbaar gekwetst was. Hij zei dat het door zijn kostschool kwam, waarover hij verbitterd was. Hij maakte er grappen over, maar grappen helen geen wonden.

De zeldzame keren dat we elkaar zagen, maakten we ruzie. Van al die modieuze linkse figuren irriteerde hij me het meest. De helft van de mensen over wie hij het had, pleegde 'verraad'. Van wat aan wie? Niemand die dat ooit kon vertellen, en Lindsay al helemaal niet. Het is jarenlang een modieus scheldwoord geweest. Je hebt van die uitdrukkingen die erop gemaakt lijken om je van nadenken te weerhouden, en een daarvan is 'verraad'. Een andere is de toenmaals populaire uitdrukking 'geëngageerd'. Wie geëngageerd was, stond achter dezelfde politieke doeleinden of daden als jij. Of 'de goede zaak' bijvoorbeeld, waar je al dan niet verraad aan pleegde. Met een duidelijk moralistisch ondertoontje. 'Fascist' in de betekenis van iedereen die ook maar vaag rechts was, is nog steeds niet helemaal uit het spraakgebruik verdwenen.

Je had tientallen denigrerende termen uit de Sovjetunie. Een tijd lang zijn Edward Thompson, John Saville en de rest van ons 'revisionisten' geweest, wat betekende dat we van de partijlijn afweken, of de partijlijn, die toch altijd correct was, geprobeerd hadden te veranderen. ('Correct': nog zo'n woord.)

Toen de film *This Sporting Life** uitkwam vond ik hem goed, al legde hij naar mijn mening te weinig nadruk op de fysieke trots van jonge arbeiders die vinden dat ze op het hoogtepunt van hun leven staan en vóór zich niets dan een neergang tot grauwe alledaagsheid zien.

Reuben Ship was inmiddels met Elaine Grand getrouwd. Ze was de 'glamour girl' van de vroege Canadese televisie geweest. Ze had iets van Lucille Ball en Lana Turner, met ronde, stevige billen (een 'kontje'), stevige, parmantig priemende borsten en sexy op een vriendelijke, zusterlijke manier. Een tijd lang hebben de Canadese en Amerikaanse jonge vrouwen die hiernaar toe kwamen er zo uitgezien, totdat de jaren zestig nieuwe, confronterender en strijdlustiger contouren verlangden. Het grootste deel van het Canadese contingent was van partner gewisseld. Reuben was een buitengewoon aardige kerel... bedoel ik 'goed'? Nee. Hij had iets, iets menselijks. Er zijn mensen genoeg tegen wie je alles over een bepaald onderwerp kwijt kunt zolang dat toevallig goed in de markt ligt, binnen de tolerantiegrenzen van dat moment, maar zonder dat je weerklank vindt in hun ervaring of hun creatieve verbeelding. Tegen Reuben kon je echt alles zeggen en hij begreep je. Een van de redenen waarom ik graag bij hem kwam, was dat hij op Peter gesteld was en aardig was voor die jongen die zo'n intense behoefte aan een vader had.

Reuben had pech met zijn timing. Hij heeft scenario's geschreven voor films die inderdaad gemaakt zijn, waaronder een met Norman Wisdom, maar zijn ware talent lag bij venijnige satire, zoals de toon van *The Investigator*, en voor de satirerevolutie van de jaren zestig was hij te vroeg. Hij heeft zich doodgedronken, al durf ik niet te zeggen of dat uit teleurstelling over zijn werk was.

* This Sporting Life behoorde tot de new wave van de Britse film – Tony Richardson, Lindsay Anderson, Carol Reisz.

Met Peter op kostschool konden Reuben en Elaine ongehinderd hun gang gaan met hun koppelplannen. Als ik naar hun huis in Chelsea ging, kon ik daar die (enigszins gespannen) mannelijke gast aantreffen met wie een vrouw alleen zo vaak verrast wordt – al was dat vroeger sterker dan nu. Van ongebonden vrouwen worden zelfs hun beste vrienden zenuwachtig. Ze probeerden me aan Canadese of Amerikaanse bezoekers te koppelen. Zodra ik de kans kreeg, fluisterde ik die dan toe: 'Maak je maar niet druk – ik wíl helemaal niet trouwen.' Dan werden we net een stel kinderen met een geheimpje voor de volwassenen. 'Wat is er zo grappig?' En intussen zat het beoogde stel-in-spe met schuldige blik naast elkaar, maar zeer met zichzelf ingenomen.

Een van de mannen die ze me opdrongen, herinner ik me nog om redenen die ik zelfs toen alarmerend vond. Hij was als weduwnaar achtergebleven met een dochtertje van een jaar of drie. Hij vertelde me uitvoerig dat ze in hetzelfde bed sliepen, dat hij ervoor zorgde dat ze vertrouwd was met zijn lichaam, en haar aanmoedigde zijn geslachtsdelen te onderzoeken; ze mocht er zelfs mee spelen. 'Zij zal nooit aan penisnijd lijden,' zei hij dan, apetrots dat hij de bekrompenheid zo was ontstegen. Ik opperde dat die gewoonte misschien onbedoelde gevolgen kon krijgen, dat ze zich later misschien niet meer van hem zou kunnen losmaken en niet van iemand anders zou kunnen houden, bijvoorbeeld. Mijn gebrek aan werkelijk inzicht stelde hem teleur. Het was een grote, harige, zwaarmoedige figuur, log van spreken en denken, en gevangen door Freud. We zijn vergeten wat een tirannie Freud in die tijd uitoefende. Met iemand die 'Freud' zei, viel net zomin te discussiëren als met een stalinist. Het klikte absoluut niet tussen ons, en onze stiekeme onderlinge verzekering dat we van elkaar geen trouwplannen hoefden te duchten, klonk nog overtuigender dan anders.

Er was nog een jonge weduwnaar. Zijn vrouw was onverwachts overleden, en iedereen vond dat hij zo snel mogelijk moest hertrouwen. Dat was dom, want hij was kapot van verdriet en zwaar geschokt. Ik werd verliefd op hem. Niet smoor. Maar wel genoeg om mijn gezonde verstand uit te schakelen. Ik ben nota bene bij hem ingetrokken, in zijn huis in Chelsea, een elegant plekje met een prachtige rode setter die zijn vrouwtje vreselijk miste, en kasten vol kleren van de overleden echtgenote. Weer werd ik voortgesleurd door een onderstroom, een voortzetting van de slepende willoosheid van na-Clancy. Het was in feite het eind van iets, het eind van de passiviteit.

Hij werkte voor *The Daily Express.* Plots bevond ik me in een wereld die zo ver van de mijne af stond dat het wel leek alsof ik een boek was binnengewandeld. Zijn vrienden gingen naar de paardenrennen om te wedden, hadden stamkroegen, en waren stuk voor stuk rechts. Bij de *Express* was hij veelbelovend, zijn meerderen en vooral de grote baas zelf hielden hem goed in de gaten. Als Beaverbrook een artikel van hem goed vond, liet hij een koerier honderd pond bezorgen. Ik moest lachen om zulk bazengedrag, maar de ambitieuze leerjongen vond het prachtig. Hij werkte ook voor Bernstein van Granada Television, al weet ik niet meer hoe of wat. Hij vond het een heerlijke positie, lievelingszoon van machtige mannen. Op een nacht ging om een uur of drie de telefoon. Bernstein. De volgende dag zou er bij Granada gestaakt worden, en Bernstein was woedend, maar eigenlijk nog meer verbijsterd. 'Hoe kunnen ze me dat nu aandoen?' bleef hij maar zeggen. 'Vinden ze me dan niet aardig?' *Vinden ze me dan niet aardig* – de eeuwige kreet van de tiran. Ik hoorde mijn – tijdelijke – geliefde zeggen: 'Jawel, natuurlijk bewonderen ze u wel, dat doen we allemaal.' Dat was toen niet de gangbare mening over Bernstein, maar vrouwen zien de geschiedenis vaak vanuit een laag-bij-de-gronds perspectief. Ook Bernstein is weer zo iemand die ten onrechte is vergeten. Hij had zich ten doel gesteld om het niveau van de televisieprogramma's op te krikken en daar is hij in geslaagd. Geen van onze huidige televisiegiganten heeft de avontuurlijkheid en durf in zich van de Granada Television van toen.

Op een gegeven moment vielen mij de schellen van de ogen. Daar ging ik dan in Chelsea, omgeven door winkelende vrouwen, halverwege de ochtend de hond uitlaten. Waar was ik in godsnaam mee bezig? Waar ging dit om? Ik verbrak de relatie en ging naar huis. Hij was te gepantserd door echt verdriet om het echt erg te vinden. En ikzelf was tot de conclusie gekomen dat ik verslaafd geraakt was aan verliefd worden. Die roes, helemaal high. Dat wil zeggen, in de milde vorm, en die had met echte liefde niets te maken. Waarom had ik dat niet eerder ingezien? Ik hoefde alleen maar te kijken naar wat ik had geschreven, *The Habit of Loving* bijvoorbeeld. Dat had ik geschreven omdat ik in een poging de ervaring met Jack te herhalen dom te werk was gegaan en het toen weer had opgegeven.

Het was een echte schok voor me, deze ervaring. Werkelijk het eind van iets. Ik schreef *How I finally Lost My Heart.* En toen ging ik weer verder met *Het gouden boek*, dat ik samenstelde uit het materiaal dat in mijn hoofd al min of meer gereed lag.

Ik heb veel geschreven in die flat, grotendeels *Het gouden boek* en *Landlocked* [vertaald als *Gestrand*]. 's Morgens na het opstaan snel een trui en een hemd of een broek aantrekken, haar borstelen, tanden poetsen, thee zetten. De ene kop na de andere, de hele ochtend en middag, onderbroken door verfrissende slaapjes. Soms schreef ik zo met horten en stoten de hele dag. Soms belandden duizenden woorden, of misschien het werk van een hele dag in de prullenmand. 's Avonds hing ik uitgeput voor de televisie, of ging ik alleen door de stad lopen. Week in week uit. Niet bepaald opwindend, het leven van een schrijver aan het werk. Dat is zo ongeveer een jaar doorgegaan, maar als Peter thuiskwam, met een vriend, nam ik ze mee naar Cornwall. De flat was te krap voor energieke tieners.

Ergens in die tijd had ik twee ervaringen met artsen, die in zekere zin ook relevant zijn voor het thema passiviteit.

Ik lig op bed in een van onze meest prestigieuze academische ziekenhuizen, voor een gynaecologisch onderzoek. Ik ben altijd moe, en ze denken dat dat misschien door mijn baarmoeder komt. Er liggen twaalf vrouwen op de zaal te wachten op de gynaecoloog. Op het bed naast me ligt een vrouw stijf van de zenuwen, ze probeert haar snikken in te houden. Een jonge verpleegster houdt een oogje op ons. De grote man maakt zijn entree, met in zijn kielzog een stuk of tien piepjonge studentjes. Hij gebruikt de koude, sarcastische stem: je krimpt in elkaar als je die hoort. Hij begint bij het bed naast me. 'Ik heb u al eerder gezegd, mevrouw – hoe heet ze? – mevrouw Jones, u mankeert niets. U moet uw man naar me toesturen. Het ligt aan hem dat u niet in verwachting raakt. Heeft u dat niet tegen hem gezegd?'

'Hij wordt zo kwaad,' huilt de vrouw.

'O, wordt hij kwaad? Waarom verspilt u dan mijn tijd? En geld van de gemeenschap? Weet u wat u de belastingbetaler kost? Nee? Dan wordt het hoog tijd.' De kille, lijzige stem gaat verder. 'Ik wil u hier niet meer terugzien, mevrouw... Zeg tegen hem dat hij komt.'

'Maar dat wil hij niet, dokter,' jammert ze.

'Dat is toch uw probleem? Niet dat van mij.'

Ondertussen zie ik dat de jonge verpleegster zich schaamt. En ik denk: ze verwachten toch niet dat ik voor al die pukkelige pubers met mijn benen wijd ga liggen? Het was niet bij me opgekomen dat dat kon gebeuren. Ik was weliswaar een gedreven tegenstander van preutsheid, maar dit ging te ver. De jonge studenten staan al besmuikt te doen, ze grijnzen en wisselen blikken uit. Ik ben de jongste vrouw hier op de afdeling. De verpleegster heeft een lapje of servet in haar hand van een halve vierkante meter. Wat moet ze daar mee? Ze stroopt de deken die mijn onderlijf bedekt omlaag als de dokter aan het voeteneind verschijnt. Hij kijkt in zijn aantekeningen, dan kijkt hij op naar mij. 'Denkt u dat ik mijn studenten iets kan leren als u uw benen over elkaar houdt?' 'Benen wijd,' sist de verpleegster, en ze houdt het schamele lapje voor mijn gezicht. 'Ik heb mijn tijd hard nodig, mevrouw...,' zegt de dokter. Ik doe mijn benen wijd, al weet ik dat ik eigenlijk moet opspringen, hem een klap moet verkopen, die glurende studenten hun vet moet geven. Maar ik doe niets van dat alles. 'Hier hebben we een voorbeeld van een perfecte multipara,' zegt de dokter. 'Drie kinderen...' Hij raadpleegt zijn aantekeningen. 'Ja, drie. Jammer dat we ze zo niet vaker zien.' Vervolgens plant hij als Cecil Rhodes die vanuit Kaapstad over het Afrikaanse continent noordwaarts blikt stevig zijn voeten neer, verheft zijn stem en zegt tegen de zaal in het algemeen: 'U moet kinderen krijgen als u jong bent. Dat is wat de natuur wil. Dat u nu al die vrouwenkwalen hebt, is omdat u uw kinderen niet jong genoeg krijgt.' Hij beent verder met zijn hitsige acolieten. Ik had hem natuurlijk wel kunnen vermoorden, maar de zielige protesten en beschuldigingen van een laf slachtoffer blijven altijd onuitgesproken. De verpleegster, die zich schaamt en mijn partij kiest, en al even verontwaardigd over het armzalige lapje is als ik, zegt zachtjes: 'Kleedt u zich maar weer aan. U mankeert niets.' Ze loopt haastig naar de vrouw in het bed naast me, die nu onbedaarlijk huilt. 'Ssssst,' zegt ze. 'Gaat u zich maar aankleden. Ik kom u zo een kopje thee brengen. Hij is niet zo kwaad als hij eruitziet.' Wij druipen bedrukt af naar de kleedhokjes. Terwijl ik me aankleed, hoor ik hoe ze zich volledig laat gaan in verdriet. Ik zie door het gordijn dat ze met haar arm over haar gezicht op een onderzoeksbed ligt. Haar luide gesnik gaat iedereen door merg en been. Ik voel de woede in me rondkolken. Hoe heb ik me zo op me kop kunnen laten zitten? *Waarom?* Waarom voelde ik me altijd zo hulpeloos bij dokters?

Voor ik uit Salisbury naar Londen vertrok, in die lange, ellendige periode waar maar geen eind aan leek te komen, klaagde ik tegen een vriend, die arts was, dat ik me zo moe voelde. Misschien heb je bilharzia, zei hij. Hij was bilharziadeskundige. Een van de symptomen is vermoeidheid en apathie. Laten we hem Matthew noemen. Toen we hem pas kenden, was hij een aankomend doktertje, maar het succes en zijn patiënten hadden hem een bezadigde, gezaghebbende manier van doen gegeven. We plaagden hem ermee. Hij onderzocht me op bilharzia. Niets. Je kunt bilharzia oplopen door je poriën, al door het minste contact met besmet water, en ik was mijn hele jeugd veel in het water geweest. Ik had weliswaar nooit gezwommen in zo'n poel met stilstaand water vol waterplanten waaraan slakken kleefden, maar ik had er vast weleens een hand of voet in gestoken (in die tijd dacht men dat de bilharzia alleen via de urinebuis naar binnen kon). Ik zou het heel goed kunnen hebben. Dat de uitslag van de test negatief was, betekende volgens Matthew niet dat ik niet besmet was. De behandeling was langdurig en onaangenaam: minstens een maand lang dagelijkse antimooninjecties. Het grootste deel van de zwarte bevolking had bilharzia, een van de inheemse ziekten van Afrika. Als de lange, pijnlijke kuur was afgelopen, liep de patiënt gerede kans de parasiet opnieuw op te lopen, als hij of zij op het platteland woonde (wat meestal het geval was), want de rivieren en poelen waarin iedereen zich waste en waar ze drinkwater uit haalden waren ervan vergeven. Tegenwoordig heb je aan een paar pillen genoeg en ben je in een wip genezen. Ik zei dat ik een maand lang injecties echt niet aankon, maar Matthew had net een nieuwe behandeling uitgevonden, waarbij hij de volledige maanddosis antimoon toediende in drie dagen. Drastisch weliswaar, maar effectief. Zou ik dat willen proberen? Bovendien leverde ik zo een bijdrage aan de medische wetenschap, want de behandeling verkeerde nog in het experimentele stadium. Ik ging naar een ziekenhuis vol engelachtige jonge nonnen met hemelsblauwe gewaden en sluiers. Ik kreeg vier injecties per dag. Na elke keer ging je hart tekeer, het pompte en schudde alsof het uit elkaar zou barsten, je lag naar adem te snakken en dacht dat je doodging, en zwoer dat je je geen volgende dosis zou laten toedienen; precies op het moment dat je het niet meer uithield, kwam het tumult in je lijf tot bedaren. De jonge engelen stonden er bezorgd maar lachend bij, terwijl ik vier keer per dag dacht dat ik doodging. Op een dag wandelde Matthew naar binnen, ernstig, autoritair. 'Nou, je ziet er prima uit.'

'Maar Matthew, ik voel me vreselijk. Weet je het zeker?'

'Honderd procent in orde. Dé behandeling van de toekomst.'

Vier dagen later wankelde ik het ziekenhuis uit, geschokt, trillerig, vergiftigd, misselijk. Wel zonder bilharzia – dacht ik. Maar ik bleef even moe. Toen kreeg ik mijn derde kind, schreef *Het zingende gras* en ging naar Londen.

Ook Matthew zat algauw in Londen, verbonden aan de Kliniek voor Tropische Ziekten en andere specialistische klinieken – de internationale bilharziadeskundige. 'Hoe gaat het met je?'

'Prima, alleen ben ik altijd moe.'

'Misschien heb je bilharzia.'

'Daar heb je me toch van genezen?'

'O ja? Ben je behandeld?'

'Je hebt me de driedagenkuur gegeven. De bliksembehandeling.'

'Die doen we niet meer. We hebben er heel wat mensen mee om zeep geholpen. Alleen zwarten, hoor. Die zijn er niet tegen opgewassen, hebben niet genoeg pit.'

Ik moet helaas vermelden dat ik me opnieuw heb laten testen, dat de test negatief was, en dat ik de verzekering kreeg dat dat eigenlijk niets bewees. Het leek wel alsof ik met alle geweld overal mee in wilde stemmen, graag aardig gevonden wilde worden, geen simpel 'nee' over mijn lippen kon krijgen. Ik maakte gebruik van het feit dat Peter net weer voor een periode naar kostschool was vertrokken, en stemde erin toe dat ze me opnamen in de Kliniek voor Tropische Ziekten, onder leiding van de befaamde Dokter. Ik heb er een maand gelegen. Gratis, uiteraard. De kuur was nu gereduceerd tot een dosis per dag, en was weliswaar niet bijster aangenaam, maar ook niet pijnlijk of beangstigend. Ik was blij dat ik kon uitrusten. Ik lag op bed te lezen, over *Het gouden boek* na te denken, en te roken. Ze hadden me verzekerd dat niemand die antimoon kreeg toegediend langer dan twee dagen bleef roken, maar ik ben het de hele kuur blijven doen. Matthew kwam aan mijn bed, lang, traag, autoritair, verzekerde me dat het uitstekend met me ging, om dan naar de andere vrouw in de kamer te kuieren, die alle artsen intrigeerde. Het was een Engelse non die in Nigeria werkte, waar ze een mysterieuze ziekte had opgelopen waardoor haar benen bij tijd en wijle opzwollen en beurtelings roze, purper en frambozenrood kleurden. Vooral de timing van deze kleurrijke verschijningen vonden de dokters fascinerend. Het moest wel de een of andere worm zijn die de medische wetenschap nog niet kende. Zuster Lucy lag op bed damestijdschriften en de bijbel te lezen, met een bel naast zich waarop ze moest drukken zodra haar benen weer begonnen op te zetten en te verkleuren. Een paar keer per dag weerklonk er in de gang een gedraaf van artsen en verpleegsters die vanuit het hele ziekenhuis naar ons toe kwamen rennen. Ze stonden om de blozende benen, schraapten stukjes vel af, namen bloedmonsters, zeiden: 'Merkwaardig... ongelooflijk... fascinerend...' en vertrokken dan weer met tegenzin, want vaak waren de benen dan alweer geslonken. Zuster Lucy was een vrouw van rond de vijftig die al tientallen jaren in Nigeria zat waar ze ergens in een afgelegen oord werkte en de heidenen naast liefde voor God ook lezen en schrijven bijbracht. Net als ik rustte ze eens lekker uit. Ze kreeg collega's op bezoek met tijdschriften, liefdesromans, chocola, sloffen met roze pluche, een roze bedjasje. Toen werd ze voor een kuur naar een andere afdeling voor ernstiger ziekten overgebracht, en werd ze vervangen door mevrouw Ada Dimitrious, een grote, kalme, niet bijzonder knappe Engelse met glad licht haar en volmaakt glanzende roze nagels: voor ze naar het ziekenhuis moest, had ze haar haar en nagels laten doen. Ze zat rechtop tegen de kuise witte ziekenhuiskussens en de bloemetjeskussens die ze zelf had meegebracht *The Daily Mirror*, *The Daily Express* en de ene na de andere semi-intellectuele roman te lezen. Daar kon ze niet genoeg van krijgen, zei ze; ze was uitgehongerd op leesgebied. Haar levensverhaal luidde als volgt: twee vrolijke Engelse meiden waren samen op vakantie naar Griekenland gegaan. Het was begin jaren vijftig en toen was zoiets nog niet gewoon, heel avontuurlijk. Haar zus Maureen had haar overgehaald. 'Die was altijd al gek op buitenlanders. Ik niet zo, hoor.' In Athene stroopten ze de cafés af, waar ze werden opgemerkt door een Griekse zakenman, die na één blik op die roomblanke blonde Engelse verliefd was, in één klap reddeloos verloren. Hij bestookte de meisjes met bloemen en chocola, en eiste dat Ada op staande voet met hem trouwde. 'Waarom vraag je Maureen niet?' vroeg ze. 'Die houdt van het buitenland.' Maar Ada trouwde haar Aristides. 'Zeg maar Ari.' 'Nee, ik noem je wel Harry.' En ze vertrok met hem naar Nigeria, naar Kano, in het noorden, een stad die beelden oproept van kamelen, karavanen, een muezzin, marktpleinen vol kruiden en betovering. Het is van oudsher een handelsstad met een verleden dat pure romantiek ademt. Ada uit Croydon belandde in een groot, oud huis met reusachtige, frisse vertrekken die door hoge bomen in een uitgestrekte tuin tegen de hitte beschut werden, en een plat dak, waar ze bijna iedere avond sliep.

'Eerst vrijen,' zei ze. 'Dan naar het dak.'

Harry zegt: 'Kom op, op het dak kunnen we ook vrijen, dat doet iedereen.'

'Nee, zeg ik, ik weet heus wel hoe het hoort.'

'Hou je van hem?' vroeg ik, aangezien ik geen reden zag om niet ter zake te komen.

'Houden van, houden van. Ik weet nooit wat ze daarmee bedoelen. Ik zou nooit een andere man dan Harry kunnen verdragen. Is dat houden van?'

Het had een poosje geduurd voor ze doorkreeg dat hij heel rijk en succesvol was. Hij was handelaar en werkte hard. Overdag zag ze hem vrijwel niet.

'Ben je niet eenzaam?'

'Eenzaam? Nog zo'n woord dat ik niet begrijp. Ik ben graag alleen, dat is altijd zo geweest.'

Soms ging ze in gezelschap van een bediende naar de markt, omdat haar Harry zei dat ze er eens uit moest, maar eigenlijk zat ze het liefst alleen in de reusachtige kamer waar ze op de etagères bij de ramen hoopjes bloemen legde zodat de geuren door de kamer konden zweven op de luchtstroming van de grote plafondventilater, en las ze *The Daily Mirror*, die per luchtpost uit Londen kwam. Vrienden had ze niet. Ze ontving de zakenrelaties van haar man als die haar vroeg voor een diner of lunch te zorgen, maar dat deden de bedienden allemaal, en die vonden haar alleen maar lastig als ze kwam vragen om dit of dat klaar te maken. Ze had niets gemeen met de vrouwen van Harry's blanke collega's, en evenmin met de zwarte vrouwen die met zijn zwarte zakenpartners waren getrouwd. Je had er wel artsen, missionarissen en onderwijzers, maar 'ik kan niet tegen heilige boontjes,' zei ze, haar volmaakte nagels lakkend, haar volmaakte blanke huid inspecterend die nog nooit een straaltje Nigeriaanse zon had opgevangen.

Ze was tevreden met haar leven, maar had de een of andere ziekte opgelopen, met voortdurend diarree; de genezing in de Kliniek voor Tropische Ziekten kon haar niet snel genoeg gaan, want ze wilde naar huis.

Altijd was er post van haar Harry. Vurige brieven.

Ze las ze met een blosje: 'Hij mist me. Hij is oversekst. Dat zeg ik ook tegen hem. "Je hebt gewoon te veel libido. Dat is niet goed voor je, in die hitte."

Maar daar was hij doof voor. Hij wilde drie keer per dag als het kon. Soms kwam hij tussen de middag thuis, maar niet om te eten. "Ik hou van je, ik hou van je, ik hou van je, ga mee naar bed." "Maar het is bijna veertig graden!" "Hou je dan niet van me?" Hij smeekt me, en ik geef toe want ik zie een man niet graag bedelen als een hond. Al dat zweet, de lakens drijfnat, en dan moet ik ze weer snel verschonen, want ik wil niet dat de bedienden het weten.'

Ze had tegen hem gezegd: 'Luister, lieverd, nee, luister nou, neem toch een meisje voor de seks, dat vind ik niet erg.' Hij begon te huilen en zei: 'Je houdt niet van me.' En zij weer: 'Een man als jij heeft twee vrouwen nodig. Daar kun jij ook niks aan doen. Je hebt gewoon te veel.'

'Hij was zo van streek,' zei ze, terwijl haar kalme blauwe ogen bij uitzondering droef stonden. 'Ik snapte meteen dat ik dat nooit meer moest zeggen. Maar ik zou weleens willen weten wat eraan mankeert. Een meisje voor de seks en mij voor de rest. Want ik mag hem graag, echt, ik zou nooit met iemand anders kunnen trouwen.'

'Zou je het erg vinden als hij een Nigeriaans meisje had?'

'Een zwart meisje? Blank zou ik leuker vinden, maar erg, nee. Ik vind de zwarten daar aardig. Ik vind het eten lekker, Alleen het lawaai, daar hou ik niet van. Ze zijn zo luidruchtig. Maar het is hun eigen land.'

'Wat doe je met al je geld?'

'Ik heb mooie kleren. Die draag ik 's avonds voor hem. Dat vindt hij heerlijk. Ik heb zelfs een jurk van Dior. Maar er is daar niets om je geld aan uit te geven. Hij geeft het grootste deel aan zijn familie in Griekenland. Ik hou van mensen die voor hun familie zorgen. Ik kan geen kinderen krijgen. Ik wilde ze wel, maar er kwam niks, en ik heb gevraagd of hij het erg vond. Nee, zei hij, ik was alles wat hij wilde, en als er kinderen kwamen had ik geen tijd meer voor hem.' Ze deed cold-cream op haar mooie huid, en tilde haar mauve satijnen nachthemd op om de crème ook in haar hals en decolleté te kloppen. 'Tja, geen rozen zonder doornen,' zei ze ernstig, met een zucht.

Ik kreeg heel wat mensen op bezoek, en Ada lag te lezen en naar ons te luisteren.

'Ik hou van gesprekken,' zei ze. 'Je hebt interessante vrienden. Je bent een echte bohémien. Wist je dat?'

'Dat hebben ze weleens meer gezegd,' antwoordde ik, 'maar alleen in Afrika. Wat is een bohémien dan volgens jou?'

Daar dacht ze ernstig over na. 'Tja, ik ben er geen. Harry ook niet. En zijn familie niet. Mijn familie ook niet. Maar jij wel. En je vrienden ook. Je vindt het gewoon leuk om anders te zijn,' verklaarde ze. Ze draaide zich om. 'En nu ga ik een tukje doen. Zorg dat de verpleegsters me niet wakker maken. Thuis kan ik nooit uitslapen, dat gaat niet met Harry. En weet je wat? Soms als ik wakker word, ligt hij met tranen in zijn ogen naar me te zwijmelen. Hij zegt dat ik zo mooi ben dat hij ervan moet huilen. Dan zeg ik: "Als je dat vaak genoeg zegt, ga ik het nog geloven ook." '

Heb ik nu bilharzia gehad of niet? Wie zal het zeggen.

Die herinneringen aan dokters en ziekenhuizen leveren een beeld op van pathologische passiviteit onder druk van Autoriteit. Ik heb niet 'vrouwelijke passiviteit' geschreven, want ten aanzien van artsen denk ik niet dat er tussen de geslachten veel verschil bestaat. We hebben allemaal geleerd dat we moeten doen wat ze ons voorhouden. Het eerste wat een baby, peuter, kleuter te horen krijgt: 'Daar is de dokter... de dokter zegt... je moet dit drankje nemen van de dokter... je moet van de dokter in bed blijven.' Hij, en tegenwoordig ook zij, vormt vanaf het begin het opperste gezag in het gezin, en in het tijdperk van het huisbezoek zag een kind hoe het hele gezin wachtte tot de dokter kwam, die zou wel vertellen wat ze doen moesten. Maar nu het tijdperk van bezoek aan huis voorbij is, verandert dat misschien.

Wat ik nu zo verbazend vind is dat mijn moeder vroeger weliswaar zelf tegen de dokters zei wat ze doen moesten of moesten voorschrijven, maar dat ze toch die autoriteit nodig had tussen zichzelf en haar patiënt (mijn vader, mijn broer, mij). Dat kwam door de meedogenloze discipline die de verpleegsters toen werd bijgebracht, want ze mochten absoluut niets doen wat de dokter niet bevolen had. Op de boerderij, toen mijn vader zo ziek was door zijn suikerziekte of de gevolgen daarvan, zette ze hem in de oude auto, ging naast hem zitten zodat ze zijn gezicht in de gaten kon houden op tekenen van coma of collaps, en dan reed ik naar Salisbury. Wat is nu honderdtien kilometer? Een peulenschil. Maar de weg was een en al put en kuil, met grote, trage golven in het stenige, zanderige wegdek waar je óf snel overheen moest rijden, zodat de auto en zijn inzittenden heen en weer geschud werden, óf zo langzaam dat je van de top van de ene richel tegen de volgende opgleed. In ons geval moesten we kiezen voor de langzame variant, omdat mijn vader zo ziek was. Het duurde wel een uur of vijf, zes voor we er waren, want we moesten onderweg ook nog stoppen zodat hij uit kon rusten. Toen de wegen sneller waren door de stroken – in plaats van asfalt over het hele wegdek, had je asfaltstroken voor de wielen – ging het nog steeds vrij langzaam, omdat de randen van de stroken steile afgrondjes vormden, en als je niet oppaste gleed je eraf en slipte je vast in het zand. Mijn vader zat daar dan doodsbleek te zweten; met zijn ene hand klemde hij zich vast aan de auto, met de andere aan mijn moeder. En dan werd hij in het ziekenhuis opgenomen voor een ochtend, of een dag, voor onderzoeken die mijn moeder ook al gedaan had op de boerderij, en dan zei de dokter tegen mijn moeder iets wat ze allang wist, omdat zij het hem zelf verteld had. Dan werd mijn vader voor een nachtje in een hotel gestopt, en reden we de volgende dag terug naar de boerderij. Opnieuw die langzame martelgang. En dat allemaal om de goedkeuring van het gezag van de arts te verkrijgen. Krankzinnig. Maar zo was het. Zo ging het toen nu eenmaal.

Het gouden boek wordt meestal als mijn beste roman beschouwd. Misschien is dat wel zo, maar ik denk er het mijne van. Ze zeggen dat een schrijver niet de aangewezen persoon is om het eigen werk te beoordelen. Bijna veertig jaar nadat het is geschreven, wordt het nog steeds gestaag verkocht en vaak herdrukt, en niet alleen in Europa. De geschiedenis ervan illustreert de pieken en dalen die een roman kan meemaken.

Ze vragen altijd: waarom hebt u die of die roman of dat verhaal geschreven, hoe is dat boek tot stand gekomen? Maar het antwoord is nooit eenvoudig. Soms denk je jaren over een boek na, omdat je niet de manier kunt vinden het te schrijven, en dan komt de oplossing misschien ineens, in een droom soms, of in een reeks van dromen; hoe dan ook, wat eerst onmogelijk leek is plots makkelijk geworden. Zo is het met *De huwelijken tussen zones drie, vier en vijf* uit de reeks 'Kinderen van het geweld' gegaan. De formule 'Canopus in Argos: Archieven', maakte om de een of andere reden een eind aan tien jaar onvermogen. De *huwelijken* is het tweede uit de reeks en heel anders dan de rest. Zoals zo vaak, was de oplossing heel simpel: ik ging de oeroude stem van de verhalenverteller gebruiken, en alles viel op zijn plaats. Een roman kan ook plots in je hoofd schieten, zoals *De barmhartige terroriste.* De wordingsgeschiedenis van *Het gouden boek* was niet lang, maar wel complex, niet alleen vanwege de inhoud maar ook vanwege mijn toestand in die tijd. Ik stond echt op een kruispunt, een keerpunt; ik zat in de smeltkroes, klaar om omgesmolten te worden. Ik was me van dat veranderingsproces bewust – er was niets onbewusts aan. Ik had me bijvoorbeeld vast voorgenomen dat mijn emotionele leven van toen af aan anders zou worden. En dan de politiek: het communisme als morele basis was definitief van de baan. Overal om me heen stortten mensen in; hun hart brak; ze bekeerden zich tot een religie of (en dat kwam heel veel voor) voormalige fanatieke communisten ontdekten hun talent voor zakendoen en geld verdienen – geobsedeerd zijn door de processen van het kapitalisme was immers een uitstekende leerschool voor een commerciële carrière. Het punt was dat ik zag hoe mensen die uitsluitend op één paard hadden gewed, stukliepen. Wat ze uit hun gedachtewereld hadden gebannen, stroomde met kracht naar binnen, soms in de vorm van gekte. Ik was opgegroeid in een samenleving die de dingen in hokjes verdeelde – blank, zwart – en het resultaat werd al duidelijk in het nieuws uit zuidelijk Afrika: die starre onbuigzaamheid viel uiteen tot oorlog en geweld. En verder terug in de tijd had je de stemmen van mijn ouders: die van mijn vader, tenminste toen hij nog gezond was, nog zichzelf was, was verdraagzaam, menselijk, tolerant, niet-oordelend; die van mijn moeder wilde altijd categoriseren, oordelen, veroordelen. Ik wist dat een opmerkelijk tijdperk in de wereldgeschiedenis ten einde liep. Ik wist dat het binnen de kortste keren krankzinnig zou lijken. Ik had geleerd dat een sfeer, een denkklimaat, een mentaliteit die voor de eeuwigheid bestemd lijkt, van de ene op de andere dag kan verdwijnen. Mijn meest extreme ervaring op dat punt was het begin van de Koude Oorlog, zo vlak na het einde van de Tweede Wereldoorlog, toen vriendschappen plots stukliepen en bondgenoten vijanden werden. Een paar jaar lang had ik al lopen denken dat de romans die ik graag over de negentiende eeuw zou lezen nooit geschreven waren. Geschiedenisboeken genoeg, maar weinig romans. Waar waren de romans over de intellectuele debatten, de ruzies, de hartstocht en de haat die zo vaak het echte verhaal achter de officiële geschiedenis vormen? Waar het leven zoals dat in socialistische kringen geleefd werd?

Ik wilde een roman schrijven die men later kon lezen om uit te vinden hoe de mensen zichzelf zagen, mensen die communist waren en van een gouden tijdperk droomden – en ik wil erop wijzen dat we een tijdje werkelijk geloofd hebben dat dat gouden tijdperk voor de deur stond. Hoe hadden we zoiets stoms kunnen geloven? Die gekte moest in ieder geval geregistreerd worden.

Ik had een kader nodig, een vorm, die een extreem strakke hokjesverdeling uitdrukte die daarna uiteenviel – de ervaring die ik had meegemaakt, op dat moment meemaakte. De ideologieën waren niet alleen strikt politiek maar gingen ook over de manier waarop vrouwen zichzelf zagen. Tegenwoordig denkt men dat de vrouwenbeweging uit de jaren zestig stamt. Net als seks. In werkelijkheid had je in de jaren veertig en vijftig in en om de communistische partij en ook in de socialistische partijen talrijke groepsdiscussies, bijeenkomsten en gesprekken over de vrouw. De vrouw was onderwerp van discussie. Vrouwen hebben altijd al over mannen gekletst, en die stemmen hoorde ik al in mijn vroege jeugd. Mijn geheugen zat vol gesprekken over mannen, vrouwen, hun onderlinge verschillen, liefde, seks, huwelijk. Nieuw was de gedachte dat er in die oeroude verhoudingen verandering moest komen.

Neem nu de gesprekken in de keuken van Joan Rodker, die ik gebruikt heb voor Molly en Anna. Joan was Molly (sterk veranderd, uiteraard) en ik was Ella. Eigenlijk zou ik niet hoeven zeggen dat dat géén accuraat feitenverslag was, of een precieze weergave van wat er gezegd is; maar lezers haken nu eenmaal zo naar het autobiografische dat ik het nog maar eens herhaal: nee, zo is het in werkelijkheid niet precies gebeurd.

Raar, die behoefte aan het autobiografische. 'Nee, Molly was een samenvoeging van verschillende vrouwen die ik gekend heb. Ja, de omstandigheden van Ella uit *Het gouden boek* waren dezelfde als die van mij, maar haar karakter was eigenlijk anders.' En meteen: teleurstelling. Een behoefte aan letterlijkheid, aan feiten, het precieze. Virginia Woolf heeft eens terecht opgemerkt dat van de honderd lezers van een roman er maar één werkelijk geeft om de verbeeldingskracht die de schrijver aan het werk heeft gezet: de rest wil weten of de schrijver 'zichzelf erin heeft verwerkt', en: is dat misschien een portret van Freddy, of Jane?

Wat leren we die honderdste lezer waarderen!

Maar waarom wil iedereen altijd die romanfiguren als autobiografisch zien? Hoe vaak heb ik niet een gezicht van teleurstelling zien vertrekken als ik zei: nee hoor, die persoon is helemaal verzonnen, of samengesteld uit een handjevol soortgelijke figuren, of uit een andere omgeving naar deze verplaatst. Wat we dan zien is een afkeer van de verbeelding. Men wil het werkelijke, het feitelijke, 'wat er echt is gebeurd'. En als ik dan zeg: ja hoor, die dingen zijn me echt allemaal overkomen, o, wat een opluchting, een lach, plezier. Maar waarom? Ooit waren al onze verhalen verbeelding, mythe, legende, allegorie, fabel, want dat was de manier waarop we verhalen aan en over elkaar vertelden. Maar die gave is weggekwijnd onder druk van de realistische roman, tenminste in zoverre dat alle verbeeldingsrijke of fantasievolle aspecten van het verhalen vertellen in duidelijk herkenbare, afzonderlijke categorieën zijn gestopt. Je hebt magisch realisme, space fiction, science fiction, fantasy, volksverhalen, sprookjes, horror, want we hebben de literatuur net als al het overige in hokjes verdeeld. Enerzijds realisme – de waarheid. Anderzijds, in een ander hokje, verbeelding – fantasie. Maar de meeste mensen willen tegenwoordig onder het lezen denken: dit is de schrijver écht overkomen. En de schrijver, die zo veel moeite heeft gedaan om het verhaal boven het strikt persoonlijke uit te tillen en om persoonlijke, eigen ervaring te veralgemeniseren, krijgt soms het gevoel dat al die moeite tevergeefs is geweest, en dat hij of zij net zo goed een accuraat feitenverslag had kunnen schrijven – autobiografie dus.

Als die andere dimensie zich in de realistische roman binnendringt, want ergens moet die toch heen, wordt die vaak toegelaten in de vorm van gekte. Als Jane Eyre de stem van de eerste mevrouw Rochester hoort, wordt er veel meer opgeroepen dan klanken voortgebracht door een arme, gekke vrouw: het gaat om de groteske, irrationele werelden, wild verlicht door helle- en hemelvuur, die we uit ons dagelijks leven bannen. Tot ons eigen nadeel. In de realistische literatuur krijgt gekte veel te veel gewicht, en dat komt omdat gekte toegestaan is. Dromen worden veel te belangrijk, immers, dromen zijn 'realistisch'. We dromen toch allemaal? Het zou geen enkele moeite kosten om een lange lijst te maken van 'realistische' romans waarin het irrationele een rol speelt, een hoofdrol zelfs, maar dan in de geaccepteerde vermomming van droom of waanzin.

Het gouden boek is onder enorme druk geschreven – druk van binnenuit, hetgeen me op een ander, even schimmig terrein brengt. Soms heeft de emotionele druk die de energie voor een roman levert niets met het onderwerp te maken. Schrijvers begrijpen dat, maar de meeste lezers denkelijk niet. *Het vijfde kind* is geschreven op energie uit pure frustratie en woede omdat het onmogelijk was om kranten de waarheid te laten schrijven over wat er gebeurde toen de Sovjetunie Afghanistan binnenviel: een hele generatie redacteuren en journalisten (mensen die ooit als extreem beschouwde opvattingen hadden gehad die later, zoals zo vaak gebeurt, gemeengoed waren geworden) koesterden nog steeds een sentimentele loyaliteit jegens de Sovjetunie, die het aanvankelijk onmogelijk en later moeilijk maakte om de geringste kritiek op hun geliefde land te uiten. *Het vijfde kind* had dus die stoomwolk achter zich, maar dat wil nog niet zeggen dat het ook echt over de sovjetbezetting van Afghanistan gaat. De drijvende kracht achter *Het gouden boek* was een gevoel van verlies en verandering: dat ik eerst door Jack en later door Clancy tot de grenzen van mijn emoties was gesleept, of liever, dat ik voortgesleurd was door míjn emotionele behoeften, die in feite niets te maken hadden met hen als persoon. Ik had mijn behoefte aan de gewonde held ingezien, aan een man die lijdt, en begreep dat daar een einde aan moest komen. Peter, het derde en laatste kind, werd al groot. Verlies, vertrek, het einde aan drama's die al lang speelden, de behoefte aan een streep eronder – einde. En al die dynamische energie is in *Het gouden boek* gestopt, *emotionele* energie, en die is veel en veel sterker dan we denken... en dat terwijl je ook nog moet erkennen dat wat zo vaak als verstandelijk wordt betiteld in feite óók emotioneel is. Wat is feller emotioneel en hartstochtelijk – en giftig – dan een kamer vol intellectuelen in ideologisch debat?... Maar ik glip met ingehouden adem maar snel langs dit gevaarlijke terrein heen.

Achter het raamwerk van die roman zat een bepaalde gedachtegang. Namelijk dat het gevaarlijk was om het leven op te splitsen en in aparte hokjes te stoppen, daar kwamen alleen maar moeilijkheden van. Oud – jong; zwart – blank; man – vrouw; kapitalisme – socialisme: die grote tweedelingen ondermijnen ons, dwingen ons tot onnatuurlijke categorisatie, maken dat we op zoek gaan naar wat ons verdeelt in plaats van wat ons bindt. Dat was de gedachte waaruit de vorm of het patroon van *Het gouden boek* is voortgekomen. Maar de emoties waren sterker dan de gedachte. Daarom heb ik *Het gouden boek* altijd als een mislukking beschouwd: mislukt in de zin dat het niet beantwoordde aan wat ik had beoogd. Want heeft dat boek ook maar een fractie veranderd aan onze neiging (als computers die erop geprogrammeerd zijn alles op te splitsen) om alles in hokjes te verdelen – mensen, denkbeelden, de geschiedenis? Nee. Maar waarom had ik dat dan ook zo hoogmoedig gedacht? Omdat ik in de roes van ontdekking, van onthulling verkeerde. Ik had die Waarheid nog maar pas ontdekt: ik zag mijn eigen brein werken als een sorteermachine, en dat vond ik vreselijk.

Het gouden boek is niet meteen 'de bijbel van de vrouwenbeweging' geworden, zoals het in het ene na het andere land is omschreven. De recensies in Engeland en Amerika, van zowel vrouwen als mannen, waren zuur, knorrig, vijandig. Ik ben eens opgezocht door iemand die wetenschappelijk onderzoek deed en zei dat ze tot haar verbijstering ontdekt had dat de recensies van *Het gouden boek* zo slecht waren geweest: besefte ik dat wel? Gek genoeg wel ja. Die recensies hadden me geschokt en van mijn stuk gebracht op een manier zoals ik me daarna nooit meer heb laten gebeuren. Allereerst had ik tot dan toe geluk gehad: wat ik had geschreven was door de bank genomen gewaardeerd, of ik was later door de gebeurtenissen in het gelijk gesteld. Het eerste wat ik had geschreven, over de situatie in zuidelijk Afrika, was bekritiseerd als 'onrechtvaardig' tegenover de blanken, maar die tijd hadden we gehad. De recensies van *Het gouden boek* hadden een bepaalde toon die aangaf dat er een gevoelige snaar was geraakt. En als je dat ziet of hoort, weet je dat de recensent het niet over het boek heeft maar over zichzelf. Als een recensie zo'n nijdig, wrevelig toontje heeft, staat er niet: 'Dit boek heeft me van streek gemaakt omdat het me aan mijn moeder (of mijn man of mijn kind) doet denken' maar: 'Wat een vreselijke roman.' Maar om dat te begrijpen moet je meer ervaring hebben dan ik toen had. En het niveau van de recensies was abominabel. Ik wist toen nog niet dat je op elk terrein altijd een paar mensen hebt die kwaliteit leveren, en dat de rest tweederangs is en er niets van afweet. Geen enkele recensent had in de gaten dat *Het gouden boek* een interessante vorm had, en dat in een tijd waarin de critici klaagden dat de Engelse roman zo conventioneel was. Ze waren zo ondersteboven van het thema van de oorlog tussen de seksen in het boek, dat ze verder niets zagen. Wat je over recensenten moet beseffen is dat het – grotendeels – emotionele lui zijn. Me dunkt dat het toch hun functie zou moeten zijn om af te wegen, te denken, te beschouwen en te bespiegelen, maar vaak lopen ze alleen hun emoties achterna.

Dat is opnieuw gebeurd, zij het minder frappant, met *Terug naar de liefde*. Net zoals bij *Het gouden boek*, waarbij de recensenten alleen oog hadden voor het veronderstelde thema 'vrouwen en mannen', was ook het directe onderwerp van *Terug naar de liefde*, liefde op latere leeftijd, verrassend en shockerend, en werd het feit dat de roman een tamelijk gecompliceerde structuur heeft nauwelijks opgemerkt.

Eén vorm van kritiek, die toen het luidst klonk, is sindsdien verstomd, namelijk dat de mannelijke romanfiguren zo onaangenaam waren. Dat vond ik niet. (Achter die kritiek kon je de opvatting horen: 'Vrouwen kunnen niet over mannen schrijven,' die laatste, wanhopige verdedigingspoging.) En vervolgens was de kritiek dat álle erin voorkomende personen zo onaangenaam waren. Waarop je je begint af te vragen welke bijzonder fantastische mensen de recensenten dan wel moeten kennen, vast heel anders dan de mensen die jezelf ooit hebt ontmoet. En door wat voor roze bril ze zichzelf dan wel moeten zien, heel anders dan anderen ze zien in ieder geval. Datzelfde thema heeft Proust eens ironisch en grappig uitgewerkt. Hij verzint een op de dagboeken van de Goncourts gebaseerd hoffelijk en vleiend verslag over de Verdurins en kun kring, die hij geportretteerd heeft vanuit het standpunt van iemand die hoog tegen ze opkijkt, in de trant van een stukje in de *society*-rubriek van de krant. Alsof het tijdschrift

Hello een poging ondernam om *Les Liaisons Dangereuses* te herschrijven.
Misschien voor *Het gouden boek* zoiets als:

Ik liep door Church Street langs het huis van Molly Jacobs, en daar in het erkerzitje op de eerste verdieping zat Anna Wulf, de beeldschone schrijfster van *Frontlijnen.* Ze keek de kamer in. Toen lachte ze; ze zal dus wel in gesprek geweest zijn, waarschijnlijk met Molly zelf. Ik kon een licht gevoel van jaloezie op die twee niet onderdrukken: de één een uitstekend ontvangen nieuwe schrijfster, en Molly Jacobs, wier loopbaan als actrice net weer een hoge vlucht had genomen met *The Wings of Cupid,* dat op een eindeloze reeks voorstellingen kan hopen. Toen kwam uit een zijstraat de melkboer eraan; Molly hoorde hem en kwam naast Anna voor het raam staan. De melkboer keek op en groette de beide jonge vrouwen. Een charmant plaatje, zo met z'n tweeën. Molly kreeg me in de gaten en zwaaide. Ik mimede een smeekbede; ze zei iets tegen Anna Wulf, die me snel opnam en herkende – we hadden elkaar ooit maar heel even gezien in de foyer van de schouwburg – en even later landde er een in een zijden sjaal gewikkelde sleutel naast me op de stoep. Heerlijke vrijbuitersmanieren... Ik ging de trap op – zag dat de harp nog op de overloop stond – en toen ik de woonkamer binnenging, hoorde ik Molly zeggen: 'Jawel, maar ik ben niet zo theoretisch aangelegd; ik maak me gewoon zorgen over Tommy.' Ik viel kennelijk midden in een gesprek over de toekomst van de jongen en zei: 'Ik kom alleen maar even goeiendag zeggen.' Molly zei: 'De zoon van de melkboer heeft een beurs gekregen, hij is hier gisteren geweest en heeft me het hele verhaal verteld.' Ik kon mezelf er niet van weerhouden om te zeggen: 'Molly, je moet echt voorzichtiger zijn; je moet niet zomaar Jan en Alleman hier binnenlaten.' Terwijl ik dit zei, bedacht ik dat ik haar zo al toesprak sinds ze als klein meisje bij me op schoot zat. Ze trok alleen maar een gezicht van wat-moet-ik-ermee en haalde haar schouders op. Ze is niet voor niets toneelspeelster; ik voelde me dan ook terechtgewezen alsof ik iets onvergeeflijks had gezegd. Toen klonk de kreet van beneden op straat: 'Verse aardbeien, zó van het land.' De twee vrouwen gebaarden de venter te stoppen en Molly rende de trap af. Ik stond het naast Anna aan te zien en naar Anna te kijken, die met een lachje op het tafereeltje neerkeek. Molly nodigde de aardbeienventer op luide toon uit om wat van zijn eigen aardbeien met ze te komen eten, wat hij weigerde, en kwam de trap oprennen met een grote schaal aardbeien die er inderdaad eersteklas uitzagen. Molly maakte een geprikkelde indruk. Ze zei dat ze net uit Italië terug was en aan cultuurschok leed, ze moest weer aan het Engelse klassenonderscheid wennen. Anna zei tegen Molly dat ze de gevoelens van de venter had gekwetst. Molly beseft inderdaad nooit hoe ze anderen met haar uitbundige gedrag kan shockeren.
Ik zei dat ik geen aardbeien wilde omdat ik ervandoor moest.
'O, had ik dan gevraagd of je die wilde?' vroeg Molly lachend. De plaaggeest!
'Weg moet je sowieso,' zei ze, 'want Richard komt straks. We moeten bakkeleien over hoe het verder moet met Tommy. Maar kom er even bij zitten tot hij er is.'
Ik ging zitten en keek naar een tafereel dat zó uit een Bonnard kwam, twee mooie

vrouwen met hun witte schaaltjes rode aardbeien met slagroom en de zon die in de gouden wijn glansde, beiden openlijk en gulzig van de traktatie genietend.
Ik bedacht dat Molly Jacobs misschien vele zorgen had, maar zeker niet om geld. Richard heeft niet alleen Skies Unlimited, dat overal ter wereld bekend is, maar nog minstens tien andere internationale ondernemingen. Bij hem is de sky kennelijk inderdaad de limit. En ik ben blij dat ik zeggen kan dat hij en Molly goede vrienden zijn, op een beschaafde, moderne manier.
Er werd aangebeld, en Molly gooide de sjaal met de sleutel naar beneden. Ze wisselde een glimlach met Anna uit die ik niet goed kon interpreteren – terwijl ik toch altijd prat ga op mijn psychologisch inzicht – tot ze zei: 'Hij vond het altijd vreselijk als ik dat deed. Het is zo'n pretentieuze kerel.' Het was gemoedelijk bedoeld, dat weet ik zeker.
Ik stond op en zei: 'Ik hoop dat je niet gaat zeggen dat ik een pretentieuze zak ben zodra ik mijn hielen heb gelicht.'
Maar Richard was er al. Hij groette me plichtmatig, en ik zag dat hij alleen oog had voor de beide vrouwen. Ik benijdde hem het feit dat hij zijn problemen kon bespreken met twee van zulke begrijpende vriendinnen. Hij was sportief gekleed, en Molly plaagde hem: 'Ga je een dagje gezond doen in de buitenlucht?'
Ik vertrok. Met tegenzin, moet ik bekennen. Het was zo'n prettige ambiance – die speciale vriendschap die alleen mogelijk is tussen een man en een vrouw die ooit intiem met elkaar zijn geweest; en die kleine, knappe Anna Wulf, van wie in de literaire wereld zoveel verwacht wordt, en die zondagochtendsfeer, lui, traag, plezierig.
Ik liep Church Street af en bedacht dat ik de zondag daarop weer langs zou gaan en me de vrijheid zou veroorloven me op een heel oude vriendschap te beroepen.

Uit: *De dagboeken van Philip Maxbury Westbourne*
toneelcriticus, literator, columnist

Vrouwen liepen aanvankelijk niet bepaald over van enthousiasme voor het boek. Integendeel, sommigen, ook goede vriendinnen van mij, distantieerden zich ervan, in de trant van: waarom verklap je onze geheimen? Maar dat vrouwen kritiek op mannen hadden viel toch nauwelijks een geheim te noemen. De eerste waardering voor het boek was van mannen afkomstig: Nicholas Tomalin, Edwin Muir, die me er een berichtje over stuurde, en in Amerika Irving Howe en daarna, wat later, Hugh Leonard, en nog weer later Robert Gottlieb, die mijn redacteur werd, eerst bij Simon & Schuster, later bij Knopf.

Eén probleem waar ik meteen al op stuitte was dat de veranderingen bij Michael Joseph samenvielen met de publicatie van het boek; dat was toen de uitgeverij verkocht werd over de hoofden van de werknemers heen (al was hun beloofd dat ze bij een verkoop zeggenschap zouden krijgen), waarop de halve redactie ontslag nam. Mijn eigen redacteur zag *Het gouden boek* niet zitten; dat heeft hij weliswaar nooit gezegd, maar ik weet het van collega's van hem.

Toen werd het boek ontdekt door feministen in Engeland, Amerika en Scandinavië, en werd het de 'bijbel van de vrouwenbeweging'. Dat zo koel geplande boek werd naar mijn mening op hysterische wijze gelezen. Een wel heel extreem voorbeeld daarvan was toen er in Zweden een actrice op me afkwam met: 'Ik lees alleen nog maar het blauwe boek – ja, het is van mij, het heeft niets met u te maken.'

In Duitsland en Frankrijk heeft het tien jaar geduurd voor het boek uitkwam, omdat men het te controversieel vond. Toen ze het eindelijk aandurfden, was het meteen een succes en werd het opgepikt door de feministen. In Frankrijk is het bekroond met de Prix Medici voor vertaalde romans. Mijn redacteur bij de Franse uitgeverij, Albin Michel, was een Amerikaan, Peter Israel, en hij liet me weten dat hij zo woedend was toen hij *Het gouden boek* voor het eerst las, dat hij het door de kamer smeet, waarbij hij bijna zijn toenmalige vriendin raakte. Maar geleidelijk aan begon hij het te waarderen, en het is aan hem te danken dat het in Frankrijk zo goed is gaan lopen.

Niet alleen vrouwen zagen de roman als een boek rond één enkel thema. Er waren vrouwen die me voor zichzelf claimden, en alleen hun eigen belangen en strijdpunten erin zagen, maar ik kreeg ook brieven van mannen en vrouwen over de politiek uit het boek, die zo snel al tot het verleden begon te behoren, en over waanzin. De jaren zestig waren aangebroken, en daarmee ook het romantiseren van gekte. Het thema van mensen die via een inzinking tot een beter begrip van zichzelf en hun tijd komen, sloot goed aan bij de smaak van de jaren zestig. Vlak voor ons in de toekomst lagen Ronnie Laing en consorten. Van hen wordt nu gezegd dat ze het thema hebben bedacht, uitgevonden, er voor het eerst mee zijn gekomen. Maar daar zet ik mijn vraagtekens bij. In de jaren vijftig had je een boek van een zekere Haimi Kaplan, *The Inner World of Mental Illness*. Het is een prachtig boek – menselijk, kies, evenwichtig – met voorbeelden van krankzinnigen uit deze eeuw en vorige eeuwen. Ik ben ervan overtuigd dat veel mensen het boek hebben ontdekt en erdoor geïnspireerd zijn, maar dat niet hebben onderkend. Dat zie je heel vaak: dat mensen al hun inspiratiebronnen onderkennen, op de allerbelangrijkste na. Volgens mij is de reden daarvoor niet dat ze hun erkentelijkheid niet willen tonen, maar dat de aanvankelijke indruk, de eerste impuls, zo sterk is dat hij onderdeel van de inspiratie gaat uitmaken en je later dus heel moeilijk het onderscheid kunt maken: 'Dát was de impuls van buitenaf, en op dít punt is het uit mezelf gekomen.'

Ook kreeg ik brieven van mannen over de oorlog tussen de seksen, waarderende brieven. Over *Het gouden boek* heb ik altijd brieven van mannen gekregen. En jaar in jaar uit krijg ik deze: 'Ik heb *Het gouden boek* ontdekt. Ik heb het aan mijn vrouw/ vriendin/ dochter gegeven.' En pasgeleden nog, een brief uit Mexico: 'Ik heb net *Het gouden boek* gelezen. Ik wist niet dat vrouwen het ooit over iets anders dan mannen en kinderen hadden. Ik heb het aan mijn vrouw gegeven.'

De volgende brief aan Edward Thompson, als reactie op een van zijn kritische opmerkingen op *Het gouden boek* vanuit een links standpunt, spreekt voor zich:

Lieve Edward,

Hartelijk bedankt voor je brief – lief van je om te bellen, en lief dat je geschreven hebt.
Laten we ervan uitgaan dat het, gezien onze temperamenten, gevaarlijk is om dit soort discussie aan te gaan, vooral per brief.
1. Ik begrijp niet hoe iemand het g.b. als subjectief kan omschrijven – de subjectieve opvattingen worden juist geobjectiveerd en gerelateerd aan de samenleving – dat heb ik tenminste geprobeerd.
2. Over die ouwe koeien ivm *The New Left Review*, nee, Edward, dat is geen juiste beschrijving van wat er gebeurd is; zullen we dat maar verder laten rusten?
3. Ik vind de uitspraak dat ik een bushbewoner ben die verblind is door de felle stadslichten eigenlijk een al te makkelijke manier van denken over het soort standpunt van de buitenstaander over Europa waar iemand met mijn soort opvoeding niet aan ontkomt.
4. Nee, lieve Edward, ik heb voor mijn fictieve recensies geen stukje uit sovjetkranten overgeschreven. Het klinkt misschien gek, maar ik heb ze verzonnen.
Het is zelfs zo dat wanneer ik een necrologie over mezelf en *Het gouden boek* zou schrijven, dat ik dan heel bits zou zeggen, als zo'n frikkerige gouvernante, met de woorden in zo'n ballonnetje boven mijn hoofd: 'Het klinkt misschien gek, maar ik heb het verzónnen...'
Of, om datzelfde thema wat *theoretischer* te brengen – omdat de roman een aflopende zaak is, omdat we allemaal naar *informatie* hunkeren, in de foutieve veronderstelling dat de redding moet komen van meer kennis over de verschillende aspecten van onze gefragmenteerde wereld, leest niemand, maar dan ook niemand, ook niet de literaire intelligentsia, de mensen die geacht worden belangstelling te hebben voor een roman als roman, leest niemand een boek zoals het hoort: ze lezen *Het gouden boek* alsof het een autobiografie is. Fijn hoor. Dit is echt de tijd van de journalistiek.
Lieve Edward, het is een door en door *geconstrueerd* boek, waarbij het gaat om de onderlinge samenhang tussen de verschillende delen. Het is een roman over het soort intellectuele en emotionele opvattingen dat nu opgang doet, dat de mensen nu hebben, en hun verhouding tot elkaar.
Als je dát subjectivisme noemt, zeg je in feite dat je het boek niet gelezen hebt...
Liefs voor jullie alle twee, laten we vrienden blijven, kom weer eens langs.
Ik heb met plezier kennisgemaakt met je vriend Tom. Een aardige man.

Liefs,
Doris.

Het leidt een merkwaardig leven, *Het gouden boek*.

Ik kom vrouwen tegen die zeggen: 'Ik heb *Het gouden boek* gelezen in de jaren zestig. Het heeft mijn leven veranderd. Mijn dochter heeft het gelezen en nu leest mijn kleindochter het ook.'

Dat een boek je leven heeft veranderd, kan alleen maar betekenen dat je al klaar was voor verandering en het boek je het laatste zetje heeft gegeven.

Toen ik een keer in Rio was, zat ik voor mijn hotel op een terras, zoals dat in een zuidelijk klimaat kan. Meisjes uit de *favelas* komen daar zitten, soms de hele dag op één koffie of een vruchtensap, want voor de prijs van een fatsoenlijke jurk zijn ze even uit de ellende en de armoede – een week of zo. De obers laten ze met rust en knijpen een oogje toe als ze een klant vinden – wat niet zo vaak gebeurt. Te veel meisjes, niet genoeg klanten. Twee van die meisjes zaten aan een tafeltje bij mij in de buurt, en het ene meisje riep me toe: 'Mijn vriendin wil u iets vertellen. Ze spreekt geen Engels. Ze vindt u fantastisch.' Maar eigenlijk wilde ze zeggen dat ze *Het gouden boek* fantastisch vond. Hoe had dat boek zijn weg gevonden naar een van de ergste krottenwijken ter wereld? Ik was intens ontroerd, dankbaar.

In China is het tweemaal gedrukt, in oplages van tachtigduizend, weinig voor hen, met hun enorme bevolking, enorm voor ons. Beide keren was het in een paar dagen uitverkocht, aan vrouwen, want ook daar is het een vrouwenboek. De vrouwen hebben het daar zo moeilijk dat ik blij ben dat ze iets aan het boek hebben, en in dat geval laat het me ook verder koud waar het boek nu 'eigenlijk' om gaat.

Maar dat is China. Wel vind ik het erg wanneer feministen in Amerika of Engeland zich mijn boeken toe-eigenen, want in een ander soort brief die ik vaak krijg, staat: 'Op de universiteit heb ik uw boeken niet gelezen vanwege het bordje 'verboden toegang' van de feministen. Maar toen ik later wel een boek van u las, ontdekte ik dat ze niet alleen voor vrouwen waren.'

En zo is dat omstreden boek dat zo veel uitgevers en recensenten van streek heeft gebracht, veertig jaar later een soort klassieker geworden, iets wat erbij hoort. Onlangs werd ik gegroet door zestienjarigen van een Londense school, wier leraar hun *Het gouden boek* had aangeraden. 'We vinden het fantastisch,' zeiden ze.

En een andere jonge vrouw, uit Oost-Europa, zei na afloop van een lezing die ik had gehouden, dat zij en haar vrienden *Het gouden boek* aan het lezen waren. 'Fascinerend, zo over die oude tijden te lezen.'

Soms hoor ik dat het boek verplichte kost is bij geschiedenis of politicologie, en dat doet me deugd, want het is immers mijn uitgangspunt geweest om een kroniek van het eigentijdse leven te schrijven. En mocht het boek een blijvertje zijn, dan zal dáár de waarde in blijken te liggen. Want ik ben nog steeds van mening dat het, ongeacht zijn sterke en zwakke punten, een eerlijk, waarheidsgetrouw en betrouwbaar verslag is van hoe we toen allemaal waren. Nu zou het niet meer geschreven kunnen worden, want een roman moet voortkomen uit een bepaalde voedingsbodem van sfeer, gevoelens en denkbeelden, en die zijn nu niet meer terug te halen. Je kunt nauwelijks geloven ze echt gebeurd zijn, 'die oude tijden'.

En nu het meest bizarre van de vele levens van *Het gouden boek.* Het is een tekst voor deconstructie geworden. Dat boek, direct voortgekomen uit zo veel bloed, zweet, en vooral tranen, een intellectueel spelletje? Laat me niet lachen – toch zit er weinig anders op.

Ik ben veranderd door het schrijven van *Het gouden boek.* Je verandert altijd door het schrijven van een boek; als je even nadenkt, begrijp je dat dat niet anders kan. Als je je met hart en ziel op een onderwerp stort, lijkt de informatie en het inzicht plots overal vandaan te komen: er duiken boeken op in je leven, je hoort het op de radio, in gesprekken, en op de televisie. Dat is een feit, een gegeven, je kunt ervan op aan – en een 'wetenschappelijke' verklaring is er niet voor. Ja. Maar over dat soort snelle informatiegaring op een laag niveau heb ik het niet. Het schrijven van die roman heeft mijn manier van denken veranderd, plus nog iets fundamentelers dan denken. Toen ik eraan begon, en dat was op het moment dat ik het communisme had verworpen, was de hele mentale instelling van het communisme nog bij me aanwezig. Het was een mentaliteit die niet was voorbehouden aan communisten alleen, maar die mensen die nooit socialist of communist waren geweest zich ook hadden eigen gemaakt. Nog voor de jaren vijftig ten einde waren, las ik in de 'kapitalistische pers' hoofdartikelen, onberispelijk conservatieve artikelen, die communistisch jargon gebruikten: 'concrete stappen', 'contradicties', 'de interpenetratie van tegenstellingen', 'klassenstrijd' enzovoort. We zagen dat zich voortdurend herhalende proces waarbij de denkwijze van een buitengesloten, ja, doodgezwegen minderheid zich langzaam maar zeker als een inktvlek uitbreidt, tot ze onderdeel van het 'heersende denkklimaat' is geworden.

Er is nu al tientallen jaren sprake van iets wat ik 'het trendy standaardpakket' noem, de algemeen aanvaarde trendy bagage die iedere jongere met een westerse opvoeding achter de rug als de enig mogelijke heeft leren aanvaarden. Dit gaat tegenwoordig iets minder sterk op dan vroeger, want de denkbeelden van later uitgesloten minderheden beginnen er ook in door te dringen. Allereerst het marxisme, een van de zevenenvijftig soorten marxisme, en dat ook wanneer het niet als zodanig herkend wordt. Vervolgens de overtuiging dat de mensenmaatschappij in de toekomst alleen maar beter zal worden, vooral op materieel gebied: steeds meer materiële welvaart is het toekomstbeeld voor iedereen – steeds meer auto's, ijskasten, luxe en zekerheid, een omhooggaande roltrap waarop iedereen ter wereld staat. (Al is deze overtuiging wat minder geworden.) Het is materialisme – een kip in ieders kookpot – de Amerikaanse politieke leus in barre tijden (in plaats van 'gouden bergen'). Een kip in *ieders* kookpot, overal – maar dat is nog net zo onhaalbaar als vroeger. Ten slotte, het grootste pak uit het pakket, materialisme in filosofische zin: God is dood en de wetenschap is oppermachtig.

Wie die laatste overtuiging niet onderschrijft – want ze is onverminderd sterk – wordt neerbuigend als laf en dom bestempeld. Als iemand zegt: 'Ik begrijp mensen niet die in God geloven,' gaat dat met openlijke of verholen hoon gepaard. Misschien zeggen ze zelfs: 'Als het nu mensen zonder opleiding zijn, ja dan...' Zij zien God als een soort verzekeringspolis tegen de verschrikkingen van de eeuwigheid voor mensen die het idee niet aankunnen dat ze er straks niet meer zijn. Maar wie zulke arrogante minachting koestert, bedenkt kennelijk nooit dat veel mensen die in God geloven, naast het bestaan van de hemel ook in het hellevuur en allerlei pijnlijke vormen van verdoemenis geloven. De moslims en sommige extreme christenen bijvoorbeeld. Dat moet je toch eerder als moed dan als lafheid zien? Het is een stadium dat mensen doorlopen, afkeer van wie in God gelooft. Ik heb het ook doorlopen. Ik weet nog hoe zelfvoldaan ik was en het gevoel had dat ik iets origineels zei, iets wat nadenken had gekost.

Bij het trendy standaardpakket hoorde verder ook onvermijdelijk de opvatting dat Zuid-Afrika een misdadige dictatuur vormde – dat was juist – die alleen in een bloedbad kon eindigen, een 'nacht van de lange messen' – niet juist. Over Zuid-Rhodesië begon men langzamerhand ook zo te denken. De Verenigde Staten waren wereldvijand nummer één, een veel ergere tirannie dan de Sovjetunie, die bij veel mensen ondanks alle onthullingen nog op een voetstuk stond. De minachting voor ons eigen land, Groot-Brittannië, die zo diep zat dat die toen eigenlijk nooit nader werd bekeken, uitte zich in een constante vitterige kritiek op alles wat Brits was. Het was de keerzijde van 'British is best'. Er werd als vanzelfsprekend aangenomen dat de échte politiek ergens anders werd bedreven, want échte politiek betekende onrust, geweld, opstand en revolutie en in Engeland gebeurde – toen – zoiets niet: we waren vredelievend, geweldloos, geloofden in het kiesrecht om problemen op te lossen (verachtelijk, nietwaar?) en hielden toen niet zo van extreme opvattingen. Bij het geringste teken van revolutie of onrust elders, trokken alle Britse activisten die het zich konden veroorloven naar Polen, Hongarije, Tsjechoslowakije, of naar Parijs, als het daar weer spannend werd.

Toen ik klaar was met *Het gouden boek* had ik mezelf een uitweg uit het standaardpakket geschreven, al was het niet zo dat ik onder het slaken van de kreet 'Eureka!' de laatste zin op papier wierp. Nee, ik kreeg langzamerhand in de gaten dat bepaalde kameraden en ex-kameraden, en ook doorsnee politiek-georienteerde vrienden door dat standaardpakket een soort zelfingenomenheid, om niet te zeggen arrogantie, uitstraalden. Als je in de voortdurende vooruitgang geloofde, de materialistische roltrap, bewees je je goede gezindheid, je zorg om de medemens; als je God eruit had gegooid en alleen tegenover het kille universum stond, was je moedig, niet klein te krijgen. Als je in revolutie geloofde was je dapper, vooral als je in je geheime fantasieën beulen weerstond en concentratiekampen overleefde.

Ik ben ervan overtuigd dat er nergens ter wereld een communist was die zich in zijn verbeelding niet voorbereidde op ondervraging, marteling, gevangenschap, en dat in landen waar van revolutie geen sprake was. 'Nog één ding, kameraad Ondervrager' – een sarcastische uithaal. 'Iedereen is op de hoogte van de ondervrager die aardig en vriendelijk is en die dan vervangen wordt door een sadistisch varken. U vergeet dat we in landen met vrije nieuwsgaring leven. Ja, natuurlijk ga ik alles bekennen. We weten allemaal dat niemand tegen marteling bestand is. Maar wat u niet schijnt te beseffen is dat niemand buiten dit land er ook maar één woord van zal geloven. Iedereen ter wereld weet hoe jullie [de Sovjetunie, China enzovoort] mensen met marteling bekentenissen ontlokken. Echt, u zou niet zo naïef moeten zijn, zo dom.' Als dit soort fantasie zich in miljoenen (vele miljoenen) hoofden afspeelde, welk effect moet dat dan niet gehad hebben op het denken in het algemeen?

't Heeft rare kanten, van opvattingen veranderen – of liever, je opvattingen laten veranderen. Je wordt op een ochtend wakker en denkt: goeie help, zo dacht ik toch vroeger? – maar eigenlijk weet je dan nauwelijks wat er gebeurd is. Het is een proces dat constant doorgaat, of je nu iemand bent die veel met denkbeelden en overtuigingen bezig is of niet.

Het standaardpakket was schamel gaan lijken, sleets en oppervlakkig, en vooral: een bij elkaar geraapt zootje, flarden Franse Revolutie en Verlichting, stukjes en beetjes uit de tijd van Cromwell of de Industriële Revolutie, geloofsartikelen van Marx of Lenin. Ik wist tot op de seconde nauwkeurig wanneer ik de godsdienst en God had afgezworen, namelijk toen mijn moeder, van streek omdat haar dochter verliefd was op de Maagd Maria (want daar kwam het op neer) een lijst rooms-katholieke wandaden reciteerde, die stuk voor stuk protestantse tegenhangers hadden; wat heb ik met een geweldige opluchting dat hele oncomfortabele, lastige juk van mijn schouders geworpen en voor het dappere stoïcisme van het atheïsme verruild. Ik besefte dat ik het hele marxistische standaardpakket om geen diepere reden aanvaard had dan dat de communisten die ik in Zuid-Rhodesië had leren kennen dezelfde boeken hadden gelezen (echt gelezen) als ik, verliefd waren op de literatuur, en omdat het de enige mensen waren die ik kende voor wie het vanzelf sprak dat het blanke regime tot de ondergang gedoemd was. Maar als ik in een ander land, in een andere tijd was geboren, dan had ik net zo makkelijk het daar op dat moment in zwang zijnde 'correcte' standaardpakket geaccepteerd.

En er was nog iets. Tijdens het schrijven van het boek had ik dingen ervaren die niet met de dogma's van het standaardpakket strookten. Ik heb een hekel aan het woord 'inspiratie', en wantrouw alle aanspraken op hogere ervaringen, maar ik had wel dingen geschreven die ik niet uit eigen ervaring had en die later werkelijkheid zijn geworden. Ik wil ze hier niet gaan opsommen, want de mensen haken zo naar het buitenissige dat de meest bescheiden beweringen tot hele kosmologieën worden uitgebouwd.

Veel schrijvers hebben de ervaring dat ze gebeurtenissen of denkbeelden beschrijven die ze verzonnen hebben maar die later zijn uitgekomen. Om me dan maar gelijk helemaal ongeloofwaardig te maken voor de mensen die het standaardpakket nog steeds als de enig mogelijke wereldvisie beschouwen: ik denk dat er om ons niveau van denken heen, los ervan, maar soms erin doordringend, een laag van denken of zijn zit, een golflengte, waar schrijvers vaak op afgestemd zijn, al is het maar voor even. Dat is volgens mij ook de verklaring voor het bekende verschijnsel dat verschillende schrijvers op hetzelfde moment met hetzelfde thema, dezelfde titel of hetzelfde denkbeeld aan komen zetten, terwijl ze geloven dat ze uniek en origineel zijn en dat niemand anders dat had kunnen bedenken. Dat is me meer dan eens overkomen. Ergens vlak bij ons bevindt zich een zee van denkbeelden, een verfijnder trillingsniveau, en dat doet zich voelen, ook al wordt dit nog zo stellig door de arrogante materialisten ontkend.

Ik heb het idee dat ik tijdens het schrijven van *Het gouden boek* zo terdege aan het eind was gekomen van een heel spectrum van denkbeelden, gedachten en gevoelens, dat de wereld die ik als 'onmogelijk' en als 'reactionair' ter zijde had geschoven, mij omringde en op me begon in te werken, om aandacht vroeg.

Ik ben systematisch op zoek gegaan naar iets anders. Waar of hoe ik dat moest zoeken, wist ik niet. Immers, die buitengesloten wereld wordt in onze cultuur slechts vertegenwoordigd door dubieuze praktijken en denkbeelden als seances, horoscopen, waarzeggerij enzovoorts, zodat ik telkens weer werd afgeschrikt, maar ik heb volgehouden en ieder spoor gevolgd dat ik vinden kon – een verwijzing in een boek, iets wat ik toevallig opving, een opmerking op de radio. Via Yeats kwam ik bijvoorbeeld bij de Golden Dawn terecht, maar Madame Blavatsky en Aleister Crowley hebben me daar weer weggejaagd. Ik besefte dat dát – magie en mysterie en bizar gedrag – niet was wat ik zocht. Dit alles heeft maanden geduurd, en liep parallel aan mijn gewone leven omdat ik er met niemand over kon praten, want iedereen die ik kende klemde zich stevig aan het standaardpakket vast, en niet alleen linkse mensen. Ik heb die zoektocht beschreven in de persoon van Martha in *De stad met vier poorten*, al heb ik hem daar ingekort, geordend en versimpeld – je kunt de slordigheid van het leven niet in een roman kwijt als je niet wilt dat je lezers het boek geeuwend ter zijde leggen. Weer bevond ik me in dezelfde situatie als toen ik een meisje was: ik moest mijn mond houden over wat ik dacht.

Ik was meteen al doordrongen van één fundamenteel en doorslaggevend feit – dat er een wereld van ideeën en overtuigingen bestond waar ik nauwelijks van had gehoord, laat staan serieus mee in aanraking was gebracht. Al had ik niet bepaald een goede scholing genoten, ik had wel veel gelezen, had deel uitgemaakt van de intellectuele gistingsprocessen van onze tijd, had een breed scala aan mensen ontmoet, maar nergens had ik daarbij de geringste aanwijzing gekregen voor wat ik nu ontdekte (als ik tenminste het weeë 'spiritualisme' van de laatste dagen van de communistische groep in Zuid-Rhodesië buiten beschouwing liet).

Nergens in onze opvoeding en onze cultuur vond je de geringste vermelding van de grote godsdiensten, de grote spirituele tradities, van het Oosten. Binnen onze eigen cultuur, en wel in het hart ervan, heb je de spirituele traditie van het christendom, schrijvers als Johannes van het Kruis en Juliana van Norwich, boeken als *De wolk van het niet-weten*, maar daarbij ging het om uitzonderlijke personen met bepaalde gaven van het temperament die denk ik door zeer weinigen gedeeld worden; ze zijn voornamelijk bekend bij religieuze mensen.

Ik denk dat deze lacune in het hart van onze opvoeding – toentertijd heel sterk, inmiddels is dat wel wat veranderd – er de oorzaak van was dat jonge mensen die waren grootgebracht met het zelfverzekerde, aanmatigende, zelfingenomen intellectualisme van het Westen geen enkele afweer hadden toen ze kennismaakten met de oosterse traditie, ook de meest verloederde vormen daarvan. In de jaren zestig, die toen net waren aangebroken, hebben we herhaaldelijk gezien dat hoogopgeleide jongeren zich tot verbijstering van hun ouders plots overgaven aan allerhande charlatans, goeroes en cultussen, maar dat kwam omdat hele stukken van hun geest ongecultiveerd waren gebleven, zodat daar het eerste het beste onkruid vrolijk wortel kon schieten, zoals ik het heb uitgedrukt in mijn verhaal *The Temptation of Jack Orkney* [vertaald als *De verzoeking*].

Eerst begon ik over de verschillende tradities van het boeddhisme te lezen. Kort daarop zou het boeddhisme op veel mensen aantrekkingskracht gaan uitoefenen; dat doet het trouwens nog steeds. (Toentertijd hadden we er nauwelijks van gehoord. Het is echt moeilijk om de absolute algemene onwetendheid en de steriliteit van ons denken van vlak voor de jaren zestig over te brengen.) Het boeddhisme is heel aantrekkelijk voor het gewelddadige en oorlogszuchtige westen. Vervolgens verscheidene aspecten van het hindoeïsme, dat mij aantrok vanwege zijn polytheïsme, zijn veelvormigheid (net als het rooms-katholicisme) en dat goden en heiligen absorbeert al naar gelang van de cultuur waarin het zich bevindt. Maar ik ben geen Indiase. Ik weet dat dit voor al die mensen die zich in ashrams in India en elders tooien met lendendoeken, sari's, rode stippen op hun voorhoofd enzovoorts, geen beletsel vormt. Maar ik las alle grote oosterse klassieken – de Veda's, het Bhagavad Gita, de verschillende Zen-geschriften; ik las om informatie te vergaren, en met veel plezier, maar vooral om leiding te zoeken – maar telkens ging ik door de ingang ook weer naar buiten. Er was echter één feit dat uit dit alles naar voren kwam, een basisfeit, namelijk dat je een leraar nodig hebt. Zonder leraar of gids raak je onherroepelijk in de problemen. In die tijd was dat eigenlijk niet meer dan de enige zekerheid waar ik me aan vastklampte in een zee van verschillende stemmen en levenspaden, maar sindsdien is het veel minder theoretisch geworden, omdat ik er jarenlang getuige van zou zijn hoe mensen overhaast te werk gingen en die gevaarlijke terreinen verkenden zonder gids, waardoor ze op allerlei mogelijke manieren doldraaiden en vaak tijdelijk of permanent gek zijn geworden.

Als we op één ding trots zijn in het Westen, is het op onze onafhankelijkheid. Daar was ik me eigenlijk niet eens van bewust, tot ik mezelf op dat punt op de proef stelde. Het is moeilijk, die geliefde autonomie prijsgeven, vooral als je er je hele leven al mee bezig bent geweest – je onafhankelijkheid bevechten, die verdedigen, met moeite weer terugkrijgen als je die tijdelijk bent kwijtgeraakt, bijvoorbeeld doordat je communist bent. Als vrouw is het extra moeilijk, omdat de druk op je dan zo groot is, vooral de druk van binnenuit, emotionele druk, die verraderlijker is dan druk van buitenaf.

De 'goeroes' die zich eind jaren vijftig, begin jaren zestig aandienden, waren niet overtuigend genoeg om mezelf aan over te geven. Ik heb er wel een uitgeprobeerd, deels uit nieuwsgierigheid; daar zat ik dan tegenover zijn plaatselijke vertegenwoordiger, die me iets bood wat op psychotherapie leek, maar op zo'n laag niveau dat ik alsnog bewondering kreeg voor mevrouw Sussman. Psychotherapie was toen '*far out*', 'te gek' (uitdrukkingen die toen in zwang begonnen te raken), een hemelsbreed verschil met de huidige situatie, waarbij je om de haverklap therapeuten tegen het lijf loopt, en dat zijn dan vooral mensen (ik kan niet nalaten hierop te wijzen) die zelf een rampzalig gevoelsleven achter de rug hebben.

Ik besloot mijn ogen en oren open te houden en mijn zoektocht voort te zetten. Ondertussen diende er zich een onaangenaam besef over mijzelf aan (het eerste van zeer vele), namelijk dat die Paden, die Wegen die ik onderzocht soms ook 'disciplines' heetten. En zelfdiscipline had ik niet – jawel, ik overdreef, in die dagen toen ik me overweldigd voelde door de dingen waar ik mee geconfronteerd werd – behalve op één punt: ik had wel de zelfdiscipline om me iedere dag aan het werk te zetten, terwijl sommige mensen dat heel moeilijk vonden, dat wist ik. Ik was in staat gebleken mijn leven en werkindeling aan te passen aan mijn zoon: ik kon met waarheid zeggen dat mijn leven altijd gedraaid had om zijn behoeften, de tijden waarop hij naar school ging, vakantie had, kwam en ging. Maar verder? Nou, niks eigenlijk, als ik mezelf kritisch bekeek.

Eten hield me heel erg bezig, of ik dat nu ging opeten of niet. Dat is in onze tijd van overvloed niet bepaald ongebruikelijk, maar ik begon steeds sterker te beseffen hoe vaak en hoe lang ik er eigenlijk mee bezig was. En bovendien, je kunt zelf wel op dieet zijn, maar als je goed kunt koken, en graag lekker eten voor anderen klaarmaakt, ben je nog steeds met eten bezig.

Drinken deed ik niet meer zoveel als toen die ene korte periode, maar wijn hoorde erbij, en ik kon niet bepaald zeggen dat ik mezelf tekortdeed.

Ik rookte vijftig tot zestig sigaretten per dag en had toen nooit voor mogelijk gehouden dat ik er niet lang daarna op een dag gewoon mee zou stoppen.

(Al de Paden die ik tot dusverre had onderzocht gingen ervan uit dat ascese een noodzakelijke voorwaarde was.)

Ik was lichamelijk niet in conditie. Het was niet veel, dat wist ik wel, maar ik heb het besluit genomen om in ieder geval elke ochtend oefeningen te doen, en dat doe ik nog steeds. Ik was me heus wel bewust van het banale ervan, je lijf in bochten wringen in de hoop dat dat een stap op de weg naar het hogere was.

De gedachte begon aan me te knagen (nog heel zachtjes, dat wel) dat het gedrag dat ik sinds mijn jeugd vertoonde, mijn levensstijl, in elke ander periode van de geschiedenis als losbandig, decadent, ja, ontaard was bestempeld. Toch vond ik juist dat gedrag, waarvoor ik zo op de bres had gestaan en dat ik zo moeizaam had bevochten, bepalend voor mijzelf. (En voor mijn hele generatie.) Maar het probleem was dat als de balans te veel naar de andere kant doorsloeg (iets wat je steeds opnieuw ziet gebeuren, zo'n extreme omslag), dat ik dan het risico liep op een terugval tot onverdraagzaam en steriel puritanisme. En als zoveel van ons al zo ver waren doorgeschoten naar vrijheid op seksueel en allerlei ander terrein, lag het uitslagpunt al ver op het terrein van de bandeloosheid... Deze en soortgelijke gedachten vond ik zo problematisch – en zoals gebruikelijk, niet iets om aan anderen te vertellen – dat ik ze maar gewoon van me afzette.

Nu vind ik het pijnlijk en gênant hoe ik toen over de 'Zoektocht', het 'Pad', dacht, al weet ik wel dat van een telg van onze cultuur niets beters viel te verwachten, en dat ik een van de velen was.

Wij in het Westen, en in culturen die van westerse waarden zijn doortrokken, verwachten alles. Ons is alles beloofd, impliciet, of luidkeels en openlijk. Wij denken dat al het goede ons toekomt. Vertel ons dat er ergens iets begerenswaardigs is – een grote verborgen schat – en onze reactie is: hebben, hebben! Alsof we er recht op hebben. Toen ik besefte dat er nog een andere wereld was, de spirituele (al hanteer ik die zo gruwelijk misbruikte term met schroom), vertoonde ik twee sterke reacties. De eerste was minachting voor mijn eigen cultuur, omdat die die andere wereld zo volledig had buitengesloten – maar ik was iemand die heel snel minachting voelde en het zou nog lang duren voor ik dat inzag. De andere reactie was een sterke, intense behoefte, een stille verrukking. Dat was pure hebzucht, maar dat wist ik niet, ik dacht dat het loffelijk was, dat heimelijke 'hebben, hebben!' dat ik koesterde. Nog erger dan dat 'hebben, hebben!' was: '*Ik* zal dit doen, dit bereiken. *Ik*.'

Mensen die een 'Pad' volgen, kijken vaak op hun eerste stappen terug met schaamte en spijt omdat ze zich zo hebben kunnen vergissen.

En nu zit ik met een echt, een ernstig probleem. Van dit punt af aan – dat wil zeggen, vanaf het eind van de jaren vijftig – was er een diepe stroming in mijn leven, die dieper was dan alle andere. Het was mijn hoofdbezigheid. Een paar mensen zullen dat begrijpen, omdat ze ook zoiets hebben meegemaakt, maar de meesten zal het koud laten of vervelen. En daarom laat ik het maar bij de simpele vaststelling: dat was mijn echte leven.

Hier volgt een verhaaltje van de Soefis, uit het boek van Idries Shah, *The Sufis.* (Al was dat toen voor mij nog onbekend terrein.)

Iemand zit gevangen op een eiland; hij weet echter niet dat hij een gevangene is, en dat het leven meer te bieden heeft dan het gevangenisleven. Iemand anders komt hem redden, met een schip, maar dan zegt hij: 'Dank u, dank u, ik ga mee, maar ik moet eerst mijn kist spruitjes halen.'

Toen ik dat voor het eerst las, dacht ik: ík zou toch nooit zo stom zijn om een kist spruitjes mee te willen nemen – maar helaas, van die spruitjes kom je moeilijk af. In die begintijd zei ik veel te vaak: '*Ik* zou toch nooit zo stom zijn om....', wat het dan ook was. En dat brengt me op een volgend probleem. Als je goed bent in het een, neem je onbewust aan dat je ook goed bent in het ander; als je op één terrein geslaagd bent, neem je aan dat dat succes je ook op ander terrein krediet geeft.

Nogmaals, dat verhaaltje over de gevangene zal voor een paar mensen veel betekenen, maar voor anderen niets. En dus: genoeg hierover. Wie erin geïnteresseerd is, kan zelf uitzoeken wat ik bestudeerde. De Soefimeester Idries Shah* was degene bij wie ik zou ontdekken – zoals ik het toen zag – hoe *míjn* zoektocht beloond werd. De boeken zijn te verkrijgen.

'Mezelf overgeven' had ik verkeerd gezien, uit onwetendheid en arrogantie, zoals ik algauw ontdekte, maar er was sprake van echte gêne en irritatie. Toen ik mijn zoektocht naar een 'Pad' of discipline begon, hield ik dat stil, omdat het zo tegen de tijdgeest indruiste, maar in feite was de cultusrage van de jaren zestig makkelijk te voorspellen geweest, vooral als ik bedacht had hoe onze onbuigzame, atheïstische, dogmatische communistengroep op geestenverhalen en seances was uitgedraaid.

Een voorval op een feestje, 1963. Een bomvolle kamer. Iedereen had in of bij de communistische partij gezeten. Iemand pakte een boek op en vroeg geschokt: 'Wat ben jij nu aan het lezen?'

'Een boek over Hatha Yoga,' zeg ik. Hatha Yoga is de lichamelijke tak van de yoga. Onderlinge blikken, opgetrokken wenkbrauwen, tactvolle verandering van onderwerp. Binnen de vijf jaar zou geen van de aanwezigen er een been in zien om aan te kondigen: 'Nee, op woensdag kan ik niet, dan heb ik yogales.'

De echte gêne, de blijvende gêne, heeft een paar snelle en uiteraard onbevredigende generalisaties nodig. Voor wie een praktiserend christen is of boeken als *De wolk van het niet-weten* heeft gelezen om hun literaire kwaliteiten, betekent het woord 'mystiek' iets inhoudelijks. Maar wij hebben hier in tegenstelling tot een aantal oosterse culturen geen situatie waarin het gewoon is om te zoeken naar een Gids, een Leraar, een Weg, een Pad – een discipline. Als hier in het Westen mensen horen dat je in mystiek geïnteresseerd bent, beginnen ze meteen over spoken, poltergeists, reïncarnatie, waarzeggerij, de *I Ching*, UFO's, horoscopen. Ze denken dat mystiek spannende ervaringen betekent. Toch is er in geen enkele cultuur een serieuze spirituele discipline die de beoefenaars niet voorhoudt dat ze alle amusante bijverschijnselen (paranormale waarneming bijvoorbeeld) dienen te negeren, en als ze dan onverhoopt toch op zulke 'bovennatuurlijke' verschijnselen stuiten, moeten ze die als niet ter zake doend van de hand wijzen.

Ik heb het niet leuk gevonden dat ze me voor een malloot versleten.

Maar nogmaals – genoeg hierover.

Ik zal twee gedichten invoegen, want die kunnen in een paar regels vertellen

* Hij is op 23 november 1996 overleden.

waar je anders bladzijden proza voor nodig hebt. Ze dateren allebei uit het begin van de jaren zestig, maar horen thuis in dit stuk. Als gedichten zijn ze niet bijzonder goed of slecht. Ouderwets, uiteraard. Maar wel informatief.

HERE

Here where I stand
Here they have stood,
All with our flowering branches.

Behind us five locked doors.
Behind them snarl the beasts
That licked our hands before.

Dark it is, and dark.
Lord, how strange to bring me to this close.

They too have stood asking
Who shut the doors?
Who taught our beasts to snarl?

Who, what brought me here?

If I stand here then
Where the dark came close
Then here must close the dark,
Yes, here the dark must close.

(Hier. waar ik sta/ hebben zij gestaan,/ allen met onze bloesemtakken./ Achter ons vijf gesloten deuren/ daarachter grauwen de beesten/ die eerst onze handen likten./ Donker is het, zo donker./ God, wat vreemd om mij hier op te sluiten./ Ook zij hebben zich hier afgevraagd/ Wie heeft de deuren dichtgedaan?/ Wie heeft onze dieren leren grommen?/ Wie, wat heeft mij hier gebracht?/ Als ik hier dan sta/ waar het duister me insluit / dan moet het duister hier vallen / ja, hier moet het duister vallen.)

THE ISLANDS

The legendary islands are all very well,
But too strong a blast from there can set you wondering
If it's angels or devils that hold them.
Small sniffs at a time, yes, that's the way,

While the saving hands tutor a child
Or set new plants to grow.

When life beats too strong,
Promising more than this mind guesses at,
An underdrag of lethargy succeeds,
Filling where light was opening
With sleep like dirty water.
Then my doctoring, my knowledgeable hands,
Smooth white sheets or draw a cover up.

Once I thought the daily adding of small act to act
Food for the dulling of the heart,
Griefs and violence being the proper diet of liveliness,
Now, held back in every breath from folly of extremity
By what must be done, the here,
As frontiers are held by patience after war,
The quiet friend enters as my time-taught hands
Mix bread and set a damaged house to right.

(De eilanden./ Die mythische eilanden, prachtig allemaal. / Maar als de wind ervan te fel waait, vraag je je af / of ze aan engelen of duivels toebehoren./ Kleine teugjes tegelijk, ja, zo gaat het goed, / terwijl de reddende handen een kind onderwijzen / of nieuwe planten poten./ Als het leven te vurig tekeergaat / en meer belooft dan dit hoofd gist / volgt er een onderstroom van lethargie / en vult de plek waar het licht zich opende / met slaap als smerig water./ Dan strijken mijn helende, mijn wetende handen / witte lakens glad of trekken de sprei omhoog./ Ooit dacht ik dat het dagelijks stapelen van kleine daad op daad / het hart zou doen afstompen. / Leed en geweld leken mij het recept voor het echte leven, / nu, in iedere ademtocht weerhouden van dwaze overdrijving / door wat gedaan moet worden, het hier / zoals grenzen na de oorlog door geduld bewaakt worden / treedt de stille vriend binnen terwijl mijn door de tijd wijs geworden handen / brood kneden en een verwoest huis herstellen.)

Die gedichten moet men zien als enkel een stadium of stap. Het probleem is dat mensen die zich niet op een Pad of Weg bevinden soms geïnteresseerd zijn in mensen die dat wel zijn, maar dan vaak een tijdelijk stadium, soms zelfs een fase die de reiziger zelf als een vergissing beschouwt, als een hoogtepunt of definitieve prestatie beschouwen. De literaire parallel hiervan is wanneer een lezer of recensent je een bladzij onder je neus duwt met: 'Kijk maar, u hebt dit geschreven in 1953, u hebt het zelf geschreven, hoe kunt u het dan nu ontkennen?'

Ik zeg dat ik niet van feestjes hou en er niet heen ga, maar er waren er toen heel wat. Veel in het huis van de Pipers aan de rivier, vol mooie kindertjes, en nu lijkt het wel alsof ik deel uitmaakte van een idyllisch tafereel. Nee, zo is het leven niet, maar er zijn plaatsen en mensen die zo aantrekkelijk zijn dat je alleen maar dat ziet en niets anders. En paradoxaal genoeg had deze figuur, die het gezinsleven ontvlucht was, het gevoel alsof ze, voor altijd buitengesloten, aan de rand van een sprookjesland stond waar alle nare dingen van het gezinsleven door een toverstokje waren weggevaagd.

Een tafereel: we zijn aan het kletsen; Peter en Anne liggen op bed, met hun armen om elkaar heen, en ik zit aan het voeteneind. De deur vliegt open, er verschijnt een dochter die met haar handen dramatisch geheven, uitroept: 'Wat zijn jullie aan het dóen?'

'We zijn aan het knuffelen,' zegt Anne.

'Maar...' Wat het meisje eigenlijk wil zeggen is: maar waarom mag ik er niet bij? 'Jullie zijn walgelijk,' verkondigt ze.

'Ouders hebben ook rechten,' zegt Peter sussend.

'Ik kom er ook bij,' zegt de dochter.

'Dan moet je de anderen er ook bij roepen,' zegt Anne. 'Anders is het voortrekken.'

Het meisje geeft een schreeuw van verontwaardiging en rent ervandoor. 'Ik háát jullie.'

Gillend gelach van her in der in het huis. 'Wat zijn ze toch vréselijk!'

In dat gezin leken de onplezierige kanten van de puberteit moeiteloos getransformeerd tot grappige en in ieder geval bewust dramatische tafereeltjes.

Soms ga ik zitten nadenken over de bijzonder goede en aardige mensen die ik gekend heb, wat een manier is om mezelf op te vrolijken in sombere tijden, en David Piper – Peter – is daar altijd een van. Het was een rustige man, ironisch, een toeschouwer, dus viel hij niet meteen op. Hij is veel te jong gestorven, mogelijk omdat hij een paar jaar in een Japans gevangenkamp had gezeten, wat nooit bevorderlijk is voor een lang en gezond leven. In de tijd dat ik hem kende, stond hij aan het hoofd van de National Portrait Gallery.

Tijdens het schrijven van deze memoires heb ik heel wat opgestoken over de trucjes van ons geheugen, en vooral hoe het de dingen simplificeert, opschoont, scherpe contrasten van licht en schaduw maakt. Het kan gewoon niet waar zijn dat die vier jaar in Warwick Road zo erg geweest zijn als ik ze me herinner, of dat Langham Street een en al beweging en prettige ontmoetingen is geweest. Maar de trage gang door de jaren vijftig was werkelijk alsof ik uit een put omhoogkroop.

Ik haal me weer taferelen in mijn woning voor de geest, mijn kleine, lelijke appartement, maar stampvol mensen. Ik kookte uitbundig, want dat vond ik heerlijk. De gezichten heb ik nog in mijn hoofd, maar alle namen helaas niet meer. En wat een uiteenlopende mensen, van uiteenlopende leeftijd ook, want ook de vrienden van Peter en de kinderen van vrienden kwamen er. Ik heb altijd iedereen die ik ken of die ik ooit tegen het lijf ben gelopen op mijn feestjes gevraagd, en dat heeft altijd gewerkt. Er zijn weleens heftige ruzies geweest, met daarna: hoe kún jij zo'n fascist / communist / neuroot / psychopaat / idioot uitnodigen? Maar niet vaak.

Op een van die feesten – maar nu maken we een sprong naar het huis in Charrington Street, en een groot gezelschap, zo'n dertig mensen, voor de lunch – kwamen er twee vrouwen door de kamer naar me toe met: 'Besef jij wel hoe bijzonder het voor ons is om een vrouw dit te zien doen?'

'Wat te doen? Wat bedoel je?' De ene vrouw kwam uit New York, de andere uit Moskou, en ze hadden samen staan delibereren.

'Als je in New York een vrouw alleen bent, geef je geen feesten, je wacht tot je door getrouwde vrienden uitgenodigd wordt. Je blijft zogezegd in quarantaine tot je een man hebt gevonden.'

'En bij ons zou geen vrouw zonder man zo'n feest als dit durven geven.'

Ik had mezelf niet als uitzonderlijk gezien en moest ze maar op hun woord geloven. Maar ik dacht twee dingen, waarvan er een allesbehalve nieuw was: als je gewoon iets doet, accepteren de mensen het, of het nu sociaal gebruikelijk is of niet. De andere gedachte was dat wij New York allemaal zagen als het toppunt van sociale verfijning, en dat je in Moskou toch zeker geen last meer zou moeten hebben van zulke burgerlijke taboes. De feministische revolutie stond voor de deur, en dan zou het gewoon gevonden worden (toch?) dat een vrouw alleen een feest gaf en iedereen vroeg wie ze wilde.

Een tafereel: op een avond, vrij laat, kwam Lindsay Anderson bij me langs met een groep acteurs van het Royal Court, onder wie ook Robert Shaw, die kort daarop zou trouwen met Mary Ure – net door John Osborne aan de kant gezet. Ik had Robert Shaw nog nooit gezien, maar hij zei plompverloren, alsof we een oud gesprek voortzetten, dat hij met die-en-die naar bed ging, dat dat de seks met zijn vrouw aanmerkelijk ten goede kwam, en dat vrouwen het nooit erg moesten vinden als hun mannen vreemd gingen, want dat was een prima afrodisiacum. Vrouwen wisten gewoon niet wat goed voor ze was. Hij was vol van de rusteloze glitter die acteurs hebben als ze net van het toneel afkomen. En wat mij betrof, hij had me altijd aanbeden, en nu maakte hij eindelijk kennis met me! Zo ging hij nog een tijdje door, terwijl Lindsay er frikkerig bij stond te luisteren en af en toe zei: 'Genoeg, Robert, ophouden nu.' En daar gingen ze weer met z'n allen, de nacht in, weggeloodst door Lindsay. 'Kom op jongens... genoeg... bedtijd.' Lindsay wist dat hij belachelijk was in die rol van bedillerige gouvernante, dat hij irritant was, onmogelijk. En toch was en bleef hij beminnelijk, maar hoe dat eigenlijk kon, zou ik niet weten. En daarna heb ik Robert Shaw niet meer gezien totdat ze in het Royal Court *The Changeling* speelden, waarin hij de tegenspeler was van Mary Ure; iedereen in de zaal wist dat hij smoorverliefd op haar was. 'Ik hou van die vrouw!' werd gebracht met zo veel passie, dat het leven zelf het stuk inhaalde en iedereen begon te applaudisseren.

Edward Thompson kwam ook bij me langs. Waarom? Er zal wel de een of andere aanleiding zijn geweest. Hij zou nooit zomaar zijn binnengevallen voor een kop thee. Later stond hij op straat buiten ons flatgebouw, dat lelijke gebouw in die al evenmin inspirerende straat. Edward hief zijn rechtervuist en declameerde hemelwaarts: 'Babylon! Wat doe ik hier in Babylon? Wegwezen hier.' En het Londense stof van zijn voeten afschuddend, vertrok hij naar het heilzame Noorden.

Edward Thompson zit midden in dat proces van bevroren worden in het verleden, en wel als de marxistische geschiedschrijver van de Britse arbeidersklasse. Maar zijn tijdgenoten herinneren hem als iemand die boven zijn medemensen uitstak: romantisch, altijd in hartstochtelijk debat, en met het soort verbeeldingskracht dat iedere entourage waarvan hij deel uitmaakt of die hij beschrijft, doet oplichten met grootse hoop voor de mensheid. Kon ik maar geloven dat er nu in Engeland jonge Edward Thompsons rondlopen om zijn plaats in te nemen, maar helaas, we leven in een berekenende, kille, behoedzame tijd.*

Vlak voor ik uit Langham Street vertrok, werd *Play with a Tiger* eindelijk opgevoerd, en ik heb heel wat repetities bijgewoond, ook omdat ik bevriend was geraakt met Ted Kotcheff. Ik mocht Siobhan McKenna graag, maar vriendin van haar worden ging niet, omdat ze na afloop met stevig drinkende vrienden feesten afliep die de hele nacht doorgingen, wilde drinkgelagen met allerhande bizar en uitdagend gedrag, want ze moest het wilde kind, de vurige vrouw spelen. Ik had er gewoon de energie niet voor. Ierland had haar zo gemaakt, het was de rol die haar was toebedeeld, en ze speelde hem met verve, haar lange, prachtige, donkerrode haar vaak ongekamd, haar melodieuze stem verstaanbaar in het hele theater, of waar ze ook was. Op het gevaar af me allerlei beschuldigingen op de hals te halen, zeg ik toch dat je als Ier in de wereld van kunst en literatuur een extra last torst. Je zit in Spanje, bij een etentje, en daar duikt hij weer op, die archetypische Ier, met zijn ongeremde, poëtische praat, zijn charme; hij is dronken, zegt dat hij aan de boemel is, hij is al drie dagen niet thuis geweest, wat zal zijn arme vrouw straks zeggen? Die arme vrouw heeft geen alternatief en zal hetzelfde doen als altijd – ze moet hem vergeven als hij met de staart tussen de benen terugkomt. 'Hoe heb je dat nu kunnen doen?' Maar dat heeft hij en dat kan hij en hij zal het weer doen, telkens weer, want dat schrijft het scenario nu eenmaal voor; of misschien is het wel een soort vloek: als je Iers bent, en dichter, staat hier geschreven wat je doen moet.

Toen ik in Dublin was, ben ik bij de dichter John Montague op bezoek ge-

* Edward is in 1993 overleden.

weest. Hij was getrouwd met een Franse aristocrate, die het niet makkelijk moet hebben gehad in dat krappe appartement; hij zat daar met een fles Ierse whiskey in zijn hand, en wij maar luisteren en lachen terwijl zijn vrouw aan het stofzuigen was en hij zijn benen uit de weg moest halen, waarop hij zei: 'Franse aristocraten zijn eigenlijk boerenvolk, waar of niet, schat?' en zij repliceerde: 'Dat is maar goed voor jou ook, en als er nog meer van die dronken vriendjes van je langskomen, laat ik ze niet binnen.' Dus plantte hij die lange, magere benen van hem met een zwaai op de vloer en zei: 'Kom op, we gaan naar Behan.' Brendan Behan, de toneelschrijver, woonde een paar straten verderop. Het was rond tien uur 's ochtends. Brendan was nuchter toen we kwamen. We zaten te praten over (uiteraard) het Royal Court Theatre en het theater van Joan Littlewood; het was een uitermate zinnig gesprek dat van veel theaterervaring getuigde. Maar er zou een journalist uit Londen komen. Hij werd verwacht om twaalf uur. Wij keken toe hoe Brendan zich naar de rol van dronken Ier toewerkte. Ik kon zien hoe Brendan erop toezag dat Brendan een goede vertolking zou geven: hij herschiep het personage dat toentertijd zo vaak in de krant figureerde, soms op de voorpagina. Hij nam een slok whiskey uit de fles in zijn hand, zei een paar zinnen, zorgde dat ze dronkenschap verrieden, nam nog een slok, en tegen de tijd dat de man uit Londen arriveerde en we ze alleen lieten, had Brendan zich naar het hoogtepunt van zijn rol toegewerkt: de wilde Ierse dichter. Als die journalist niet was gekomen, hadden we waarschijnlijk een aangename, redelijk nuchtere dag gehad, met de mogelijkheid tot een goed gesprek en zonder spullen kort en klein te slaan en woest dichterlijk gezwets. Maar het scenario schrijft voor dat een dichterlijke Ierse toneelschrijver drinkt, en de media doen daar nog een schepje bovenop. De media hebben geen kans onbenut gelaten om Brendan als wild en dronken af te schilderen, en zo heeft de drank hem ten slotte de das om gedaan, vermoord – hetgeen een groot verlies was voor het toneel en voor ons.

Een speelster van *Play with a Tiger* met wie ik wel ben opgetrokken was Maureen Prior, de vrouw die ziek op bed lag toen het scenario arriveerde maar die zich op die ijskoude dag naar de audities heeft gesleept en de rol kreeg. Maureen Prior was warm, impulsief, en bezat het talent om onmiddellijk vriendschap met iemand te sluiten; haar man was voorzichtig, koel, intellectueel. Daar gaan we weer, dacht ik. Wat zou er gebeuren als de moeder natuur het wél goed vond dat twee bij elkaar passende mensen met elkaar trouwden – twee warme, open, bruisende mensen bijvoorbeeld, dat zou toch eindeloos plezier opleveren – maar aan de andere kant, als er dan twee koele, afstandelijke, geremde mensen zouden trouwen, kregen ze waarschijnlijk nooit hun armen om elkaar heen.

Een tijdlang ben ik veel met mensen uit de toneelwereld opgetrokken, en niet alleen omdat er een stuk van mij werd opgevoerd. We koesterden wild-idealistische plannen: wij zouden weleens leven in dat stijve Londense toneel van ons brengen. Dat leven was er wel (en hoe): het Royal Court, Bernard Miles bij het Mermaid Theatre in het centrum, het Arts Theatre, Oscar Lowenstein. Maar de meeste theaters stonden onder een uitermate conventionele, commercieel gerichte leiding. Het was een heel andere ambiance dan tegenwoordig, nu er zo veel experimentele en avontuurlijke theaters zijn, stukken die in pubs worden opgevoerd, en vooral het National Theatre en de South Bank. We vinden het nu vanzelfsprekend dat een theater een spil van het maatschappelijk leven kan zijn met allerlei activiteiten: lezingen, cursussen, werkgroepen, muziek, restaurants, boekwinkels. Maar toen had je dat allemaal niet.

Het plan was om een pakhuis in Convent Garden op de kop te tikken en daar een organisatie op te zetten die aan allerlei vormen van experimenteel theater, nieuwe toneelschrijvers, workshops en stukken uit andere landen onderdak bood. Want in die tijd drongen er maar weinig buitenlandse stukken tot Engeland door.

Wie waren wij, die idealistische dromers? Het idee was afkomstig van Gareth Wigan. Die was toen impresario (tegenwoordig zit hij in de leiding van Warner Brothers in Hollywood) en we kwamen bijeen in zijn huis in Belgravia. Ted Kotcheff, Ted Allan, Sean Connery, Mordecai Richler, Shelagh Delaney, de te jong overleden theaterontwerper Sean Kenny en Clive Exton. We zijn in 1960 in een periode van enkele weken een stuk of twaalf keer bijeen gekomen; onze plannen werden zo concreet als de bouwtekening van een architect. Er zat een schat aan ervaring in die kamer, uit de toneelwereld, de filmwereld, radio en televisie. We twijfelden er niet aan dat we het geld bij elkaar konden krijgen. Uit gesprekken met bemiddelde mensen bleek dat we op veel steun konden rekenen. Ik ben nog steeds van mening dat de financiering het geringste obstakel had gevormd. Wijzelf zouden onbezoldigd werken of tegen een symbolische vergoeding; wij waren immers van plan een levend verwijt aan het commerciële theater te worden. We vonden een pakhuis. Het verkeerde in een belabberde staat, maar dat gaf niet, want dan zouden we het makkelijker aan onze doeleinden kunnen aanpassen. Op een zondagochtend belegden we er een vergadering. Via mond-tot-mond-reclame en een kleine advertentie kwamen er een paar honderd mensen opdagen – acteurs, toneelschrijvers, ontwerpers, regisseurs. De meesten hadden op dat moment werk; het ging niet alleen om mensen die zich buiten spel gezet voelden. De sfeer was even bemoedigend als we gehoopt hadden. Het was in zoverre een politieke sfeer, dat de vijand de leiding van de theaters in het West End was, die we hevig en instinctief minachtten, net als Joan Littlewood, die ze als waardeloos, zo niet boosaardig afschilderde. Het was voor een deel dezelfde mentaliteit waarmee men als vanzelfsprekend aannam dat een kassucces nooit kwaliteit kon hebben. Die mentaliteit is nog steeds niet verdwenen: ze is naar mijn mening voortgekomen uit de minachting van de aristocratie voor de handel, die zich nu op wonderlijke wijze in het linkse denken heeft genesteld. Het was gedeeltelijk ook een erfenis van het communisme. De meeste mensen uit de wereld van kunst en literatuur waren toen wel in de een of andere vorm communist geweest, en dit nieuwe theater werd gezien als stellingname tegen het West End, maar ook tegen alle vormen van tirannie in het theater, met name de communistische partijlijn. Men is nu vergeten dat veel, zo niet het grootste deel van de acteurs uit die tijd ooit bij het Unity Theatre – het communistische toneel – hadden gewerkt, en dat iedereen er getuige van was geweest hoe een theater dat bekend stond om zijn energieke beeldenstormerij door het loodzware beleid van King Street de nek was omgedraaid. En de theatervakbond, Equity, werd geleid door communisten, die de hele trukendoos erbij sleepten; de meeste acteurs hadden er een vreselijke hekel aan. Die ochtend in Covent Garden was er veel opwinding, optimisme, eensgezindheid: alles klopte, we stonden in de startblokken. Bij de vergadering na die zondag wisten we allemaal dat we op het punt waren gekomen dat we moesten besluiten wie er de leiding kreeg. Geen van ons had er trek in; we hadden allemaal ons eigen werk. We zouden helpen waar we konden, maar de zaak runnen, nee dat ging niet. Wie moesten we dan vragen? Niemand leek er helemaal geschikt voor. Als het in deze tijd had gespeeld, was het niet moeilijk geweest, zo veel energieke, flexibele mensen van het soort dat we toen nodig hadden zijn er nu, in deze mateloos begaafde generatie.

Goed, maar wie dan? Veel lezers zullen dat herkennen. Het lijkt op de situatie waarbij een groep schrijvers tot de conclusie komt dat ze het beter kunnen dan uitgevers, bij elkaar gaan zitten om een uitgeverij te vormen, en er misschien werkelijk een oprichten – om dan weer aan hun echte werk te gaan, schrijven, nadat ze iemand hebben ingehuurd om het verder voor hen op te knappen. Maar waarin die nieuwe creatie dan nog van bestaande uitgeverijen verschilt? Ik heb dit meer dan eens zien gebeuren, en het werkt gewoon niet. In het hart van zo'n onderneming moet je geen huurling hebben zitten, maar een gepassioneerde, bevlogen, toegewijde gek die bergen kan verzetten.

Waarop we ons, nadat we onze grootse en romantische plannen hadden rondgekregen, in de situatie bevonden waarin we bestookt werden door brieven en telefoontjes van mensen die de boot niet wilden missen – maar in het hart was een vacuüm ontstaan.

Toen kwam Arnold Wesker op de proppen. Ik liep hem ergens tegen het lijf en vertelde dat ik bij een plan was betrokken dat hem misschien wel interesseerde – hij was zelf met soortgelijke ondernemingen bezig, die zich allemaal in het beginstadium bevonden. Hij kwam te elfder ure binnenvallen op een vergadering waar wij ontspannen bijeenzaten, vol zelfvertrouwen, omdat onze plannen zo goed waren uitgepakt, alles gepiept, op dat ene belangrijke punt na. Arnold zat er met een strak gezicht bij en kondigde toen aan: 'Er is maar één persoon die dit kan leiden, en dat ben ik.' Ted Allan zei met een lach dat Stalin had gesproken. En dat was dan het einde – dat wil zeggen, het einde van het plan zoals dat ons voor ogen had gestaan. Arnold begon Centre 42, in de verwachting dat wij wel tegengas zouden geven. Maar wij hadden stuk voor stuk meer dan genoeg van politiek geruzie, en lieten alles simpelweg aan hem over. Wat wij voelden kwam neer op: 'Ach, hij groeit er nog wel overheen.' Ik ben ervan overtuigd dat we niet in de gaten hadden hoe absurd zo'n vaderlijk standpunt was gezien het feit dat we er zelf nog maar zo kort geleden 'overheen waren gegroeid'. Voor de volledigheid moet ik erbij zeggen dat Arnold ons als een stelletje aftandse oude marxisten beschouwde.

Dus zo is Centre 42 in werkelijkheid begonnen. Net als Joan Littlewood eerder, kwam Arnold tot de ontdekking dat de arbeidersklasse niet bepaald warm liep voor zijn inspanningen. Maar altijd als dit punt wordt bereikt in een discussie (die immers eindeloos herhaald wordt), denk ik weer aan de mijnwerkers van Armsthorpe, die met tranen in hun ogen vertelden hoe Sybil Thorndike en anderen naar het mijnwerkersdorp kwamen om Shakespeare voor ze te spelen. En binnen een paar jaar zou ik zien hoe een stel idealistische jonge docenten ervoor zorgden dat een aantal vijftienjarigen uit de arbeidersklasse op vakantie konden voor ze aan het werk gingen en hun volwassen leven begon; die vakantie bestond behalve uit allerlei uitstapjes naar het platteland rond Oxford ook uit drie keer een bezoek aan het theater in Stratford. En die kinderen, van wie de ouders nooit een voet in een schouwburg gezet hadden, vonden het toneel prachtig, vonden Shakespeare prachtig. Misschien was de georganiseerde vakbeweging het verkeerde instrument: de naam Centre 42 sloeg op een resolutie die in 1960 op het congres van de vakcentrale was aangenomen en inhield dat er een onderzoek moest komen naar de situatie van de schone kunsten.

Achteraf gezien treft me vooral het feit dat we het allemaal zo verschrikkelijk belangrijk vonden, die plannen van ons om een 'nieuwe' toneelstijl te ontwikkelen, die zich uiteindelijk heel soepeltjes zonder ons heeft ontwikkeld.

Een trieste grap: het Round House* werd de plek waar Arnold zijn pogingen vooral op richtte voor hij ze op moest geven, en is uiteindelijk uitgegroeid tot datgene waar wij met onze oorspronkelijke plannen op gehoopt hadden. Er waren heel veel mensen bij betrokken, je had er workshops, lezingen, een boekwinkel en restaurants, en veel voorstellingen uit het buitenland. Het Round House was een heerlijke plek om de avond door te brengen. Het zou tot op de dag van vandaag fantastisch hebben gelopen, als niet de loodzware vuist der ideologie opnieuw had toegeslagen. De deelraad van Camden Town besloot dat het de aangewezen plek was voor een zwart kunstenaarscentrum. Maar waarom? De zwarte gemeenschappen zaten grotendeels in andere delen van Londen, en zeker niet in de buurt van het Round House. Maar met ideologieën valt niet te discussiëren. Ze hebben hun zwarte centrum nooit van de grond gekregen, maar wel alles kapotgemaakt wat er al was, en het Round House heeft jaren leeggestaan, staat nu nog leeg. Soms als ik er langsrijd, vraag ik me af wat die onversaagde linkse raadsleden nu vinden van wat ze gedaan hebben: ze hebben vast een heimelijk gevoel van genoegdoening, want ik weet zeker dat ze in de grond van hun hart bang zijn voor kunst. Ze hebben waarschijnlijk de pest gehad aan de anarchistische, bruisende, jeugdige sfeer van het Round House.

* Het Round House in Noord-Londen is een enorm gebouw dat talloze incarnaties heeft gekend en waar vroeger de douane drank en wijn in opsloeg voor het een theater werd.

Het Comité van Honderd organiseerde een grote demonstratie op Trafalgar Square, voor zondag 18 september 1960. Meteen kwam er een politieverbod. Dat was niet zo slim. Allereerst gedroegen ze zich dan precies zoals hun ergste vijanden over hen beweerden. Ten tweede was Trafalgar Square al meer dan een eeuw de plek waar grote volksdemonstraties werden gehouden, en zo'n demonstratie verbieden was een bewuste kleinering van al die historie. Ten slotte had je de praktische bezwaren. Er komen zo veel straten op Trafalgar Square uit, dat je honderden politieagenten nodig had om de mensen er weg te houden. En nog een klein detail dat de politie over het hoofd had gezien: de National Gallery ligt aan Trafalgar Square – maar misschien kwam die op hun mentale beeld van het plein niet voor.

Mensen die de politietop kennen, hebben me verzekerd dat het de intelligentste, aardigste, meest bewonderenswaardige lieden zijn die je je maar kunt indenken, maar de meesten van ons krijgen met politiemensen op een wat lager niveau te maken, en in mijn ervaring zijn die door de bank genomen niet erg slim. Ik ben blank, uit de middenklasse, en na zo'n tien jaar in Londen was ik inmiddels ook van middelbare leeftijd, dus niet het soort dat zich snel hun beruchte wreedheid op de hals haalt, al heb ik vrienden van uiteenlopende kleur, leeftijd en soort bij wie dat wel het geval is. Maar wat mijzelf aangaat, kan ik een reeks ervaringen met de politie melden waarbij ze niet hard of gemeen waren, maar incompetent.

Een klein voorval kan dit prima illustreren. Ik was getuige geweest van een verkeersongeluk; de politieagent die me kwam horen, zei dat hij uit de politiedienst wilde stappen (hoewel hij er nog maar net bij zat), omdat het hem niet aanstond wat hij doen moest. 'Wat dan?'

'Zoveel moeten liegen,' was zijn antwoord.

Maar de politie is sindsdien meer dan eens gereorganiseerd.

'Hoe kan de politie zo stom zijn?' klonken heerlijk verontwaardigde stemmen in alle regionen in de week voor de confrontatie. Want iedereen wist dat het daarop zou uitdraaien. Velen zagen ernaar uit. Een treffen. Een veldslag. Er zijn heel wat mensen die dat prachtig vinden.

Voorafgaand aan die zondag kreeg ik twee bezoekjes. Het ene was van Shelagh Delaney, die zei dat ze een hekel had aan demonstraties en rellen, en trouwens ook aan mensenmassa's in het algemeen, maar dat we hier waarschijnlijk niet onder uit konden? Ze haalde me de woorden uit de mond. Het andere was van Vanessa Redgrave, in een roes van opwinding, net een mooie, jonge Jeanne d'Arc of Boadicea; ze ging maar door over het politiegeweld. Het werd laat en ik gaf te kennen dat ik naar bed wilde. Ze richtte zich in haar volle elegantie op en vroeg op hoge toon: 'Hoe kun je nu gaan slápen in zo'n nacht?' Het is een cliché dat je het stadium dat je net ontgroeid bent bij anderen onuitstaanbaar vindt, en ik dacht: o mijn God, zo was ik ook, en nog niet eens zo lang geleden, hoe hebben ze het met me uitgehouden?

Die zondag rond het middaguur, voor ze het plein afsloten, gingen we met z'n honderden naar de National Gallery, waar ik John Osborne trof en we ons aangenaam verpoosden. Toen het tijd was, stelden we ons op en ik nam John bij de arm, om hem te steunen, want hij vond dit vreselijk en voelde zich diep ellendig. We liepen de trap van de National Gallery af, het plein op en gingen zitten. We waren met een grote groep. De politie stelde zich in slagorde op aan de rand van het plein. Veel van de zittende demonstranten begonnen de politie aan een stuk door te beledigen en sarren, zoals gewoonlijk, en sommigen van ons, zoals gewoonlijk, vonden dat kinderachtig en zinloos. Het ging maar door. Iedereen wist dat de politie het plein op zou zwermen om ons te arresteren zodra de pers en de televisie hun hielen hadden gelicht. Ik zat bij John in de buurt. Oscar Beuselink, zijn advocaat, met wie hij later ruzie heeft gekregen, was er ook. Oscar zei tegen me: 'Je hebt hier honderden mensen, maar waarom wordt John behandeld als een invalide, of een groentje dat zijn vuurdoop moet ondergaan?' Hij had gelijk, maar mensen worden nu eenmaal behandeld op de manier waar ze zelf om vragen of die ze nodig hebben. John voelde zich ziek. De meeste anderen genoten met volle teugen. Ook Bertrand Russell zat er met zijn volgelingen, net een kleine terriër. En Lindsay Anderson, streng, strijdlustig, met zijn gebruikelijke minachting voor iedereen. Het leek wel of bijna iedereen die ik kende er was. Ik voelde me om een aantal redenen niet prettig, allereerst omdat Peter ergens vlak achter de rijen politie rondliep, doodzenuwachtig, al had ik hem beloofd dat ik mezelf niet in elkaar zou laten slaan. Hij was niet het enige kind wat daar rondliep, bezorgd om ouders of oudere broers en zussen. Verder zette ik toen al mijn vraagtekens bij de waarde van demonstraties of sit-downacties, van confrontaties met de politie, gewoon omdat sommigen er zo van leken te genieten. Kon het zijn dat ze er in de eerste plaats waren om de spanning, de opwinding, de kick, of het gezelschap van de anderen, en pas op de tweede plaats om politieke redenen? Inmiddels ben ik daar wel van overtuigd. De camera's snorden lustig, de journalisten schoven op hun billen naderbij om in de buurt van de geïnterviewden te komen, de beledigingen aan het adres van de politie werden steeds luider, je zag de politie bepaalde mensen al als doelwit selecteren, en toen vertrok de pers, vertrokken de camera's – de getuigen – en rukte de politie op. Ze tilden de mensen die niet wilden opstaan op, en brachten ze naar de politiebusjes, maar mensen als ik, die opstonden en wegliepen, lieten ze met rust. Ik hoorde de burgemeester van een van de Londense deelgemeenten tegen de politie, die haar met geen vinger had aangeraakt, schreeuwen: 'Smerige varkens!' Net als Miss Ball. Ik stond bij Oscar Beuselink, die met een beroepsoog toekeek hoe de busjes met hun lading vertrokken. De politie zorgde dat ze niet hardhandig omsprong met beroemdheden, maar degenen die hen beledigd hadden liepen rake klappen op. In een van de busjes is een jongen bijna doodgegaan: hij was erin gegooid met zijn jasje zo over zijn hoofd geslagen dat hij geen adem meer kreeg. Toen de anderen in het busje doorkregen dat hij doodstil bleef liggen, trokken ze het jasje weg en troffen hem blauw en bewusteloos aan. 'Jullie hebben hem bijna vermoord,' zeiden ze tegen de politie, maar die antwoordde: 'Gelukkig maar dan dat jullie er waren, hè?'

Ik vond en vind het moeilijk om mijn mening over die demonstraties te bepalen. Heeft die ene demonstratie het regeringsbeleid veranderd? Iemand van gedachten doen veranderen die de beelden op de televisie zag? Bedoelde ik en bedoel ik dat het feit dat sommigen zo van een knokpartij met de politie genieten hun pogingen waardeloos maakt? Eén ding weet ik echter zeker: bij de demonstraties van het Comité van Honderd die kort daarop zouden volgen, toen er voor de Amerikaanse ambassade en voor de nucleaire installaties ware veldslagen woedden, had je een harde kern van mensen die kwam om de kick van het vechten.

En wat die sit-down-demonstratie betrof, die belandde prompt op de erelijst van grote veldslagen tussen burgers en autoriteiten op Trafalgar Square.

Kort daarop was ik getuige van een andere politieke confrontatie. Er was voor Downing Street 10 een sit-down-actie tegen de Bom gepland. Ik stond op de stoep toe te kijken. Tussen de grote groep mensen zat Ernest Rodker. Hij was tot dan toe apolitiek geweest, waarschijnlijk als reactie op zijn politiek actieve moeder. Toen de politie arriveerde om de zittende demonstranten weg te jagen, verrichtte Ernest zijn eerste politieke daad. Hij duwde de helm van een politieman over diens gezicht, wat niet zo snugger was. Hij werd meteen besprongen door zes agenten, die hem schopten en stompten terwijl hij tussen hun benen lag en zijn hoofd probeerde te beschermen. De volgende ochtend was ik in Bow Street, waar de rechter die het vonnis velde zei: 'Je bent kennelijk een jongmens met een ingekankerde neiging tot geweld.' En zo is Ernests loopbaan als politiek activist begonnen. Hij is jaren een vooraanstaand lid van het Comité van Honderd geweest.

Ergens in dit stuk horen gedachten over 'de Bom' thuis. Zo werd de nucleaire dreiging gezien: als één enkele definitieve explosie die in één klap iedereen ter wereld zou doden en de aardbol waarschijnlijk voor eeuwen in een woestenij zou veranderen. Er waren twee voorbeelden geweest, Hiroshima en Nagasaki. Twee bommen. Toch speelde DE Bom de hoofdrol in onze gedachten, onze liederen, de toespraken, de manifesten. De gestoorde duim drukt op de knop, de Bom valt, en dat is het dan, het einde van alles. In een zeer verre toekomst zullen enkele gemuteerde overlevenden rondkruipen over de vergiftigde grond, en zal het leven opnieuw beginnen.

Maar waar kwam die blauwdruk vandaan – die blauwdruk in ons hoofd – want dat moest het wel zijn, een blauwdruk die iedereen had die meeliep, demonstreerde, schreef. De Apocalyps, Armageddon, 'niet door water maar door vuur'.

Ik kreeg een brief van een paar jonge natuurwetenschappers – maar dat was al in de jaren zeventig – die vroegen waarom ik een verkeerde manier om de dreiging onder ogen te zien in stand hielp houden, want die dreiging school niet in één enkele definitieve verwoesting of apocalyps, maar in een veelvormigheid aan gevaren, zoals bijvoorbeeld het feit dat grote delen van de Sovjetunie verwoest en vergiftigd waren en onbewoonbaar waren geworden door explosies en ongelukken die nooit officieel gerapporteerd waren. Die dingen vormden een veel groter gevaar dan een enkele bom. (Tsjernobyl moest toen nog komen.) Als ik me echt nuttig wilde maken, kon ik er beter op wijzen dat er veel verschillende gevaren waren in plaats van de discussie over die ene bom te blijven voeden.

Toen ik *Shikasta* schreef, het eerste deel van de reeks 'Canopus in Argos: Archieven', en ik de Bom liet vallen, was het noordelijk halfrond verwoest en onbewoonbaar geworden – maar de lezers pikten dat niet op, want er werd over gepraat alsof ik de verwoesting van de hele wereld had beschreven. Niet het verhaal of de plot interesseert me nu, maar het feit dat het als volkomen vanzelfsprekend werd aangenomen dat er een totale verwoesting zou volgen als er een Bom viel. DE Bom – HET einde.

Zit die blauwdruk nog steeds in ons collectief bewustzijn, en zo ja, met welke gevolgen? Wat heeft het bijgedragen aan de feitelijke gebeurtenissen, en draagt het nu nog bij? Het heeft me in ieder geval aan het denken gezet over Zuid-Afrika: tientallen jaren heeft iedereen verondersteld dat er een 'nacht van de lange messen' zou komen, het 'bloedbad' – dat stond als een paal boven water.

Hushabye baby on the treetop,
When the wind blows the cradle will rock,
When the wind blows the cradle will fall,
And down will fall baby and cradle and all.

Ergens aan het eind van de jaren zestig merkte ik dat ik onverwachts hulpeloos begon te lachen; eerst een ongelovige gillach, vervolgens een echte lach: haha, o mijn God...

Wat er zo grappig was? Seks. Die lach is alleen chronologisch gezien niet op zijn plaats, want ik keek niet alleen naar de jaren zestig maar ook naar de jaren vijftig: zoals ik al heb opgemerkt, dateert de seks niet uit de jaren zestig.

Wat de jaren vijftig en zestig anders maakte, was de afwezigheid van regels. Het moet toch wel voor het eerst in de geschiedenis geweest zijn – in een geschiedenis die we ons herinneren – dat er geen algemeen aanvaarde conventies bestonden en er tegelijkertijd vrij verkrijgbare anticonceptie was. Alles kon. En er zouden geen nieuwe regels komen tot de aids zijn intrede deed, die de moraal met één klap herstelde.

Ik zou zeggen dat in de jaren vijftig wat de liefde of de seks betreft het meeste opvallende – achteraf tenminste was dat opvallend – was dat mensen met elkaar naar bed gingen omdat het van ze verwacht werd. (De tijdgeest vereiste het.) Sommigen copuleerden als vissen die in trance tegen elkaar aan botsen. Nieuwsgierigheid? Misschien, een beetje. Seksuele begeerte? Geenszins. Die vrijpartijen hadden niets met liefde te maken, en ook niet veel met seks. Met echte seksuele aantrekkingskracht, bedoel ik. Het had iets heel passiefs.

Niemand wist welk gedrag er verwacht werd, voor mannen noch vrouwen. En daarom was er zo veel ellende, zo veel onbegrip. Of ik niet overdrijf? Jazeker doe ik dat, want ik laat hier de plezierige en bevredigende ontmoetingen buiten beschouwing.

We zijn nu allemaal ruimschoots voorzien van handboeken die de basisverschillen tussen man en vrouw uitleggen, maar de jaren zestig vielen samen met een stadium van de vrouwenbeweging dat alle verschillen tussen mannen en vrouwen van de hand wees. Of om het met D. H. Lawrence te zeggen: vrouwen waren even goed als mannen, alleen beter.

Niemand zal nu waarschijnlijk nog in ideologische razernij vervallen bij het nieuws dat mannen en vrouwen volgens hun biologische programmering verschillende dingen willen – dat ligt aan de basis van ons wezen, hoe de beschaving, de cultuur, of het normbesef van onze tijd ons ook besluiten te temmen. Geen man die niet gedroomd heeft over die kortstondige ontmoeting waarbij geen moment emoties om de hoek komen kijken, die snelle neukpartij zonder voorwaarden of verplichtingen, en dan niet met een hoer. Volgens mij hangt hier nog een fantasie van een of ander gelukzalig tijdperk. En geen vrouw wier eerste emotie niet is: 'Is dit de man die ik zoek?' ook al heeft ze besloten dat opzij te zetten en meer op mannen te lijken, gewoon een paar nachtjes genieten. Ik durf te wedden dat er na de plezierigste nacht die je je kunt voorstellen, ook al weten ze elkaars naam niet eens, geen vrouw is die als hij vertrekt (vol liefde, bewondering en dankbaarheid om haar durf) niet plots een knagend, leeg gevoel krijgt, want ze is tegen haar diepste wezen ingegaan en moet daarvoor de tol betalen, al is het maar een half uur lang.

Hoe vaak hebben vrouwen die met de eerlijkste en oprechtste bedoelingen de nacht met een man hebben doorgebracht, niet onverhoeds de neiging gekregen om woedend uit te roepen: 'Hufter die je bent, botterik! Je kunt toch minstens even bellen? Kan er niet eens een bosje bloemen af?' Want die bloemen zouden al genoeg zijn, zouden het psychologisch evenwicht herstellen. En ondertussen denkt de man, vol tevreden genegenheid: eindelijk eens een vrouw die van het leven weet te genieten en niet vraagt of ik echt van haar hou.

De Victorianen wisten wat ze deden, met hun voorgeschreven bloemenhuldes van man aan vrouw. Ik kom in de verleiding om te zeggen dat ze ook wisten wat ze deden door met al die regels en beperkingen te komen. Romantiek wordt uit verbod geboren. Maar laten we de romantiek buiten beschouwing laten, want er zijn gebieden op aard waar die in onbruik is geraakt. En al in de jaren vijftig ontstond het gevoel dat seks een verplicht nummer was, en dat je blaam trof als het achterwege bleef.

Ik loop met Donald Ogden Stewart door Church Street in Kensington; we gaan op zijn voorstel ergens eten. Hij zal rond de zestig zijn, een slanke, kalende, sproetige, rossige man; ik ben in de dertig. Hij zegt tegen me: 'Ik moet je wel vertellen dat ik tegenwoordig meer belangstelling heb voor eten dan voor seks.' Ik ziedde van kille woede. Dat het zo lomp was, dat was nog tot daar aan toe, vooral van Amerikanen kon je immers niet anders verwachten, maar er was geen seconde sprake geweest van enige lichamelijke aantrekkingskracht, en bovendien was hij óud! Nu zie ik zijn opmerking als een verstandige manier om met de situatie om te gaan (al blijft het natuurlijk weinig elegant). Hij kwam per slot van rekening uit Hollywood en uit het linkse Amerika, en had waarschijnlijk liefjes bij de vleet gehad. Voor zijn leeftijdsgenoten gold hij vast als aantrekkelijk. Niemand van ons geeft makkelijk toe dat we niet meer zo aantrekkelijk zijn als vroeger. Hij had gedacht: laat ik zorgen dat ze zich niet de hele maaltijd lang hoeft af te vragen of ik haar nu wil versieren of niet.

Weer ben ik uit eten geweest, nu met een hoge pief van Granada Television, want ik ga voor ze schrijven. Hij drinkt de hele avond stevig door. Maar iedereen dronk toen veel; als je tegenwoordig mensen te eten vraagt of een feest geeft, gaat er maar een tiende van de hoeveelheid alcohol van vroeger doorheen. Hij brengt me in zijn auto naar huis en zegt: 'Het spijt me, het gaat niet, ik ben te dronken.' Terwijl er geen spoortje seksuele belangstelling tussen ons geweest was. Razend ben ik. De hark. De nitwit. De arrogante zak. Het verhaal *One Off the Short List* is ter zake.

Ik kijk terug en zie mezelf, een openhartige, eerlijke, jonge vrouw, vaak tactloos, uit oprechte verontwaardiging over wat ik nog steeds als veinzerij beschouwde. Ik had een afkeer van alle vrouwelijke trucjes, zag ze als een belediging van echte vriendschap, van de menselijkheid, van de mensheid zelf. Ik had het een vernedering gevonden om de koele vamp of de behaagzieke flirt uit te hangen. Dat geldt waarschijnlijk voor de westerse vrouw in het algemeen, maar ik was ook nog een koloniaal en dat betekende dat ik nog meer bevrijd was van het juk der hypocrisie uit het verleden – zo zag ik dat tenminste. Kameraadschap op voet van gelijkheid, dat was mijn stijl, moeiteloze vriendschap, intimiteit.

Om het verschil te zien tussen geëmancipeerde westerse en, laten we zeggen, Indiase vrouwen hoef je alleen maar een uur bij een gemengde groep te gaan zitten en je ogen open te houden. Smachtende ogen, intense blikken, zuchtjes, geagiteerde retirades, kokette sluiers en sjaals die voortdurend aan het werk zijn. Niet dat we dat hier in het Westen niet kennen; als zo iemand op het toneel verschijnt, moeten de geëmancipeerden hulpeloos toekijken hoe de mannen voor haar vallen, want die traditionele veinzerij is wel op een grondige kennis van de mannelijke en vrouwelijke aard gebaseerd. Een vrouw die beurtelings interesse en onverschilligheid voorwendt, speelt het oudste en succesvolste spelletje ter wereld – de regels staan prachtig opgetekend in Stendhals *Over de liefde*. Maar hoe kun je een ideale, volmaakte, *eerlijke* vriendschap met een man opbouwen als je zulke trucjes met hem uithaalt? En toch zijn het voor sommige vrouwen geen trucjes, ze doen alleen maar wat hun aard hun ingeeft... en zo draaien we eindeloos in een kringetje rond.

Bij westerse vrouwen, met name de Engelse, weten de mannen niet waar ze aan toe zijn: behalve de mannen met een instinctief begrip van vrouwen, met wie er meteen een sfeer van aangename medeplichtigheid ontstaat.

Om een eind aan dat gespartel in troebel water te maken: de kameraadschappelijke en hulpvaardige gelijkheid betekende (betekent) dat een man kan denken dat een vrouw verliefd op hem is – alleen omdat ze hem vrij en vriendschappelijk benadert – waarop hij dolblij is of kopschuw wordt. Maar het kan evengoed zijn (omdat ze nog steeds vrouw is en onder al die vriendelijkheid nog restjes verlegenheid heeft zitten) dat ze smoorverliefd op hem is en hij daar niet het flauwste benul van heeft.

Ik kijk terug op een wirwar van misverstanden. Mannen die ik mocht, en met wie ik graag vriendschappelijk om wilde gaan, dachten dat ik verliefd was, raakten in de war als ik ze afwees, en waren nijdig of gekwetst: *Waarom heeft ze me dan eerst zo gepaaid?* Mannen van wie ik hoopte dat ze snapten dat ik ze zag zitten, wisten dat niet, omdat de signalen zo goed verstopt bleven onder mijn joviale vriendelijkheid in het algemeen. Die losse, alles-kan-en-alles-mag-stijl van de jaren vijftig en zestig verdoezelde ware emotie, aantrekking en afkeer. Als het heersende klimaat dicteert dat makkelijke seks een teken van algehele emancipatie, beschaving en gelijkwaardigheid is, waar blijven dan de subtiliteiten in het intermenselijk verkeer, de natuurlijke sym- en antipathieën, kortom, waar blijft dan de echte seks?

Alsof de verwarring nog niet groot genoeg was, hield ik ook nog van flirten, al zie ik dat als niet veel meer dan een leuk spelletje, een aangename conventie. Tenminste in sommige landen. Kortgeleden kwam ik een stel jonge Mexicaanse vrouwen tegen die in de Verenigde Staten en Canada op vakantie waren geweest. Ze waren zo gewend aan de vleiende aandacht van mannen, en aan het plezier van het flirten, dat ze zich binnen de kortste keren begonnen af te vragen wat er aan hen mankeerde: waarom waren ze ineens niet aantrekkelijk meer? Toen ze navraag deden bij een vriend, zei die: 'Jullie begrijpen het niet: de mannen mogen niet meer laten merken dat ze vrouwen aantrekkelijk vinden; voor ze het weten krijgen ze een proces aan hun broek.'

Mijn meest bizarre seksuele ontmoeting was die met Ken Tynan. Ik was met hem naar een toneelvoorstelling geweest en daarna naar een feestje van acteurs die na hun optreden stoom moesten afblazen. Ken was de ster, hij strooide met geestigheden, welwillend advies en kritiek. Het werd zo laat dat hij vroeg of ik niet bij hem in Mount Street wilde blijven slapen. Bij iedere generatie opnieuw verbeelden de jongeren zich onherroepelijk dat zij de losse omgangsvormen hebben uitgevonden, maar het onschuldige delen van een bed dateert echt niet van de jaren zestig. De keren dat ik in vriendschap de nacht met een man heb doorgebracht omdat we ons gesprek nog niet hadden afgerond of hij de laatste trein had gemist, zijn niet te tellen. Tussen Ken en mij was nooit ofte nimmer sprake geweest van een seksuele vonk. Ik kon me geen mensenpaar voorstellen bij wie het onwaarschijnlijker was dat ze elkaars hart sneller deden kloppen. Ik was vaak genoeg op zijn slaapkamer geweest, want daar legden we bij feestjes altijd onze jassen neer. Ik kwam terug uit de badkamer om gezellig naast Ken in bed te kruipen, toen de slaapkamermuren op groteske wijze getransformeerd bleken, want ze hingen plots vol met zwepen in allerlei soorten en maten. Het leek wel een zwepenmuseum. En nu zou je toch denken dat Ken zoiets gezegd heeft als: 'Je vraagt ze zeker af wat al die zwepen daar doen?' Of dat ik hem gevraagd heb: 'Wat moeten al die zwepen daar, Ken?' Maar niets van dat alles. Daar lagen we naast elkaar plezierig te kletsen over van alles en nog wat, in ieder geval over politiek, want dat was ons favoriete gespreksonderwerp. (Ik zei vaak tegen hem dat hij romantisch was, om niet te zeggen sentimenteel, en van niks wist, terwijl hij klaagde dat ik cynisch was en geen vertrouwen in de mensheid had. Ik weet nog die keer dat ik van hem per se een vergadering met een aantal vooraanstaande mensen moest gaan bijwonen over een protestactie, welke ben ik vergeten. Ik zei dat ik dat gedoe van beroemdheden die een sit-down-actie hielden om publiekelijk in hongerstaking te gaan belachelijk vond, omdat iedereen wist dat we gezamenlijk koers zouden zetten naar een vijfsterrenrestaurant zodra de actie voorbij was. Ken vond dat ik gevoel voor publiciteit miste, en moest helaas concluderen dat ik vaak reactionaire neigingen vertoonde.)

En zo vielen we in slaap en werden we gewekt door een huishoudhulp die twee bladen met ontbijt kwam brengen. (Ken weigerde te koken en Elaine Dundy ook. Ze konden nog geen ei koken, verkondigden ze met trots, en aten altijd in een restaurant. Zelfs het ontbijt kwam van buiten.) Vervolgens ruimde ze de zwepen op.

Soortgelijke dingen zijn me ook met andere bekende mannen overkomen, wier namen ik niet zal prijsgeven, maar Ken hield zijn voorkeuren niet alleen niet geheim, hij liep ermee te koop. Hij voerde de behoefte van de didacticus bij uitstek, die graag gelooft dat iedereen moet worden als hij, tot in het extreme door en omschreef zijn lichtelijk perverse musical *Oh, Calcutta* als 'verstrooiing voor beschaafde mensen, voor na het diner'.

Een tafereel: een feestje in Mount Street. Ken werpt zich op een jonge actrice, die pas in het Londense wereldje komt kijken. Hij probeert haar ervan te overtuigen dat haar weigering om zwepen en aanverwant genot te aanvaarden, een kwestie is van aangeleerde vooroordelen.

'Je bent geconditioneerd,' zegt Ken, die stottert, wat zijn schoolmeestersstem nog meer gewicht geeft. Hij torent hoog boven haar uit terwijl zij met een charmant lachje naar hem opkijkt.

'Maar Ken,' protesteert ze, 'ik vind er niets aan.'

Hij is even van zijn stuk gebracht, maar de frik in hem vuurt hem aan. 'Jij bent grootgebracht met de gedachte dat er maar één manier is om seks te bedrijven.'

'Ach, één zou ik niet willen zeggen...' Ze glimlacht, en oogst een applausje van de toehoorders.

'Maar één manier,' zegt Ken, en hij staat waarschijnlijk op het punt om allerhande leerzame verhalen over de Grieken en Romeinen en god weet wie nog meer af te steken, als ze opnieuw gedecideerd zegt: 'Ken, ik vind het niet lekker.'

En nu kun je in hem de omschakeling zien van pedanterie tot gevatheid. 'Ik protesteer met klem: je hebt me ten onrechte het zwijgen opgelegd,' zegt Ken. 'Ik heb niets meer te zeggen. Hoe zou ik dat logischerwijs nog kunnen? Hoe zou je niet mijn zegen kunnen hebben? Geniet dan maar, mijn lief.'

Voor een min of meer normale vrouw blijft het een tamelijk schokkende ervaring om na een heerlijk etentje en een gesprek over literatuur, toneel, politiek, je gastheer plots vertier met zwepen te horen voorstellen, in de trant van: 'Een glaasje port, misschien? Ik heb ook een lekkere dessertwijn.' Of erger nog, hem met de zwepen op de proppen te zien komen – eenmaal was het een sjambok, altijd populair bij sadomasochisten – en op een weigering te zien reageren alsof jij de gek bent van de twee.

De volgende anekdote vertel ik omdat er altijd zo hoog wordt opgegeven over de bedprestaties van zwarte mannen. Blanke vrouwen die snakken naar een zwarte penis zijn een mythe uit de koloniale gedachtewereld, en in mijn jeugd heb ik er talloze variaties op moeten aanhoren. Het voorval waar ik hier op doel, dateert uit een tijd waarin de potentie van de zwarte dekhengst alom geroemd werd, omdat de gedachte dat de zwarte seksualiteit (zowel van vrouwen als mannen) superieur was, zich om de een of andere reden in het 'progressieve' denken had postgevat.

Een zekere zwarte schrijver in ballingschap bracht de onvermijdelijke tijd in Londen door. Maandenlang zat hij me vurig achterna, hij hield van me, hij kon er niet van slapen. Zuchten en klagen, woorden van romantische wanhoop, het hele repertoire. Nee, ik was nog nooit met een zwarte man naar bed geweest. En wel omdat ik niet echt op ze viel. Je zou kunnen zeggen dat dat door de conditionering uit mijn jeugd kwam, alleen heeft diezelfde conditionering wel mensen opgeleverd (al zijn dat grotendeels mannen volgens mij) die naar zwart vlees hunkeren. Uit medelijden met zijn toestand heb ik uiteindelijk toegegeven, in de verwachting een pijnlijke passie te stillen. Het daadwerkelijk seksuele contact duurde drie minuten, en toen viel hij in slaap. Hij snurkte zoals ik het nooit iemand anders heb horen doen. Ik ben in een ander bed gaan liggen en heb tot de ochtend vredig geslapen. Toen ik hem een kop thee ging brengen was hij gedwee en zelfvoldaan. Toen kreeg hij in de gaten dat ik niet naast hem had geslapen en wilde hij weten waarom niet. De remmingen van mijn keurige opvoeding ('Nóóit iemands gevoelens kwetsen') kwamen tussenbeide en ik zei: 'Je lag te snurken.' Hij leek verbaasd. Toen hij zijn thee ophad, kleedde hij zich aan en verklaarde intens gelukkig te zijn. Daarop hernam hij zijn romantische jacht – telefoontjes, vurige brieven, ontmoetingen op straat, waar hij me had op staan wachten. Ik kan me niet aan het gevoel onttrekken dat al die romantische hartstocht van hem uit de literatuur afkomstig was. Soms heb ik over het gezicht van zwarte vrouwen een zekere ironische blik zien glijden als de amoureuze faam van zwarte mannen ter sprake kwam. Maar misschien heb ik gewoon pech gehad.

Een ander voorval herinner ik me met schaamte. Weer een zwarte man, uit Jamaica. Smoorverliefd was hij, en zijn pogingen waren langdurig en slopend. Met mijn vorige ervaring in gedachten bleef ik nee zeggen, tot ik uiteindelijk dacht, zoals dat gaat bij vrouwen: ach, waar maak ik me eigenlijk zo druk om, als hij het nu zo graag wil? Ik trok al mijn kleren uit – en toen weer aan, want inmiddels dacht ik: waarom zou ik dit in godsnaam doen, als ik het niet wil? Dat was natuurlijk vreselijk. Wreed. Zoals mijn moeder gezegd zou hebben (zij het in een iets andere context): er zijn dingen die een fatsoenlijke vrouw niet doet.

Er was een toneelregisseur, een nicht van het zuiverste water, en als zodanig beroemd, met wie ik die makkelijke vriendschapsband onderhield die vrouwen met sommige homo's kunnen hebben. Er liep toen een hilarische klucht, vol seks, *Lock Up Your Daughters*, waar de tekst in voorkwam: 'Wanneer gaat het vergrijpen beginnen?' Ik loop een trap af, glas in de ene hand, sigaret in de andere, en deze vrijer houdt me staande, grijpt mijn beide armen terwijl hij voor me gaat staan en op dwingende toon vraagt: 'Wanneer gaat het vergrijpen beginnen?' Een grapje, zou je denken, maar nee, telkens als we elkaar daarna weer tegenkwamen, klampte hij me aan, heel beschuldigend nu: 'Het is je plicht mij in te wijden in de geneugten van de heteroseksuele seks waarover wij zoveel horen.'

En nu een omstreden onderwerp, Amerikaanse mannen. De dingen kunnen best veranderd zijn, want dat gebeurt altijd, maar in die dagen werd er voortdurend vergeleken, of dat nu discriminerend was of niet. Als je als bedgenoot eerst iemand uit centraal-Europa en vervolgens een uit Amerika hebt, beiden uit principe rokkenjagers, ontkom je niet aan vergelijken. Ik zeg met opzet 'rokkenjagers' en geen vrouwenliefhebbers, want niemand had toen de Amerikanen kunnen beschuldigen van die willige, zij het soms grillige, onderwerping aan de manie en magie van de liefde die we romantiek noemen. Alle Amerikanen die ik kende hadden dezelfde instelling tegenover seks – laten we het geen liefde noemen – en ze speelden stuk voor stuk een rol. 'Mensch.' Stoere kerel. Waar kwam dat vandaan? Uit de zwarte cultuur, denk ik, net als de jazz en zo veel andere dingen uit de Amerikaanse cultuur. Een echte man laat zich niet binden – die neukt en is weer vertrokken. Er zat iets opgelegds aan, iets vreugdeloos. Ze zijn (waren?) verschrikkelijk praktisch, nuchter. De essentie van die mannelijke vrouwenbezitter en -onderwerper is iets actiefs, iets dominants, iemand die alleen zélf het tempo en de grenzen bepaalt. Maar zoals iedereen weet: de uitersten raken elkaar, en: uitersten slaan in hun tegendeel om.

Stel je een kamer voor met daarin een aantal vrouwen, allemaal Europees, halverwege de jaren zestig. We hebben het over Amerikaanse mannen. We hebben allemaal ervaring met Amerikaanse minnaars – nee, bedgenoten – en twee van ons hebben zelfs dezelfde man gehad, of liever, die man heeft ons gehad. Het komt niet zo vaak voor, zo'n gesprek tussen vrouwen – toen tenminste niet – en het was zuiver toeval dat het gebeurde. We waren met z'n tienen ongeveer... het ene onderwerp leidde tot het andere. De conclusies die ik hier geef zijn dus gebaseerd op de ervaringen van meer dan één vrouw.

Of we het er allemaal over eens waren dat Amerikaanse mannen liefhadden met hun hoofd en niet met hun hart? Zonder meer: hun hart deed niet mee. Vonden we ook allemaal dat ze in hun hoofd een blauwdruk hadden zitten voor hoe je omgaat met een vrouw, zowel in als buiten het bed, en dat ze niet vrijden vanuit een diep instinct of de behoefte om (god bewaar ons) liefde te uiten, maar vanuit de behoefte zichzelf te bewijzen dat ze een echt 'mensch' waren? Hier kwam D. H. Lawrence op de proppen; 'warmhartig neuken' bijvoorbeeld. Interessant hoe vaak die schrijver bij dit soort gesprekken geciteerd wordt. Want hij mocht dan heel weinig van seks hebben geweten, van de liefde wist hij veel. Maar tussen haakjes, we moeten hierbij niet vergeten dat de seksuele expertise waarop wij nu zo prat gaan, in feite heel recent is: in die tijd was de onwetendheid van Lawrence heel gewoon.

We vonden allemaal dat het wel leek alsof er in de plexus solaris van de Amerikaanse minnaar een verkilling zat, een ijskoude vlakte, schraal Siberië. Je had die intelligente kop, de hete pik en ballen, maar daartussenin dat kille, defensieve.

Het gesprek dwaalde af naar de erfenis van de troubadours en trouvères in Frankrijk, dat heerlijke Frankrijk, want misschien was het wel plausibel dat die poëtische, fantasierijke variant van de liefde nooit Duitsland had bereikt, terwijl de Duitse cultuur juist zo veel invloed had gehad op die van Amerika, met name op de universiteiten daar... Hoe dan ook, langs die lijn verliep ons gesprek, met als hoogtepunt het moment waarop een vrouw die bij de televisie werkte met een anekdote kwam over een zekere Amerikaanse filmregisseur, het prototype van een macho, die als een gespannen boog over haar heen hing, maar onbeweeglijk, en haar nijdig toevoegde: 'Gebruik 'm dan, verdomme, gebruik 'm dan.' Was dat niet de opperste passiviteit, de man als neukmachine, klaar voor gebruik door de vrouw, om haar te plezieren? (Mocht je hier trouwens het woord 'plezier' met zijn frivole associaties nog wel gebruiken?) Hier had je de absolute belichaming van een 'mensch', maar op het moment suprême was er sprake van passiviteit, en van instructies hoe hij gebruikt moest worden. Was dat niet een geval van een uiterste dat in zijn tegendeel omsloeg? Ja, daar kwam het op neer – tenminste voor die tijd, want als je de Amerikaanse romans en andere culturele uitingsvormen mag geloven, is het niet altijd zo geweest. Nee, die neukmachine is het product van een bepaalde periode, die, zoals dat met alles gaat, is verdwenen. Of niet? Heeft het feminisme het warme hart teruggebracht, de mannelijke plexus solaris die als een zonnetje hete begeerte uitstraalt?

Het interessantste van dit tafereel van jaren her is de toon, die heel ver af staat van de rancune van de Cruel Sisters. Jarenlang – decennia, misschien wel eeuwen – klagen vrouwen al over het gebrek aan gevoeligheid en tact van mannen, over hun onvriendelijkheid, maar zodra vrouwen dan macht hebben, sanctioneren ze een aantal van de weerzinwekkendste uitingsvormen van de menselijke aard.

Een televisieprogramma. Voor het oog van miljoenen kijkers zegt een geëmancipeerde vrouw: 'Mijn man is eigenlijk maar een slapjanus.'

Draai dat eens om. 'Mijn vrouw is eigenlijk maar een trutje.' De harteloze zak!

Een etentje. De vrouw, tussen neus en lippen door: 'Mijn twee echtgenoten...' De echtgenoot: 'Je hebt er toch drie gehad, schat?' 'Ach, jou tel ik niet mee, van jou heb ik geen kind.'

'Mijn vrouw stelt me teleur. Ze kan geen kinderen krijgen.' De schoft.

Een feestje: 'Mijn man krijgt 'm vaak niet omhoog. Hij is semi-impotent.' Dit met een luide lach.

Monsieur Sorel in *Het rood en het zwart*, het archetype van een lompe, ongevoelige echtgenoot, met een grijns: 'De delicate machinerie van de vrouw...'

Vorige week nog kreeg ik een brief van een Amerikaanse vrouw: 'Staat u nooit eens stil bij de vrouwelijke monsters die u met *Het gouden boek* hebt ontketend? Ze haten mannen en ze haten vrouwen die van mannen houden.'

Een tafereel: een beroemde Amerikaanse feministe komt in Londen op bezoek, en ik ga haar opzoeken met een man die al sinds jaar en dag, lang voordat dat in de mode kwam, een feministisch standpunt inneemt. Als we door het hotel lopen, smijt ze opzettelijk de ene deur na de andere voor zijn neus dicht.

Een tafereel: een gebouw in Londen huisvest naast een feministische uitgeverij nog andere kantoren. In een daarvan komt regelmatig een vriend van mij uit het Midden-Oosten op bezoek, toevallig een voorbeeldig echtgenoot en vader. Hij vertelde dat het heel lang heeft geduurd voor hij in de gaten kreeg waarom hij iedere keer als hij langs de uitgeverij kwam, door een naar buiten komende vrouw opzettelijk keihard op zijn tenen werd getrapt. Hij was moslim en dús tiranniseerde hij de vrouw.

Minstens zo deprimerend was dat dit soort dingen door de Cruel Sisters als 'politieke' actie werd beschouwd.

Onlangs nog kon je op het ene televisienet een groep vrouwen horen klagen dat mannen zo grof tegen ze waren, terwijl op het andere net een vrouw zei dat alle mannen slijmballen waren.

Hadden we kunnen voorzien dat die lompe stupiditeit zo'n hoge vlucht zou nemen? Jawel, want elke politieke massabeweging maakt het slechtste in de mens wakker, bewondert dat gedrag zelfs. Tijdelijk tenminste.

Het is de afgelopen dertig jaar zeker niet makkelijk geweest om feminist te zijn.

En dan de Engelse mannen, zo mogelijk een nog meer omstreden onderwerp dan de Amerikaanse: de Engelse vrouwen klagen altijd en eeuwig over ze. Ze houden niet echt van vrouwen, ze houden niet echt van seks. Engelse vrouwen op zoek maar de ware liefde onder hun landgenoten vinden vaak pas wat ze zoeken bij niet-Engelse mannen. Het is niet uitzonderlijk dat een Engelse vrouw naar het buitenland vertrekt op zoek naar een minnaar, 'alleen om mezelf eraan te herinneren dat ik nog vrouw ben'. Hetgeen naar het werkelijke probleem verwijst, dat eigenlijk niet zozeer om een manco bij de daad zelf gaat maar bij de weg die erheen leidt. Maar die onromantische Engelse mannen zijn toch gewoon de tegenhangers van de zusterlijke, kameraadschappelijke, recht-door-zee vrouwen die minachting koesteren voor vrouwelijke trucjes, zo ze die al kennen?

Het zijn homo's, wordt er geklaagd, dat komt door die jongensscholen waar ze naar toe gaan. Maar ik vind Engelse mannen juist de meest romantische mannen ter wereld, en dat is nu net het gevolg van die jongensscholen waarin ze al vanaf hun zevende worden opgesloten, zodat ze nacht in nacht uit met hun hoofd onder de dekens liggen te snikken om mammie. Onthoud een mens iets in zijn vroege jeugd, en je krijgt gegarandeerd iemand die herhaaldelijk finaal door de knieën gaat voor een onbereikbare liefde. Soms blijft hun romantische verbeelding hun hele leven bevolkt door liefdes die niet te vervullen zijn. Maar als ze dan ten slotte een partner vinden, zijn het fantastische minnaars, intelligent en – het belangrijkst – grappig. Wat er aan Engelse mannen mankeert is niet dat ze vrouwen niet leuk vinden of ze haten, maar dat ze de jaren van hun leven waarin ze het ontvankelijkst zijn, uitsluitend met seksegenoten hebben doorgebracht. Het leven op een jongenskostschool is hard. 'Als je op een Engelse kostschool hebt gezeten, is het leven als gevangene of gijzelaar een peulenschil,' hebben we onlangs opnieuw kunnen horen. Kostscholen mogen dan minder wreed en tiranniek zijn dan vroeger, het zijn nog steeds militair aandoende oorden met een strakke hiërarchie. Na lange jeugdjaren in een beperkt deel van de maatschappij, aanvankelijk ziek van heimwee, later lerend om emotioneel koud te worden; een beetje warmte zoekend in seks met andere jongens, of in intens emotionele vriendschappen... na die lange jaren ontsnappen ze naar romantische liefde met vrouwen, voortgedreven door herinneringen aan de ontberingen in kinderjaren en puberteit. En als ze ouder worden, of ze nu getrouwd zijn of niet, zullen ze altijd iets blijven missen: het gezelschap van andere mannen. Vrouwen die met een Engelse man zijn getrouwd hoeven niet zozeer te vrezen hem te verliezen aan een andere vrouw, als wel aan de club, de kameraadschap van het kantoor, elke plaats waar groepen mannen bijeenkomen. Dat komt omdat geen romantische, sentimentele of huiselijke liefde ooit op kan tegen de intensiteit van die jaren op school, te vergelijken met de kameraadschap tussen soldaten. Het is inmiddels algemeen bekend dat pijnlijke en onaangename ervaringen een diepe indruk achterlaten; we leren op duizend-en-één manieren masochisme aan. Het is een gruwelijk feit dat soldaten gek kunnen zijn op wrede meerderen: 'Ik zou voor die schoft door het vuur gaan.' Waar ze zo aan hechten is de intensiteit van de ervaring. 'De mooiste jaren van mijn leven,' zeggen veteranen terugkijkend op een oorlog die weliswaar gruwelijk was, maar waarin ze leefden voor de volle honderd procent, en vooral: waarin ze in het niet bedreigende directe gezelschap van andere mannen verkeerden.

Maar nu heb je het over kostschooljongens, en dat is toch een minderheid? werpen sommige lezers misschien tegen. Dat is waar. Maar het gaat niet alleen om de hogere klassen, verre van dat. De meest onthullende sleutel tot de duistere diepten van de Engelse mannelijke psyche, een flintertje bewijs, is die bekende situatie in de Britse klucht: een nuchtere, weinig opmerkzame en – en daar draait het om – 'serieuze' jongen of man wordt achternagezeten door een vrouw die verliefd op hem is of op hem valt. Dat kan goedmoedig zijn, het kan wreed zijn, maar die vrouw of het meisje is altijd de paljas, degene die belachelijk is. Het is een rituele vernedering die telkens terugkeert: het is bijna een standaardgegeven van het Britse blijspel. Of je hebt zo'n rechtschapen Engelsman die in een harem of in een groep sexy vrouwen verzeild raakt, maar dan resoluut onverschillig blijft voor hun aanstellerige trucjes. En het kan toch geen toeval zijn dat '*Not tonight, Josephine*,' zo'n favoriete standaardgrap blijft. Alleen in Groot-Brittannië – of misschien moet ik zeggen, Engeland... En toch moet ik zeggen dat er twee mannen zijn geweest met wie ik had kunnen trouwen of nog lang en gelukkig had kunnen samenwonen, en die waren allebei Engels.

Als bijverschijnsel van de gelijkheid tussen de geslachten zijn er tegenwoordig vrouwen met de volgende grief: ik ben een aantrekkelijke vrouw, ik kook goddelijk, ben goed in bed, kan mijn eigen boontjes doppen – toch een goede vangst voor een man? Ze vallen weliswaar met bosjes voor me, maar gaan vervolgens samenwonen met een jong en onervaren ding.

Toen die hopeloze, hulpeloze lachbui me overviel, was dat grotendeels hierom; het was een wel erg laat inzicht in de absurditeit van het geheel. Zoals een van onze beroemdste dichters het heeft uitgedrukt, met een diep ontzag voor de overvloed van moeder natuur: 'Ieder jaar komen ze weer uit hun scholen gehuppeld, die prachtige meisjes, zo zeker als bloemen in de lente, en ik vraag me altijd weer af: waar hebben we ze aan verdiend?'

Een treurige anekdote in dit verband: een vriendin van achter in de veertig, aantrekkelijk, slim, competent, belezen, deskundig op politiek terrein en financieel onafhankelijk, vond het onrechtvaardig dat een vrouw als zij niet boven zo'n jong ding werd verkozen. Na de zoveelste ongelukkige ervaring liet ze haar vrienden weten dat ze eindelijk het licht had gezien. Wat ze wilde was een man van middelbare leeftijd, intelligent, belezen en met politieke interesse, niet om mee te trouwen of samen te wonen, maar om mee te wandelen, te eten, naar het theater te gaan, en naar bed 'als onze pet daarnaar staat'. 'Ik wil nooit meer wakker worden naast een man voor wie ik vervolgens ontbijt moet gaan klaarmaken. En ik verzeker je: ik word nooit meer de rots in de branding voor een beginnende romanschrijver, musicus of dichter, dat heb ik gehad.'

Tegelijkertijd meldde een knappe, belezen, begerenswaardige man van middelbare leeftijd dat hij doodziek werd van al die meisjes met wie hij trouwde en van wie hij dan weer moest scheiden, hij wilde nu een volwassen, zelfstandige, belezen vrouw, die niet wilde dat hij bij haar introk. Nu wilde hij weleens van zijn onafhankelijkheid genieten.

We gingen met een groepje aan de slag, met alle tact, zorg en sluwheid die we in huis hadden. Geen van beide hoofdpersonen mocht bevroeden wat er gaande was. We organiseerden een feestje, een losse aangelegenheid, met genoeg mensen om het niet opvallend te maken. Waarop het volgende gebeurde: 'Betty' kwam tegelijkertijd binnen met 'Jeffrey'. Ze hadden elkaar meteen in de gaten en begonnen scherpe geestigheden uit te wisselen. Wij, de toeschouwers, vonden dat een goed teken, immers '*Was sich liebt das neckt sich*'. Maar helaas... later kwam er nog onuitgenodigd een dochter van een van de samenzweerders opdagen, een verontschuldigend wezentje van een jaar of twintig, dat tot haar lot werd aangetrokken als een bootje dat op een waterval afstevent, en 'Jeffrey' is met haar naar huis gegaan om de zoveelste miskleun te begaan, terwijl 'Betty' is vertrokken met een nieuwbakken acteur uit de Midlands, die pas in Londen zat. Hij had honger en vroeg luidkeels: 'In godsnaam, is hier geen lieve vrouw die me mee naar huis wil nemen en eten voor me maakt?'

Er waren toen twee mannen in Londen die er allang voor hadden gezorgd dat ze geen gevaar liepen om als echtgenoot of 'partner' te worden gekozen, en die zoveel van elkaar verschilden als maar kon, alleen had in het paspoort van allebei onder 'beroep' wel 'seksbeoefenaar' kunnen staan.

De ene kwam uit Zuid-Afrika, iemand met een klassiek slechte jeugd, wrede vader, slaag en emotionele kou, en een vroege ontsnapping naar de onderwereld van een grote stad. Hij had voor zichzelf een huis als een tempel geschapen, geen tempel der liefde – verre van dat – maar van seks. Hoe had die arme jongen dat klaargespeeld? Want het huis was prachtig. Je kon het maar beter niet weten. Het was een huis van geweld en sentiment: weer dat verband tussen sentimentaliteit – de tranen in de ogen, alsof een onzichtbare toeschouwer ze telde, elke traan een bewijs van superieure gevoeligheid – en pijn, zij het niet per se lichamelijk, want het ging hier evenzeer om psychologische dominantie. De meisjes, van alle leeftijden, werden aanbeden, verafgood, en onderworpen. Dat soort seks is niet naar de smaak van iedere vrouw.

De andere man kwam uit Zuid-Amerika en was deels Japans, deels Spaans. Hij had een enorm appartement, en niets van de inrichting had als pronkstuk in een museum misstaan. Hij was heel rijk. Hij bestudeerde de subtiele en esoterische seksuele praktijken uit talrijke culturen. In tegenstelling tot de man uit de andere kant van Londen, was hij geen vrouwenverzamelaar, want het was zijn streven om uiteindelijk een vrouw te vinden die zijn enige liefdespartner kon zijn; hij beweerde dat voor de vervulling van echte liefde twee lichamen, twee harten en – vooral – twee zielen volmaakt met elkaar in harmonie gebracht moesten worden, iets wat maanden, zo geen jaren kon duren. Hij minachtte mensen met meerdere sekspartners, die kon hij niet serieus nemen. Amateurs waren het, die er niets van snapten. Zijn vrouw was zijn collega, zijn ideaal geweest, maar zij had per se kinderen gewild en zo waren ze met spijt uit elkaar gegaan. Ze woonde bij hem in de buurt, en hij was een goede vader voor de kinderen, maar zoals hij zei, kinderen en het erotische leven gaan niet goed samen. Met haar had hij seks van het praktische soort. Ik kom nu natuurlijk in de verleiding om een kroniek te verzinnen van amoureus avontuur, een dagboek van esoterische verrukkingen, maar ik moest de kost verdienen en rekening houden met een kind. Mijn interessante vriend begreep dat probleem uitstekend: voor het praktiseren der ware liefde was een vast eigen inkomen en kinderloosheid vereist, zei hij vaak. Voor hij Londen voor Spanje verruilde, zagen we elkaar af en toe om te eten en bij te praten, en dan bracht hij me op de hoogte van zijn onderzoekingen, waarop ik soms verlangend zuchtte, want aangenamer tijdverdrijf is immers nauwelijks te vinden – maar die uitdrukking verraadt al waarom ik nooit een geschikte kandidaat had kunnen zijn. Bovendien moet ik bekennen, misschien lichtelijk beschaamd, als iemand die voor een verheven examen gezakt is, dat *het me uiteindelijk zou zijn gaan vervelen*. Hij had natuurlijk gelijk toen hij zei dat men zich er met hart en ziel in moest storten, alsof het een zoektocht naar de heilige graal betrof, of de toegang tot een mysterieus, verborgen domein – het punt van groei, in feite – want anders viel er niets te verwachten dan vernietigende futiliteit, een verzuurde woestenij.

Vier jaar na mijn komst naar Langham Street stierf Howard Samuels. Ik werd naar het kantoor van Howards broer Basil geroepen, en trof daar de vleesgeworden zakenman-met-trots-op-zijn-zakelijkheid. 'Ik zie niet in waarom schrijvers en kunstenaars gesubsidieerd moeten worden. Ik ben het nooit eens geweest met mijn broer als hij jullie soort de hand boven het hoofd hield. Besef wel dat ik voor dat appartement tien keer zo veel huur kan krijgen!' Ik was duidelijk getuige van de zoveelste aflevering in de eindeloze ruzie of vijandschap tussen beide broers, en dat viel niet moeilijk te begrijpen als je die nijdige tycoon met zijn benepen mondje zag en die in gedachten vergeleek met de losse, charmante, geestige – en linkse – Howard Samuels. Ik vroeg of ik nog drie maanden mocht blijven; ik had immers niet kunnen weten dat ik daar weg zou moeten en had tijd nodig om iets anders te vinden. Uiteindelijk stemde hij toe. Het ging niet van harte, maar ik was hem dankbaar.

Nu moest ik een huis zoeken: deels omdat Peter dat zo graag wilde, dat beroemde dak boven zijn hoofd nodig had, zijn dak, ons dak, vast en zeker, voor altijd, en deels omdat zoals altijd in Engeland de druk op mij om eigenaar te worden zo sterk was. Als ik een voorschot wilde, was het altijd: waarom koopt u geen huis? En iedereen zei: waarom gooi je je geld weg aan huur? Gebruik het voor een hypotheek. Want in dit land vinden ze het maar zo-zo als je je geld spendeert aan huur: als je niet de ambitie hebt om je eigen huis te bezitten verraad je daarmee je weinig serieuze, zo niet bohémienachtige neigingen.

Ditmaal zocht ik een huis in één enkele buurt, Camden Town. Ik vond er een in een straat waar zich niet lang daarna talloze beroemdheden uit de toneel- en kunstwereld zouden vestigen, maar de makelaar zei: 'Ik zou mijn moeder of zus hier nooit laten wonen.' Camden Town moest nog ontdekt worden door de chic, maar ondertussen vonden heel wat slimme mensen het al een prima plek om te wonen. Tom Maschler kon met moeite het geld loskrijgen om een helemaal niet duur huis aan Chalcot Square te kopen, dat algauw zeer modieus zou zijn. Een vriendin van me kon geen bank vinden die haar geld wilde lenen voor een enorm huis aan Regent's Park Road, leende het toen maar van particulieren, kocht het voor zesduizend pond, om het vijfentwintig jaar later te verkopen voor meer dan een miljoen. Steeds weer blijken de deskundigen zich te vergissen. En wie zich niet vergissen? Onpraktische, warhoofdige kunstenaars die het niet kan schelen dat ze niet op stand wonen maar die gewoon iets goedkoops en prettigs willen.

Behalve de makelaar wilde ook mijn bank er niet aan dat ik iets kocht in dat verlopen Camden Town, en ik werd gek van de zorgen. Toen kwam er een zekere heer ten tonele dit ik Len zal noemen. Tien jaar daarvoor zou hij te boek hebben gestaan als een ritselaar, een scharrelaar, een oplichter, altijd op zoek naar handel – míj hoef je niet te belazeren – maar het was toen 1962, het begin van de joviale, klassenloze jaren zestig; achteraf kan ik er uit die bonte verzameling figuren heel wat plukken die niet zozeer oplichters waren als wel de tijdgeest getrouw – in de jaren tachtig waren zij vast en zeker de lievelingen der natie geweest. Len had middenklasseaspiraties; monty-coat, keurig geknipt, strooide namen van acteurs en televisiepersoonlijkheden in het rond. Hij nam me mee naar Charrington street, in Somers Town, inmiddels bekend om de rellen en misdaad, maar ooit werden daar de vluchtelingen uit Frankrijk, de hugenoten, opgenomen.

Mary Wollstonecraft heeft in Somers Town gewoond, met William Godwin; hun namen staan op de zerken op het begraafplaatsje om de hoek. Shelley moet er op bezoek zijn geweest. Het is een kort straatje, en aan de ene kant zijn de huizen afgebroken om plaats te maken voor een grote, nieuwe school. De hele straat was vervallen en verveloos. Nummer 60, dat verkocht werd omdat de oude vrouw van wie het was niet langer voor zichzelf kon zorgen, was vierduizend pond goedkoper dan alles wat ik tot dan toe had bekeken. Vierenhalfduizend was het. Dat was niet zomaar. Het was in tientallen jaren niet geschilderd, waarschijnlijk niet meer sinds de bouw, en de gevel, gebarsten als een drooggevallen rivierbedding, zat onder de donkerbruine schilfers, net oude chocola. Binnen was er niets aan gedaan sinds het gebouwd was, in 1890.

Nee, zei mijn bank, geen sprake van, niet in die buurt, dat hadden ze toch al gezegd? Maar Len zei dat hij wel een hypotheek kon ritselen, geen probleem, en ik kon hem op zijn woord geloven dat het huis nog solide in elkaar stak, want in die tijd bouwden ze voor de eeuwigheid. Nee, je hoeft geen taxatie te laten doen, dat had hij allang geregeld. En zo werd ik klant van de National Westminster Bank. Mijn vader had in zijn jeugd voor die bank gewerkt. Er was veel veranderd: toen ik de manager vertelde dat mijn vaders grootste nachtmerrie altijd geweest was dat hij schulden zou maken, of nog grotere schulden moest maken dan hij al had, stond de man perplex en zei hij dat het bij het bankieren immers draait om geld uitlenen. En zo kreeg ik een hypotheek en een lening om het huis op te knappen. Dat was geen twijfelachtige en dubieuze financiering, integendeel, wat dubieus was was Lens vaagheid over de status van nummer 60. Hij beweerde dat er een mogelijkheid was dat het in aanmerking kwam voor renovatie, maar ik moest wel beseffen dat de Greater London Council panden vaak jarenlang op de renovatielijst liet staan. Bovendien zouden ze me dan compensatie moeten betalen. Ik had altijd al een gok durven nemen, en dat deed ik toen weer. Ik heb er nooit spijt van gehad, want anders had ik me nooit een huis kunnen veroorloven in een wijk waar ik wilde wonen; zo heb ik het vrijbuitersleven dat geen hypotheek waard is (en dat bij me paste) achter me gelaten om huiseigenaar te worden, iemand die respect en rood staan verdient, al is de hele koopsom tot op de laatste cent geleend. Maar ik kon pas in dat huis gaan wonen als het opgeknapt was, en Len wist wel een aannemer (laten we hem Doug noemen), net als hij, losjes, makkelijk, vertrouw me maar, en die zou het huis opknappen zoals het dat verdiende.

Ik nam Peter en een vriendje van hem mee; we stonden voor het huis te kijken. 'Daar heb je het. Dat heb ik gekocht.' De twee jongens keken zonder een woord te zeggen naar de donkerbruine, bladderende gevel in het haveloze straatje. 'Maar het wordt heel mooi,' pleitte ik, 'wacht maar af.'

Je had dat huis als museum kunnen bewaren, als tijdscapsule. Het eerste wat je als buitenstaander opviel was hoe verschrikkelijk ongerieflijk het was. Het bestond uit drie verdiepingen, twee vertrekken per verdieping, en een groot souterrain. Er was geen goede verwarming, alleen piepkleine open haardjes. In zo'n huis, hield ik mezelf voor, hadden Mary Wollstonecraft en William Godwin gewoond, hadden ze hun verheven gedachten opgeschreven, en waarschijnlijk hadden ze het eeuwig koud gehad. Boven elk slecht passend raam hingen smerige rafels cretonne. De vier kamers op de twee bovenverdiepingen waren slaapkamers geweest waar tot voor kort nog huurders in hadden gezeten, want ze hadden allemaal muntjesmeters voor de stroom. Op de beide overlopen had je gaslampen, met de vlam tien centimeter van het behang, en ze werkten nog steeds. De elektrische bedrading was gevaarlijk, de pijpen waren gebarsten en de draden hingen los. In elke kamer hing één lamp, midden aan het plafond. Eén wc voor het hele huis, een cementen pot in het souterrain, met een gebarsten porseleinen stortbak met ketting. Het souterrain was vroeger de keuken geweest, met een kolenfornuis dat nog werkte en de oude wasketel, een enorme in cement verzonken koperen teil met de vorm van een omgekeerde trechter, waar je een vuur onder kon branden. De mangel stond er nog, en de strijktafel met zijn stoomijzers. Er stond een enorm bad – dat niet gebruikt werd – vol bruine plekken en barsten. De grote kannen van email die ooit met warm water de gammele trappen waren opgesjouwd stonden nog gevlekt en geschilferd op het fornuis. Ook waren er maaltijden die trappen opgedragen, naar de kleine eetkamer, die uitzicht bood op een verwaarloosde achtertuin en op het dak van het Unity Theatre. De hele tijd dat ik in dat huis heb gewoond, heb ik nooit een voet in dat theater gezet, want het was toen weer tot die dogmatische beleidslijn vervallen: de strikte partijlijn.

Eerst moest er een vochtwerende laag in het souterrain worden gelegd. Daarop ging een kurkvloer, en algauw werd het een warm, gezellig vertrek met een laag plafond, het prettigste vertrek van het huis. De voorkamer op de begane grond werd keuken, met de grote eettafel die we in de jaren zestig allemaal leken te hebben. De achterkamer op de begane grond, de voormalige eetkamer, werd badkamer, groot en luxueus naar toenmalige Britse maatstaven. De eerste verdieping werd woonkamer. De tussendeuren gingen eruit, al had ik later spijt dat ik die rood met goud geverfde schuifdeuren had weggedaan, en de houten luiken, die tegen inbrekers bestand waren, en weer later de open haarden. Want dat deed toen iedereen: je liet de open haarden verdwijnen achter pleisterwerk en sloopte de schoorsteenmantels eruit.

Ik moest bij de mensen die centrale verwarming aanlegden iedere radiator bevechten.

'U hebt in de slaapkamer geen radiator nodig. Dat is ongezond.' Dat vond men toen, en sommige mensen vinden dat nog steeds.

'Ik wil er twee, want hier in uw handleiding staat dat je die nodig hebt om het warm genoeg te krijgen.'

'U krijgt er beslist spijt van.'

En in de badkamer: 'U hebt geen radiator nodig in de badkamer. Die wordt wel warm van de stoom.'

'Jawel, en ook een handdoekradiator. Die moeten erin.'

'Tja, het zijn uw centen, maar ik zie niet graag dat iemand het geld zo over de balk smijt.'

Waarom ikzelf die gevechten aanging en het niet voor me liet doen?

Zo spaarde ik geld uit, want Doug had gezegd dat ik geen bouwtekenaar of taxateur nodig had, vertrouw me maar.

Doug had een klein bedrijfje. Hij had twee vaste werklui in dienst en elektriciens en timmerlui huurde hij in als het nodig was. Hij had de basisklussen gedaan: de vochtwerende laag, de kurkvloer in het souterrain, de meeste vloeren hersteld, een deel van de bedrading en de ramen. Toen ging hij failliet. Hij kwam het me zelf vertellen en leek er niet bepaald door aangeslagen. 'Ik heb altijd pech,' zei hij. En toen verdween hij op vakantie naar de Middellandse Zee met zijn vriendin. Hij was al een paar keer eerder failliet gegaan. Ik was niet zo vertrouwd met de tijdgeest dat dat me niet schokte.

Daar zat ik dan met een half afgewerkt huis, zonder aannemer en iemand die voor mijn belangen opkwam, maar toen kwam alles toch nog goed. De twee werklui die bij Doug in dienst waren geweest – ze hadden nog twee weken loon van hem te goed toen hij vertrok – zeiden dat ze het huis wel voor me zouden afmaken, ik kon ze zelf in dienst nemen. Al mijn vrienden en kennissen, allerhande deskundigen, zeiden dat ik wel gek zou zijn als ik dat deed, ik zou er vreselijke spijt van krijgen, ze zouden me bedriegen waar ik bij stond. In werkelijkheid waren die mannen fantastisch en is alles van een leien dakje gegaan. Ik betaalde ze het maximum weekloon plus nog wat extra omdat ze me de aannemerswinst bespaarden, en zij gaven me de rekeningen voor het gebruikte materiaal. Ze noemden zich de Twee Piraten; ze heetten Jack en John, en werkten al twintig jaar samen, sinds ze van school af waren. Jack was een grote, trage, blonde man, met kalme blauwe ogen die hij strak op je gezicht gericht hield als hij je vertelde over zijn moeder, die voor hem zorgde, want getrouwd was hij nooit, en die al zijn lievelingskostjes kookte, dus waarom zou hij een vrouw nodig hebben? John was getrouwd geweest. Hij was kwiek, vol energie en kennelijk de baas van de twee, want als ze iets moesten beslissen stonden ze elkaar aan te kijken en kwamen dan stilzwijgend tot overeenstemming, waarna John zich tot mij wendde en zei: 'Nee, je moet daar die plank niet nemen, moppie, kijk maar, dan kun je er niet lekker bij; hier hangt-ie stukken beter.' Of ze lieten me zien waarom er geen nieuwe vloer gelegd moest worden maar alleen een stuk gerepareerd, en waarom de lamphouder juist op die plek moest komen.

Toen het tijd werd voor een timmerman, brachten ze hun maat Jimmy mee, aan wie ik tot op de dag van vandaag met genegenheid terugdenk. Jimmy was een lange, veel te magere, grauwe man, en hij was treurig, want zijn vrouw was ervandoor, zijn twee kinderen waren volwassen en hij zat alleen. Hij had een akelige hoest en zo'n ingevallen gezicht dat zegt: die maakt het niet lang meer. Die drie hadden al heel vaak samen gewerkt. Ze zaten in de keuken thee te drinken rond de plankiers die ze hadden opgezet om het plafond te kunnen schilderen. Ze vroegen of ik erbij kwam zitten, en zo zaten we over van alles en nog wat te kletsen. Jack en John lieten me allebei afzonderlijk weten dat Jimmy een doodgoeie kerel was, en ze behandelden hem beschermend, met tederheid en zorg. Jimmy deed het timmerwerk in het hele huis, en corrigeerde me vaak als ik iets voorstelde waarvan hij wist dat dat niet goed was. Er was nog een man, Bill Conolly, de elektricien. Ik heb Bill meegemaakt tot aan zijn dood twintig jaar later, en bij tijd en wijle haalde hij nog eens op hoe ze op een keer met ons drieën in de keuken bezig waren en plotseling mijn twee voeten door het plafond zagen steken, want de vloerplanken waren weggehaald zodat er alleen nog gipsplaat lag. We hebben nog jaren om die voeten van mij kunnen lachen.

Lachen deden we trouwens genoeg, en mijn deskundige vrienden, die af en toe kwamen kijken hoe het ermee stond, troffen ons dan met ons allen aan in de keuken en kregen zin om erbij te komen zitten, maar dan zeiden de mannen: 'Tijd om weer aan het werk te gaan,' en gingen ze verder. Ze wisten heel goed dat ik voor ze gewaarschuwd was.

Jack, de dikke piraat, was hartverscheurend om redenen die hijzelf nooit heeft kunnen bevroeden. Hij tekende en schilderde graag, en had elke kamer met plezier opgesierd met friezen van Bambi's en Donald Ducks. Hij was teleurgesteld dat ik dat niet wilde, en vertelde over de huizen die hij met bloemen, konijntjes en roodborstjes had opgevrolijkt. Hij deed me kaarten met stripdieren cadeau. Zodra we gingen zitten, haalde hij potlood en papier voor den dag en begon hij te tekenen. Hij was een kunstenaar, zei hij, maar kende eigenlijk niet de volle betekenis van dat woord, want hij had nooit echte schilderijen, echte kunst, onder ogen gekregen. Hij was nooit naar een galerie geweest. Toen ik zei dat iedereen daar gratis heen kon, kreeg hij een blik die tegelijkertijd schuldig en verwijtend was. Ik liet hem reproducties zien, en hij was vol bewondering, maar niet alsof zoiets met hem te maken kon hebben. Toch hadden zelfs zijn

Mickey Mouzen en Bambi's iets origineels. Als er ooit een onderontwikkeld talent is geweest, is hij het wel.

Maar ik was niet de hele tijd in Charrington Street, want ik zat krap en moest geld verdienen. Ik had nog nooit geschreven om het geld – dat wil zeggen, altijd uit een innerlijke drang of een innerlijk patroon, nog nooit op verzoek of noodzaak van buitenaf. En inderdaad, het verzwakt je echte talent. Want je echte werk, een groeicurve die voor anderen niet te zien is – het punt van groei – dat is het enige ware, en de rest blijft broodschrijverij, hoe knap of hoe succesvol het ook is. Afgezien van een paar korte stukken voor *The New Yorker* had ik nooit geschreven om het geld... Nee, de waarheid gebiedt me om te bekennen dat ik twee keer samen met een vriend die aan de grond zat een uitgesproken commercieel filmscenario heb proberen te schrijven, maar met zo'n ironische houding lukt je dat nooit, en zo waren die valse pogingen op niets uitgelopen. Je verdiende loon, had ik gedacht. Nu zag ik mezelf eigenlijk als een gevallen ziel, en toch mankeerde er niets aan wat ik voor de televisie schreef. Integendeel. Een tijdje later zou ik een van de drie schrijvers zijn die voor Granada Television de Maupassant-reeks deden: samen met de Ierse schrijver Hugh Leonard en Dennis Mackay, die voor Granada werkte. We zaten om een grote tafel te kwartetten met de verhalen. 'Ik wil *Boule de suif*!'

'Nee, die heb ik al.'

'Dan wil ik *The Diamond Necklace*.'

'Ik wil *La Maison Tellier*.' Ons Frans was wel toereikend maar we gebruikten ook Engelse vertalingen.

Het werd een prachtige serie. Granada Television nam in die tijd risico's die geen enkele televisiemaatschappij tegenwoordig nog zou aandurven. Ze hebben een reeks verhalen gedaan van Saki, van A. E. Coppard, Somerset Maugham, Maupassant en anderen, elk van dertien afleveringen van een uur: drie verhalen van een uur en de rest twee of drie verhalen per uur. Regisseurs, spelers, schrijvers en ontwerpers van topniveau. De televisie had zo'n lage dunk van zichzelf dat alle banden zijn gewist. En toch hoorden die series tot het beste wat ooit voor televisie was gedaan. ITV stak zijn nek ook af en toe uit in de tijd. Stella Richman deed prachtige dingen voor ze, met het beste talent dat er voorhanden was. *Half-Hour Story* en *Blackmail* zijn nog steeds niet vergeten. Ook die zijn door ITV vernietigd.

Soms zou je je hoofd in je handen willen leggen en huilen; of janken van verbijstering om dat grootse land van ons. Als er in een willekeurig ander land van Europa televisiefilms van dergelijke kwaliteit waren gemaakt, waren die in ere gehouden, gekoesterd, als nationale schatten voor het nageslacht bewaard. Je zou er speciale festivals voor hebben, zoals we nu festivals voor klassieke zwartwitfilms hebben. En er zouden in ieder geval archieven zijn voor het werk van de beste regisseurs, spelers, ontwerpers en schrijvers van die tijd. Maar nee, dit is Engeland – en dus verdwenen ze in de vuilnisbak.

In Londen wonen zal ruim een derde van mijn inkomen opslokken. En dan nog de tijd die je kwijt bent aan het zoeken naar een geschikt huis, en als je er dan eindelijk een hebt, de eindeloze reparaties, de leidingen, het dak, de ramen enzovoorts – de echte kosten van de huiseigenaar. Is het het waard? Jawel, duizendmaal. Londen is een eindeloze bron van verrukkingen.

De tijd drong, ik moest uit Langham Street weg en het huis was nog niet af. Terwijl de piraten zich aan het echte werk als vloeren en muren wijdden, stonden wij (vrienden, Peter en ik) op stoelen en schragen lagen behang af te scheuren, zeven, acht, negen, tien lagen en meer; de onderste waren Victoriaans, prachtig, zwaar, dik papier. Als je een stapel van dat behang vastpakte, had je zeventig jaar sociale geschiedenis in handen, zeventig jaar aan informatie, maar alle krullen en flarden en rafels belandden in het vuur in de achtertuin, evenals het gebarsten, uiteenvallende linoleum dat ook glanzend en fraai was geweest, en de wormstekige houten vloeren, oude planken en voddige gordijnen. Maar de muren zelf waren stevig, en het schotwerk onder het pleister was nieuw en schoon, en de bakstenen ware fris en nieuw. Het was een solide, serieus huis, gebouwd voor de eeuwigheid.

Nog geen halve kilometer verderop werden straten met soortgelijke huizen afgebroken. Het was het begin van de jaren zestig, de hoogtijdagen van het overheidsvandalisme. Toen ik tegen de piraten zei dat het een ramp was dat die goede huizen verdwenen in wolken van stof en puin, zeiden ze na enig nadenken: ja, nu je het zegt, het zijn net zulke huizen als die in Chelsea; daar hebben we bij onze laatste klus gewerkt, nietwaar Jack? Dat is toch zo, John? Ja, dat klopt, John, wat je zegt, Jack. Die huizen in Chelsea zijn nu onbetaalbaar, tenminste als je niet meer geld hebt dat jij en ik in onze hele leven zullen zien, nietwaar Jack? Dat is toch zo, John? Zo is het, Jack, wat je zegt, John.

Ik liep er vaak heen en zag dan hoe ze die huizen afbraken. Mijn hart schrijnde. Ik heb het huis dat de Sommerfields tot een paradijsje hadden omgetoverd zien neerstorten in wolken van stof. Op die plek staan nu kille, afzichtelijke, grijze woningwetflats, honderden meters aan een stuk.

Ik stond in de pas vernieuwde keuken toen er een ambtenaar van de deelgemeente Camden binnenkwam, een links raadslid was het, en met een minachtend handgebaar naar het kluitje straten om ons heen zei ze: 'Hoe sneller we al deze mensen in de nieuwe sociale woningbouw krijgen, hoe beter.' Waarop ik tegenwierp: 'Maar dit is een oude arbeidersbuurt. Ze wonen hier al tientallen jaren bij elkaar.'

'We ontruimen ze allemaal,' zei ze. 'We gaan alles opschonen.'

Maar wat de mensen uit die buurt wilden (als een ambtenaar de moeite had genomen ernaar te vragen) was dat hun huizen gerenoveerd werden, badkamers en fatsoenlijke wc's erin, de gevaarlijke bedrading vervangen. Ze zeiden: 'We wonen hier al zo lang. Mijn moeder is hier geboren. Mijn kinderen zijn hier geboren.' Dat was een smeekbede aan mijn adres, ik behoorde tot de middenklasse en zou dus wel weten hoe je die dingen oploste, ik kon vast wel ergens invloed uitoefenen. Maar ze hadden het tij der geschiedenis tegen. Overal in dit nobele land van ons zeiden mensen wier harten overliepen van liefde en zorg voor de arbeidersklasse: 'We ontruimen ze allemaal. We gaan alles opschonen.' En dat deden ze dan ook, en waarschijnlijk zagen ze met zorg hoe hun beschermelingen, ergens in een kille, grijze toren opgesloten, ver van hun oude buren, als ratten begonnen te sterven en hoe de een na de ander een beroerte of een hartaanval kreeg. 'Ze willen ons gewoon allemaal kwijt, mop, dat is het,' zei mevrouw Pearce van nummer 58. 'Het spaart ze weer moeite. Dat zien ze graag: wéér een begrafenis.'

De dag dat ik besloot om nummer 60 te kopen, klopte ik bij nummer 58 aan. Tijdens mijn bezoekjes aan de straat en het huis, werd ik vanachter allerlei ramen aan Charrington Street goed in de gaten gehouden. Bij nummer 58 plantte een grote, bleke vrouw met bleek golfjeshaar armen en boezem in de vensterbank en domineerde aldus de straat met haar aanwezigheid. Inmiddels hebben ontelbare wetenschappelijke publicaties ons verlicht omtrent de rol van de matriarch uit de arbeidersklasse die gezin en gemeenschap domineert, en daar had je haar dan, mevrouw Pearce, die mijn buurvrouw zou worden. Het was niet makkelijk om daar aan te kloppen, omdat ik ervan overtuigd was dat zo'n hechte gemeenschap niet om buitenstaanders zat te springen en zeker niet om iemand als ik. Het woord *gentrification* – de opwaardering van een arbeidersbuurt als er mensen uit de middenklasse gaan wonen – was nog niet tot het algemene taalgebruik doorgedrongen. Ik stelde mezelf voor, zei dat ik haar nieuwe buurvrouw zou worden en dat ik hoopte een goede buur te zijn. Dat was geheel volgens de tijdgeest van de joviale jaren zestig, maar ook een bewuste strategie. En ik meende het. Mevrouw Pearce ging in het raam zitten (eindelijk eens met haar rug ernaar toe) en zei: 'Ga zitten, mop. We zijn blij dat jij dat huis eens flink onder handen neemt. Het staat al jaren te verrotten en verkrotten. Dat is toch zo?' Een kleine mannetje, een nietig ventje, maar gespierd, slank en x-benig als een jockey, stemde in: 'Te verrotten en verkrotten,' en grijnsde me een welkom toe. Een oeroude vrouw, geheel in het zwart, die stinkend en zonder tanden rondhobbelde, viel kakelend in: 'Verrotten en verkrotten, verrotten en verkrotten.' Verder was er een hond, van een vrolijk vuilnisbakkenras, die zorgde uit de buurt van iedereens voeten te blijven; hij was het schoonste, mooiste daar in de hele kamer.

'Thee,' beval Lil Pearce en meteen zette het kleine mannetje water op.

'Dat is mijn man,' zei Lil Pearce, 'al is hij dat niet altijd geweest. En dit is mijn vriendin, mevrouw Rockingham.' (Zo heette ze, geloof ik.) 'Ik heb haar van de straat gehaald, uit de goot gehaald. Je lag in de goot, hè?' schreeuwde ze tegen het oudje. 'Ze is doof. Doof en bijna blind. Maar ik zorg voor haar.' Ze boog zich voorover, zette haar handen op haar dijen en schreeuwde: 'Ik zorg toch goed voor je?'

'Ja, ja,' riep het oudje terug, 'je zorgt heel goed voor me.' Ze rangschikte koekjes op een schaal en gooide koekkruimels naar de hond, die ernaar hapte alsof het vliegen waren.

'Let maar niet op haar,' zei Lil. 'Ze is niet goed snik. Je bent niet helemaal goed bij je hoofd,' schreeuwde ze tegen de oude vrouw, die terugschreeuwde: 'Zo is het, mop.'

'En nu vraag jij me alles wat je weten wil, en ik zal het je vertellen,' zei ze. En zo geschiedde. Ze woonde sinds het eind van de oorlog naast nummer 60. De oude vrouw van wie ik nummer 60 had gekocht, was een goede vriendin van haar geweest. Lil was tot in de kleinste details op de hoogte van alles wat er in dat huis gebeurd was – wie er was geboren, wie gestorven, wie ervandoor was gegaan zonder de huur te betalen, alle honden en katten die er gewoond hadden.

Mevrouw Pearce huurde haar huis van de Greater Londen Council, maar onderhield ook ingewikkelde betrekkingen met de Camden Council; in de twee bovenste kamers had ze huurders zitten. Nummer 58 verkeerde in dezelfde staat als 60 toen ik het kocht – gasverlichting, gevaarlijke bedrading, geen badkamer, een akelig wc-tje, en, uiteraard, geen centrale verwarming. Op de benedenverdieping brandde in de voorkamer altijd een open haard, en daar woonden ze ook met z'n drieën.

Lil Pearce was tot de volgende ochtend blijven kletsen, als ik de tijd had gehad, en haar Dickensiaanse kroniek boeide me buitengewoon. Toen ik wegging, zei ze dat ze blij was dat er bij de buren weer wat leven in de brouwerij kwam, en gebood ze de oude vrouw: 'Zeg eens tegen haar dat we blij zijn dat ze er is,' en gehoorzaam schreeuwde het oudje: 'Ja ja, zorg jij maar dat je je thuis voelt, mop.'

Wat Len Pearce betreft, hij is een van de mensen aan wie ik denk als ik mezelf wat wil opvrolijken over de toestand in de wereld en zijn bewoners. Hij staat boven aan mijn lijstje met kandidaten voor de hemel. Het was een goede, vriendelijke, ruimhartige, lieve man, en zijn vrouw behandelde hem als een hond: doe dit, haal dat, pak zus, doe zo. Hij klaagde nooit. Hij had het grootste deel van zijn leven als sjouwer op de markt gewerkt, maar nu was hij te oud en deed hij klusjes voor de gemeente. Hij was analfabeet. Dat hij zo klein en mager was kwam omdat hij het product was van die gruwelijke armoe waarin Engeland tussen de beide wereldoorlogen in zijn arbeiders liet leven. Hij vertelde me dat hij en zijn broers en zusjes vaak de hele dag niets anders te eten kregen dan een boterham met margarine en suiker, en dat hij zonder schoenen naar school moest. Toen hij met Lil trouwde, kreeg hij eindelijk zekerheid, genoeg te eten en voldoende ruimte, maar nu moest hij die ruimte weer delen met mevrouw Rockingham, die incontinent, grof in de mond, en buitengewoon onsmakelijk was, en toch vloog hij ook voor haar als Lil dat gebood. Als mevrouw Pearce, die altijd wist wat ik deed, bijvoorbeeld zag dat ik in de tuin iets probeerde op te tillen wat zij te zwaar voor me vond, brulde ze naar meneer Pearce, die dan meteen met een brede grijns naast me stond: 'Laat mij dat maar doen,' waarop hij me hielp alsof ik hem een gunst bewees. Hij gaf licht, die kleine man, hij gaf licht als een lamp in de duisternis. Net als Jimmy de timmerman. Ik denk nog vaak aan hen terug, dankbaar dat ik ze gekend heb.

Eén keer maar, jaren later, toen Lil door haar ouderdom een echte tiran was geworden, heeft hij iets over de situatie gezegd. Hij zei treurig tegen me: 'Als je Lil gekend had toen ze jong was, zou je nu niet slecht over haar denken. Ik denk altijd aan haar zoals ze toen was. Prachtig was ze. Een prachtige jonge vrouw. Ik zag haar voor het eerst toen ze in de Woolworth de vloer aan het schoonmaken was om brood voor haar kinderen op de plank te krijgen, ze had geen kousen en haar benen waren rood en geschaafd. Ik mocht kousen voor haar kopen, en toen een paar schoenen. Dat was de mooiste dag van mijn leven. Ze zat toen met al die kinderen, en ik mocht haar helpen.'

Lil Pearce wilde graag op de hoogte gehouden worden. Als het haar te lang ging duren voor ik langskwam, drie dagen bijvoorbeeld, zat ze me in het open raam met een gebiedende wijsvinger te wenken. 'Wat betaal jij voor dat fornuis?... Veel te veel. Ik weet er een te staan voor tien pond minder.' Ze haalde de piraten binnen, samen en afzonderlijk, en vertelde hun hoe ze me fatsoenlijk moesten behandelen. Ze vroeg hoeveel ik hun betaalde en liet hun weten dat ik niet slecht voor ze was. Ze liet mij weten dat zij niet slecht voor mij waren en dat ik ze kon vertrouwen. Ze liet de piraten koppen thee brengen, en Jimmy ook als hij er was, met een fles hoestdrank of cake die hij mee naar huis moest nemen, omdat hij niet goed voor zichzelf zorgde. 'Die maakt het niet lang meer,' schreeuwde ze naar het oude mens, 'net als jij.'

'Wat je zegt, mop,' kraste het oudje terug.

Ik heb Lil Pearce gekend tot haar dood, meer dan twintig jaar later. En nooit, niet een keer, ben ik dat huis (en later de gemeenteflat waar ze haar hadden neergepoot) binnengekomen zonder begroet te worden door rampverhalen. Het is begonnen bij mijn tweede bezoek. 'Het is mijn borst,' kondigde ze aan. 'Ik heb een abces. Zo groot als een sinaasappel. Ze gaan het eruit snijden.' En uit haar jurk vanonder de cretonnen schort trok ze een lange, witte, dikke zak van een borst te voorschijn. 'Moet je kijken, zie je die bult daar?' Of ze hadden de meter gelicht en drie maanden stroomgeld gestolen, of de kat had wormen, of de hond z'n oor was gescheurd, of ze was op de achterkamer boven door de vloerplanken gezakt, omdat ze rot waren en de gemeente ze niet wilde laten maken, of ze had boven het fornuis een pan willen pakken en had de zware steelpan op haar hand gekregen – zie je die blauwe plek? Je kon eenvoudig niet bij Lil Pearce op bezoek zonder een ramp te horen die haar, mevrouw Rockingham of een van haar kinderen (altijd ziek of anderszins een bron van zorgen) was overkomen. Ik vertelde het aan mijn vrienden, eerst zenuwachtig – want ik kon maar moeilijk aan zo'n pechniveau wennen – en als ze haar naam hoorden, vroegen ze al: 'Wat nu weer?' Hoe kon één enkel mens zo'n opeenstapeling van tegenspoed verdragen? Maar Lil Pearce sloeg zich erdoorheen, jaar in jaar uit. Het was allemaal begonnen omdat ze een onwettig kind was, een 'liefdesbaby' was ze, en daarom had haar moeder een hekel aan haar gehad en wilde ze haar geen eten geven, maar haar oma hield wel van haar en daarom was ze niet van verwaarlozing gestorven. 'Daarom zorg ik ook voor mevrouw Rockingham, snap je? Ik wil het mijn oma vergoeden.'

Als ik daar zat, moest ik mezelf altijd uit alle macht in bedwang houden, want ik kon zo'n lachbui voelen opwellen dat ik mijn gezicht bijna niet in de plooi hield. Ze was uit bed gevallen en had haar pols verzwikt. Haar dijen zagen bont en blauw omdat haar aderen zo makkelijk sprongen. De hond had een blad kokende thee omgegooid, in haar schoot, zodat ze nu haar jeweetwel verbrand had. Haar knieën waren versleten en de dokter zei dat er niets meer aan te doen was; ze had haar portemonnee verloren, met al het geld van de huur erin; ze was gerold bij de kruidenier, maar gelukkig had ze alleen maar een pond gehad; ze had net gehoord dat haar zoon een vreselijke operatie moest ondergaan. Geloof me, van Lil Pearce heb ik geleerd hoezeer de wortels van tragedie en komedie verstrengeld zijn, want ik merkte hoe er bij elk naargeestig detail uit dat dramatische, door het lot getekende gelaat hulpeloos, hysterisch gelach in me opsteeg zodat ik snel met een smoes de deur uit moest rennen naar mijn eigen huis, waar ik me met mijn hoofd op mijn armen op de keukentafel liet gaan in geschater. Ze verzon die dingen nooit, het was allemaal echt gebeurd. Er zijn mensen die op een roltrap met het bordje RAMPSPOED stappen en daar nooit meer van af komen, of misschien zijn ze afgestemd op een golflengte van pech – zo was het in ieder geval bij Lil Pearce.

'En zo zat ik tijdens de bombardementen met de drie kleintjes, en de bom sloeg vlakbij in, op de hoek, en de kinderen kregen de klap precies over zich heen en ik kreeg mijn ogen vol kalk, maar in het ziekenhuis zeiden ze dat ze die avond veel ernstiger gevallen te verzorgen hadden en gaven ze me een paar aspirientjes mee. Maar de schuilkelder stond vol water en daarom moesten we onder het bed gaan schuilen, ik en de kinderen, terwijl de bommen op ons vielen en toen viel het dak op het bed en...' Maar we hebben hier te maken met de exponentiële toename van rampspoed die kenmerkend is voor zulke uitzonderlijke pechvogels, en dus gaat het relaas verder: '... en toen kreeg ik een snee in mijn gezicht van een beddenveer en we zaten onder het bloed en hadden geen andere kleren meer om aan te trekken, alleen die met dat bloed en toen het blokhoofd van de luchtbescherming ons de volgende ochtend zag zei hij: vlug naar het ziekenhuis, Lil, maar ik zei: het is te laat, Ron, te laat voor het ziekenhuis, want dat had geen tijd voor ons toen we gisteravond hulp nodig hadden, aspirine, dat kon ik krijgen, en wat we nu wel goed kunnen gebruiken is een lekkere kop warme thee, maar de gasleiding is stuk en ik kan mijn kinderen niks geven en bij het fornuis kan ik niet, want daar is een kast overheen gevallen, en mijn pols is verdraaid door die klap en ik kan met geen mogelijkheid zelf die kast verschuiven. En Ron zei, Lil, zei hij, jij bent een echte heldin, dat heb ik altijd al gezegd, maar nu moet je toch echt uit dat huis vandaan, want je kan het ieder ogenblik op je harses krijgen. Waar moeten we dan naar toe? vroeg ik. Normaal zou ik zeggen, naar de kerk, zei hij, daar krijg je soep en brood, maar de kerk heeft de grootste klap opgevangen dus moet je maar de bus naar de grote schuilkelder nemen, maar ik zei tegen hem, Ron, zei ik, ik heb geen rooie cent meer, want de bominslag heeft mijn portemonnee uit mijn handen geslagen...'

Als ik zo'n relaas doorvertelde, probeerde ik op het gezicht van mijn vrienden het moment te vangen waarop een blik van knagend schuldgevoel verried dat ze zich afvroegen hoe ze zo hardvochtig waren geworden dat ze om zo'n verhaal moesten lachen.

Hoe ze ook in de problemen zat, Lil bleef een hulpvaardig oogje op haar buren houden. Ze stuurde John of Jack maar me toe met de mededeling dat ze gehoord had dat ik aan geel behang dacht voor de achterkamer op de bovenverdieping, maar dat die kamer urenlang zon had op een mooie dag, zodat ik behang moest nemen dat daartegen kon; of ze riep tegen me als ik op straat langsliep dat ze zag dat de loodgieters de nieuwe afvoer aan het graven waren op de plek waar de honden lagen, precies op die plek lagen zes honden begraven, ik moest maar oppassen dat de botten niet in de vuilnisbak belandden, anders kwam de politie nog vragen stellen. Of ze sleepte zich over straat en mijn trap op met haar twee stokken vanwege haar versleten benen, om bij mij aan te kloppen omdat ze van de groenteboer op de hoek had gehoord dat hij de dag daarop naar Covent Garden ging en dan kon hij mooi dat speciale fruit meenemen waar ik om gevraagd had. 'Knoplook was dat toch? Dan moet je nu even naar hem toegaan, mop, en zeggen wat je hebben wil; voor mij doet hij dat wel.'

De geplande verhuisdatum lag nog maar een paar dagen in het verschiet en ik kreeg rodehond. Op de een of andere manier moeten mensen altijd lachen om 'rodehond'. Roodvonk is ernstig, dan vindt iedereen je zielig, maar rodehond vinden ze grappig. Hoe dan ook, ik heb het twee keer gehad, en allebei de keren hevig, met akelige uitslag over mijn hele lijf, koorts en hoofdpijn. Ik kroop in een verduisterde kamer in bed en lag te wachten, nadat ik de piraten had opgebeld dat ze maar gewoon verder moesten gaan. Ik bevond me diep in de donkere oceaan van ellende die ziekte heet toen er werd aangebeld. Vloekend wankelde ik naar de deur; er stond een jonge vrouw op de stoep met een knorrig gezicht, kwaaie ogen en een baby in een wandelwagentje dat ze al die trappen op had moeten hijsen. Ik zei dat ik rodehond had en dat dat gevaarlijk voor haar was: ze was zwanger. Dat negeerde ze. Het onvermijdelijke lachje werd door haar woede vervormd tot een spotgrijns. Ze zei: 'Ik kom geld vragen. U bent rijk en succesvol en ik heb het nodig.' Ik antwoordde naar waarheid dat ik op dat moment bijzonder slecht bij kas zat. 'Wat een smoes,' zei ze. Zelden heb ik iemand onsympathieker gevonden. 'Ik heb het nodig voor mijn kinderen.' Ze wilde vijfhonderd pond. Tenminste, dat geloof ik, het probleem is dat de waarde van het geld zo veranderd is. In ieder geval was het zoveel dat ik er extra voor moest lenen. Nog geen paar weken later betaalde ik tien pond voor een schilderij dat ik aan een vriend wilde geven en raakte ik in paniek omdat ik me dat eigenlijk niet kon veroorloven. Misschien was het dus wel vijftig pond, of honderd. Later heb ik aan de steenrijke, beroemde oom van die jonge vrouw geschreven of hij me het geld niet wilde vergoeden, maar hij zei dat hij niet inzag waarom.

Dit is allemaal minder eenvoudig dan het lijkt.

In het donker, met tranende ogen, doodziek, overwoog ik bepaalde feiten. Ik was nogal vrijgevig, makkelijk uit te melken. Daar waren goede redenen voor. Allereerst mijn ouders, die zelfs in hun allerarmste tijd tien procent aan liefdadigheid gaven, zoals de bijbel voorschreef. Ik kan me nog wel gesprekken over die tien procent herinneren.

Mijn vader, kriegel, met een lachje: 'Maar we hebben niet eens een inkomen. Als het geld voor de oogst binnenkomt, gaat het meteen naar de Land Bank om een deel van onze schulden af te lossen.'

Mijn moeder: 'Tja, zo zou je kunnen zeggen dat we nooit inkomsten hebben, maar dat betekent niet dat we nooit iets hoeven te geven.'

Moest mijn vaders oorlogspensioen meegeteld worden als ze die tien procent uitrekenden? En het geld dat zij verdiende met de verkoop van kippen en eieren aan de winkel in Banket?

Ze gaven elk jaar geld aan de *League for Distressed Gentlewomen*, aan een hulpfonds voor behoeftige zeelui, en aan een noodfonds voor de nabestaanden van soldaten uit de Eerste Wereldoorlog. Ze zeiden tegen mij dat ik tien procent van mijn zakgeld moest geven, van het geld dat ik verdiende met de parelhoenders die ik naar de winkel bracht, en van het geld dat ik verdiende met het schrijven van advertenties. Ik voelde me eeuwig schuldig omdat ik dat niet deed: maar ik was immers tot de conclusie gekomen dat God niet bestond?

Sinds ik dat fatsoenlijke burgerbestaan vaarwel had gezegd, en bij Frank Wisdom was weggegaan om me bij de kameraden aan te sluiten, had ik onder vrijgevige mensen verkeerd: ik heb communisten nooit anders meegemaakt dan gul. En mijn eerste tijd in Londen viel samen met de algemene afkeer van geld die er toen heerste, waarschijnlijk omdat geen van ons het had. Zodra ik geld was gaan verdienen, hadden mensen mij om 'leningen' gevraagd. Vaak waren dat jonge mannen. Arme jonge mannen worden vaak door oudere vrouwen geholpen, en zo hoort het ook, want het is voor beide partijen een psychische behoefte, die overigens niet per se met seks heeft te maken. Ik kon inmiddels een aardige lijst van 'schuldenaren' maken als ik dat gewild had. Daar had ik absoluut geen spijt van, maar ik was woedend op mezelf dat ik die nare jonge vrouw iets had gegeven. Maar ik had niet anders gekund, en daarom lag ik nu ziek en warm en kwaad in het donker mijn karakter te overdenken. Het is niet zo moeilijk om tientallen jaren later allerlei prachtige inzichten over je jeugdige karakter neer te pennen, maar ook toen al kreeg ik iets fundamenteels over mezelf in de gaten. Dat is me een paar keer in mijn leven overkomen, dat me even iets daagde over mezelf lang voordat ik het echt zou begrijpen. Ik heb toen ter plekke besloten dat als dat dan een karakterzwakte was die ik nu eenmaal had, dat ik die dan tenminste onder controle kon houden. Als ik eenmaal op orde was in het huis, zou ik iemand kiezen voor wie ik verantwoordelijk wilde zijn: dat zou dan mijn keuze, mijn besluit zijn, ik zou het heft in handen nemen: actief handelen in plaats van reageren. Het zou een groot huis worden – dat vond ik toen. Peter gedroeg zich als vijftien-, zestienjarige al zoals alle jongeren in de jaren zestig: soms was hij een soort pleegkind, een geliefde extra huisgenoot in andere gezinnen, net zoals zijn vrienden dat bij mij waren en niet bij hun eigen ouders. Dat huis zou binnen de kortste keren vol pubers zitten.

Het voorval met de onsympathieke jonge vrouw voorspelde meer dan ik toen kon weten. Allereerst haar houding, die algehele, grauwende minachting. Ze was de vleesgeworden afgunst en rancune; dat begon me toen al te interesseren en die interesse is sindsdien alleen maar sterker geworden. Ze had duidelijk het gevoel dat haar iets beloofd was wat ze niet had gekregen. Voor hele generaties jongeren was dit een eerste drijfveer. 'Ze hebben iets van me afgepikt waar ik recht op had.' En deze vrouw, met haar vaderloze kindertjes, was slachtoffer, enkel slachtoffer; haar situatie had niets te maken met een fout van haarzelf, zij had het recht de wereld te minachten. Haar bestaan alleen al was een aanklacht, en ja, het begon mij net te dagen hoeveel van hetgeen ikzelf zei en vooral dacht, datzelfde was: een aanklacht. *J'accuse.* Ik beschuldig de wereld.

En dan ook nog de manier waarop ze me toesnauwde: 'U bent rijk en succesvol.' Ze had mij uitgekozen omdat mijn naam in de krant had gestaan. Daar had je 'm weer, onze nationale kwaal, afgunst: de kop die boven het maaiveld uitsteekt, moet rollen.

Ik verhuisde. Fluitje van een cent. Net als vroeger – dat wil zeggen toen ik met Frank Wisdom en later Gottfried Lessing was, en we voortdurend verhuisden zonder onze hand ervoor om te draaien – ik nam mijn boeken mee, een paar bedden, een tafel, beddengoed, de gordijnen, keukenspullen. Al het lelijke meubilair liet ik staan.

Goed. Dat waren de jaren vijftig, zoals ik dat tijdperk heb ervaren, en dat aan beide uiteinden wat uitpuilde – 1949 tot 1962 – zoals dat nu eenmaal met decennia gaat. Ik ben in de herfst van 1962 in het nieuwe huis getrokken. Het was vlak voor de beruchte winter van '62-'63, met die intense koudeperiode van zeven weken. Ook was er nog één vreselijke smog, wel niet zo erg als die uit de slechte oude tijd van voor de wet op de luchtverontreiniging, maar mijn stralend witte muren hebben wel hun maagdelijkheid verloren. Niet doordat de nieuwe kozijnen slecht gemaakt zouden zijn, maar ik kon niet tegen dichte ramen. Alle leidingen in de hele straat en in alle andere straten van Somers Town bevroren, behalve die van mij, dus leverde ik nummer 58 ook water toen de door de waterleiding geïnstalleerde standpijp op de hoek ook bevroor. In mijn boekje *Particularly Cats* [vertaald als *In 't bijzonder katten*] heb ik over die koudeperiode geschreven.

Ik heb een groot, luidruchtig inwijdingsfeest gegeven en alle mensen uitgenodigd die aan het huis hadden gewerkt. Op het hoogtepunt van de feestvreugde kwam de man van drie huizen verderop me op straat staan uitschelden. Ik dacht:

tja, je woont nu in een arbeidersbuurt, pas je aan, meid; dus plantte ik mijn handen in mijn zij en begon op het trapje tegen hem te schreeuwen dat hij zijn mond moest houden en niet zo'n spelbreker moest zijn, en anders kwam hij er toch gewoon gezellig bij?

Peter en zijn vriend, die getuige waren van dit weinig damesachtige gedrag, vonden het vreselijk.

'Goed zo, mop,' zei Lil Pearce vanuit haar raam. 'Dat hoef je van die ouwe zuurpruim niet te pikken. En binnenhalen hoef je hem al helemaal niet.'

Een paar maanden later kreeg ik van de gemeente een aanzegging van gedwongen verkoop. Dat wil zeggen dat je je huis moet verkopen aan de eerste de beste overheidsinstantie die dat eist. Ik heb het bijna tot aan het eind van de jaren zestig weten te rekken, maar toen kwam de dag waarop ik met een ambtenaar in een lege kamer stond en de sleutels moest overhandigen. Ik bleef de dochter van mijn moeder en had het huis niet kunnen afstaan als het niet brandschoon was en het was dan ook van boven tot onder geschrobd. De man complimenteerde me in zijn rol van montere ambtenaar met het schone huis.

Zodra we onze hielen hadden gelicht, verschenen de gemeentewerklui die een straat verderop bezig waren en haalden alle radiatoren, leidingen en boilers uit mijn huis. Lil Pearce belde eerst mij en toen de gemeente. Die zette toen bewaking neer bij de voorkant van het huis, van 's avonds zes tot 's ochtends zes, dag in dag uit, maar de achterkant van het huis lieten ze open, zodat de werklui bleven binnenkomen om alles wat de vorige keer was achtergebleven alsnog in te pikken. Dit heeft weken zo geduurd. Toen Lil Pearce de gemeente vertelde dat de dieven het huis binnenkwamen langs de onbewaakte achterkant, en dat dat hun eigen werklui waren, kreeg ze te horen dat de zaak onderzocht zou worden.

Het huis heeft acht jaar leeggestaan. Onderwijl bedacht de gemeente wat ze met de buurt aan wilde, en bleef ze voortdurend van gedachten veranderen. Ik had er een rechtszaak van kunnen maken, maar welk mens met een gezond verstand haalt zich zoiets op de hals? Ik woon nu meer dan dertig jaar in diezelfde deelgemeente Camden Town, en heb verblindende staaltjes van incompetentie en corruptie meegemaakt. Ik begon op te schrijven wat ik zag – een Aanklacht – te beginnen met de behandeling van de mensen in de wijk Somers Town, die tegen hun wil geherhuisvest werden. Vervolgens kwam ik niet onder de vraag uit: vanwaar die obsessie van mij? En ik begreep dat dit een beroemde socialistische deelgemeente was, die zich op de borst sloeg, net als de communistische landen, brallend en arrogant; maar net als met de dronken opschepper die zich chic heeft opgedirkt maar een detail heeft vergeten, piepte de waarheid te voorschijn: een harig, rood, pukkelig, stinkend achterwerk. Waarom had ik ook iets beters verwacht? Vanwege dat woord 'socialistisch' natuurlijk. Zou ik dit verbitterde relaas ook houden als het om een conservatief gemeentebestuur ging? Natuurlijk niet, dan was het *Wat kun je ook anders verwachten?* geweest. En zo:

basta. Genoeg. Mensen van mijn leeftijd raken voortdurend in deze situatie verzeild. Een jonger iemand kijkt je aan en probeert zijn ongeloof te verbergen. De tactvolle vraag, vol gêne: 'Maar Doris – had je dan echt gedacht dat een socialistisch gemeentebestuur het beter zou doen dan een conservatief? Dat begrijp ik niet helemaal.' Wat hij of zij wel begrijpt, is dat je daar weer zo'n ouwe taart met waanideeën hebt. En jij begrijpt dat er, voor de zoveelste keer, tientallen jaren (eeuwen) van idealisme, van optimisme, in rook zijn vervlogen.

We stonden nog steeds met z'n allen op de roltrap VOORUITGANG; de hele wereld op weg omhoog naar welvaart voor iedereen. Werd dat montere optimisme toen door iemand aangevochten? Dat kan ik me niet herinneren. Aan het eind van een eeuw vol grootse revolutionaire romantiek, gruwelijke offers omwille van paradijzen en hemels op aarde en het wegkwijnen der staat; vurige dromen van utopia's, sprookjeswerelden en volmaakte steden; pogingen tot communes en kolchozen – zou iemand van ons na dat alles geloofd hebben dat de meeste mensen op aarde al blij zouden zijn met een béétje eerlijkheid, een béétje competentie van hun regering?

In de jaren zestig heb ik een jaar of zes mijn betrokkenheid bij de tijdgeest bewezen door 'pleegmoeder' te worden voor pubers of jongvolwassenen die of daadwerkelijk hun intrek namen in Charrington Street 60, of er af en toe binnenvielen. Ze hadden allemaal problemen, waren 'gestoord', of aan de drugs, of aan de alcohol, of hadden een ernstige inzinking, of een strafblad. Dat was voor die periode mijn 'punt van groei', dat deed ik, al schreef ik ook veel, met name *De stad met vier poorten.*

De jaren zestig worden als een roemruchte periode beschouwd; en naar mijn mening soms ten onrechte als de tijd waarin allerlei gedragingen zijn ontstaan die in feite uit de jaren vijftig of nog eerder stammen. Maar één ding stamt inderdaad uit die tijd: het drugsgebruik. Drugs kwamen uit het Oosten, voor iedereen verkrijgbaar, en dat was in onze cultuur nooit eerder gebeurd. Ik ben ervan overtuigd dat de tijd zal leren (door het perspectief dat je pas krijgt als er genoeg tijd is verstreken) dat dát het belangrijkste aspect is geweest van de jaren zestig. 'Drugs kunnen eigenlijk niet veel kwaad.' Er zijn nog steeds mensen die dat beweren. Een vriend uit Centraal-Azië zei toen al: 'Jullie hebben in het Westen die drugs nog niet meegemaakt. Het is allemaal nieuw voor jullie. Net een kind dat een slang probeert te aaien: kijk eens wat een mooie, lieve slang. Als jullie in een cultuur waren opgegroeid waar drugs al eeuwen voorkomen, zouden jullie beseffen dat alleen de mislukkelingen en de hopeloos armen aan de drugs zijn.'

Mijn kijk op de jaren zestig wordt vervormd door wat ik heb meegemaakt. En we leven nu in de nasleep ervan. Al die mensen die in psychiatrische inrichtingen en gevangenissen beland zijn; die plotselinge stiltes die vallen als er wordt teruggedacht aan iemand die zelfmoord heeft gepleegd; elke week weer een nieuw bericht van een veel te vroege dood.

Maar dat is de sombere visie, van de schaduwzijde van de straat, want vorige week nog heb ik een man van middelbare leeftijd horen zeggen: 'Het was de tijd waarin alles mogelijk was, wij gingen bergen verzetten, wij gingen de wereld veranderen. En wat de mensen vergeten is dat er een enorme golf van energie uit de arbeidersklasse en de lagere middenklasse kwam – dat kwam door de *grammar schools.* Overal waar je keek, had je die jongens van de grammar school, jongens als ik, die vaak in de kunst of de literatuur terechtkwamen. Het was de eerste keer dat er in dit land zoiets gebeurde.'

Maar doorgaans als ik iemand met nostalgie over de jaren zestig hoor praten ('Als je het nog weet, ben je er niet bij geweest') schiet me een regel te binnen van een gedicht dat ik als meisje heb geschreven: '*When I look back I seem to remember singing*.' Ja, daar komt het wel ongeveer op neer.

OVER DE SCHRIJFSTER

Doris Lessing is in 1919 geboren uit Engelse ouders en is op haar vijfde met haar ouders en broertje naar Zuid-Rhodesië verhuisd. In 1949 is ze naar Engeland gegaan en daar woont ze nog steeds. Ze heeft meer dan dertig boeken geschreven – romans, korte verhalen, reportages, gedichten en toneelstukken. Tot haar meest recente werk behoren *Terug naar de liefde* en *Onder mijn huid*, het eerste deel van haar autobiografie. Doris Lessing woont in Londen.